Helmut Kistler
Die Bundesrepublik Deutschland
Vorgeschichte und Geschichte
1945—1983

Helmut Kistler

Die Bundesrepublik Deutschland

Vorgeschichte und Geschichte 1945—1983

mit Beiträgen von:
Fritz Peter Habel, Peter Hüttenberger,
Heinz Lampert und Hans-Joachim Merk

Sonderauflage der
Landeszentrale für politische Bildung Rheinland-Pfalz

1985

ISBN 3-923423-38-1

Herausgeber:
Bundeszentrale für politische Bildung, Bonn

Redaktion:
Horst Pötzsch und Hannegret Homberg

Gesamtherstellung:
Grenzland Druckerei Rock & Co., 3340 Wolfenbüttel

Sonderauflage der
Landeszentrale für politische Bildung Rheinland-Pfalz
Am Kronberger Hof 6, 6500 Mainz

Inhalt

DIE BUNDESREPUBLIK DEUTSCHLAND 1949 — 1955

DIE BUNDESREPUBLIK DEUTSCHLAND 1955 — 1966

DIE BUNDESREPUBLIK DEUTSCHLAND 1966 — 1974

Die Große Koalition 1966 – 1969

Die sozial-liberale Koalition 1968 – 1974

DIE BUNDESREPUBLIK DEUTSCHLAND 1974 — 1983

Die Regierung Schmidt/Genscher bis zur Bundestagswahl 1976

Vorwort

In diesem Band sind die fünf Ausgaben der „Information zur politischen Bildung" zur Entstehung und zur Geschichte der Bundesrepublik Deutschland zusammengefaßt. Die von der Bundeszentrale für politische Bildung herausgegebenen „Informationen" sind in erster Linie für die Verwendung in den Schulen bestimmt. Sie können dem Lehrer zur Vorbereitung seines Unterrichts dienen, werden aber vielfach auch Schülern der Sekundarstufe II in die Hand gegeben und beispielsweise als Grundlage für Referate benutzt. Für diese Verwendung ist ein Zeitschriftenformat am zweckmäßigsten. Für den Benutzer, der die Darstellung zum Nachschlagen verwenden und sie rasch zur Hand haben will, ist das DIN-A4-Format weniger handlich. Die Bundeszentrale hat sich daher entschlossen, die Geschichte der Bundesrepublik für diesen Interessentenkreis in broschierter Form herauszubringen.

Der Text ist nahezu unverändert geblieben. Lediglich die Vorbemerkungen und die Schlußworte der fünf Einzelhefte sind zusammengefaßt worden bzw. entfallen; an einigen Stellen sind Ergänzungen eingefügt worden. Neu aufgenommen wurden eine Reihe von zeitgenössischen Texten für den Zeitraum von 1945—1949, die die Situation der Menschen in der Not der Nachkriegszeit anschaulich werden lassen. An einigen Wendepunkten der Geschichte der Bundesrepublik Deutschland entzündeten sich politische Kontroversen, die zumeist später in der wissenschaftlichen Diskussion fortgesetzt wurden, so an der sogenannten Stalinnote von 1952, an der Entscheidung über die Westbindung und Wiederbewaffnung und an der Ostpolitik nach 1969. Stimmen aus der damaligen politischen Debatte und aus der späteren wissenschaftlichen Diskussion, die die unterschiedlichen Positionen in diesen Kontroversen markieren, wurden aus den „Informationen" übernommen und teilweise ergänzt. Im wesentlichen unverändert geblieben sind auch Bildmaterial, Karten und Graphiken. Ein Personen- und Sachregister wurde angefügt.

Es soll nachdrücklich betont werden, daß diese Geschichte der Bundesrepublik Deutschland nicht mit den immer zahlreicheren wissenschaftlichen Werken, von denen eine Auswahl im Literaturverzeichnis aufgeführt ist, konkurrieren will. Die Darstellung bezieht zwar diese Ergebnisse ein und baut auf ihnen auf, sie wendet sich jedoch an Adressaten, die an einem verläßlichen orientierenden Überblick interessiert sind: Sie soll der politischen Bildung eines breiten Leserkreises dienen.

Das Direktorium der Bundeszentrale für politische Bildung

Franklin Schultheiß   Horst Dahlhaus   Dr. Gerd Langguth

Vorbemerkung

Zum Problem der Periodisierung

Für das erste Jahrzehnt der deutschen Nachkriegsgeschichte lassen sich eindeutige Entwicklungsabschnitte festlegen:

● Im Jahr 1949 endet mit der Gründung der Bundesrepublik Deutschland die Periode der absoluten Besatzungshoheit und der Zergliederung Westdeutschlands in Besatzungszonen.

● Das Jahr 1955 bedeutet insofern einen wichtigen Einschnitt, als nunmehr der Staat die volle Souveränität gewinnt. Damit war ein Jahrzehnt nach Beendigung des Zweiten Weltkrieges für den Bereich der Bundesrepublik Deutschland ein selbständiges, unabhängiges Staatswesen vorhanden, das zu diesem Zeitpunkt bereits durch seine innere politische Stabilität, seine wirtschaftliche Leistungskraft und sein internationales Ansehen charakterisiert war.

Daten vom Rang der Jahre 1945, 1949 und 1955 gibt es für die folgenden drei Jahrzehnte der Geschichte der Bundesrepublik Deutschland nicht. Natürlich kommen Einschnitte im Verlauf der allgemeinen Entwicklungslinien vor, gekennzeichnet durch mehr oder weniger markante Veränderungen, zum Beispiel:

● 1963, das Jahr des Rücktritts von Bundeskanzler Adenauer

● 1966, das Jahr der Bildung der „Großen Koalition" aus CDU/CSU und SPD

● 1969, das Jahr der Gründung der Sozialliberalen Koalition aus SPD und FDP

● 1974, das Jahr des Rücktritts von Bundeskanzler Brandt (wegen der Spionageaffäre Guilleaume) und der Übernahme der Kanzlerschaft durch Helmut Schmidt

● 1982, das Jahr des konstruktiven Mißtrauensvotums, mit dem Bundeskanzler Schmidt gestürzt und Helmut Kohl zum Kanzler einer christlich-liberalen Regierungskoalition (CDU/CSU und FDP) gewählt wurde.

Zur Darstellungsmethode

Die Darstellung von Entwicklungsabläufen im zeitgeschichtlichen Bereich ist aus mehrfachen Gründen eine schwierige Unternehmung:

● Es ist nicht unproblematisch, aus kurzer zeitlicher Distanz einen historisch-politischen Vorgang zu betrachten, da die darzustellenden Ereignisse in ihrer Fortwirkung noch im Fluß sind und folglich eine Entscheidung über Stellenwert und Rang der Details überaus schwierig ist.

● Die Menge des Materials, das in der ganzen Breite der zeitgenössischen Publizistik vorliegt, führt zwangsläufig zu Komplikationen bei der Auswahl.

● Schließlich ist der Autor als Miterlebender und eventuell Mithandelnder selbst in die Vorgänge miteinbezogen, so daß die an sich unabdingbare Objektivität der Darstellung nicht immer gewährleistet sein kann.

Aufgrund des allgemeinen Interesses ist es aber unmöglich, die Information über ein historisches Ereignis bzw. einen historischen Vorgang so lange aufzuschieben, bis die Schwerpunkte und die Kriterien der Beurteilung wissenschaftlich erarbeitet worden sind. Erfahrungsgemäß sind die zeitnächsten Geschehnisse für die aufgeschlossenen Bürger gerade die attraktivsten, weil hier der Zusammenhang mit ihrem eigenen Leben offenkundig ist und die aktuelle Bedeutung nicht erst mehr oder weniger mühsam bewiesen werden muß.

Der Ausweg aus dem Dilemma von notwendiger, aber doch nur schwer zu leistender objektiver Darstellung kann nur sein, bei aller Konzentration auf die vermutlichen Grundlinien doch so viele Einzelheiten wie räumlich möglich zu liefern, um einerseits Basisinformationen zu bieten und andererseits dem Leser noch Spielraum für mögliche andere Akzentsetzungen im Rahmen der vorliegenden Materialien zu belassen.

Für die Darstellungsmethode bieten sich grundsätzlich zwei Wege an:

— Man könnte die einzelnen politischen Bereiche in Längsschnitten über den gesamten Zeitraum hinweg bearbeiten. Dieses thematisch-chronologische Verfahren hätte den Vorzug, die Entwicklungslinien im einzelnen Bereich kontinuierlich verfolgen zu können; der Nachteil läge in den notwendigen Wiederholungen der politischen Rahmenbedingungen bei den verschiedenen Themen, um den Erklärungszusammenhang jeweils erneut herzustellen.

— Auch eine nach Regierungsabschnitten gegliederte Darstellung mit chronologischer Ablaufbeschreibung käme in Betracht. Sie könnte aufgrund der synoptischen Darbietungen die Ereignisse relativ genau entsprechend dem tatsächlichen Geschehnisablauf nachzeichnen; allerdings würden Hauptlinien der Entwicklung in der Fülle der aus den verschiedenen politischen Aktionsbereichen stammenden Details kaum noch sichtbar gemacht werden können.

Aufgrund dieser Überlegungen wurde eine kombinierte Darstellungsweise gewählt:

— Die Regierungsphasen bilden die Hauptabschnitte.

— Ihre Binnengliederung erfolgt nach den Themen Außen-, Deutschland-, Innen-, Wirtschaft- und Gesellschaftspolitik, wobei die Rangfolge der Bedeutung durch die entsprechende Plazierung angedeutet werden kann.

— Die Gliederung in Regierungsphasen erlaubt es, jeweils die komplexe und durch die verschiedenen Querverbindungen zwischen den politischen Teilbereichen gekennzeichnete Situation einigermaßen deutlich zu machen.

Die Entstehung
der Bundesrepublik Deutschland

I. Die alliierten Deutschlandplanungen während des Krieges

Die Kriegsgegner des Deutschen Reiches befaßten sich während des Krieges auf mehreren Konferenzen mit den zentralen Fragen

- Was soll mit dem Deutschen Reich als Staatswesen und mit seinem Territorium geschehen und

- wie soll das deutsche Volk behandelt werden?

Die Westalliierten Amerika und Großbritannien erörterten diese Probleme mehrfach allein und dann im Verbande der „Großen Drei" gemeinsam mit der Sowjetunion. Frankreich kam erst später hinzu. Die Idee, das besiegte Deutschland durch britische, amerikanische und sowjetische Truppen zu besetzen und seine Industrie international überwachen zu lassen, ist wohl von US-Außenminister Cordell Hull zum erstenmal 1943 in Moskau vorgeschlagen worden. Diese Absichten blieben bestehen. Doch eine weitergehende Einigung über die Besatzungspolitik und das Schicksal Deutschlands kam auf den Kriegskonferenzen der Alliierten — zuletzt im Februar 1945 in Jalta — nie zustande. Die Hauptkriegführenden waren ideologisch und in ihren jeweiligen Interessen zu sehr voneinander verschieden. Besonders Amerikas Präsident Franklin D. Roosevelt war um der guten Laune des Kriegsverbündeten Stalin willen zu Zugeständnissen bereit.

An seiner Forderung nach „bedingungsloser Kapitulation" des Deutschen Reiches hielt Roosevelt allerdings seit der Konferenz von Casablanca im Januar 1943 unverrückbar fest. Der britische Kriegspremier Winston Churchill hatte demgegenüber mit seiner Vorstellung, der Westen müsse sich schon im Kriege gegenüber der Sowjetunion möglichst viele Faustpfänder verschaffen (z. B. Berlin, Sachsen, Thüringen) keine Chance. Bei der Übernahme der obersten Regierungsgewalt in Deutschland im Juni 1945 waren sich die Alliierten eigentlich nur über die Prinzipien der Besatzungspolitik einig, die mit den vier großen D umschrieben waren: Denazifizierung, Demilitarisierung, Demokratisierung, Demontage.

1. Amerikanische Vorstellungen

Präsident Roosevelt war zwar von der Notwendigkeit der Selbstbestimmung und Unabhängigkeit der Völker und vom Fortschritt für die vom Nationalismus und Kolonialismus unterdrückten Nationen überzeugt, andererseits aber richtete er seine Außenpolitik auch nach den Grundsätzen amerikanischer Sicherheitsinteressen aus. Für ihn galt das Denkschema, daß die USA bedroht seien, sobald eine expansiv sich gebärdende Großmacht auf dem europäischen Kontinent oder in Ostasien auftrat. Angesichts des Dritten Reiches vermochte Roosevelt seine Ideale mit seinen pragmatischen Vorstellungen gut zu verbinden. Anders stellte sich die Lage für ihn in dem Augenblick dar, in dem Deutschland besiegt war. Förderte nicht der Niedergang des Reiches den Aufstieg der Sowjetunion zu einer Großmacht? Konnten die USA schon während des Krieges Maßnahmen zur Eindämmung der Sowjetunion ergreifen, ohne das Mißtrauen dieses wertvollen Verbündeten hervorzurufen? Roosevelt dachte also nicht nur im Rahmen einer europäischen, sondern einer weltweiten Gleichgewichtspolitik. Danach sollten die Sowjetunion und Großbritannien als Rivalen gegeneinander ausbalanciert werden und die USA die Aufgabe des Schiedsrichters zwischen beiden übernehmen. Im Krieg war er jedoch bereit, Pläne hinsichtlich des globalen Gleichgewichts im Interesse des guten Einvernehmens zwischen den Alliierten bis nach dem Sieg zu verschieben.

Manche hohe Beamte des Außenministeriums, Angehörige der Streitkräfte und der Wirtschaft dachten anders. Sie wollten die Sicherheit der USA nicht auf dem Gleichgewicht zwischen Sowjetunion und Großbritannien aufbauen, sondern auf der Stärke der eigenen Streitkräfte und der Beherrschung der militärisch wichtigen Punkte der Erde. Sie schlugen daher eine Eindämmung der Sowjetunion vor, ohne das kommunistische Regime stürzen zu wollen. In diesem Zusammenhang schätzten sie unter Berücksichtigung der Verflechtung der Weltmärkte den wirtschaftlichen Wert Westeuropas für die USA hoch ein. Sie neigten dazu, Deutschland als Industriestaat in den westlichen Interessenbereich einzubeziehen und zugleich als Block gegen die Ausdehnungsabsichten der Sowjetunion zu benutzen. Deutschland sollte daher ungeteilt bleiben und wieder aufgebaut werden. Indessen vermochten sie im Krieg diese Vorstellungen gegenüber dem Präsidenten nicht durchzusetzen. Sie gewannen erst 1945/46 mit dem Amtsantritt von Harry S. Truman als Präsident allmählich die Oberhand.

2. Sowjetische Interessen

Die Sowjetunion ging in ihren ideologischen Überlegungen von einem unüberbrückbaren Gegensatz zwischen der kapitalistischen und der sozialistischen Welt aus. Sie sah zwar eine Chance, endgültig der Weltrevolution zum Sieg zu verhelfen, fürchtete jedoch die Stärke der USA, vor allem die Atomwaffen. Sie richtete sich daher in ihrem tagespolitischen Vorgehen nach den Grundsätzen vorsichtiger Macht- und Interessenpolitik. Beide Motive bewogen Stalin, sich ab 1944 allmählich von seinen Verbündeten zu distanzieren, denn erst die Distanz erlaubte ihm, einen die Sowjetunion absichernden Gürtel von abhängigen Staaten an der Westgrenze zu schaffen. Überdies vermochte er so den bisher verdeckten ideologischen Gegensatz von westlichem und östlichem

Gesellschaftssystem zu betonen. So war Stalin geneigt, Gewinne aus dem Niedergang Deutschlands zu ziehen, aber nicht bereit, deshalb vor Kriegsende Auseinandersetzungen mit den USA heraufzubeschwören. Die Behandlung Deutschlands hing für ihn also von der Stärke der amerikanischen Reaktion auf seine Vorstöße ab. Auf jeden Fall aber wünschte er eine Verschiebung der russischen und entsprechend der deutschen Ostgrenze nach Westen zur Wiedergutmachung der Schäden in Rußland und zur Befriedigung der polnischen Entschädigungsansprüche für die Gebietsabtrennungen an die UdSSR.

3. Die britische Haltung

Die Europapolitik Großbritanniens unter Premierminister Winston Churchill war, seitdem sich die Niederlage des Deutschen Reiches abzeichnete, von der Sorge vor der künftigen russischen Vormachtstellung auf dem Kontinent geprägt. Da sein Land sich zu schwach fühlte, sich allein gegen die Sowjetunion zu behaupten, sah Churchill es als Ziel seiner Politik an, die Amerikaner an Westeuropa zu binden. Er wollte so das Empire entlasten und es vor dem Druck aus dem Osten bewahren. Lediglich der Krieg scheint Churchill davon abgehalten zu haben, den in diese Überlegungen passenden Plan eines europäischen Zusammenschlusses frühzeitig vorzulegen. Er suchte jedoch nach Möglichkeiten, wenigstens einen Teil der deutschen Wirtschaftskraft zu erhalten, und traf sich in dieser Frage mit den Vorstellungen von Wirtschaftskreisen in den USA. Solange das europäische Ringen noch nicht klar entschieden war, standen die weltpolitischen Konzeptionen im Hintergrund.

Frankreich als vierte Besatzungsmacht

Es ist beschlossen worden, daß Frankreich von den drei Mächten aufgefordert werden soll, eine Besatzungszone zu übernehmen und als viertes Mitglied an der Kontrollkommission teilzunehmen, falls es dies wünschen sollte.

Die Grenzen der französischen Zone werden von den vier beteiligten Regierungen durch ihre Vertreter bei der Europäischen Beratenden Kommission in gegenseitigem Einvernehmen festgelegt.

(Aus dem Protokoll der Konferenz von Jalta.)

4. Absichten der Militärs und Morgenthau-Plan

Daneben machten sich aber auch die Generalstäbe der westalliierten Streitkräfte Gedanken über die Grundsätze künftiger Besatzungspolitik. So teilte der Stabschef beim alliierten Oberkommando das deutsche Gebiet in drei Zonen ein und die Vereinigten Stabschefs arbeiteten Anfang 1944 eine Direktive CCS 551 aus. Sie enthielt Richtlinien für die Behandlung der Bevölkerung, darunter die Anweisung, Recht und Ordnung aufrechtzuerhalten, freie Meinungsäußerung zu garantieren und Gewerkschaften sowie die Selbstverwaltung zu fördern.

Direktive JCS 1067

an den Oberbefehlshaber der Besatzungstruppen der USA über die Ziele der Militärregierung in Deutschland vom 26. 4. 1945.

2. Die Grundlage der Militärregierung:

a) Die Rechte, die Machtbefugnisse und die Rechtsstellung der Militärregierung in Deutschland gründen sich auf der bedingungslosen Übergabe oder der vollständigen Niederlage Deutschlands.

4. Grundlegende Ziele der Militärregierung in Deutschland:

a) Es muß den Deutschen klargemacht werden, daß Deutschlands rücksichtslose Kriegführung und der fanatische Widerstand der Nazis die deutsche Wirtschaft zerstört und Chaos und Leiden unvermeidlich gemacht haben und daß sie nicht der Verantwortung für das entgehen können, was sie selbst auf sich geladen haben.

b) Deutschland wird nicht besetzt zum Zwecke seiner Befreiung, sondern als ein besiegter Feindstaat. Ihr Ziel ist nicht die Unterdrückung, sondern die Besetzung Deutschlands, um gewisse wichtige alliierte Absichten zu verwirklichen. Bei der Durchführung der Besetzung und Verwaltung müssen Sie gerecht, aber fest und unnahbar sein. Die Verbrüderung mit deutschen Beamten und der Bevölkerung werden Sie streng unterbinden.

c) Das Hauptziel der Alliierten ist es, Deutschland daran zu hindern, je wieder eine Bedrohung des Weltfriedens zu werden...

5. Wirtschaftskontrollen:

...Sie [werden] sich von dem Grundsatz leiten lassen, daß der deutschen Wirtschaft in dem Maße Kontrollen auferlegt werden können, als erforderlich ist, ...um Hungersnot oder Krankheiten und Unruhen, die eine Gefährdung dieser Streitkräfte darstellen würden, vorzubeugen. Sie werden bei der Durchführung des Reparationsprogramms oder anderweitig nichts unternehmen, was geeignet wäre, die grundlegenden Lebensbedingungen in Deutschland oder in Ihrer Zone auf einem höheren Stand zu halten als in irgendeinem benachbarten Mitgliedstaat der Vereinten Nationen.

17. Soweit es irgend möglich ist, ohne die erfolgreiche Durchführung der Maßnahmen zu gefährden, die notwendig sind, um die in den Ziffern 4 und 5 dieser Direktive umrissenen Ziele zu erreichen, werden Sie sich deutscher Behörden und Dienststellen bedienen und diese derart beaufsichtigen und für Nichtbefolgung von Anordnungen bestrafen, wie es notwendig ist, um zu gewährleisten, daß sie ihre Aufgaben ausführen.

Zu diesem Zweck werden Sie allen deutschen Dienststellen und Verwaltungsstellen, die Sie für unbedingt notwendig halten, angemessene Vollmachten erteilen. Vorausgesetzt allerdings, daß Sie sich jederzeit streng an die Bestimmungen dieser Direktive über die Entnazifizierung und die Auflösung oder Ausschaltung von Naziorganisationen, Einrichtungen, Grundsätzen, besondere Merkmale und Methoden halten. . . .

18. Um den Aufbau und die Verwaltung der deutschen Wirtschaft im größtmöglichen Ausmaß zu dezentralisieren, werden Sie

a) dafür sorgen, daß alles, was erforderlich ist, um die lebenswichtigen öffentlichen Versorgungsdienste und die industrielle und landwirtschaftliche Tätigkeit aufrechtzuerhalten oder wiederherzustellen, soweit wie möglich auf örtlicher und regionaler Grundlage unternommen wird;

b) im Kontrollrat auf keinen Fall die Errichtung einer zentralisierten Kontrollverwaltung über die deutsche Wirtschaft vorschlagen oder billigen, außer in den Fällen, wo eine solche Zentralisierung der Verwaltung zur Erreichung der in den Ziffern 4 und 5 dieser Direktive aufgeführten Ziele unbedingt notwendig ist. Die Dezentralisierung der Verwaltung darf nicht verhindern, daß im Kontrollrat die weitestgehende Einigkeit über die Wirtschaftspolitik erzielt wird. . . . "

Solchen gemäßigten Planungen standen aber wiederum Auffassungen des amerikanischen Finanzministers Henry Morgenthau jr. entgegen. Er gehörte der Denkschule der sogenannten „Vansittartisten" an, benannt nach dem britischen Unterstaatssekretär Robert G. Vansittart. Dieser hatte schon früh die Meinung verfochten, die Expansionspolitik Hitlers sei eine konsequente Folge der deutschen Geschichte und des dabei entstandenen aggressiven Nationalcharakters.

Dieser Einschätzung entsprechend, ließ der US-Finanzminister Anfang September 1944 den sogenannten Morgenthau-Plan bekanntgeben, der die Vernichtung der gesamten deutschen Rüstungsindustrie, ferner die Abtretung Ostpreußens, des südlichen Schlesiens, des Saarlandes sowie der Gebiete zwischen Mosel und Rhein und die Teilung des Reiches in zwei Staaten vorsah. Der Lebensstandard der Deutschen sollte drastisch gesenkt werden.

Morgenthau gewann im September 1944 vorübergehend die Zustimmung Roosevelts, dem er einreden konnte, daß die Zerschlagung des Reiches die wirtschaftliche Stellung Großbritanniens stärke und dessen Widerstandskraft gegen die Sowjetunion erhöhe. Das amerikanische Außenministerium übernahm ebenfalls einige Formulierungen des Morgenthau-Planes, milderte deren Inhalt jedoch gerade in den wirtschaftlichen Bestimmungen ab. Immerhin kam ein Kompromiß, die Direktive JCS 1067, zustande, die später für manch harte Maßnahme der Amerikaner in Deutschland verantwortlich war. Damit war aber noch keineswegs die Deutschlandfrage zwischen den USA einerseits und der Sowjetunion und Großbritannien andererseits geregelt. Roosevelt setzte hinsichtlich dieses Problems hohe Erwartungen in die Konferenz von Jalta (4./ 11. 2. 1945). Aber nun zeigte sich Stalin, dessen Truppen große Teile Osteuropas erobert hatten, unnachgiebig. Die Staatschefs einigten sich endgültig nur auf die Zonengrenzen, wobei auch die Franzosen im Südwesten und Westen Deutschlands nachträglich eine Zone bekamen. Diese Minimalvereinbarungen, Provisorien, sollten sich als dauerhafter erweisen als die zahlreichen sonstigen Teilungspläne, die von verschiedenen Seiten entwickelt worden waren.

5. Das Problem Ruhrgebiet

Die alliierten Planungen behandelten jedoch noch ein weiteres wichtiges Problem: die Stellung des wirtschaftlichen Ballungsraumes an Rhein und Ruhr, der sogenannten „Waffenschmiede des Reiches", im Rahmen der westeuropäischen Industrie. Eine britische Studiengruppe (des Royal Institute of International Affairs) hatte schon 1943 vorgeschlagen, die nordwestdeutsche Schwerindustrie mit der Nordfrankreichs, Hollands und Belgiens zusammenzuschließen, ohne einem der Staaten einen Vorrang einzuräumen. Bei Beratungen der Westalliierten wurde aber deutlich, daß sowohl Großbritannien als auch die USA das Ruhrrevier als Besatzungszone für sich beanspruchten. Erst auf der zweiten Konferenz von Quebec im September 1944 sicherte Roosevelt diesen Raum den Engländern zu.

De Gaulle und die provisorische französische Regierung betrachteten das Industriegebiet zu dieser Zeit allerdings nicht nur unter wirtschaftlichen, sondern vor allem unter sicherheitspolitischen Gesichtspunkten. Sie verlangten die Bildung eines Rheinland-staates und die Internationalisierung des Ruhrgebietes. Dabei fanden sie ein gewisses Entgegenkommen bei Stalin, aber auch bei Morgenthau, die beide an der Internationalisierung interessiert waren. Stalin erhoffte sich dadurch einen Zugang zu Westeuropa, und Morgenthau wünschte auf diesem Wege die industriellen Grundlagen deutscher Wiederbewaffnung zu zerstören. Aber mit dem Schwinden des Einflusses von Morgenthau wuchs in dieser Frage die Zurückhaltung der amerikanischen Regierung, ein Vorgang, der sich schon auf der Konferenz von Jalta zeigte, denn Frankreich wurde dort der Zugriff auf das Revier verwehrt. De Gaulle bestand 1945 freilich weiter auf seinen Forderungen, und so erklärte sein Außenminister Georges Bidault den USA erneut, das rheinisch-westfälische Gebiet müsse einer internationalen Kontrolle unterstellt und der Raum links des Rheines in den französischen Sicherheitsbereich einbezogen werden.

Die amerikanische Diplomatie unter Truman, der nach dem Tod Roosevelts am 12. 4. 1945 amerikanischer Präsident geworden war, hielt De Gaulle zunächst hin. Sie unterstützte verbal Frankreichs Wünsche, da sie in ihm einen künftig wertvollen Verbündeten sah. Andererseits gab sie zu bedenken, daß eine Zerstückelung des Reiches den Nationalismus der Deutschen auf lange Sicht hin wieder entfachen würde und daß darüber hinaus keines der westeuropäischen Nachbarländer in der Lage sei, die Probleme des zerstörten Ruhrgebietes zu bewältigen. Es sei gar nicht bewiesen, daß eine französische Kontrolle jenes Raumes die Sicherheit des Landes erhöhe. Schließlich brauche Frankreich keine Furcht vor Deutschland zu haben, solange alliierte Streitkräfte dort stünden.

Im Juni 1945 bekundeten die USA dann offen ihren Widerstand gegen eine Internationalisierung des Ruhrgebietes. Churchill unterstützte sie und wies darauf hin, daß um der sozialen Ordnung des gesamten Kontinents willen die Förderung der Ruhrkohle rasch in Gang gebracht werden müsse.

6. Die Postdamer Konferenz

All diese verwickelten Fäden der alliierten Deutschlandpolitik liefen auf der Konferenz von Potsdam vom 17. Juli bis 2. August 1945 zusammen. Nun mußten Entscheidungen getroffen werden, da das Reich inzwischen vollständig besetzt worden war und die einzelnen Militärregierungen dringend verbindliche Richtlinien benötigten. Beginn und Verlauf der Konferenz waren schwierig. Die Sowjetunion hatte Polen zuvor die Gebiete östlich der Oder und Neiße übergeben und damit vollendete Tatsachen geschaffen. Außerdem war bekannt, daß sie die gewaltige Summe von 20 Milliarden Reichsmark Reparationen forderte, was vermutlich eine wirtschaftliche Katastrophe in Mitteleuropa zur Folge haben mußte. Aber auch in den USA war das politische Klima umgeschlagen. Nach dem Tod Präsident Roosevelts trugen beunruhigende Berichte der amerikanischen Botschaft in Moskau dazu bei, daß sich in Washington ein härterer Kurs gegenüber der Sowjetunion durchzusetzen begann. So brachen auf der Konferenz von Potsdam im Juli 1945, auf der die deutsche Frage geregelt werden sollte, die Gegensät-

Potsdamer Konferenz. Die „Großen Drei" — die Regierungschefs von Großbritannien, Winston Churchill, der USA, Harry S. Truman, und der Sowjetunion, Josef W. Stalin (von links).

ze offen aus. Auch zeigte sich Churchills Nachfolger, der gerade gewählte britische Premierminister Clement R. Attlee, unerbittlich gegenüber Stalins Verlangen nach einer Beteiligung an der Kontrolle des Ruhrgebietes. Die Alliierten gelangten daher in ihrer gemeinsamen Erklärung vom 2. 8. 1945 lediglich zu einem Minimalkonsens. Einig waren sie sich in ihren Maßnahmen zur Ausmerzung des Nationalsozialismus und des deutschen Militarismus, keine gemeinsame Vorstellungen besaßen sie in der Frage des künftigen Aufbaues der deutschen Gesellschaft und des Staates. Sie wollten die Deutschen zwar zur Demokratie erziehen, ferner Parteien und Parlamente erlauben und das staatliche Leben von der Gemeinde her sich entfalten lassen, aber sie besaßen keine übereinstimmende Vorstellung von Demokratie. Sie vereinbarten auf dem Gebiet der Wirtschaft die Entflechtung der Konzerne, Syndikate und Kartelle sowie die vordringliche Entwicklung der Landwirtschaft. Ein einheitliches Konzept der Gesamtplanung entwarfen sie jedoch nicht. Einschneidend war ihre Abmachung, die deutsche Bevölkerung aus Ungarn, der Tschechoslowakei, Polen sowie aus den Gebieten östlich von Oder und Görlitzer Neiße auszusiedeln.

Allerdings hatten die vier Mächte in Postdam keineswegs die Teilung Deutschlands, noch nicht einmal die Zerstörung der Wirtschaftseinheit beschlossen. Die Grenzen des Reiches sollten endgültig erst in einem Friedensvertrag festgelegt werden. Nach der

Konferenz kamen jedoch schon bald Entwicklungen in Gang, die diesen Abmachungen entgegenwirkten. Zum einen tauchten zwischen den Westmächten und der Sowjetunion Spannungen hinsichtlich der Lage in China, im Iran und auf dem Balkan auf. Zum anderen verfolgten die einzelnen Militärregierungen in Deutschland recht unterschiedliche Interessen. Damit schwanden auch die Ansätze einer einheitlichen Politik. Jede einzelne Besatzungsmacht verfuhr in wachsendem Maße im eigenen Gebiet nach eigenen Vorstellungen, die sich oft an heimischen Vorbildern orientierten oder das Ergebnis von Spannungen innerhalb der Besatzungsbehörden selbst waren. Das Bündnis, das die Feindschaft gegen Hitler bisher zusammengehalten hatte, begann allmählich zu verfallen.

Anläßlich der Eröffnung des Alliierten Kontrollrats zeigen sich die vier alliierten Oberbefehlshaber und Militärgouverneure bei einer Parade in Berlin (von links nach rechts): Feldmarschall Montgomery (Großbritannien), Marschall Schukow (UdSSR), General Eisenhower (USA) und General Lattre de Tassiguy (Frankreich).

Konferenz von Potsdam 17. Juli bis 2. August 1945.

III. Deutschland

Alliierte Armeen führen die Besetzung von ganz Deutschland durch, und das deutsche Volk fängt an, die furchtbaren Verbrechen zu büßen, die unter der Leitung derer, welche es zur Zeit ihrer Erfolge offen gebilligt hat und denen es blind gehorcht hat, begangen wurden. Auf der Konferenz wurde eine Übereinkunft erzielt über die politischen und wirtschaftlichen Grundsätze der gleichgeschalteten Politik der Alliierten in bezug auf das besiegte Deutschland in der Periode der alliierten Kontrolle.

Das Ziel dieser Übereinkunft bildet die Durchführung der Krim-Deklaration über Deutschland. Der deutsche Militarismus und Nazismus werden ausgerottet, und die Alliierten treffen nach gegenseitiger Vereinbarung in der Gegenwart und in der Zukunft auch andere Maßnahmen, die notwendig sind, damit Deutschland niemals mehr seine Nachbarn oder die Erhaltung des Friedens in der ganzen Welt bedrohen kann.

Es ist nicht die Absicht der Alliierten, das deutsche Volk zu vernichten oder zu versklaven. Die Alliierten wollen dem deutschen Volk die Möglichkeit geben, sich darauf vorzubereiten, sein Leben auf einer demokratischen und friedlichen Grundlage von neuem wiederaufzubauen. Wenn die eigenen Anstrengungen des deutschen Volkes unablässig auf die Erreichung dieses Zieles gerichtet sein werden, wird es ihm möglich sein, zu gegebener Zeit seinen Platz unter den freien und friedlichen Völkern der Welt einzunehmen.

„Politische und wirtschaftliche Grundsätze, deren man sich bei der Behandlung Deutschlands in der Anfangsperiode der Kontrolle bedienen muß:

A. Politische Grundsätze

1. Entsprechend der Übereinkunft über das Kontrollsystem in Deutschland wird die höchste Regierungsgewalt in Deutschland durch die Oberbefehlshaber der Streitkräfte der Vereinigten Staaten von Amerika, des Vereinigten Königreichs, der Union der Sozialistischen Sowjetrepubliken und der Französischen Republik nach den Weisungen ihrer entsprechenden Regierungen ausgeübt, und zwar von jedem in seiner Besatzungszone, sowie gemeinsam in ihrer Eigenschaft als Mitglieder des Kontrollrates in den Deutschland als Ganzes betreffenden Fragen.

2. Soweit dieses praktisch durchführbar ist, muß die Behandlung der deutschen Bevölkerung in ganz Deutschland gleich sein.

3. Die Ziele der Besetzung Deutschlands, durch welche der Kontrollrat sich leiten lassen soll, sind:

(I) Völlige Abrüstung und Entmilitarisierung Deutschlands und die Ausschaltung der gesamten deutschen Industrie, welche für eine Kriegsproduktion benutzt werden kann oder deren Überwachung.

(II) Das deutsche Volk muß überzeugt werden, daß es eine totale militärische Niederlage erlitten hat und daß es sich nicht der Verantwortung entziehen kann für das, was es selbst dadurch auf sich geladen hat, daß seine eigene mitleidlose Kriegführung und der fanatische Widerstand der Nazis die deutsche Wirtschaft zerstört und Chaos und Elend unvermeidlich gemacht haben.

(III) Die Nationalsozialistische Partei mit ihren angeschlossenen Gliederungen und Unterorganisationen ist zu vernichten; alle nationalsozialistischen Ämter sind aufzulösen; es sind Sicherheiten dafür zu schaffen, daß sie in keiner Form wieder auferstehen können; jeder nazistischen und militaristischen Betätigung und Propaganda ist vorzubeugen.

(IV) Die endgültige Umgestaltung des deutschen politischen Lebens auf demokratischer Grundlage und eine eventuelle friedliche Mitarbeit Deutschlands am internationalen Leben sind vorzubereiten....

B. Wirtschaftliche Grundsätze

11. Mit dem Ziele der Vernichtung des deutschen Kriegspotentials ist die Produktion von Waffen, Kriegsausrüstung und Kriegsmitteln, ebenso die Herstellung aller Typen von Flugzeugen und Seeschiffen zu verbieten und zu unterbinden. Die Herstellung von Metallen und Chemikalien, der Maschinenbau und die Herstellung anderer Gegenstände, die unmittelbar für die Kriegswirtschaft notwendig sind, ist streng zu überwachen und zu beschränken, entsprechend dem genehmigten Stand der friedlichen Nachkriegsbedürfnisse Deutschlands, um die in dem Punkt 15 angeführten Ziele zu befriedigen. Die Produktionskapazität, entbehrlich für die Industrie, welche erlaubt sein wird, ist entsprechend dem Reparationsplan, empfohlen durch die interalliierte Reparationskommission und bestätigt durch die beteiligten Regierungen, entweder zu entfernen oder, falls sie nicht entfernt werden kann, zu vernichten.

12. In praktisch kürzester Frist ist das deutsche Wirtschaftsleben zu dezentralisieren mit dem Ziel der Vernichtung der bestehenden übermäßigen Konzentration der Wirtschaftskraft, dargestellt insbesondere durch Kartelle, Syndikate, Trusts und andere Monopolvereinigungen.

13. Bei der Organisation des deutschen Wirtschaftslebens ist das Hauptgewicht auf die Entwicklung der Landwirtschaft und der Friedensindustrie für den inneren Bedarf (Verbrauch) zu legen....

19. Die Bezahlung der Reparationen soll dem deutschen Volke genügend Mittel belassen, um ohne eine Hilfe von außen zu existieren. Bei der Aufstellung des Haushaltsplanes Deutschlands sind die nötigen Mittel für die Einfuhr bereitzustellen, die durch den Kontrollrat in Deutschland genehmigt worden ist. Die Einnahmen aus der Ausfuhr der Erzeugnisse der laufenden Produktion und der Warenbestände dienen in erster Linie der Bezahlung dieser Einfuhr....

VI. Stadt Königsberg und das anliegende Gebiet

Die Konferenz prüfte einen Vorschlag der Sowjetregierung, daß vorbehaltlich der endgültigen Bestimmung der territorialen Fragen bei der Friedensregelung derjenige Abschnitt der Westgrenze der Union der Sozialistischen Sowjetrepubliken, der an die Ostsee grenzt, von einem Punkt an der östlichen Küste der Danziger Bucht in östlicher Richtung nördlich von Braunsberg-Goldap und von da zu dem Schnittpunkt der Grenzen Litauens, der Polnischen Republik und Ostpreußens verlaufen soll. . . .

IX. Polen

. . . b) Bezüglich der Westgrenze Polens wurde folgendes Abkommen erzielt:

In Übereinstimmung mit dem bei der Krimkonferenz erzielten Abkommen haben die Häupter der drei Regierungen die Meinung der Polnischen Provisorischen Regierung der Nationalen Einheit hinsichtlich des Territoriums im Norden und Westen geprüft, das Polen erhalten soll. Der Präsident des Nationalrates Polens und die Mitglieder der Polnischen Provisorischen Regierung der Nationalen Einheit sind auf der Konferenz empfangen worden und haben ihre Auffassungen in vollem Umfange dargelegt. Die Häupter der drei Regierungen bekräftigen ihre Auffassung, daß die endgültige Festlegung der Westgrenze Polens bis zu der Friedenskonferenz zurückgestellt werden soll.

Die Häupter der drei Regierungen stimmen darin überein, daß bis zur endgültigen Festlegung der Westgrenze Polens, die früher deutschen Gebiete östlich der Linie, die von der Ostsee unmittelbar westlich von Swinemünde und von dort die Oder entlang bis zur Einmündung der westlichen Neiße und die westliche Neiße entlang bis zur tschechoslowakischen Grenze verläuft, einschließlich des Teiles Ostpreußens, die nicht unter die Verwaltung der Union der Sozialistischen Sowjetrepubliken in Übereinstimmung mit den auf dieser Konferenz erzielten Vereinbarungen gestellt wird und einschließlich des Gebietes der früheren Freien Stadt Danzig, unter die Verwaltung des polnischen Staates kommen und in dieser Hinsicht nicht als Teil der sowjetischen Besatzungszone in Deutschland betrachtet werden sollen.

XIII. Ordnungsgemäße Überführung deutscher Bevölkerungsteile

Die Konferenz erzielte folgendes Abkommen über die Ausweisung Deutscher aus Polen, der Tschechoslowakei und Ungarn:

Die drei Regierungen haben die Frage unter allen Gesichtspunkten beraten und erkennen an, daß die Überführung der deutschen Bevölkerung oder Bestandteile derselben, die in Polen, Tschechoslowakei und Ungarn zurückgeblieben sind, nach Deutschland durchgeführt werden muß. Sie stimmen darin überein, daß jede derartige Überführung, die stattfinden wird, in ordnungsgemäßer und humaner Weise erfolgen soll. Da der Zustrom einer großen Zahl Deutscher nach Deutschland die Lasten vergrößern würde, die bereits auf den Besatzungsbehörden ruhen, halten sie es für wünschenswert, daß der alliierte Kontrollrat in Deutschland zunächst das Problem unter besonderer Berücksichtigung der Frage einer gerechten Verteilung dieser Deutschen auf die einzelnen Besatzungszonen prüfen soll. Sie beauftragen demgemäß ihre jeweiligen Vertreter beim Kontrollrat, ihren Regierungen so bald wie möglich über den Umfang zu berichten, in dem derartige Personen schon aus Polen, der Tschechoslowakei und Ungarn nach Deutschland gekommen sind, und eine Schätzung über Zeitpunkt und Ausmaß vorzulegen, zu dem die weiteren Überführungen durchgeführt werden könnten, wobei die gegenwärtige Lage in Deutschland zu berücksichtigen ist. Die Tschechoslowakische Regierung, die Polnische Provisorische Regierung und der Alliierte Kontrollrat in Ungarn werden gleichzeitig von obigem in Kenntnis gesetzt und ersucht, inzwischen weitere Ausweisungen der deutschen Bevölkerung einzustellen, bis die betroffenen Regierungen die Berichte ihrer Vertreter an den Kontrollausschuß geprüft haben.

II. Das besetzte Deutschland

Mit dem Einmarsch der Alliierten und der Kapitulation der deutschen Wehrmacht am 8. Mai 1945 brach das Dritte Reich zusammen. Die nominelle Reichsregierung unter dem ehemaligen Großadmiral Karl Dönitz wurde verhaftet (23. 5. 1945), die obersten Behörden lösten sich auf, die Beamten und Parteifunktionäre flohen oder unterlagen dem sogenannten automatischen Arrest. Lediglich die Stadt- und Landkreisbehörden arbeiteten mit vermindertem Personal notdürftig weiter.

Das Reich zerfiel nun gemäß den alliierten Abmachungen in vier Zonen: die sowjetische im Osten, die britische im Nordwesten, von der Belgien und Holland 1949 einige kleine Gebiete besetzen durften, die französische im Südwesten (aus der Frankreich überdies 1948 das Saargebiet herauslöste), und die amerikanische im Süden.

Ferner erhielt die Reichshauptstadt Berlin einen Sonderstatus. Sie wurde unter die vier Besatzungmächte in vier Sektoren aufgeteilt.

Als Demarkationslinie gegenüber der amerikanischen und der britischen Zone waren für die sowjetische Zone die Westgrenzen Mecklenburgs, Brandenburgs, der Provinz Sachsen und Thüringens festgelegt worden. Die Amerikaner waren jedoch bei ihrem Vormarsch weit über diese Linie hinaus vorgestoßen, im Süden sogar bis in die Tschechoslowakei. Die Sowjetunion machte im Mai 1945 die Aufnahme der ganz Deutschland umfassenden Arbeit der Siegermächte jedoch vom Rückzug der US-Truppen aus diesem Raum abhängig, eine Forderung, gegen die Churchill einwandte, die durch die Eroberung geschaffenen Grenzen in Mitteldeutschland sollten von den angelsächsischen Mächten gehalten werden, um den Einfluß des Kommunismus auf Westeuropa zurückzudämmen. Churchill fand bei Truman allerdings kein Gehör. Im Juni 1945 zogen daher die Amerikaner aus Mitteldeutschland ab, und zugleich besetzten Streitkräfte der Westmächte die ihnen zugeteilten Sektoren Berlins.

1. Der Kontrollrat

Mit Bekanntmachung vom 5. 6. 1945 übernahmen die Regierungen der USA, des Vereinigten Königreiches von Großbritannien, der Union der Sozialistischen Sowjetrepubliken und der provisorischen Regierung der französischen Republik die Regierungsgewalt in Deutschland. Die vier Mächte übertrugen die Angelegenheiten, die das Reich als Ganzes angingen, einem Kontrollrat, der sich aus den Oberbefehlshabern der Besatzungsstreitkräfte zusammensetzte und seine Beschlüsse einstimmig fassen mußte. Die Militärgouverneure arbeiteten dort nach den Weisungen ihrer Regierungen und waren gleichzeitig auch für ihre Zonen verantwortlich. Der Kontrollrat bestand ferner aus einem Koordinierungsausschuß (die vier Stellvertreter der Militärgouverneure), die die Arbeit vorbereiteten, und schließlich aus 13 Direktorien, die personell aus den vier Militärregierungen hervorgingen. Die Direktorien besaßen Ministerien vergleichbare Aufgaben. Sein schwerfälliger Aufbau und der Zwang zur Einstimmigkeit führten

Die Alliierten besetzten Deutschland. Hier Einmarsch britischer Truppen in Bremen.

dazu, daß der Kontrollrat nur schlecht funktionierte. Jede der vier Besatzungsmächte verfuhr in ihrer Zone zumeist entsprechend ihren eigenen Vorstellungen.

Versuche der Koordination nahmen nach 1946 rasch ab, denn die internationalen Gegensätze der Kriegsverbündeten erwiesen sich als größer als die gemeinsamen Interessen in Deutschland. Der staatliche Wiederaufbau spielte sich daher ab Herbst 1945 weitgehend zwischen der jeweiligen Besatzungmacht einerseits und den deutschen Behörden und politischen Kräften andererseits in den entsprechenden Zonen ab. Die Militärregierungen bedürfen daher einer näheren Betrachtung.

2. Die amerikanische Militärregierung

Die amerikanischen Streitkräfte unter General Dwight D. Eisenhower, in erster Linie der Stab für Besatzungsfragen SHAEF / G 5, sammelten die ersten Erfahrungen mit den Deutschen im Raum Aachen, den sie schon im September 1944 erreicht hatten. Sie richteten dort nach dem Durchmarsch der Kampftruppen Militärverwaltungen (Detachments) ein, die für den ungehinderten Aufmarsch im rückwärtigen Raum zu sorgen und deshalb jede Unordnung auf deutscher Seite zu beseitigen hatten. Zu diesem Zwecke begannen sie ihrerseits die deutschen Gemeindeverwaltungen zu reorganisieren, wobei es ihnen oft vordringlich auf die Funktionstüchtigkeit und weniger auf die Entnazifizierung ankam. Die Amerikaner erkannten bald, daß angesichts der über-

31

Das zerstückelte Deutschland

unter sowjet.
Königsberg
Verwaltung

Danzig

O s t p r e u ß e n

unter
polnischer
Verwaltung

m e r n

unter

ttin

poln.

Weichsel

g Ver-

waltung   Breslau

S c h l e s i e n

Oder

─────────── Grenze des Deutschen Reiches von 1937

─ ─ ─ ─ Grenze der Besatzungszonen

0   100   200   300
                                          km

Protokoll der Londoner Konferenz vom 12. 9. 1944

Protokoll zwischen den Regierungen der Vereinigten Staaten von Amerika, des Vereinigten Königreiches und der UdSSR über die Besatzungszonen in Deutschland und die Verwaltung von „Groß-Berlin".

Die Regierungen der Vereinigten Staaten von Amerika, des Vereinigten Königreiches von Großbritannien und Nordirland und der UdSSR haben das folgende Abkommen betreffend die Ausübung des Artikels 11 des Instruments der bedingungslosen Kapitulation Deutschlands abgeschlossen:

1. Deutschland wird innerhalb seiner Grenzen, wie sie am 31. Dezember 1937 waren, für den Zweck der Besatzung in drei Zonen geteilt werden, von denen je eine jeder der drei Mächte zugeteilt werden wird, und in ein spezielles Berlin-Gebiet, das unter gemeinsamer Besetzung der drei Mächte sein wird.

2. Die Grenzen der drei Zonen und des Berlin-Gebietes und die Aufteilung der drei Zonen zwischen den USA, dem Vereinigten Königreich und der UdSSR werden wie folgt sein:

Ostzone: Das Territorium von Deutschland (einschließlich der Provinz Ostpreußen) östlich einer Linie, die von dem Punkt an der Lübecker Bucht, wo die Grenzen von Schleswig-Holstein und Mecklenburg sich berühren, entlang der westlichen Grenze von Mecklenburg zur Grenze der Provinz Hannover, von dort entlang der östlichen Grenze von Hannover zu der Grenze von Braunschweig, von dort entlang der westlichen Grenze der preußischen Provinz Sachsen zur westlichen Grenze von Anhalt, von dort entlang der westlichen Grenze von Anhalt, von dort entlang der westlichen Grenze der preußischen Provinz Sachsen und der westlichen Grenze Thüringens, bis wo die letztere die bayerische Grenze trifft, von dort ostwärts entlang der nördlichen Grenze von Bayern bis an die Grenze der Tschechoslowakei von 1937 gezogen ist, wird von den bewaffneten Streitkräften der UdSSR besetzt werden, mit Ausnahme des Berlin-Gebietes, für das ein besonderes Besatzungssystem nachfolgend vorgesehen ist.

Nordwestzone: Das Gebiet von Deutschland, das westlich der oben definierten Linie liegt und das im Süden durch eine Linie begrenzt wird, die von dem Punkt, wo die westliche Grenze von Thüringen die Grenze von Bayern berührt, von da westlich entlang der südlichen Grenze der preußischen Provinz Hessen-Nassau und der Rheinprovinz bis dort, wo die letztere die Grenzen Frankreichs berührt, gezogen ist, wird von bewaffneten Streitkräften von..... besetzt [Punkte erscheinen im Original].

Südwestzone: Das gesamte verbleibende Gebiet von Westdeutschland, das südlich der in der Beschreibung der Nordwestzone definierten Linie gelegen ist, wird von bewaffneten Streitkräften vom .....besetzt [Punkte erscheinen im Original].

Die Grenzen der Länder und Provinzen innerhalb Deutschlands, auf die in den vorstehenden Beschreibungen der Zonen (to the zones) Bezug genommen wurde, sind solche, die nach dem Wirksamwerden des Dekrets vom 25. Juni 1941 existierten (veröffentlicht im Reichsgesetzblatt Teil I, Nr. 72, 3. Juli 1941).

Berlin-Gebiet: Das Berlin-Gebiet (unter welchem Begriff das Gebiet von „Groß-Berlin" verstanden wird, wie es durch das Gesetz vom 27. April 1920 definiert wurde) wird gemeinsam von bewaffneten Streitkräften der USA, des Vereinigten Königreichs und der UdSSR besetzt werden, die von den betreffenden Oberkommandierenden bezeichnet werden.

all herrschenden Not die wenigen und schwachen Detachments kaum in der Lage waren, die verwickelten deutschen Probleme zu lösen, die mit weiteren Eroberungen, vornehmlich mit der Besetzung der Großstädte, noch zunahmen.

In ihrer eigentlichen Besatzungzone im Süden Deutschlands formierten die Amerikaner ab Juni 1945 ihre Militärregierung neu. An die Spitze der schon im Spätherbst 1944 gebildeten US-Kontrollkommission trat nun als stellvertretender Militärgouverneur General Lucius D. Clay. Seine Dienststelle residierte in Frankfurt/M. und erhielt Anfang Oktober 1945 den Namen Office of Military Government of the United States for Germany (Amt der Militärregierung der Vereinigten Staaten für Deutschland), kurz OMGUS, das für die amerikanische Politik in Deutschland, vor allem für die Arbeit im Kontrollrat, künftig zuständig war. Damit waren die Fragen der Militärverwaltung vom Bereich der Armee abgetrennt.

OMGUS bestand vier Jahre lang, bis es nach der Gründung der Bundesrepublik Deutschland 1949 dem Office of the High Commissioner for Germany — HICOG (Amt des Hohen Kommissars für Deutschland) weichen mußte.

Die Politik von OMGUS wurde durch die Persönlichkeit Clays geprägt, der im März 1947 nach Eisenhower und General McNarney zum Militärgouverneur aufstieg. Er besaß recht große Unabhängigkeit gegenüber der Regierung in Washington, deren politische Anweisungen ihn erst auf langen Verwaltungswegen und oft verwässert erreichten. OMGUS litt jedoch unter einem raschen Wechsel seines Personals und organisatorischen Schwächen.

Begegnung von Amerikanern und Sowjets an der Elbe bei Torgau am 26. April 1945.

3. Die britische Militärregierung

Die Institutionen der britischen Militärregierung waren mit denen der amerikanischen wenig vergleichbar. Ein großer Teil der den Briten zugesprochenen Zone war anfangs von amerikanischen Truppen besetzt worden, denen auch die britischen Detachments unterstanden. Für die endgültige Übernahme ihres gesamten Besatzungsgebietes faßte die Londoner Regierung mehrere Corps ihrer Streitkräfte zu einer Armeegruppe zusammen, die sich vom August 1945 an Britische Rheinarmee nannte und von Marschall Montgomery befehligt wurde. Montgomery war auch der britische Vertreter im Kontrollrat. Eine schon früher gebildete Kontrollkommission, die sich in Berlin niederließ, stand ihm dabei als Arbeitsinstrument zur Seite. Im Verlaufe des Jahres 1945 mußte die Rheinarmee ihre Zuständigkeiten für die deutsche Zone nach und nach an die Kontrollkommission abgeben, das bisher vorherrschende Militärpersonal wurde gegen zivile Beamte ausgetauscht. Schließlich gingen die Militärregierungen dazu über, ihre unmittelbaren Eingriffe in die deutschen Behörden zu verringern und sich vorwiegend mittelbarer Überwachungsmethoden zu bedienen.

Die Deutschen, Beamte und Politiker, wußten von diesen für sie so wichtigen und schwierigen Veränderungen innerhalb der Besatzungsverwaltungen nichts oder nur wenig. Ihnen erschienen daher zahlreiche Befehle, Verordnungen und Gesetze widersprüchlich und planlos. Sie waren verwirrt über die stets neu auftauchenden Kontrolloffiziere und Beamten, die oft nur geringe Kenntnisse von Deutschland besaßen und zuweilen auch Streitigkeiten weltanschaulicher oder persönlicher Art mit ihren eigenen Landsleuten austrugen. Gerade auf der örtlichen Ebene des politischen Lebens waren derartige Konflikte und Rivalitäten spürbar. So kam es vor, daß ein schottischer Offizier Maßnahmen seines englischen Kollegen wieder aufhob oder ein linksliberaler Geheimdienstbeamter Deutsche zum Widerstand gegen konservative Offiziere anstachelte. Widersprüche traten jedoch nicht nur auf den unteren Ebenen auf, sondern schon bei der Festlegung des allgemeinen politischen Kurses der Besatzungsmächte.

4. Die französische Militärregierung und das Saarproblem

De Gaulles Bestreben, durch die Mitwirkung französischer Truppen am Sieg über Deutschland Frankreich wieder in den Kreis der Großmächte zurückzuführen, stieß lange Zeit auf den Widerstand Stalins. Erst in Jalta wurde Frankreich aufgefordert, eine eigene Besatzungszone (aus Teilen der britischen und der amerikanischen Zone) zu übernehmen, und eingeladen, Mitglied in der alliierten Kontrollkommission zu werden. In Potsdam war die provisorische französische Regierung nicht vertreten, stimmte aber den dort getroffenen Vereinbarungen zu. In der Folgezeit war die französische Deutschlandpolitik vor allem dadurch geprägt, daß man sich allen Plänen zur Errichtung deutscher Zentralinstanzen widersetzte, eine Internationalisierung des Ruhrgebietes forderte und einen Sonderstatus für das Saargebiet verlangte.

„Bei den französischen Plänen sind im wesentlichen Besorgnisse der Sicherheit maßgebend... Um dieser Besorgnis zu entsprechen, schlägt die französische Regierung nicht vor, territoriale Annexionen vorzunehmen, sondern die Ruhr, das Rheinland und die Saar endgültig von Deutschland zu trennen. Diese Gebiete stellen in ihrer Gesamtheit keine Einheit dar, weder politisch noch

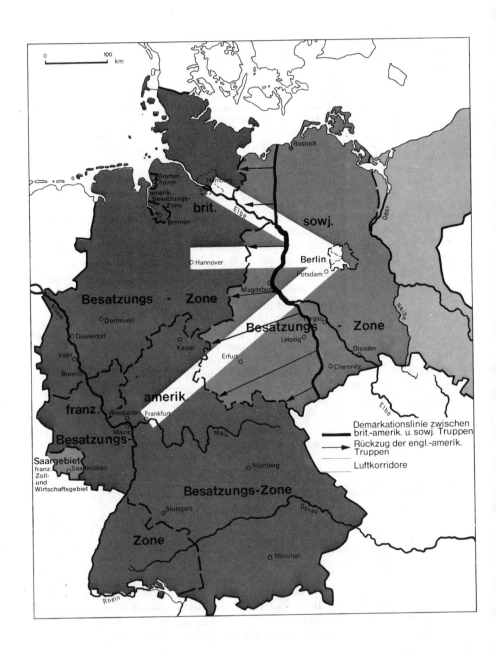

Austausch Mitteldeutschland — Berlin

Map labels:
- Rostock
- Bremer- haven
- Hamburg
- amerik. Besatzungs- Zone
- brit.
- Bremen
- Elbe
- sowj.
- Oder
- Hannover
- Berlin
- Potsdam
- Magdeburg
- Besatzungs - Zone
- Neiße
- Dortmund
- Düsseldorf
- Rhein
- Kassel
- Torgau
- Leipzig
- Besatzungs - Zone
- Dresden
- Köln
- Bonn
- Erfurt
- Chemnitz
- franz.
- Wiesbaden
- Frankfurt
- amerik.
- Main
- Elbe
- Mainz
- Besatzungs-
- Saargebiet franz. Zoll- und Wirtschaftsgebiet
- Saarbrücken
- Nürnberg
- Besatzungs-Zone
- Stuttgart
- Donau
- Zone
- München
- Rhein

Legend:
- Demarkationslinie zwischen brit.-amerik. u. sowj. Truppen
- Rückzug der engl.-amerik. Truppen
- Luftkorridore

0   100   km

37

wirtschaftlich. Deshalb ist für jede der Regionen . . . ein anderes Regime vorgeschlagen worden." (Internationalisierung des Ruhrgebietes, Verselbständigung der linksrheinischen Gebiete bei militärischer Besetzung durch Frankreich, Belgien und Luxemburg, Eigentumsübertragung der Saar-Kohlegruben an Frankreich und Errichtung einer französischen Verwaltung für das Saargebiet außerhalb des alliierten Kontrollrats; Denkschrift der französischen Delegation beim Rat der Außenminister April/Mai 1946). „Es ist die Aufgabe Frankreichs zu verhindern, daß Deutschland wieder ein zentralisierter Einheitsstaat, kurz das ‚Reich' wird . . . Der Vorschlag Frankreichs ist eine ehrliche praktische, hinsichtlich Deutschlands menschliche und einfache Lösung und jeder kennt sie. Die verschiedenen traditionsgebundenen deutschen Einheiten Preußen, Sachsen, Bayern, Württemberg, Baden, Hessen, Provinz Rheinland, die nordwestlichen Provinzen sollen wieder erstehen, sich selbst verwalten und jede sich auf ihre Rechnung und ihre Art und Weise einrichten. Das ungeheuerliche Arsenal der Ruhr soll unter alliierte Kontrolle gestellt werden." (de Gaulle, Juli 1946).

Die Weigerung der anderen Alliierten, einer so weitgehenden Neugestaltung der territorialen und politischen Verhältnisse, insbesondere an der deutschen Westgrenze zuzustimmen, veranlaßte Frankreich, wenigstens für das Saargebiet einen Sonderstatus zu erreichen. Halb eigenmächtig, halb mit Duldung der Alliierten betrieb man nach und nach die Herauslösung des Saargebietes — das zudem verwaltungsmäßig vergrößert worden war — aus der französischen Besatzungszone und damit auch aus der Zuständigkeit des Kontrollrats. Im Dezember 1946 erhielt dieses Saargebiet ein eigenes Grenzkontrollsystem, das die Überführung in das französische Wirtschafts- und Währungsgebiet vorbereitete. Gegen das Votum der Sowjetunion, aber mit Wissen der USA und Großbritanniens wurde 1947 eine eigene Saar-Verfassung ausgearbeitet (selbständige Regierung unter französischer Oberhoheit, Wirtschaftseinheit mit Frankreich, Außenvertretung durch Frankreich, eigenes Staatsbürgerrecht für die Bewohner) und im November 1947 in Kraft gesetzt. Dieses einseitige Vorgehen Frankreichs erschwerte die politische Entwicklung in der nächsten Zukunft beträchtlich; es belastete die Beziehungen der Westalliierten untereinander, ihre Aktionsfähigkeit bei den zunehmenden Auseinandersetzungen mit der Sowjetunion, später auch die in Gang kommenden Kontakte mit den westdeutschen Instanzen.

5. Grundzüge der Besatzungspolitik

Über den künftigen Staatsaufbau in Deutschland stellten sich die Besatzungsmächte unterschiedlich bzw. gegensätzlich vor:

Frankreich wünschte aus Sicherheitsgründen einen losen Staatenbund mit souveränen Gliedstaaten, die den Bundesorganen lediglich begrenzte Befugnisse überlassen sollten. Das Bundesparlament selbst sollte sich aus einem Staatenhaus heraus entwickeln. So betrieb die französische Militärregierung in ihrer eigenen Zone eine entschiedene Dezentralisierung der Verwaltung und widersetzte sich im Kontrollrat sämtlichen Zentralisierungsbestrebungen. Sie unterstützte schließlich auf deutscher Seite alle die politischen Strömungen und Vereinigungen, die einen Staatenbund forderten.

Die britische Militärregierung hielt sich demgegenüber im wesentlichen an die Grundsätze und Entwicklungen des Weimarer Staates. Allerdings schwankte sie in ihren Plänen zeitweise. So überlegte sie vorübergehend, ob sie ihre Zone nicht in 30 — 40 Grafschaften nach englischem Vorbild unter einer einheitlichen Verwaltung auflösen sollte, entschied sich aber dann für die Errichtung von Ländern, die unter der Lenkung von zentralen Zonenämtern stehen sollten. Die Briten wünschten also einen föderativen Staat mit einheitsstaatlicher Tendenz.

Die amerikanische Militärregierung betrieb entschlossen die Bildung eines föderativen Staatswesens nach heimischem Vorbild und unter Ausnutzung der in ihrer Zone vorgefundenen Verhältnisse. Sie schuf schon frühzeitig drei Länder, die ihre gemeinsamen Angelegenheiten mittels eines Länderrates regelten.

Im Gegensatz zu den teilweise nur zögernd und mit Schwierigkeiten zustandegekommenen inneren Neugliederungen in den westlichen Besatzungszonen stand das Vorgehen der Sowjets. Zielstrebig bildeten sie in ihrer Besatzungszone fünf neue Länder (Brandenburg, Sachsen, Sachsen-Anhalt, Thüringen und Mecklenburg-Vorpommern) und setzten bereits am 9. Juli 1945 vorläufige Regierungen ein. Schon im Februar 1947 wurden Vereinbarungen über den Aufbau einer gemeinsamen Zentralverwaltung getroffen.

6. Die amerikanische Besatzungszone

Die Länder des Deutschen Reiches hatten in der Zeit des Nationalsozialismus weitgehend ihre politische Bedeutung verloren. Trotz des Zerfalls der NS-Verwaltung bei Kriegsende traten den Amerikanern jedoch in ihrer Besatzungszone noch deutliche Überreste der einstigen Länderstruktur entgegen. Dementsprechend setzte die amerikanische Besatzungsmacht bereits 1945 in ihrer Zone Auftragsregierungen ein, die mit begrenzten Vollmachten ausgestattet waren und die Verwaltung wieder aufbauen, Wirtschaft und Verkehr wieder in Gang bringen und alliierte Anordnungen ausführen sollten. Die Amerikaner strebten einen lebendigen Föderalismus an, tasteten sich aber an die verwickelten deutschen Probleme nur allmählich heran.

Bayern war das einzige Land, das seinen früheren Verwaltungsaufbau fast ohne Brüche fortsetzen konnte. Lediglich der Regierungsbezirk Pfalz, der nun zur französischen Zone gehörte, war von ihm abgetrennt worden. So lag es auf der Hand, daß die regionale Militärregierung zunächst auf die politischen Kräfte der Weimarer Zeit zurückgriff. Das Land war daher verhältnismäßig rasch funktionsfähig.

Hessen warf 1945 dagegen einige Probleme auf. Das Gebiet setzte sich aus dem Land Hessen und der ehemaligen preußischen Provinz Hessen-Nassau zusammen, wobei vier Landkreise an die französische Zone verlorengegangen waren. Clay hatte zunächst vor, diese staatliche Gliederung, die im Dritten Reich aufgehoben worden war, wiederherzustellen, er ließ seinen Plan zunächst auch erproben, entschied sich aber im September 1945 doch für ein vereinigtes „Großhessen", für das sich auch die deutschen Politiker aussprachen.

Der südwestdeutsche Raum war durch die Besetzung durch Franzosen und Amerikaner zerschnitten worden. Die Amerikaner richteten sich in der nördlichen Hälfte der Länder Württemberg und Baden ein, die Franzosen in der südlichen. Der genaue Verlauf der Zonengrenze selbst lag im Mai 1945 noch nicht fest. Maßnahmen von einer der beiden Militärregierungen konnten außenpolitische Verwicklungen nach sich ziehen. So verhielten sich die Amerikaner abwartend, während die Franzosen provisorische Behörden schufen. Erst durch die Proklamation der US-Militärregierung vom 19. September 1945 wurde die amerikanische Zone offiziell in die Länder Bayern, Groß-Hessen und Württemberg-Baden gegliedert. Als amerikanische Enklave in der britischen Zone kam 1947 die Hansestadt Bremen als Nachschubhafen hinzu.

Proklamation Nr. 2
der Militärregierung für die amerikanische Zone in Deutschland

An das deutsche Volk in der amerikanischen Zone:

Ich, General Dwight D. Eisenhower, Oberster Befehlshaber der amerikanischen Streitkräfte in Europa, erlasse hiermit folgende Proklamation:

Artikel I

Innerhalb der amerikanischen Besatzungszone werden hiermit Verwaltungsgebiete gebildet, die von jetzt ab als Staaten bezeichnet werden; jeder Staat wird eine Staatsregierung haben. Die folgenden Staaten werden gebildet:

Großhessen: umfaßt Kurhessen und Nassau (ausschließlich der zugehörigen Exklaven und der Kreise Oberwesterwald, Unterwesterwald, Unterlahn und Sankt Goarshausen) und Hessen-Starkenburg, Oberhessen und den östlich des Rheines gelegenen Teil von Rheinhessen;

Württemberg-Baden: umfaßt die Kreise Aalen, Backnang, Böblingen, Crailsheim, Eßlingen, Gmünd, Göppingen, Hall, Heidenheim, Heilbronn, Künzelsau, Leonberg, Ludwigsburg, Mergentheim, Nürtingen, Münsingen nördlich der Autobahn, Öhringen, Stuttgart, Ulm, Vaihingen, Waiblingen, den Landeskommissärbezirk Mannheim und die Kreise Bruchsal, Karlsruhe Stadt und Land und Pforzheim Stadt und Land.

Bayern: umfaßt ganz Bayern, wie es 1933 bestand, ausschließlich des Kreises Lindau.

aus: Theo Stammen, Einigkeit und Recht und Freiheit, München 1965.

---

7. Der Länderrat

Bei der Potsdamer Konferenz war zwar beschlossen worden, beim alliierten Kontrollrat in Berlin fünf Zentralstellen eines einheitlichen deutschen Verwaltungsapparats einzurichten. Hiergegen legte jedoch Frankreich sein Veto ein. Angesichts dieses Widerstandes beschloß Clay die Errichtung eines koordinierenden Spitzengremiums für seine Zone: einen Länderrat in Stuttgart. Bei dieser Entscheidung kam wohl der amerikanische Wille zum Ausdruck, in Deutschland so schnell wie nur möglich geordnete Verhältnisse herzustellen, andererseits aber auch die Absicht, mit der eiligen sowjetischen Zentralisierungspolitik gleichzuziehen. Clay trieb daher die Planungen für den Länderrat innerhalb eines knappen Monats voran, und schon am 17. 10. 1945 trafen sich die Ministerpräsidenten der amerikanischen Zone, Hoegner (Bayern), Maier (Württemberg-Baden), Geiler (Hessen) und Senatspräsident Kaisen (Bremen), mit den Generalen Clay und Adcock in Stuttgart. Clay begründete seine Politik vor den Teilnehmern der Konferenz:

„Wenn wir auch die Regierungsgewalt auf Länderebene stärken, so glauben wir doch noch an eine Wirksamkeit Deutschlands als wirtschaftlicher Einheit... Indessen bestehen zur Zeit derartige Verwaltungen nicht. Es ist daher wichtig, eine vollständige Koordinierung der Regierungsangelegenheiten zwischen vorhandenen Ländern herbeizuführen, speziell bei den Sonderverwaltungen. Die Sicherstellung dieser Koordinierung ist Ihre Aufgabe, nicht unsere... Sie werden periodisch zusammentreten, um über gemeinsame Probleme zu beraten."

Die Länderchefs einigten sich auf ein Organisationsstatut, der Länderrat nahm am 6. 11. 1945 seine Arbeit auf.

8. Die britische Besatzungszone

Die britische Militärregierung ging nicht im gleichen Tempo wie die Amerikaner vor, obwohl hier die Verhältnisse weitaus verworrener waren und daher einer umfassenden Neuerung bedurften. Die britische Zone setzte sich aus zahlreichen kleinen Ländern wie Oldenburg, Lippe, Schaumburg-Lippe, Braunschweig, den beiden Hansestädten Lübeck und Hamburg sowie den ehemals preußischen Provinzen Schleswig-Holstein, Hannover, Westfalen und Nordrhein (das durch die Teilung der Rheinprovinz in eine französische und eine britische Hälfte entstanden war), zusammen. Darüber hinaus war die britische Zone in ihrer wirtschaftlichen Struktur ungleichgewichtig. Im Westen lag das rheinisch-westfälische Industriegebiet mit einer hohen Bevölkerungsdichte, aber ohne agrarisches Hinterland, im Osten herrschte die Landwirtschaft vor. Der einzig bedeutende Hafen, Hamburg, befand sich verkehrstechnisch ungünstig im Nordosten. Da überdies die Länder und Provinzen 1945 einen ausgeprägten Eigennutz bei den Versorgungsproblemen entwickelten, tauchten bald Verteilungsschwierigkeiten auf, die zu Spannungen führten und nur provisorisch auf Konferenzen der deutschen Beamten ausgeglichen werden konnten.

Die britische Militärregierung ließ den komplizierten territorialen Aufbau ihrer Zone vorläufig unberührt.

In Schleswig-Holstein unterstellte sie den zunächst selbständigen Regierungsbezirk Schleswig dem Oberpräsidium in Kiel unter Theodor Steltzer (CDU). Am 23. 8. 1946 durfte er seine Provinz in ein Land umwandeln. In der Freien und Hansestadt Hamburg hielten die Briten an dem Gebietsstand fest, wie er im Juni 1937 durch Gesetz geschaffen worden war.

In der Provinz Hannover dagegen gingen Bestrebungen zur Veränderung von dem im September 1945 ernannten Oberpräsidenten Hinrich Wilhelm Kopf (SPD) aus. Schon früh warb er für ein künftiges Land Niedersachsen. Die regionale Militärregierung ermunterte ihn auch auf diesem Wege, schreckte jedoch vor endgültigen Maßnahmen zurück. Als er ihr einen mit den Ministerpräsidenten von Oldenburg und Braunschweig, Theodor Tantzen und Hubert Schlebusch, vereinbarten „Staatsvertrag" vorlegte, ordneten sie statt dessen die Errichtung eines „Verwaltungsrates für die Region Hannover" an, in dem Kopf den Vorsitz führte. Die Briten lösten dann die preußische Provinz Hannover auf und errichteten am 1. 11. 1946 das Land Niedersachsen unter Einschluß Oldenburgs und Braunschweigs.

Die ausgreifenden Pläne Kopfs berührten 1945/46 Westfalen und Nordrhein aufs engste. In Westfalen hatten die Briten das ehemalige Zentrumsmitglied Rudolf Amelunxen kommissarisch zum Oberpräsidenten ernannt. Der westfälische Oberpräsident versuchte ab Oktober 1945 die eigene Provinz in ein Land umzuwandeln. In Nordrhein hatten die Briten den ehemaligen Oberbürgermeister von Düsseldorf, Robert Lehr (CDU), zum Oberpräsidenten berufen, der aber mit allen Mitteln den Zusammenschluß seiner kleinen Provinz mit Westfalen betrieb, zumal Nordrhein zur Selbstversorgung mit Lebensmitteln keineswegs fähig war. Lehr kam mit seinen Vorstellungen der britischen Politik entgegen, der es darum ging, das Ruhrgebiet gegenüber den Ansprüchen Frankreichs zu verteidigen und sozialpolitisch zu sichern. Die Briten fürchteten zudem, daß das Industrierevier in Westeuropa zum Krisenherd werden könne. Sie betrachteten daher Probleme des Reviers als vorrangig gegenüber provinziellen Interessen und verordneten am 23. 8. 1946 den Zusammenschluß zu einem Land Nordrhein-Westfalen, dessen erster Ministerpräsident Amelunxen (Zentrum) wurde. Damit hatten die Briten bis September 1946 die US-Zone bei der Bildung von lebensfähigen Ländern eingeholt. Preußen wurde im Februar 1947 vom Kontrollrat aufgelöst.

9. Zonen-Zentralämter und Zonenbeirat

In der Frage der Zentralverwaltungen ließ sich die britische Militärregierung Zeit, nahm aber dann auf deutsche Wünsche weniger Rücksicht als die Amerikaner. Sie duldete zunächst im Sommer 1945 Konferenzen der Länderchefs und Oberpräsidenten oder deren Fachbeamten sowie der Leiter von Sonderbehörden, die alle bestrebt waren, gemeinsame Fragen zu besprechen und wenigstens die Einheitlichkeit der Rechtsentwicklung zu wahren. Sie verhinderte allerdings Pläne, ähnlich dem Länderrat in Stuttgart, auch für die britische Zone ein Generalsekretariat unter dem ehemaligen Reichs- und Preußischen Innenminister Carl Severing (SPD) zu errichten. Vielmehr begann sie im Herbst 1945 mit dem Aufbau von deutschen Beiräten bei der britischen Kontrollkommission, einem „Deutschen Wirtschaftsrat bei der britischen Kontrollkommission" und einem deutschen Nahrungsmittelverteilungskomitee, das die zusammengebrochene Lebensmittelversorgung reorganisieren sollte. Aus diesen Institutionen entwickelten sich im Frühjahr 1946 das Zentralamt für Wirtschaft unter Viktor Agartz (SPD) und das Zentralamt für Ernährung und Landwirtschaft unter Hans Schlange-Schöningen (CDU).

Schließlich schufen die Briten in Hamburg einen Zonenbeirat samt einem Generalsekretariat unter dem Sozialdemokraten Gerhard Weißer. Im Zonenbeirat saßen sowohl die Führer der politischen Parteien als auch die Oberpräsidenten und Ministerpräsidenten sowie die Vertreter gesellschaftlicher Organisationen. Der Zonenbeirat war kein Parlament und war auch nicht mit dem Länderrat der amerikanischen Zone vergleichbar. Seine Bedeutung war verhältnismäßig gering.

Die britische Zonenpolitik erzeugte also zwischen den Länderregierungen und den Zentralbehörden Widersprüche, die nicht unähnlich den Spannungen im ehemaligen Weimarer Verfassungsgefüge waren. Die englische Absicht, auf die Traditionen vor 1933 zurückzukommen, bereitete Schwierigkeiten in der Entwicklung. Dieser Konservativismus im Bereich der Länder ist bemerkenswert, da die Briten im Polizeiwesen und im Gemeinderecht sich keineswegs an das Weimarer Modell hielten, sondern mit einigem Druck englische Vorstellungen einführten, die sich freilich auf lange Sicht nur teilweise durchsetzten.

10. Die französische Besatzungszone

Die staatlichen Einrichtungen in der französischen Zone kamen nur langsam voran. Zunächst duldete die Militärregierung im Vollzug von französischen sicherheitspolitischen Interessen nur kleine Verwaltungseinheiten, aus denen bis Ende 1947 allmählich die Länder Baden, Württemberg-Hohenzollern mit dem selbständigen Kreis Lindau und Rheinland-Pfalz entstanden. Aber der innere Aufbau der Länder verlief langsam. Zunächst bildeten ihre Führungsgremien reine Verwaltungs-Direktorien, die nach und nach den Status wirklicher Regierungen bekamen. Dann folgte die Errichtung von beratenden Landesversammlungen, die die Verfassungen entwarfen. Landtage konstituierten sich erst nach den Wahlen vom 18. 5. 1947.

Daneben schufen die Franzosen auch einige zentrale, freilich schwache Einrichtungen, als „Hilfsbüros", die sich als unabdingbar erwiesen, um wenigstens ein Minimum an Zusammenarbeit im öffentlichen Leben aufrechtzuerhalten; unter anderem beriefen sie 1945 einen Beauftragten für die Elektrizitätsversorgung und errichteten 1946 eine Hauptbetriebsstelle für Düngemittel. Andere ähnliche Organisationen hatten nur statistische Aufgaben ohne jegliche staatspolitische Bedeutung, jedenfalls waren sie den zentralen Einrichtungen der amerikanischen und britischen Zone nicht vergleichbar.

Schaffung des Landes Rheinland-Pfalz

Die Absicht, die deutsche Bevölkerung soweit als möglich mit der Verwaltung ihres Landes innerhalb genügend großer Gebietsteile zu betrauen, hat mich dazu veranlaßt, die Vereinfachung des verwaltungsmäßigen Aufbaues der französischen Besatzungszone sowohl auf dem rechten wie auch auf dem linken Rheinufer ins Auge zu fassen. Im Zuge dieses Planes und von dem Willen beseelt, der rheinischen und pfälzischen Bevölkerung Gelegenheit zu geben, ihre Freiheiten und ihr wirtschaftliches Leben harmonisch zu entwickeln, habe ich insbesondere die Schaffung eines Landes beschlossen, dessen Hauptstadt Mainz sein soll und das die gegenwärtig zu den Oberpräsidien Hessen-Pfalz und Rheinland-Hessen-Nassau gehörenden Regierungsbezirke umfassen wird.

In diesem Sinne habe ich eine Verfügung getroffen, welche die grundlegenden Elemente des neuen Landes festlegt und seiner Bevölkerung ermöglicht, dieses Land auf demokratischer Grundlage unter Beachtung der heimischen Überlieferungen und Bestrebungen, z. B. in der Pfalz, zu organisieren.

Erklärung von General Koenig, Baden-Baden, 30. Aug. 1946

aus: Theo Stammen, Einigkeit und Recht und Freiheit, München 1965.

Nordsee

O s

Flensburg ☾5

Kiel ☽58

Lübeck 20 ☽

Rostock ☽25

Hamburg ☽53,5

Schwerin ☿3

Wilhelmshaven ☽60
Emden ●74
Bremerhaven ☽36

Oldenburg ☾1
Bremen ●52

Osnabrück ☽55

Münster ●39
89
Bocholt ●
Kleve ☾47
Hamm ☽60
Paderborn ●96

Bielefeld ☽26

Hannover ☽51
Braunschweig ☽52
Magdeburg ☽50

Hildesheim ☽43

Göttingen ☿2

Nordhausen ☿55
Halle ☿5

Dessau ☽40

Merseburg ☽ 20

Brandenburg 20 ☽37
Potsdar

Ber

Leipzig
Dresc

Kassel ☽63

Düren ●99
Köln ☽70
Aachen ☾48
Bonn ☾47

Siegen ●75

Gießen ●76

Eisenach ☿5
Gotha ☿5
Erfurt ☿5
Jena ☽15
Gera ☽10

Zwickau

Chemn ☽25
☿5

Koblenz ●61

Plauen ☽50

Frankfurt
Wiesbaden ☽45
☽87 Hanau
☽54 ☽22 Offenbach ☽33
Mainz ☽62 Darmstadt ●74 Würzburg

Bayreuth ☽36

Trier ☽35
Worms ☽60
Ludwigshafen ☾55 ☽48 Mannheim

Heidelberg ○0

Nürnberg ◑49

Karlsruhe ☽25
Heilbronn ☾54
Pforzheim ☽62

Stuttgart ☽30

Regensburg ☿7

Reutlingen ☽28
Ulm ☽44

Augsburg ☽24

Freiburg ☽34

München ☽33

44

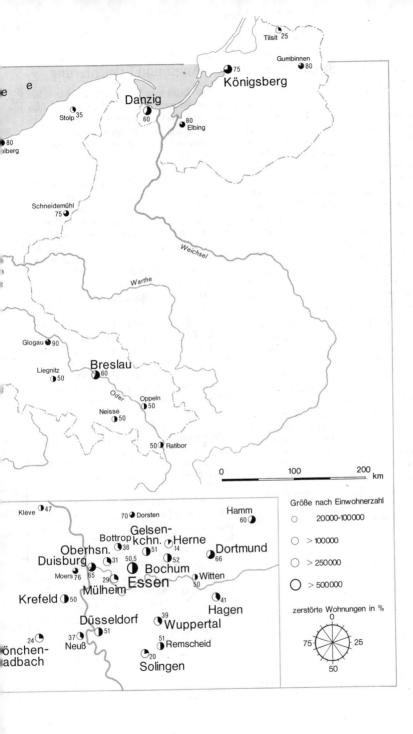

Tilsit 25

Gumbinnen 80

75 **Königsberg**

Danzig
Stolp 35
60
80 Elbing
80
olberg

Schneidemühl 75

Weichsel

Warthe

Glogau 90

Breslau
Liegnitz 50
60
Oder
Oppeln 50
Neisse 50
50 Ratibor

0	100	200
km

Kleve 47
70 Dorsten
Hamm 60
Gelsen-kchn. Herne
Bottrop 38 51 14
Oberhsn. Dortmund 66
Duisburg 31 50,5 52
Moers 76 65 Bochum
29 Witten
Essen 50
Krefeld 50 41
Mülheim Hagen
Düsseldorf 39
37 51 Wuppertal
24 Neuß 51 Remscheid
önchen- 20
adbach Solingen

Größe nach Einwohnerzahl
○ 20000–100000
○ > 100000
○ > 250000
○ > 500000

zerstörte Wohnungen in %
0
75 ⊕ 25
50

45

Mai 1945 — die „Stunde Null"?

4. Mai 1945. Hamburg, zur offenen Stadt erklärt, war seit gestern in englischer Hand, Lübeck seit vorgestern. Das RAF Bomber Command hatte am 2./3. den letzten Angriff auf Deutschland geflogen: 174 t Bomben auf den Kieler Hafen. Die Masse der deutschen Truppen im mecklenburgischen Raum hatte sich in schweren Kämpfen gegen die Russen auf das Westufer der Elbe und die Linie Schwerin-Wismar durchgeschlagen und sich den Angelsachsen ergeben, die bereits nach Mecklenburg vorgestoßen waren. Die russischen Truppen hatten in Berlin den letzten Widerstand niedergekämpft. Auf den Trümmern des Reichstages wehte die sowjetische Flagge. München war in amerikanischer Hand. An der Donau nahmen amerikanische Verbände Linz und drangen auf Salzburg vor.

Kämpfe auf der Frischen Nehrung, Kampfpause in Kurland. Keine Kampfhandlungen in von deutschen Truppen besetzten Holland, in Dänemark und Norwegen. Die Heeresgruppe in Italien hatte kapituliert. Das Westheer befand sich in Auflösung. Die Armeen in Pommern, Brandenburg und Schlesien setzten sich in Richtung auf die Demarkationslinie ab, die der deutschen Führung als von den Alliierten vereinbartes angelsächsisches Besatzungsgebiet bakannt waren. Und vor der vorrückenden russischen Front die Flut der Millionen Flüchtlinge!

Trees, Wolfgang u. a.: Drei Jahre nach Null. Düsseldorf 1978 (Droste), S. 13

RAF = Royal Air Force (Königlich-Britische Luftwaffe)

Angst und Erleichterung

Wenige Ereignisse haben sich den Menschen so tief und nachhaltig eingeprägt wie die Tage im April 1945, als nach beinahe 6jährigem Krieg die alliierten Truppen den Rhein überschritten und das Land besetzten, das zuvor in einen Trümmerhaufen verwandelt worden war. Mit gemischten Gefühlen hat die Bevölkerung dies alles miterlebt. Die Angst vor dem Krieg in nächster Umgebung war gepaart mit der Erleichterung darüber, daß bald alles zu Ende sein würde; die Freude über das Aufhören der nationalsozialistischen Gewaltherrschaft und des totalen Krieges stand neben der Trauer über die erneute und vollständige Niederlage nach Jahren des Leidens. Man stand vor den Trümmern einer politischen Welt, verursacht durch ein Regime, das 12 Jahre lang dem Menschen das Letzte abverlangt hatte. Der Anblick der zerstörten Städte, die Trauer um die Toten, die Sorge um die in der Ferne lebenden Gefangenen, die Ungewißheit über die Vermißten verstärkten die Trostlosigkeit des Augenblicks, die das Schlagwort von der „Stunde Null" aufkommen ließ. In der Tat gab es nichts, was heil geblieben war, und der Aufbau bedeutete nicht einfach nur eine Reparatur des Vorhandenen, sondern vielmehr eine völlige Neubegründung des Daseins. Zunächst freilich ging es in erster Linie um das Überleben, das der „Führer der deutschen Nation" dieser nicht hatte zugestehen wollen, falls sie den Krieg verlor. Was man tat, war von der Notwendigkeit der Stunde diktiert und hat erst allmählich und nachträglich seine geistige Formulierung, seinen politischen Gestaltungswillen gefunden. Aufräumungsarbeiten, Sicherung der Ernährung und Wohnung, Betreuung der Flüchtlinge und Heimkehrer, die Ausführung der Anordnungen der Besatzungsmächte und ihrer Organe waren die praktischen Forderungen des Alltags, denen man sich stellte.

Der deutsche Südwesten zur Stunde Null. Karlsruhe 1975 (Generallandesarchiv), S. 12

III. Die Reorganisation des deutschen politischen Lebens

1. Das deutsche Volk am Rande des Abgrundes

Das deutsche politische Leben nach dem Kriege begann im sozialen Chaos. Das Dritte Reich war in einem bislang unvorstellbaren materiellen und moralischen Zusammenbruch untergegangen. Die Politik der Siegermächte zerschnitt das deutsche Territorium, und die Potsdamer Erklärung sanktionierte die Vertreibung von Millionen Menschen aus den deutschen Ostgebieten. Das zerfallene Staatswesen, das die Militärregierungen zu ordnen bemüht waren, bot keine Sicherheit. Der Personen-, Waren- und Leistungsverkehr zwischen den deutschen Wirtschaftsräumen sowie zwischen Deutschland und dem Weltmarkt war unterbrochen. Es gab nicht einmal mehr einen nennenswerten Wirtschaftsaustausch zwischen dem Industriestaat Deutschland und seinen unmittelbaren Nachbarn.

Frankfurt am Main. Römerberg und Paulskirche nach der Zerstörung im Jahre 1945.

Ein Teil der Bevölkerung, Flüchtende, Vertriebene, Evakuierte und Soldaten, wanderte zu Fuß, zog auf Karren oder Viehwaggons umher und suchte nach Angehörigen, die oft aufs Land geflüchtet waren oder in den zerbombten Städten neue Unterkünfte gefunden hatten. Damals war es üblich, da Einwohnermeldeämter fehlten, die eigene neue Adresse an die Ruinenwand der alten Wohnung zu kritzeln, um nachkommenden Verwandten und Bekannten ein Lebenszeichen zu geben.

Der Zustrom von ca. 12 Millionen Flüchtlingen und Vertriebenen vergrößerte das Wohnungselend. Wo 1939 vier Deutsche gewohnt hatten, mußten nun zehn unterkommen. Im Gebiet der drei Westzonen warteten eine Million ehemalige Fremdarbeiter — teils in Lagern zusammengefaßt — auf Rückkehr in ihre Heimatländer.

Verglichen mit dem Vorkriegsstand von 1936 betrug die Industrieproduktion 1946 nur noch 33 Prozent. Es fehlte an Kleidung und teilweise an der primitivsten Versorgung mit Verbrauchsgütern. Die Menschen lebten am Rande des Existenzminimums. In der Lebensmittelversorgung hielten Experten der Vereinten Nationen Tagesrationen von 2 650 Kalorien für nötig. Die offizielle Zuteilung laut Lebensmittelkarte bewegte sich bei 1 500 Kalorien, und was die Deutschen in Wirklichkeit bekamen, war oft genug weniger als 1 000 Kalorien pro Tag. In Köln erreichten damals nur 12 Prozent der Kinder normales Gewicht. Ende 1946 wurden in Hamburg 100 000 Fälle von Hungerödemen festgestellt. — Die Jahre schwerster Entbehrungen endeten erst nach der Währungsreform 1948. Die Bauern horteten teilweise ihre Produkte und versuchten, die „Erfassung" durch die Ernährungsämter zu umgehen. Die Wohnungsnot war so groß, daß die Briten z. B. zeitweise erwogen, einige Städte vollständig zu räumen und die Evakuierten auf dem Lande unterzubringen. Die Menschen klammerten sich jedoch an ihre erbärmlichen Behausungen in Bretterbuden, Nissenhütten und Kellern, so daß die Militärregierung von diesem Plan Abstand nahm. Schulunterricht fand häufig in ehemaligen Luftschutzbunkern statt. Brennstoffe fehlten, und so verheizte man vielfach sogar das Holz der Bäume aus öffentlichen Parkanlagen, oder die von dem besonders harten Winter 1946/47 bedrängte Bevölkerung schritt zur Selbsthilfe und plünderte alliierte Kohlenzüge.

Der Schwarzhandel unterlief jede vernünftige Bewirtschaftung. Die Besitzer von Sachwerten, ja selbst Behörden, ließen sich vielfach nur auf den Tausch von Ware gegen Ware ein.

Ohne Bezugschein war die Reichsmarkwährung praktisch wertlos. Aber Arbeitslöhne und Gehälter wurden weiter in dieser Währung gezahlt. Für den Geschäftsverkehr außerhalb des amtlichen Zuteilungssystems bildete sich bald eine Relation heraus, die sich am Preis für amerikanische Zigaretten orientierte. Je nach Zeit und Ort verschieden betrug der Gegenwert für eine Zigarette 5 bis 15 Reichsmark. Der durchschnittliche Wochenlohn eines deutschen Arbeiters reichte also in jenen Jahren eben aus, um ein Päckchen Zigaretten auf dem schwarzen Markt zu bezahlen. Die Schwarzmarkt- und Kompensationsgeschäfte wurden oft aus alten Beständen des Staates gespeist, die geplündert worden waren, oder die Waren kamen aus den Depots der Besatzungsmächte, deren Personal sich nicht selten korrumpieren ließ.

Die deutsche Bevölkerung trug darüber hinaus schwer an der moralischen Belastung der Nation. Die Öffnung der Konzentrationslager und Gefängnisse förderte in der ersten Nachkriegszeit ständig neue Verbrechen zutage, die von Nationalsozialisten an der jüdischen Bevölkerung Europas, in besetzten Gebieten und gegenüber politischen Gegnern verübt worden waren. Angesichts der ungeheuren Greuel erblickte die gesamte Außenwelt in den Deutschen die Verkörperung alles Bösen. Mit solchem kollektiven Schuldvorwurf mochte sich jedoch der Großteil der Deutschen nicht abfinden. Der Nürnberger Prozeß gegen die Hauptkriegsverbrecher, in dem die alliierten Sieger von November 1945 bis Oktober 1946 zu zwölf Todesurteilen gegen ehemalige NS-Größen kamen, fand zwar im Grunde allgemeine Zustimmung. Die nachfolgenden Prozesse, in denen Leute auf der Anklagebank saßen, nur weil sie bestimmten Kategorien angehört hatten, weil sie zum Beispiel im auswärtigen Dienst oder führende Industrielle gewesen waren, stießen dagegen auf Kritik und Widerwillen vor allem bei den bisher „bessergestellten Schichten".

Unter ebenso grober Schematisierung litt das Verfahren der Entnazifizierung, bei dem das deutsche Volk sich auf alliierte Anordnung hin selber vom Nationalsozialismus reinigen sollte. Manche „private" Kontroverse, unter der Diktatur angewachsen, wurden auf diese Weise ausgetragen. In zahllosen Prozessen, vor sogenannten Spruchkammern, erwies es sich überdies als geradezu unmöglich, zwischen gutgläubig mitgelaufenen Massen und wirklichen NS-Verbrechern zu unterscheiden. Die Entnazifizierung wurde schließlich unvollendet eingestellt und zahlreiche wirkliche Nazis kamen ungeschoren davon. Versuche, einerseits den Vorwurf der Kollektivschuld abzuwehren und andererseits ein weitreichendes Gefühl moralischer Zerknirschung brachten damals zuweilen recht zugespitzte Gedankengänge hervor. Manche christlichen Theologen und Philosophen zum Beispiel sahen im Hitlerstaat nur die logische Konsequenz der Säkularisierung Westeuropas seit dem 18. Jahrhundert. Christliche Kreise lehnten zwar eine „Kollektivschuld" ab, sprachen jedoch von der „Scham" der Deutschen über die von ihrem Volk begangenen Verbrechen. Manche Humanisten nahmen demgegenüber an, daß eigentlich das Ethos der Humanität schon am Ende des 18. Jahrhunderts seine Geltung verloren habe, die es im Bewußtsein der Aufklärung besessen hatte. Der Glaube an die Vernunft sei schon in den napoleonischen Kriegen zerstört worden.

Viele Aktive aus allen Schichten der deutschen Bevölkerung nutzten die neue Chance und die Herausforderung, „radikale" Gedanken zu formulieren und auszutauschen.

Reisen in Deutschland

„Juni 1945. Die erste Fahrt nach der Kapitulation durch Deutschland. Im Viehwagen als entlassener englischer Kriegsgefangener. Von Neustadt in Holstein bis Marburg an der Lahn. Fahrtdauer 48 Stunden. Wir machten Kreidestriche. Bei 165 zerschossenen Lokomotiven, 1350 ausgebrannten Güterwagen, 965 zerdepperten D- und Personenzugwagen hörten wir auf. Wir hatten keine Kreide mehr. Auf den großen Bahnhöfen standen die Gleisanlagen himmelwärts. Viele Bahnhöfe und Stellwerke nur noch Trümmerhaufen. Brükken sahen wir in den Flußläufen liegen. ‚Vor Ablauf von zehn Jahren ist in Deutschland an keinen geordneten Verkehr zu denken', meinte der Nachbar."

Süddeutsche Zeitung vom 16. Januar 1952

Dort sitzen wir im Wald, hundertfünfzig Menschen, von denen drei Viertel Frauen sind, und warten bis zur mitternächtlichen Stunde. Es tropft von den Bäumen, und je dunkler es wird, je näher rücken die Frauen zusammen. Hin und wieder erscheint einer der Führer und erzählt ein Greuelmärchen von erschossenen und erschlagenen Führern, die irgendwo im Walde liegen. Dann ist es Mitternacht. Scharfe, fast preußische Kommandoworte ertönen. Aufstellen zu zweien. Es will und will nicht klappen. Die Frauen drängen sich immer wieder zusammen, aus Furcht, sie könnten sich verlieren. „Sauhaufen", schreit einer der Führer, worauf die alte Dame neben mir trotz ihres proletarischen Aussehens merklich zusammenzuckt. Dann geht es los. Wie eine endlose Schlange bewegt sich der Zug stumm und leise durch den mitternächtlichen Wald, der Grenze zu.

aus: Hans Werner Richter, Wo sollen wir landen, wo treiben wir hin...? Skizzen von einer Reise in die östliche Zone; in: Der Ruf, Heft 1/2 v. 15. 8. und 1. 9. 1946.

Kurz vor Linz, der französischen Kontrollstation, sperrt mich der Zugschaffner in die Toilette ein. Dort ist es dunkel und schmutzig. Der Zug hält. Nach einer Weile hört man Stimmen. „Machen sie mal den Koffer auf!" Erregtes Hin und Her. Dann entfernen sich die Streitenden wieder. Die Minuten verstreichen. Endlich das Abpfeifen. Die Maschine zieht wieder an. Der Schaffner schließt wieder auf und wir lachen verstohlen. Ich blicke aus dem Fenster. Auf dem Bahnsteig steht ein Häuflein Menschen, das dem Zug nachsieht. Die deutsche „Grenz"-Polizei hatte sie herausgeholt. Weil sie keine Papiere besaßen, müssen sie nun hundert Mark bezahlen und dürfen erst mit dem nächsten Zug weiterfahren. Denn um von Koblenz nach Köln zu fahren, braucht man als Deutscher heute Papiere. Deutsche Polizei veranlaßt das. Kein Franzose läßt sich bei dieser Prozedur blicken. Denn die Franzosen wissen ja, daß die Deutschen das sehr gut erledigen. Daß die Deutschen noch immer jeden Befehl befolgen, den man ihnen gibt. Daß die Deutschen aus der Geschichte niemals lernen werden.

Alfred Andersch: Der richtige Nährboden für die Demokratie; in: Der Ruf, Heft 11 v. 15. 1. 1947.

Vertreibung

Beim Rangieren und bei jedem Anfahren des Zuges polterten wir alle durcheinander, was besonders schlimm nachts war, wenn man wirklich mal eingeschlafen war. Die armen Kinder waren schrecklich nervös. Wir beachteten alle ängstlich die Fahrtrichtung, denn immer wieder tauchten Gerüchte auf, man führe uns nach Sibirien. Es ging über Gollnow, Stargard nach Stettin. Stettin ist ein einziger Trümmerhaufen. Wir kamen auf einem Vorortbahnhof von Stettin, in Kreckow, an.

Dann folgte ein Marsch von etwa 2 km bis zum Lager, aber was für ein Marsch! Es waren große, scharfe Schottersteine gestreut, über die wir mit unserm unendlich schweren Gepäck in schlechtestem Schuhzeug gehen mußten. Hans und ich trugen zwischen uns einen schweren Sack. Die Kinder konnten fast nicht mehr vorwärts unter der schweren Last, zankten sich unterwegs, weinten — und hinter uns kam Miliz, die zur Eile antrieb und notfalls vom Gummiknüppel Gebrauch machte —, und wir waren unter den letzten!

aus: Käthe von Norman, Tagebuch aus Pommern, 1945/46, München 1962.

Vor der Abfahrt eines Zuges nach Westen.

Der vollbepackte Wagen eines Flüchtlingstrecks im Jahre 1945.

Hungerrationen und Schwarzmarkt

Waren diese Jahre wirklich so lustig?

Auffallend viele Berichte über diese düstere Zeit erzählen von den heiteren Begleiterscheinungen. Da geht es darum, wie man Polizeistreifen narrte oder einfältigen Besatzungssoldaten glitzernden Firlefanz für Kaffee und Zigaretten verkaufte. Auch die Liebe kommt darin vor, die damals nach der Devise „Naturalien gegen Naturalien" gehandelt wurde. Gefälschte Raucher- und Zuckermarken, gute Beziehungen zu einem Vetter auf dem Wohnungsamt, unterschlagene Bezugsscheine ... aus diesen Stoffen wurden die heiteren Geschichten der Schwarzmarktzeit geformt. Viel Galgenhumor steckte dahinter, Spaß am Überleben und die Freude des kleinen Betrügers, wenn er den großen Betrüger übers Ohr gehauen hatte.

Ich habe darüber nie lachen können. Meistens fielen mir rechtzeitig diejenigen ein, für die am Ende nichts zu lachen übrigblieb, die den letzten Goldring schon im Sommer 1946 versetzt hatten und im Hungerwinter 1947 nichts Versetzbares mehr besaßen. An die Kältetoten des Eiswinters habe ich denken müssen und an alte Leute, die nicht mehr die Kraft besaßen, mit dem Rucksack über Land zu reisen.

Meiner Belustigung im Wege stand stets auch die Erinnerung an jene Eltern, die ihre letzten Werte zusammenkratzten, um auf dem schwarzen Markt das Wundermittel Penicillin für ihr krankes Kind zu kaufen, und die nur ein wirkungsloses Pulver erhielten. In dem berühmten Film „Der dritte Mann" geht es um diese bitterböse Seite der Schwarzmarktzeit. Kein Zweifel, es war eine ernste Zeit; das Lachen darüber fing erst an, als sie vorbei war.

Surminski, Arno: Einleitung. In: Grube/Richter: Die Schwarzmarktzeit. Hamburg 1979 (Hoffmann und Campe), S. 7

Biete Füllhalter, suche Briketts

In der schlimmsten Phase der Bewirtschaftung hat es 67 verschiedene Lebensmittelkarten allein in der aus britischem und amerikanischem Besatzungsgebiet gebildeten „Bi-Zone" gegeben. Neben 21 Karten für Verbraucher aller Klassen existierten 22 Sorten von Zulagekarten, 14 Arten von Berechtigungsscheinen, zwei Mehlkarten, zwei Milchkarten, zwei Bezugsnachweise für Kartoffeln, eine Eierkarte und dreierlei Tageskarten.

Ein Schnürsenkel, eine Kerze, eine Nadel für die Nähmaschine waren unbezahlbare Schätze, halboffiziell nur in „Tauschzentralen" zu haben, die überall aus dem Boden schossen, wie später in der Zeit des Aufschwungs die Ecken mit Gebrauchtwagenhandlungen. Vier Feuersteine fürs Feuerzeug kosteten auf dem schwarzen Markt 14 Mark. Beispiel für kleine Anzeigen in den wenigen Tageszeitungen von damals: „Biete Markenfüllhalter, neu, suche Briketts." Oder: „Am Landgericht Hindenburgplatz braune Windjacke abhanden gekommen. Zeitgemäße Belohnung." Das bedeutete Zigaretten, die bei 12 — 15 Mark pro Stück pendelten. Auf den Straßen bückten sich seriöse Herren nach den Kippen, Erfinder wandelten mit Stöcken, die am unteren Ende mit einer spitzen Nadel zum Aufpicken versehen waren. Wo Güterzüge langsam fahren mußten, brachte die Bahn Stacheldrahtzäune an. Kohlenzüge wurden regelmäßig geplündert.

Auf den Straßen krochen Holzgaskraftwagen, deren Generator in einem Jahr den Vorrat von einem Hektar Wald verbrauchte. Forstleute, die auf diese Tatsache hinwiesen, fanden kein Gehör. Die Parole hieß: Überleben, den Anschluß an die nächste Ernte gewinnen. Im Mai 1946 mußte der Bahnhof Lüneburg für jeden Verkehr geschlossen werden, da Kartoffel-„Hamsterer" das Gelände so überschwemmten, daß das, was die Bahn „normalen Reiseverkehr" nannte und was sich für die Passagiere als Fahrt auf Puffern und Dächern abspielte, nicht mehr möglich war.

Eberhard Nitschke in: Die Welt v. 4. 12. 1973.

Das Brandenburger Tor im März 1945.

Zigarettenwährung. – Ein Riegel Schokolade kostet drei Zigaretten.

Tagesration eines „Normalverbrauchers" im Sommer 1947.

53

Arbeitslohn in Waren

Industrielle Verbrauchsgüter sind auf normalem Wege durch Kauf und Zuteilung kaum noch erhältlich. Dieses ganze Tausch- und Kompensationssystem spielt sich in aller Öffentlichkeit ab, so daß es von weiten Kreisen als absolut ordnungsmäßig und korrekt angesehen wird. Meine Mitarbeiter haben z. B. festgestellt, daß Arbeiter Kohle gegen Kartoffeln tauschen. Es gibt einen festen Tauschsatz von 1 Ztr. Kartoffeln gegen 15 Ztr. Kohle. In der Kleineisenindustrie von Solingen und Remscheid besteht ein besonderes Zuteilungssystem an die Arbeiter zum Zwecke der Kompensation. Ebenso werden nach zuverlässigen Nachrichten in der Textilindustrie von Westfalen Textilien an die Arbeiter für dieselben Zwecke verteilt. Dasselbe wird von Betrieben der Kautschukindustrie berichtet, die ihren Arbeitern Fahrradschläuche zuteilen. In einem anderen Fall ist mir mitgeteilt worden, daß eine Maschinenfabrik von einem Müller erhebliche Mengen Mehl verlangt hat für die Lieferung einer Maschine, und zwar ist in diesem Falle zum Beweis dafür, daß das Verfahren ordnungsmäßig war, dem Mühlenbesitzer eine Zustimmungserklärung britischer Stellen vorgelegt worden. Im Hinblick auf die Auswirkung dieses Systems auf die landwirtschaftlichen Ablieferungen bitte ich um eine Anweisung der Militärregierung an die mit der Industriekontrolle beauftragten Offiziere.

aus: Hans Schlange-Schöningen (Hrsg.), Im Schatten des Hungers, Verlag Paul Parey, Hamburg 1958.

Auf der Jagd nach ein paar Brocken Kohle.

Lebensmittelkarte

Gültig vom 20. 8. bis 16. 9. 1945

🏛 **E 79**

für Erwachsene über 18 Jahre

EM 79 20. 8. bis 16. 9. 1945 — Bestellschein für entrahmte Frischmilch — Landes- u. HEA. Hamburg

Landes- und Haupternährungsamt Hamburg **1**

Name:

Wohnort:

Straße:

Lose Abschnitte sind ungültig! **000089**

	4. Woche		3. Woche		2. Woche		1. Woche	
	14 Fleisch E 79 HAMBURG	13 Fleisch E 79 HAMBURG	10 Fleisch E 79 HAMBURG	9 Fleisch E 79 HAMBURG	6 Fleisch E 79 HAMBURG	5 Fleisch E 79 HAMBURG	2 Fleisch E 79 HAMBURG	1 Fleisch E 79 HAMBURG
	16 E 79 HAMBURG	15 Fleisch E 79 HAMBURG	12 E 79 HAMBURG	11 Fleisch E 79 HAMBURG	8 E 79 HAMBURG	7 Fleisch E 79 HAMBURG	4 E 79 HAMBURG	3 Fleisch E 79 HAMBURG

(Brot- und Margarine-Abschnitte links: 50 g BROT 79 / 5 g Margar. 79, mehrfach)

20 ○ E 79 HAMBURG	19 ○ E 79 HAMBURG	18 ○ E 79 HAMBURG	17 ○ E 79 HAMBURG
30 BROT E 79 HAMBURG	27 BROT E 79 HAMBURG	24 BROT E 79 HAMBURG	21 BROT E 79 HAMBURG
31 BROT E 79 HAMBURG	28 E 79 HAMBURG	25 E 79 HAMBURG	22 BROT E 79 HAMBURG
32 BROT E 79 HAMBURG	29 BROT E 79 HAMBURG	26 BROT E 79 HAMBURG	23 BROT E 79 HAMBURG
39 E 79 HAMBURG	38 BROT E 79 HAMBURG	37 BROT E 79 HAMBURG	36 BROT E 79 HAMBURG	35 BROT E 79 HAMBURG	34 BROT E 79 HAMBURG	33 BROT E 79 HAMBURG
43 E 79 HAMBURG	42 BUTTER E 79 HAMBURG	41 E 79 HAMBURG	40 BUTTER E 79 HAMBURG
51 E 79 HAMBURG	50 E 79 HAMBURG	49 E 79 HAMBURG	48 E 79 HAMBURG	47 E 79 HAMBURG	46 E 79 HAMBURG	45 E 79 HAMBURG	44 Margar. E 79 HAMBURG
59 E 79 HAMBURG	58 Käse E 79 HAMBURG	57 Zucker E 79 HAMBURG	56 Marmel. E 79 HAMBURG	55 E 79 HAMBURG	54 Quark E 79 HAMBURG	53 Zucker E 79 HAMBURG	52 Marmel. E 79 HAMBURG
67 Nährm. E 79 HAMBURG	66 E 79 HAMBURG	65 Nährm. E 79 HAMBURG	64 Nährm. E 79 HAMBURG	63 Nährm. E 79 HAMBURG	62 E 79 HAMBURG	61 Nährm. E 79 HAMBURG	60 Nährm. E 79 HAMBURG
75 E 79 HAMBURG	74 E 79 HAMBURG	73 E 79 HAMBURG	72 E 79 HAMBURG	71 E 79 HAMBURG	70 E 79 HAMBURG	69 E 79 HAMBURG	68 Zusatz-Era. E 79 HAMBURG

Kohlen für den Staatsanwalt

„Die Frau eines Kölner Staatsanwalts wurde auf dem Kölner Eifeltour-Bahnhof, wo täglich 18 000 Zentner Briketts gestohlen wurden, beim Kohlendiebstahl erwischt. Die trockene Meldung ging durch die Presse. Und wer jene Jahre noch in Erinnerung hat, wird sich der berühmten Predigt des Kölner Erzbischofs Kardinal Frings erinnern, der diese Kohlendiebstähle in die juristische Kategorie „Notstand" verwies; was hier geschehe, sagte er, sei kein Diebstahl. Daß er recht hatte, wußten sämtliche Besatzungsgenerale und sämtliche Staatsanwälte. Hier gab der Kirchenfürst, der für die Ärmsten der Armen in die Bresche sprang, einem Tatbestand seinen Namen: Fortan hieß das, was man bisher ,Klauen' nannte, ,Fringsen'."

Walter Henkels, Kohlen für den Staatsanwalt, Düsseldorf 1967.

55

Eine Halle — 190 Menschen

In dem oberbayerischen Ort Weilheim leben 190 Vertriebene zusammengepfercht in einer Viehauktionshalle. Die meisten stammen aus dem Sudetenland. Als sie 1946 in den Ort kamen, wurde ihnen die Halle als Durchgangslager zugewiesen. Inzwischen aber ist sie längst zum Daueraufenthalt geworden. Seit nahezu drei Jahren leben sie hier, fast ohne Arbeitsmöglichkeit. Nur achtzehn Männer und Frauen sind zur Zeit beschäftigt. Die übrigen versuchen, sich durch Heimarbeit einen kleinen Verdienst zu schaffen. Sie schnitzen Spielzeug, flechten Körbe oder machen Handarbeiten. Für alle, die ohne feste Arbeit sind, gibt es eine monatlichen Unterstützung von vier bis acht Mark. Dazu kommen in letzter Zeit rund acht Mark im Monat Zusatzunterstützung zum Erwerb nichtbewirtschafteter Waren. Essen und Wohnen sind frei. Aber von dem „wohnen" im üblichen Sinne kann man trotz der mustergültigen Sauberkeit, auf die die Vertriebenen selbst sehen, nicht sprechen. Seit 1946 kämpfen sie um eine menschenwürdige Unterbringung, aber erst jetzt ist das Interesse der Einheimischen dafür erwacht. Man befürchtet nämlich die Abwanderung der Viehmärkte, wenn die Halle nicht bald wieder frei wird. Ironie des Schicksals: erst der Sorge ums liebe Vieh verdanken die Menschen die Aussicht auf ein besseres Leben.

Aus „Sie" vom 1. Mai 1949

Die Suche nach Angehörigen

Ursprünglich waren es 630 Kinder, die auf der Flucht aus dem Osten Deutschlands nicht nur ihre Eltern, sondern auch ihren Namen verloren hatten. 330 Kinder haben ihren Namen wiedergefunden, unter ihnen sind 230, die obendrein auch noch ihre Eltern wiederfanden. Dies danken sie dem Suchdienst des Roten Kreuzes, der in Hamburg und in München Zentralstellen unterhält: Zimmerfluchten, deren Hauptinhalt Kartotheken sind.

Der Suchdienst haust in Hamburg-Altona in einem weitläufigen Gerichtsgebäude. 660 Angestellte arbeiten hier in zwei Schichten. Richtet man das Wort an sie, so erwidern sie gern mit Zahlen: Die Namen von 15 Millionen Ostvertriebenen sind in Westdeutschland bekannt. Desgleichen von dreieinhalb Millionen Wehrmachtvermißten. Unter ihnen waren zehn Millionen, die von anderen Menschen gesucht wurden: Aufenthalt unbekannt! Vier Millionen Menschen sind bisher mit Hilfe der Kartei gefunden worden. Aber mehr als zwei Millionen Menschen ohne Adresse fanden ohne Hilfe des Suchdienstes ihre Angehörigen wieder oder wurden von diesen wiedergefunden. „Es bleiben also knapp vier Millionen Menschen, die noch gesucht werden; darunter sind mehr als eineinhalb Millionen Wehrmachtvermißte", sagte ein Mitarbeiter des Suchdienstes.

Müller-Marein, Josef: Deutschland im Jahre 1. Hamburg 1968 (Christian Wegner Verlag) S. 227/278

Kompensationsgeschäfte

Einem hungrigen Freunde wurde ein Pfund Butter für 320 RM angeboten. Er nahm sie auf Kredit, weil er soviel Geld nicht hatte. Er wollte sie morgen bezahlen. Ein halbes Pfund bekam seine Frau. Mit dem Rest gingen wir „kompensieren": In einem Tabakladen gab es für das halbe Pfund 50 Zigaretten. Zehn Stück behielten wir für uns. Mit dem Rest gingen wir in eine Kneipe. Wir rauchten eine Zigarette, und das Geschäft war perfekt: Für die 40 Zigaretten erhielten wir eine Flasche Wein und eine Flasche Schnaps. Den Wein brachten wir nach Hause. Mit dem Schnaps fuhren wir auf das Land. Bald fand sich ein Bauer, der uns für den Schnaps zwei Pfund Butter eintauschte. Am nächsten Morgen brachte mein Freund dem ersten Butterlieferanten sein Pfund zurück, weil es zu teuer war. Unsere Kompensation hatte 1½ Pfund Butter, eine Flasche Wein, zehn Zigaretten und das Vergnügen eines steuerfreien Gewerbes eingebracht.

Aus „Telegraf" vom 24. Juni 1947

Ein Flüchtlingsschicksal

Frau Juliane Moser, Frau des vermißten Oberstudiendirektors Moser aus Kaliningrad (früher Königsberg in Preußen) verlor auf der Fahrt von Rauschen, wohin sie nach dem Septemberangriff 1944 aus Königsberg geflohen war, ein dreijähriges Kind auf dem offenen Kohlenwagen durch Erfrieren. Bei ihrer Schwester in Berlin wurde sie nach dem Einrücken der Russen in Gegenwart ihrer zwölfjährigen Tochter elfmal vergewaltigt und durch einen Pistolenschuß an der linken Schulter erheblich verletzt. Im Juli 1945 kam sie in ein kleines Dorf im Odenwald. Mit einem verstörten Kind, einem gehetzten Herzen, schwanger von der Vergewaltigung. Im Februar 1946 bringt sie das Kind zur Welt, das nach sieben Stunden stirbt. Sie arbeitet bei dem Bauer Johann Grieser IV täglich elf Stunden, hat eine Kammer, trägt Holzschuhe mit dicken Sohlen. Spricht im Arbeitsgang kein Wort, sieht aus wie 50, und ist 34 Jahre alt. Sie verdient sieben Mark, bei 26 Arbeitstagen im Monat. Weil sie Lohnsteuer nicht bezahlte wurde ihr der Pelzmantel gepfändet. Sie will nicht mehr leben und tut es doch, weil sie die Tochter hat, die sie schweigsam betrachtet, als wäre sie ein Wunder. Die verhaltene Zärtlichkeit der Ostdeutschen hilft der Mutter vielleicht doch einmal über diese Zeit.

Rümelin, Hans A. (Hrsg): So lebten wir ... Ein Querschnitt durch 1947. Willsbach (Württemberg) 1948, S. 14

Offizielle Preise und Schwarzmarktpreise 1946/1947

Ware	Offizieller Preis 1947	Schwarzmarkt-Preise 1946/1947
1 kg Fleisch	2,20 RM	60 – 80 RM
1 kg Brot	0,37 RM	20 – 30 RM
1 kg Brot		20 RM
1 kg Kartoffeln	0,12 RM	4 RM
1 kg Kartoffeln		12 RM
1 kg Zucker	1,07 RM	120 – 180 RM
20 Zigaretten	2,80 RM	70 – 100 RM (US-Zigaretten)
		50 RM (Franz.-Zig.)
1 l Speiseöl	2,50 RM	150 – 180 RM (1946)
1 l Speiseöl		230 – 360 RM (1947 – 48)
1 kg Butter	4,00 RM	350 – 550 RM
1 kg Milchpulver		140 – 160 RM
1 Flasche Wein	2,00 RM	30 – 40 RM
1 l Schnaps		300 RM
1 l Benzin		8 – 12 RM
1 Kaffee-Tasse		20 RM
1 Stück T-Seife	0,35 RM	30 – 50 RM
1 Messer		35 RM
1 Glühbirne		40 RM
1 Paar Schuhe (Leder)		500 – 800 RM
1 Kleid		250 – 1 200 RM
1 Fahrrad		1 500 RM
1 Pelzmantel		6 000 RM
1 Opel P 4		10 000 RM

Wo die offiziellen Preise fehlen, bestand nur ein minimales oder überhaupt kein Warenangebot. Zur Veranschaulichung des Preisniveaus sei der monatliche Lohn eines Arbeiters angeführt: er bewegte sich 1945 – 1948 zwischen 150,— und 200,— RM.

Rothenberger, Karl-Heinz: Die Hungerjahre nach dem Zweiten Weltkrieg, Boppard 1980 (Boldt), S. 131

Warum gab es (fast) nichts zu essen?

Das schlimmste war der Mangel an Dünger für die ausgezehrten Böden. Im Wirtschaftsjahr 1945/46 konnten der Landwirtschaft nur etwa 10 v. H. des normalen Bedarfs an Stickstoff, Kali und Phosphorsäure zugeteilt werden. Auch 1946/47 ist der Düngerbedarf nur zu 30–50 v. H. gedeckt worden. Dazu kamen der Verlust und die Überalterung von Maschinen und Geräten, die Schwierigkeiten der Neubeschaffung, der Mangel an Saatgut, an Treibstoff, Bindegarn, Handwerkszeug und Schädlingsbekämpfungsmitteln, die Viehverluste, das Fehlen von Kraftfutter, die Zerstörung und Beschädigung von Gebäuden und der Mangel an Baustoffen.

Zunächst machte sich auch der Ausfall der erfahrenen Arbeitskraft der noch nicht heimgekehrten Kriegsgefangenen stark fühlbar; die zwangsweise einquartierten Flüchtlinge bedeuteten zunächst oft weniger einen Ersatz als eine Mehrbelastung. Sie brauchten eine gewisse Zeit der Eingewöhnung, bevor sie ihre später vielfach so entscheidende Bedeutung für die Versorgung der Landwirtschaft mit Arbeitskräften gewannen. Schließlich stand die gesamte Agrarproduktion unter den Auswirkungen der allgemeinwirtschaftlichen Kriegsfolgen: der Unterbindung des interzonalen Austausches, der Lähmung des Verkehrs, der reduzierten Industrieerzeugung, der Geldentwertung und der übermäßigen Besteuerung.

Schlange-Schöningen, Hans: Im Schatten des Hungers. Hamburg 1955 (Paul Parey) S. 25/26

„Nikotin-Bahn" und „Fisch-Expreß"

Vom Ruhrgebiet fährt man mit dem „Kartoffel-Zug" nach dem landwirtschaftlich gesegneteren Niedersachsen. Der „Kalorien-Expreß" von Köln und Hamburg nach München hat als Ziel die bayrischen Fleischtöpfe. Ein „Vitamin-Zug" von Dortmund nach Freiburg „erschließt" die badische Kirschenernte. Anschlußreisende fahren mit der „Nikotin-Bahn" in die Tabakfelder der Pfalz. Der Interzonen-Zug Osnabrück—Berlin ist „Fisch-Expreß".

Er bringt die Fisch-Hamsterer von der Nordseeküste nach Sachsen, dem Textil-Paradies. Nach geglücktem Tauschgeschäft fährt man zurück im „Seidenstrumpf-Expreß". Die geplagte Reichsbahn hat berechnet, daß auf ihren Schienen bis zu 80 % Kalorien-Sucher rollen und daß in der Hochsaison der Kartoffeln auf den Kopf eines Reisenden bis zu 6 Zentner Hamstergut kommen!

Aus „Die Tat" vom 28. Januar 1948

Die Schöne und die Care-Pakete

In der Sparte der Heiratsanzeigen einer norddeutschen Zeitung sucht eine 28jährige Schöne einen Partner fürs Leben. Sie hat auch etwas zu bieten: eine Zweizimmer-Wohnung und monatlich zwei Care-Pakete! Sie brauchte ihre Schönheit und ihr häuslich anschmiegsames Wesen durch kein Photo zu dokumentieren. Der Erfolg des Inserates sprach für sich: Sie bekam 2437 Heiratsanträge.

Pressemeldung aus dem Jahr 1948

„Fringsen"

Der Kölner Kardinal Frings äußerte sich 1946 zu den Diebstählen in einer Predigt:

„Wir werden uns erforschen müssen, jeder für sich, ob er das siebte Gebot treu befolgt hat, daß das Eigentum des Nächsten schützt. Wir leben sicher in Zeiten, in denen der staatlichen Obrigkeit mehr Rechte über das Eigentum der einzelnen zustehen als sonst und in denen ein gerechter Ausgleich zwischen denen, die alles verloren, und denen, die noch manches gerettet haben, stattfinden muß. Wir leben in Zeiten, da in der Not auch der einzelne das wird nehmen dürfen, was er zur Erhaltung seines Lebens und seiner Gesundheit notwendig hat, wenn er es auf andere Weise durch seine Arbeit oder durch Bitten nicht erlangen kann."

„Fringsen" nannte man von Stund an in Deutschland die illegale Beschaffung von Nahrungsmitteln und Heizmaterial. Auf einem Kölner Güterbahnhof z. B. wurden im Winter 1946/47 täglich 18000 Zentner Kohlen „gefringst".

Overesch, Manfred: Deutschland 1945—1949. Königstein/Ts./Düsseldorf 1979 (Athenäum/Droste), S. 98

Bezugsscheine und Schwarzer Markt

Die Ernährungswirtschaft nach dem Zweiten Weltkrieg war ein komplexes System, das vom Erzeuger über den Verteiler bis zum Verbraucher reichte. Obwohl in sich geschlossen, läßt es sich doch in zwei Bereiche untergliedern: das Bewirtschaftungssystem, das vor allem die Landwirtschaft betraf, und das Rationierungssystem, das die Verbraucher mit Lebensmitteln versorgte. Mittels Bewirtschaftungsvorschriften wurden der Landwirtschaft Anbau-und Ablieferungsauflagen gemacht, wobei von entscheidender Bedeutung war, in welchem Umfang Regierung und Verwaltung ihre Anordnungen durchsetzen konnten. Die möglichst vollständige Erfassung des landwirtschaftlichen Ertrages war das non plus ultra der Ernährungswirtschaft. Ihre andere Seite war das Rationierungssystem mit dem Ziel einer möglichst gleichmäßigen Versorgung aller Verbrauchergruppen mit den vorhandenen Lebensmitteln. Dazu kann anhand der Quellen ein fast lückenloser Überblick über die den einzelnen Verbrauchern zugeteilten Lebensmittelrationen gegeben werden. Es muß aber schon hier der Gefahr vorgebeugt werden, diese Rationen mit dem tatsächlichen Verbrauch gleichzusetzen, hat es doch nach dem Zweiten Weltkrieg nicht ein, sondern zwei ernährungswirtschaftliche Verteilungssysteme gegeben: das offizielle, das die Lebensmittel mittels Bezugsscheinen grammweise an die Verbraucher verteilte und jedem eine Mindestmenge garantierte. Daneben gab es das illegale Verteilungssystem, den sogenannten Schwarzen Markt, der sich hinsichtlich Preis bzw. Tauschwert an marktwirtschaftlichen Prinzipien orientierte, von den Behörden verfolgt wurde, aber dennoch funktionierte und den meisten Menschen das Leben gerettet hat.

Rothenberger, Karl-Heinz: Die Hungerjahre nach dem Zweiten Weltkrieg. Boppard 1980 (Boldt), S. 4

Hungerrationen

Ehemann: „Was gibt es heute zu essen?"
Frau: „Kartoffeln!"
Ehemann: „Und was dazu?"
Frau: „Gabeln!"

Kartoffeln bildeten den Hauptbestandteil der Nachkriegsernährung, um die Kartoffel kreiste das Denken der Menschen. Ohne die im großen und ganzen gelungene Versorgung mit 2—3 Ztr. pro Kopf hätte die Bevölkerung nicht überlebt. Brot war der andere Hauptbestandteil der täglichen Nahrung, doch konnte die für notwendig erachtete Menge von 300 g/Tag nicht in allen Regierungsbezirken ausgegeben werden. Brot war stets knapp. Um mit der vorhandenen Menge auszukommen, haben die Mütter in besonders kritischen Wochen die tägliche Ration auf dem Rücken des Brotlaibes eingekerbt und die Scheiben abgewogen. Wurde das Maß überschritten, herrschte in den nächsten Tagen bitterer Hunger.

Gegenüber Kartoffeln und Brot traten alle übrigen Lebensmittel anteilmäßig weit zurück. An Fleisch standen monatlich 300—400 g zur Verfügung, das tägliche Mahl war mit Ausnahme von 2—3 Sonntagen fleischlos. Wurst fiel als Brotbelag fast vollkommen aus. Statt dessen behalf sich die Bevölkerung mit eingedickten Obstsäften. Besonders groß war der Mangel an Fetten (Butter, Öl, Margarine). Die monatlichen Rationen von 200—300 g, die Schmelz- und Streichfette einschlossen, haben den Bedarf auch nicht annähernd gedeckt. Butter konnte lediglich an Kinder und Kranke regelmäßig ausgegeben werden, während Erwachsene meist mit Öl, Margarine und Sparfett vorlieb nehmen mußten.

Rothenberger, Karl-Heinz: Die Hungerjahre nach dem Zweiten Weltkrieg. Boppard 1980 (Boldt), S. 109

Kinder als Schmuggler

Aber jeder Zollgrenzschutzbeamte begegnet fast täglich Kindern, die von Banden vorausgeschickt werden und eine Art Marschsicherung darstellen. Er könnte sie, von ihnen unbemerkt, passieren lassen, um die eigentlichen Schmuggler zu fassen. Er tut es aber meist nicht, weil es durchaus möglich und üblich ist, daß diese Jugendlichen schon selbst die Unternehmer sind. Führen sie allerdings kein Schmuggelgut mit, so ist die nachfolgende Bande gewarnt und entwischt.

Es kann auch vorkommen, daß die Kinder, bepackt mit Kaffee, Kakao oder Zigaretten, eine drohende Haltung gegen die Beamten einnehmen und mehr als einmal haben starke Kinderbanden unter den Augen der Zöllner die Grenze praktisch ungehindert passiert. Denn diese Kinder wissen genau, daß sie keinen der Gewehrschüsse zu fürchten haben, die gegen Erwachsene abgefeuert werden können.

Junge Burschen, denen die Schmuggelware abgenommen worden ist, verfallen bisweilen auf den Gedanken, andern Kindern den Kaffee abzunehmen, damit sie nicht mit leeren Händen heimkommen. Kinderbanden, die sich aus Mädchen und Jungen zusammensetzen, verbergen sich häufig stunden- und nächtelang in Schlupfwinkeln. Minderjährige Mütter sind an der Grenze keine Seltenheit. Und sind sie schließlich gefaßt und werden abgeführt, so singen sie mit stolz geschwellter Brust das Lied der jungen Schmuggelaktivisten:

> Wer nicht arbeiten will,
> aber Geld verdienen will,
> der muß schmuggeln gehn.
> Für'n Rasierapparat
> kriegst 'ne Tafel Schokolad;
> wirst du dann geschnappt
> hast du Pech gehabt.

Und die Eltern dieser Kinder? Fast alle wissen von dem Grenzgeschäft ihres Nachwuchses, manche dulden, andere fordern, nur wenige verhindern ihn. Eine Vierzehnjährige, die die fünfköpfige Familie unterhält? Keine Seltenheit. Ein vierjähriges Kind auf dem Weg durch den Grenzwald? Alltäglich. Der ungekrönte jugendliche Schmugglerkönig mit 18 erlittenen Aufgriffen? Nur ein lokaler Rekord, der morgen schon gebrochen ist.

Essener Tagblatt vom 31. Mai 1950

Budget einer Berliner Familie

Familie B. besteht aus dem Ehepaar, einer Tochter von 16 Jahren, einem Sohn von 15 und einem Sohn von 5 Jahren.

Der Vater ist gelernter Arbeiter in einer Fabrik.

Wochenverdienst: brutto 57,80 RM, netto 51,60 RM; im Monat netto 231,20 RM, monatliche Lehrvergütung des Sohnes 30 RM, der Tochter 32 RM, zusammen 293,20 RM. Im Sommer 1947 verkaufte das Ehepaar ein Dutzend silberne Bestecks für 1500 RM. Hiervon wird monatlich zugesetzt. Frau B. holt jeden Monat dreimal Gemüse und Kartoffeln von ihren Eltern aus der britischen Zone. Die Reisekosten werden mit 16 RM veranschlagt. Für die Lebensmittel gibt sie den Eltern durchschnittlich 25 bis 30 RM. Sie verkauft an Bekannte Gemüse zu mäßigen Schwarzmarktpreisen, um mindestens die Unkosten zu decken...

In Berlin wurde die Bevölkerung in fünf Gruppen aufgeteilt, die Lebensmittelkarten mit jeweils unterschiedlichen Rationshöhen bekamen: I Schwerarbeiter, II Handarbeiter, III Angestellte, IV Kinder unter 14 Jahren, V sonstige Bevölkerung einschließlich Hausfrauen und Arbeitslose. Im März 1947 wurde die Gruppe V abgeschafft, und alle ihr zugehörigen Personen wurden der Gruppe III zugeteilt.

Die Familie hat nach dieser Aufstellung im Monat September
insgesamt verausgabt . . . . 590,26 RM

Durch das Gehalt des Ehemannes und die Vergütung der Kinder
konnten gedeckt werden . . . . 293,20 RM

Es blieben aus anderen
Einnahmequellen zu decken . . . . . 297,06 RM

Grebing, Helga u. a., Die Nachkriegsentwicklung in Westdeutschland 1945 – 1949. Die wirtschaftlichen Grundlagen, Stuttgart 1980, (Metzler), S. 40 f.

2. Die Neugründung der Parteien

So war auch eine sehr breite und vielschichtige Diskussion über die Grundlagen des künftigen politischen und sozialen Lebens in Deutschland sofort beim Zusammenbruch in Gang gekommen. Hieran beteiligte sich vor allem auch die junge Generation zum Teil noch in den Gefangenenlagern. Der Ursprung der politischen Betätigung vieler Männer, die heute in der ersten Reihe der deutschen Politik stehen, ist hier in der allerersten Nachkriegszeit zu suchen. Politiker aus der Weimarer Zeit, die nun wieder aktiv in die deutsche Nachkriegspolitik einstiegen, waren überwiegend zu der Erkenntnis gekommen, daß die Rivalität zwischen den Parteien und Gruppen und die Zersplitterung und mangelnde Solidarität der demokratischen Kräfte den Untergang der Republik mit verursacht hätten. So waren sie 1945 überzeugt, daß zunächst große Sammlungen in der „politischen Mitte" stattfinden müßten, um die politische Stabilität eines künftigen Staatswesens zu gewährleisten.

Die katholische Kirche und zahlreiche frühere Zentrumsabgeordnete hielten aufgrund der gerade überstandenen Bedrohung der beiden christlichen Konfessionen unter dem Nationalsozialismus eine politische Vereinigung von Katholiken und Protestanten für notwendig. Sie glaubten, je eine protestantische und eine katholische Partei für sich allein sei zu schwach, um im künftigen Staat eine Rolle zu spielen. Gewerkschaftlich orientierte Christen suchten eine Verbindung zur sozialdemokratischen Arbeiterschaft und bemühten sich um den Aufbau einer Partei der linken Mitte nach dem Vorbild des „Reichsbanners" der Weimarer Republik oder der britischen Labour Party. Einige sozialdemokratische Politiker neigten nach dem Zusammenbruch vorübergehend zur Idee der Einheit aller sozialistischen Richtungen in einer Partei. Die Liberalen waren bestrebt, die seit dem 19. Jahrhundert bestehende Spaltung des Liberalismus in einen national- und einen linksliberalen Flügel zu überwinden. Aus diesen Sammelbewegungen heraus entstanden CDU/CSU, SPD und FDP, die das politische Leben bald beherrschten. Wieder gegründet wurden auch die Zentrumspartei und die KPD. Schließlich bildeten sich noch einige mehr oder weniger kurzlebige Splitterparteien.

Die amerikanischen und britischen Militärregierungen neigten dazu, in Deutschland ein Zweiparteiensystem nach heimischem Vorbild aufzubauen. Sie paßten jedoch diese Vorstellung den sozialen und weltanschaulichen Gegebenheiten ihrer beiden Zonen an und duldeten mehrere Parteigründungen, sofern sie nicht der Entwicklung der Demokratie abträglich erschienen. Sie ließen auch mit Rücksicht auf die Sowjetunion die Wiedergründung der kommunistischen Partei zu.

1945 schlugen die westlichen Besatzungsmächte allerdings einen zurückhaltenden Kurs ein. Die Amerikaner genehmigten Parteien am 13. August, die Briten erst am 15. September 1945, freilich nur auf regionaler Ebene, und unterwarfen sie zahlreichen harten Kontrollmaßnahmen. Zonale Parteizusammenschlüsse kamen daher erst recht spät, im Frühjahr 1946 zustande. So entwickelten sich die deutschen Parteien in dieser ersten Phase weitgehend im Verborgenen und in kleinen, halb privaten Zirkeln ohne einen übergeordneten Zusammenhang. Die Mitglieder dieser Gruppen stammten in der Regel aus der jüngeren Beamten- und Politikerschicht der Weimarer Republik, die das

Erste Wahlplakate aus den Westzonen 1946/47.

Dritte Reich meist unbehelligt überstanden hatte, aus zurückkehrenden Emigranten und befreiten Häftlingen der Konzentrationslager und Gefängnisse. Sie bildeten lokale Sammelpunkte, die auf die umliegenden Gebiete ausstrahlten und zu weiteren Gründungen anregten.

Anfänge der Parteien

Welchen teilweise grotesken Einschränkungen die Parteiarbeit ausgesetzt war, berichtet Wilhelm Hoegner: „Der Druck durfte nur von einem ,registrierten' Drucker ausgeführt werden, vor der Verbreitung von Flugblättern und Plakaten mußten drei Stück bei der örtlichen Militärregierung abgeliefert werden. Die Zahl der von einer politischen Partei monatlich verteilten Flugblätter und Handzettel durfte nicht mehr als zehn Prozent, der Plakate nicht mehr als ein Prozent der Bevölkerungszahl im Zulassungsbereich der betreffenden Partei betragen. Handzettel und Flugblätter durften nicht größer sein als 15,25 zu 21,5 cm, Plakate nicht größer als 61 zu 43 cm."

aus: Paul Noack, Die deutsche Nachkriegszeit, Günter Olzog Verlag, München 1973.

3. Die Sozialdemokratische Partei Deutschlands

Am 19. April 1945, neun Tage nach der Besetzung Hannovers durch amerikanische Truppen, beschlossen Dr. Kurt Schumacher und eine Reihe anderer Sozialdemokraten auf einer dort stattfindenden Zusammenkunft den Wiederaufbau der Sozialdemokratischen Partei. Am 6. Mai hielt Schumacher bei der Gründungsversammlung des Ortsvereins Hannover eine programmatische Rede über die Aufgaben des demokratischen Sozialismus in der gegenwärtigen Zeit.

Dieser Vorgang zeigt zwei, für die Sozialdemokratie der ersten Stunde typische Züge: 1. Kurt Schumacher, der trotz seiner schweren Verletzung aus dem Ersten Weltkrieg über zehn Jahre Konzentrationslagerhaft hatte erdulden müssen, war von 1945 bis zu seinem Tode am 20. August 1952 die überragende Persönlichkeit der deutschen Sozialdemokratie und im Jahre 1947 der nach einer Meinungsumfrage meistbewunderte Politiker im Nachkriegsdeutschland. 2. Die Wiederbegründung der SPD setzte sofort nach der Befreiung von der Hitler-Diktatur ein. Ohne die erst Monate später erlaubte Bildung von Parteien durch die Militärregierung abzuwarten, trat an vielen Orten, vornehmlich in den Großstädten, die Partei mit der längsten, ungebrochenen Tradition wieder ins Leben.

Es waren zunächst vor allem die Sozialdemokraten, die die NS-Zeit überlebt und die Bindung an ihre Partei und ihre Ideen bewahrt hatten. Während in Hannover das „Büro Schumacher" aufgebaut und unter schwierigen Bedingungen Kontakte zu Parteifreunden an anderen Orten geknüpft wurden, baute z. B. in Dortmund der gerade aus dem KZ befreite Fritz Henßler die Partei- und Gewerkschaftsorganisation auf. Ohne größere Spannungen vollzog sich die Zusammenarbeit mit zurückkehrenden Emigranten und dem Exil-Parteivorstand in London. Sein Vorsitzender Hans Vogel — er starb im Herbst 1945 — und Erich Ollenhauer erklärten sich in seinem Namen bereit, das seit 1933 ausgeübte Mandat der in Deutschland wieder legal wirkenden Partei zur Verfügung zu stellen. Mit dem Beitritt Ollenhauers und Heines zum „Büro Schumacher" im Februar 1946 sowie der auf dem ersten Nachkriegsparteitag Mai 1946 erfolgten einstimmigen Wahl Schumachers zum Parteivorsitzenden und der Berufung Ollenhauers zu seinem Stellvertreter fand das reibungslose Zusammenfinden zwischen Hannover und London seinen symbolischen Ausdruck.

4. Einheit oder Spaltung als Problem der SPD und der KPD

Zum Konflikt kam es dagegen mit dem im Juni 1945 in Berlin gebildeten „Zentralausschuß", der unter Leitung Otto Grotewohls Führungsansprüche für die Gesamtpartei anmeldete. Grotewohls Glauben an eine vertrauensvolle Zusammenarbeit mit den Kommunisten und dem mangelnden Widerstandswillen des „Zentralausschusses" gegen die Verschmelzung von SPD und KPD in der sowjetischen Einflußzone setzte Schumacher sein hartes „Nein" entgegen. Schon am 6. Mai 1945 hatte er dem Gedanken einer „Einheitspartei" mit den Kommunisten eine kompromißlose Absage erteilt und für seinen Kurs, den er in den „Politischen Richtlinien" von August 1945 näher erläuterte, die Unterstützung des Londoner Exilvorstandes gefunden. Die Kommunisten waren für ihn nicht nur Handlanger der sowjetischen Politik, sondern er erkannte hier einen grundlegenden Gegensatz, „eine andere Art, die Verhältnisse und Ideen zu werten": Auf der einen Seite trotz offizieller Abschwörung das Prinzip der Diktatur, auf der anderen Seite die uneingeschränkte Bejahung einer freiheitlich-demokratischen Staats-und Gesellschaftsordnung.

Während in der sowjetischen Besatzungszone die Gleichschaltung im April 1946 mit der Gründung der „Sozialistischen Einheitspartei Deutschlands" (SED) vollzogen und die Selbständigkeit der SPD liquidiert wurde, hatte sich am 7. April eine Sozialdemokratische Partei Großberlins konstituiert. Unter Leitung von Franz Neumann lehnten in den Westsektoren Berlins, wo eine freie Entscheidung möglich war, über 82 % der SPD-Mitglieder den Zusammenschluß ab. In der Person Ernst Reuters verkörperte sich der Freiheitskampf der Berliner Sozialdemokratie und der Selbstbehauptungswille der Stadt.

Er war in den ersten Nachkriegsjahren neben Kurt Schumacher der wohl bekannteste Politiker der Sozialdemokratie, in der sich Persönlichkeiten so unterschiedlicher Herkunft und Prägung fanden wie Carlo Schmid, Adolf Arndt und Herbert Wehner. Die damit bewiesene Integrationskraft war neben der Grundsatzentscheidung für eine Volkspartei über den alten traditionellen Rahmen hinaus in starkem Maße durch Schumachers Ausstrahlungskraft bestimmt. Von Anfang an betonte er „aus Achtung vor der Persönlichkeit und vor den Motiven ihrer politischen Entscheidung" die Offenheit der Partei in weltanschaulicher Hinsicht. Theoretisch wie praktisch wurde damit eine Grundsatzentscheidung vollzogen. Trotz des angesichts der drängenden Tagesprobleme vergleichsweisen Desinteresses an Theoriefragen bildete sich schnell eine Parteilinie heraus, die das Gesicht der SPD prägte und in bemerkenswerter Einmütigkeit vertreten wurde. Die Verknüpfung von demokratischer Freiheit nach innen und nationaler Unabhängigkeit nach außen trat immer wieder als Kernpunkt des sozialdemokratischen Anliegens hervor.

Führende Sozialdemokraten, von links nach rechts Franz Neumann (1. Vorsitzender in Berlin), Kurt Schumacher, Erich Ollenhauer, Carlo Schmid.

5. Programmatische Grundsätze der SPD

Als Anwalt des „anderen Deutschland", das mit dem Hitler-Staat und seinen Wegbereitern nichts gemein hatte, erhob Schumacher unbelastet von der Vergangenheit für seine Partei den Führungsanspruch im neuen Deutschland und forderte Gleichberechtigung und Selbstbestimmung für die deutsche Nation. Die Wiederherstellung des Reichs in Freiheit galt als das vordringlichste Ziel sozialdemokratischer Politik und Maßstab des Handelns. Sie basierte auf einer eindeutigen Westorientierung und beinhaltete das Bekenntnis zu dem System der westlichen Demokratie, keinesfalls aber eine Zustimmung zu der jeweiligen Politik der Westmächte. Gerade mit ihren wirtschaftspolitischen Vorstellungen, die in ähnlicher Form auch von den Gewerkschaften und Teilen der CDU vertreten wurden, stieß sie auf Widerstände der Westalliierten. So scheiterte im Sommer 1948 in Nordrhein-Westfalen ein Antrag auf Überführung der Kohle in Gemeinwirtschaft am Einspruch der Besatzungsmacht. Unter dem Motto „Sozialismus als Tagesaufgabe" vertrat die Partei die Auffassung, daß in einer Situation, wo der Großteil der Bevölkerung fast alles verloren hatte, der Wiederaufbau nicht nach den Prinzipien einer sich am Profit orientierenden kapitalistischen Wirtschaft erfolgen dürfe. Sowohl der Gedanke der Gerechtigkeit wie die Sicherung einer lebensfähigen Demokratie erfordere es nach den Erfahrungen von 1933, daß sich nicht wie-

der „große Vermögen in der Hand verantwortungsloser Privater sammeln können".
Aufgabe der Gewerkschaft sollte es sein, als Instrument zur Demokratisierung der
Wirtschaft zu wirken.

Kurt Schumacher: Programmatische Erklärung vom 5. 10. 1945

Bei einer Auseinandersetzung, die uns durch das Verhalten einer Partei aufgezwungen wird, können wir nicht zurückweichen, wenn diese von uns nicht gesuchte Frontstellung die zwangsläufige Aufdeckung der außenpolitischen Abhängigkeit dieser Partei bedeutet. Im Grundsatz bekennen wir uns zur Einheitspartei aller Schaffenden. Aber wir sehen auch, daß nirgends sonst in der Welt sich dieser Gedanke durchgesetzt hat, sich unter den gegebenen Voraussetzungen dieser historischen Epoche auch nicht durchsetzen kann. Das hat bei uns wie in anderen Ländern seinen Grund darin, daß die Kommunistische Partei sich nicht nach den Bedürfnissen und Erkenntnissen der Arbeitenden ihres Landes richtet.

Wir deutschen Sozialdemokraten sind nicht britisch und nicht russisch, nicht amerikanisch und nicht französisch. Wir sind die Vertreter des deutschen arbeitenden Volkes und damit der deutschen Nation. Wir sind als bewußte Internationalisten bestrebt, mit allen internationalen Faktoren im Sinne des Friedens, des Ausgleichs und der Ordnung zusammenzuarbeiten. Aber wir wollen uns nicht von einem Faktor ausnützen lassen.

Im Sinne der deutschen Politik ist die Kommunistische Partei überflüssig. Ihr Lehrgebäude ist zertrümmert, ihre Linie durch die Geschichte widerlegt. Nachdem ihre Hoffnung, sich als führende Arbeiterpartei etablieren und zur einzigen Arbeiterpartei entwickeln zu können, von den Tatsachen so völlig unmöglich gemacht wird, muß sie nach dem großen Blutspender suchen. Das Rezept ist die Einheitspartei, die einen Versuch darstellt, der Sozialdemokratischen Partei eine kommunistische Führung aufzuzwingen. Eine sozialdemokratische Partei unter kommunistischer Führung wäre aber eine kommunistische Partei.

Sozialismus als Tagesaufgabe Parteitag in Hannover (Mai 1946)

Die Demokratie ist für alle Schaffenden die beste Form ihres politischen Kampfes. Sie ist für uns Sozialisten ebenso eine sittliche wie eine machtpolitische Notwendigkeit. Die Sozialdemokratie will die freiwillige Gefolgschaft aus eigener Erkenntnis und mit dem Recht der Kritik ihrer Anhänger.

Es gibt keinen Sozialismus ohne Demokratie, ohne die Freiheit des Erkennens und die Freiheit der Kritik. Es gibt auch keinen Sozialismus ohne Menschlichkeit und ohne Achtung vor der menschlichen Persönlichkeit.

Wie der Sozialismus ohne Demokratie nicht möglich ist, so ist umgekehrt eine wirkliche Demokratie im Kapitalismus in steter Gefahr. Aufgrund der besonderen geschichtlichen Gegebenheiten und Eigenarten der geistigen Entwicklung in Deutschland braucht die deutsche Demokratie den Sozialismus. Die deutsche Demokratie muß sozialistisch sein oder die gegenrevolutionären Kräfte werden sie wieder zerstören... Sozialismus ist nicht mehr ein fernes Ziel. Er ist die Aufgabe des Tages. Die deutsche Sozialdemokratie ruft zur sofortigen sozialistischen Initiative gegenüber allen praktischen Problemen in Staat und Wirtschaft auf allen Stufen des staatlichen und wirtschaftlichen Lebens auf.

Das Ergebnis der ersten Landtagswahlen in den drei Westzonen 1946/47, bei denen die SPD nur in den Ländern Hessen, Niedersachsen, Schleswig-Holstein, Berlin und Bremen die CDU überflügeln konnte, stellte die Weichen in eine andere Richtung. In dem nach den Landtagswahlergebnissen zusammengesetzten Frankfurter Wirtschaftsrat der Bizone entschied sich die SPD für eine „konstruktive Opposition", nachdem ihr von der CDU, gestützt unter anderem von der FDP, der Posten des Wirtschaftsdirektors verwehrt wurde. Diese Entscheidung bildet in der Geschichte Nachkriegsdeutschlands eine Zäsur. Für lange Zeit stellte eine Koalition „bürgerlicher Parteien" auch die Regierung in der Bundesrepublik Deutschland, während die SPD der jungen Demokratie „eine zuverlässige und radikalen Absichten unverdächtige Oppositionspartei" schenkte.

Früher als die anderen Parteien hatte die SPD sich nach 1945 mit Verfassungsproblemen beschäftigt und „Richtlinien für den Aufbau der Deutschen Republik" entworfen. Im Parlamentarischen Rat, in dem sie 27 von 65 Mitgliedern stellte, setzte sie sich unter Führung ihres herausragenden Staatsrechtlers Carlo Schmid besonders für die Funktionsfähigkeit des Bundes und die Verankerung der Grundrechte ein. Wenn sie nicht stärker auf eine Konkretisierung des Sozialstaatspostulats drängte, dann nicht zuletzt deshalb, weil sie das zu schaffende Verfassungswerk nur als ein Provisorium verstand bis zur Wiedererringung der Einheit in Freiheit.

6. Die Christlich-Demokratische Union

Die Gründung der CDU (ebenso wie die der CSU) stellte die entschlossene Konsequenz aus den Erfahrungen der Weimarer Republik und dem Erlebnis des gemeinsamen Widerstandes katholischer und evangelischer Christen gegen den nationalsozialistischen Terror dar. Der Nationalsozialismus gab den entscheidenden Anstoß für die politische Zusammenarbeit der christlichen Konfessionen, um nach dem Zusammenbruch aller sittlichen Werte in der NS-Zeit dem christlich-humanistischen Menschenbild auch im politischen Leben Geltung zu verschaffen. In der Reaktion auf die Erfahrungen in der Weimarer Republik mit ihrer Parteienzersplitterung und den raschen Regierungswechseln sollte eine möglichst alle Schichten des Volkes umfassende Partei gebildet werden. Die Union ist von ihren Gründern also nicht nur als die politische Union evangelischer und katholischer Christen konzipiert worden, sondern zugleich als Union aller sozialen Gruppen der Gesellschaft, als Volkspartei.

Die lokalen Vorläufer der CDU, oft unter verschiedenen Namen wie „Partei der Arbeit" oder „Christlich Demokratische Partei" gegründet, entstammten in der Regel der Initiative von Politikern der ehemaligen Zentrumspartei, zum Beispiel Leo Schwering in Köln oder Karl Arnold in Düsseldorf oder Lambert Lensing in Dortmund, aber auch von Liberalen oder Konservativen. Die Programmatik war daher am Anfang außerordentlich verschiedenartig. Die Berliner Gruppe um Jakob Kaiser und die Düsseldorfer um Karl Arnold verfochten einen christlichen Sozialismus; die Kölner neigten teilweise zu einem konservativen Denken, hatten aber auch Mitglieder, die der Idee einer deutschen Labour Party anhingen; die norddeutschen Gruppen schließlich unter Hans Schlange-Schöningen waren konservativ und liberal.

Der Prozeß der lokalen Parteigründungen in der CDU wurde durch die rasche Reorganisation von SPD und KPD beschleunigt. Angesichts der Stärke der beiden Arbeiterparteien entwickelte sich die CDU allmählich zur christlichen Volkspartei mit einem bürgerlichen Flügel und einem in der Anfangszeit starken Flügel christlicher Gewerkschafter, die sich Ende 1946 in den Sozialausschüssen in der CDU zusammenschlossen. Diese beiden Flügel rangen um ein gemeinschaftliches Vorgehen in der Gesell-

---

Leitsätze der Christlich-Demokratischen Partei im Rheinland und Westfalen von 1945 (Kölner Leitsätze)

Gott ist der Herr der Geschichte und Völker, Christus die Kraft und das Gesetz unseres Lebens.

Die deutsche Politik unter der Herrschaft des Nationalsozialismus hat diese Wahrheit geleugnet und mißachtet.

Das deutsche Volk ist deshalb in die Katastrophe getrieben worden. Rettung und Aufstieg hängen ab von der Wirksamkeit der christlichen Lebenskräfte im Volke.

Deshalb bekennen wir uns zum demokratischen Staat, der christlich, deutsch und sozial ist.

Unsere politische Arbeit wird daher von folgenden Grundsätzen bestimmt sein:

1. Die Würde des Menschen wird anerkannt. Der Mensch wird gewertet als selbstverantwortliche Person, nicht als bloßer Teil der Gemeinschaft.

12. Ziel unseres politischen Willens ist der soziale Volksstaat als Bürge eines beständigen inneren und äußeren Friedens. Alle Formen des öffentlichen Gemeinschaftslebens kommen aus der Demokratie. Jeder Totalitäts- und Diktaturanspruch wird verworfen. Mißbrauch der Demokratie und ihrer Einrichtungen wird mit allen Machtmitteln des Staates bekämpft.

16. Das Ziel der Wirtschaft ist die Bedarfsdeckung des Volkes. Grundlage der Wirtschaftstätigkeit ist die soziale Gleichberechtigung aller Schaffenden in Betrieben und öffentlich-rechtlichen Wirtschaftsvertretungen. Die Vorherrschaft des Großkapitals, der privaten Monopole und Konzerne wird beseitigt. Privatinitiative und Einzelverantwortlichkeit werden geweckt. Mittel- und Kleinbetriebe werden gefördert und vermehrt.

17. Das Recht auf Eigentum wird gewährleistet. Die Eigentumsverhältnisse werden nach dem Grundsatz der sozialen Gerechtigkeit und den Erfordernissen des Gemeinwohls geordnet. Durch gerechten Güterausgleich und durch soziale Lohngestaltung soll es dem Nichtbesitzenden ermöglicht werden, zu Eigentum zu kommen. Das Gemeineigentum ist soweit zu erweitern, wie das Allgemeinwohl es erfordert. Post und Eisenbahn, Kohlenbergbau und Energieerzeugung sind grundsätzlich Angelegenheiten des öffentlichen Dienstes. Das Bank- und Versicherungswesen unterliegt der staatlichen Kontrolle.

Ahlener Programm 1947

„Die neue Struktur der deutschen Wirtschaft muß davon ausgehen, daß die Zeit der unumschränkten Herrschaft des privaten Kapitalismus vorbei ist. Es muß aber ebenso vermieden werden, daß der private Kapitalismus durch einen Staatskapitalismus ersetzt wird, der noch gefährlicher für die politische und wirtschaftliche Freiheit des einzelnen sein würde. Es muß eine neue Struktur in der Wirtschaft gesucht werden, die die Mängel der Vergangenheit vermeidet und die Möglichkeit zu technischem Fortschritt und zur schöpferischen Initiative des einzelnen läßt."

Führende Männer der CDU, links neben Konrad Adenauer Ernst Lemmer, rechts Jakob Kaiser (beide Berlin), rechts außen Erich Koehler, Frankfurt, Präsident des Bizonen-Wirtschaftsrates.

schaftspolitik und einigten sich 1947 in der CDU der britischen Besatzungszone auf das Ahlener Programm, das einen Kompromiß zwischen christlichem Sozialismus und liberaler Marktwirtschaftspolitik enthielt.

Das Programm forderte daher eine Entflechtung der Großbetriebe und deren Überführung in Gemeineigentum. Monopole sollten vergesellschaftet werden. Die Arbeiterschaft sollte Mitbestimmungsrechte erhalten, die Lenkung schließlich von mit Arbeitgebern und Arbeitnehmern paritätisch besetzten Wirtschaftskammern vorgenommen werden. Manche dieser Gedanken standen den Ansichten der SPD nahe, andererseits aber suchte die CDU auch eine strikte Abgrenzung gegenüber ihrer Konkurrentin, indem sie vor allem eine staatliche Planwirtschaft ablehnte.

7. Das Konzept der sozialen Marktwirtschaft

Der ideologische Kompromiß konnte die Gegensätze in der Partei nicht ausräumen. Vor allem Konrad Adenauer profilierte sich als Gegner des von Arnold und Kaiser geführten Flügels des christlichen Sozialismus. Er war nach einer Zeit des Verbotes politischer Tätigkeit im Frühjahr 1946 rasch an die Spitze des Rheinischen Landesverbandes und anschließend des gerade gegründeten Zonenausschusses der CDU gelangt. Er war zum erstenmal mit Kaiser in der Frage des Sitzes der Parteigeschäftsstelle zusammengestoßen, wobei es nicht nur um organisatorische Probleme ging, sondern auch um die von Kaiser propagierte Theorie der „Verbindung von Ost und West mit Berlin als Schnittpunkt der Ideen". Mit Arnold und seinen Anhängern geriet Adenauer im Sommer 1947 als Fraktions-Vorsitzender seiner Partei im Landtag von Nordrhein-Westfalen in freilich selten offen ausgetragene Auseinandersetzungen um die Probleme der Sozialisierung des Kohlenbergbaues, der Bodenreform und der Wirtschaftskammern. Dabei gelang es ihm, zum Scheitern dieser Pläne beizutragen und gleichzeitig die Formel vom „machtverteilten Prinzip" in der Wirtschaft als gesellschaftspolitischen Grundsatz in der Union durchzusetzen, also das Programm der „Sozialen Marktwirtschaft", die — entsprechend den sich in der CDU durchsetzenden Vorstellungen Ludwig Erhards — staatliche Sozialpolitik als Faktor des sozialen Ausgleichs und sozialer Gerechtigkeit in die marktwirtschaftliche Wirtschaftsordnung einfügen und beide, also Sozialstaat und Marktwirtschaft, miteinander verbinden sollte. Adenauer war überzeugt, daß die USA kein sozialistisches Deutschland dulden oder es zumindest nicht hinreichend unterstützen würden. Er hielt einen christlichen Sozialismus für unrealistisch und fürchtete überdies, Kaisers Ideen könnten die CDU spalten.

Mit Adenauers Aufstieg zum Präsidenten des Parlamentarischen Rates 1948 und zum Bundeskanzler 1949 setzte sich in der Partei weitgehend sein Kurs durch, wobei ihm die harte Konfrontationspolitik der SPD gegen die CDU durchaus zu Hilfe kam. Die „Düsseldorfer Leitsätze" (1949) waren dann auch von einem anderen Geist als das „Ahlener Programm" getragen: „Die soziale Marktwirtschaft", hieß es darin, „ist die sozialgebundene Verfassung der gewerblichen Wirtschaft, in der die Leistung freier und tüchtiger Menschen in eine Ordnung gebracht wird, die ein Höchstmaß von wirtschaftlichem Nutzen und sozialer Gerechtigkeit für alle erbringt...

Echter Leistungswettbewerb liegt vor, wenn durch eine Wettbewerbsordnung sichergestellt ist, daß bei gleichen Chancen und fairen Wettbewerbsbedingungen in freier Konkurrenz die bessere Leistung belohnt wird... Die soziale Marktwirtschaft steht in schärfstem Gegensatz zum System der Planwirtschaft, die wir ablehnen, ganz gleich, ob in ihr die Lenkungsstelle zentral oder dezentral, staatlich oder selbstverwaltungsmäßig organisiert wird."

8. Die Christlich-Soziale Union

Einer der wohl wichtigsten Impulse zur Gründung der CSU ging von Adam Stegerwald in Würzburg aus, einem christlichen Gewerkschaftsführer, der schon in den zwanziger Jahren eine bedeutende Rolle in der Zentrumspartei gespielt hatte. Er entwickelte nach dem Einmarsch der Alliierten zunächst in kleinem Kreise seine Theorie von der „Brückenbau-Partei" zwischen Stadt und Land, Katholiken und Protestanten sowie christlicher Kultur und sozialen Grundlagen. Er lehnte daher den Wiederaufbau der ehemaligen Bayerischen Volkspartei entschieden ab. Am 10. Oktober 1945 wurde in Würzburg die CSU gegründet. Stegerwald starb allerdings schon im Dezember 1945.

Der Schwerpunkt der neuen Partei verschob sich von Würzburg nach München, wo im August 1945 der kurz zuvor ernannte Oberbürgermeister Karl Scharnagl den aus langer

Untersuchungs- und KZ-Haft nach München zurückgekehrten Widerstandskämpfer Josef Müller sowie den Bayerischen Ministerpräsidenten Fritz Schäffer, 1929 — 1933 Vorsitzender der Bayerischen Volkspartei (BVP), zur Gründung einer überkonfessionellen christlichen Partei eingeladen hatte. Ein Landesausschuß wurde in München gebildet, um die Gründung einer Landespartei vorzubereiten, nachdem bisher nur Parteien auf Kreisebene zugelassen waren. Müller, der zusammen mit evangelischen Freunden besonders für die politische Verständigung der Konfessionen eingetreten war, wurde im Dezember 1945 zum Landesvorsitzenden gewählt und im März 1946 in diesem Amt endgültig bestätigt. Unter seiner Führung setzte sich die CSU vollends vom Geist der Bayerischen Volkspartei ab, ein nicht einfacher Vorgang, da einerseits zahlreiche Mitglieder gefühlsmäßig ihrer alten Partei verbunden waren, andererseits eine Rückkehr zur BVP als rein konfessioneller, bürgerlicher und föderalistischer Partei mit Rücksicht auf die neuen Mitglieder, vor allem aus dem protestantischen Lager, nicht in Frage kam.

Ludwig Erhard mit dem bayerischen Wirtschaftsminister Hanns Seidel und Josef Müller, beide CSU.

Auseinandersetzungen gab es in der Frage, ob Bayern künftig Monarchie oder Republik sein solle, wobei Müller und Scharnagl sich entschieden gegen die Monarchie aussprachen. Später prallten die Meinungen in der Frage des Staatspräsidenten erneut aufeinander; den Befürwortern einer solchen Institution war vor allem an der Betonung der eigenständigen Interessen Bayerns gelegen, während die Gegner einen Staatspräsidenten als Ausdruck eines überspitzten Partikularismus betrachteten.

Bei den ersten Landtagswahlen erhielt die CSU die absolute Mehrheit, und der CSU-Abgeordnete Ehard wurde Ministerpräsident einer Koalitionsregierung aus CSU, SPD und Wirtschaftlicher Aufbauvereinigung (WAV). Er löste zwei Jahre später Müller auch als Parteivorsitzenden ab. Die Ablösung Müllers war das Resultat innerparteilicher Konflikte, die schließlich mit dazu führten, daß andere Parteien, so die 1946 gegründete Bayernpartei, vorübergehend Einbrüche in die Wählerschaft der CSU erzielen konnten.

Programmatische Richtlinien der FDP vom 4. Februar 1946

Persönliche Initiative und freier Wettbewerb steigern die wirtschaftliche Leistung, und persönliches Eigentum ist eine wesentliche Grundlage gesunder Wirtschaft.

Andererseits darf jedoch die Freiheit der Wirtschaft nicht sozial mißbraucht werden und nicht zur Übermacht von Überstarken führen. Das Recht und die Möglichkeiten der Kleinen, sich neben den Großen zu behaupten, muß

ebenso gesichert sein wie das Recht derer, die ihr Leben nicht in Selbständigkeit, sondern als Mitarbeiter in großen und kleinen Betrieben verbringen.

Es ist Aufgabe und Pflicht der Wirtschaft, die Bedürfnisse der Masse zu decken. Um das zu können, muß die Wirtschaft unter internationaler Arbeitsteilung in die Weltwirtschaft eingegliedert werden.

---

9. Die Freie Demokratische Partei

Im Dezember 1948 konstituierten in Heppenheim/Bergstraße 89 Delegierte liberaler Landes- und Zonenverbände eine überregionale Partei, die sie Freie Demokratische Partei nannten. Theodor Heuss wurde ihr erster Vorsitzender.

Schon von Juni 1945 an hatten sich liberale Gruppen zunächst als spontane Zusammenschlüsse Gleichgesinnter auf lokaler Ebene gebildet. Später schlossen sie sich unter der Führung liberaler Politiker der Weimarer Zeit nach und nach in Landesverbänden und Zonenparteien zusammen: zuerst in Berlin und der sowjetischen Besatzungszone, wo man sich — wie später auch in Hessen und Westfalen — den Namen Liberaldemokratische Partei gab, dann — im Januar 1946 — in der britischen Besatzungszone, kurz darauf auch in der amerikanischen, also in den Ländern Bremen, Hessen, Bayern und Württemberg/Baden. Die hier traditionelle Bezeichnung Demokratische Volkspartei ist bis auf den heutigen Tag in diesem Raum erhalten geblieben. In Hamburg schließlich wurde der Name Freie Demokratische Partei geboren.

Führende Liberale 1947 in Hamburg: Wilhelm Külz (Liberaldemokratische Partei der Sowjetzone), Franz Blücher (rechts), Willy Max Rademacher (stehend).

Diese Gruppierungen fanden natürlich vorerst ihre geistige Tradition in den beiden großen liberalen Parteien der Weimarer Republik, in der Deutschen Volkspartei und in der aus der Deutschen Demokratischen Partei hervorgegangenen Deutschen Staatspartei. So drückte eines der ersten Parteiprogramme, das „Syker Programm", das sich die in der britischen Zone vereinten Liberalen gaben, die weltbürgerlichen Strömungen der alten Parteien aus. Es forderte unter anderem „die Vereinigten Staaten von Europa" im Verband „der Vereinigten Staaten der Erde". Andere Vorstellungen, wie sie zum Beispiel im Westfälischen herrschten, zielten auf eine zentrale Wirtschaftsplanung. Im württembergischen Stammland des Liberalismus dagegen vertraute man dem freien Spiel aller gesellschaftlichen Kräfte.

Die Liberalen hatten in den ersten Jahren der Neuorientierung nach Weimarer Republik und Brauner Diktatur noch keinen festen Standort für ihre Mitwirkung bei der Gestaltung der zweiten deutschen Republik. Aus ihrer Geschichte und ihrer Erfahrung hatten sie drei Begriffe ins politische Bewußtsein des Neubeginns herübergerettet: Nation, Freiheit und Menschenwürde. Sie mußten sich an der Realität der Nachkriegszeit reiben. Die Spaltung der Nation und ein, wenn auch sozialbedingtes „Manchestertum" des unter eigenen Gesetzen stehenden wirtschaftlichen Wachstums verunsicherten die liberale Tradition.

Vorerst bestimmten die Männer der ersten Stunde das liberale Weltbild. Das waren zunächst alle jene Politiker, die schon in der Weimarer Republik an führender Stelle tätig waren: Theodor Heuss, ehemals Reichstagsabgeordneter der deutschen Demokratischen Partei , Franz Blücher, Wolfgang Haußmann, Reinhold Maier, Thomas Dehler, Hermann Höpker-Aschoff u. a.

Aus der nationalen Wirklichkeit zogen die Liberalen im Januar 1948 die Konsequenzen. Nach einer gemeinsamen Sitzung von Vertretern aus Ost und West trennten sich die westdeutschen Liberalen von ihren östlichen Gesinnungsgenossen, die die Volkskongreßbewegung der Kommunisten unterstützten.

Lange Zeit waren sich die Liberalen in den westlichen Besatzungszonen unschlüssig über den Auftrag des politischen Liberalismus in der künftigen Bundesrepublik. Erst die täglich praktizierte Zusammenarbeit im Frankfurter Zweizonen-Wirtschaftsrat unter dem Fraktionsvorsitzenden Franz Blücher, dann im Bonner Parlamentarischen

(NZ-Karikatur von Helmut Beger)

*Quelle: R. Wildermuth,
Als das Gestern heute
war, München 1981.*

Rat unter Theodor Heuss, mit dem die Liberalen einen wesentlichen Beitrag zu Gei꞉ und Formulierung der Verfassung leisteten, brachte die Mandatsträger des neudeutschen Liberalismus auf den Weg nach Heppenheim, wo sie sich am 12. September 1948 einen Namen gaben, ohne bisher ein allgemein verbindliches Programm zu haben.

10. Parteigründungen in der sowjetisch besetzten Zone

Trotz des Trends zur Integration im Parteienwesen zeigten sich überlieferte Strukturen des Weimarer Parteiensystems wieder. Die sowjetische Militäradministration förderte dabei besonders die Kommunistische Partei. Sie erlaubte am 10. 6. 1945 politische Parteien in ihrer Besatzungszone. Schon einen Tag später wandte sich das Zentralkomitee der KPD mit einem Aufruf an die Öffentlichkeit, in dem es die Enteignung der Nationalsozialisten und der Großgrundbesitzer, ferner die Übergabe lebenswichtiger Versorgungsbetriebe in die Verwaltung der Gemeinden forderte, andererseits es aber ausdrücklich ablehnte, in Deutschland das Sowjetsystem einzuführen, sondern vielmehr die Schaffung der parlamentarischen Demokratie verlangte.

In den dem Aufruf folgenden Wochen entstand in der sowjetischen Zone mit Hilfe von den aus der Sowjetunion zurückgekehrten Funktionärsgruppen, entgegen früheren Beschlüssen der KPD über die organisatorische Einheit der Arbeiterklasse, doch eine selbständige kommunistische Parteiorganisation, die — von der Besatzungsmacht unterstützt — sich bemühte, sämtliche Schlüsselpositionen in Staat und Gesellschaft rasch mit ihren Mitgliedern zu besetzen, um den übrigen Parteien zuvorzukommen.

Zugleich erhob das Zentralkomitee der KPD in der Sowjetzone den Anspruch auf die Führung sämtlicher kommunistischer Parteigruppierungen in den übrigen Zonen, was jedoch die westlichen Militärregierungen verhinderten. So entstand die KPD in Westdeutschland nicht von der Parteispitze her, sondern bildete sich nach und nach auf der Ebene der Bezirke, die sich allerdings freiwillig dem ZK unterstellten, eine Situation, die auch nach der Bildung der SED 1946 bis zum Aufbau eines eigenen Parteivorstandes in den Westzonen 1948 fortdauerte.

11. Kleinere Parteien in den Westzonen

Die KPD-Bezirke im Westen versuchten ähnlich wie die Kommunisten im Osten zu Abmachungen mit der SPD über Aktionsgemeinschaften zu gelangen, scheiterten jedoch am Widerstand der Sozialdemokraten und der Militärregierungen. Die KPD erreichte in den westlichen Besatzungszonen nie wieder ihre Wahlergebnisse von vor 1933.

Nach dem verlorenen Krieg war die Neubildung von Parteien mit nationaler, rechtsgerichteter Programmatik naturgemäß schwierig. Aus deutscher Tradition war jedoch nach der Katastrophe des Zusammenbruchs auch für solche politischen Gruppierungen noch ein Reservoir vorhanden. Sofern diese Vereinigungen jedoch einige Bedeutung erlangten, entwickelten sie sich auf regionaler Basis — die förderalistisch-konservativ und antigewerkschaftlich eingestellte Niedersächsische Landespartei, die an die Tradition der alten Welfenpartei anknüpfte und sich später Deutsche Partei nannte, in Bayern die partikularistische Bayernpartei, die ein souveränes Bayern forderte und die Mitgliederschaft der von den Besatzungsbehörden nicht zugelassenen Bayerischen Heimat- und Königspartei in sich aufgesogen hatte. Ausgesprochene Flüchtlingsparteien waren in der ersten Zeit von der Militärregierung stets unterbunden worden, weil sie angeblich das Zusammenwachsen von Alt- und Neubürgern behinderten. Zu einigem Erfolg als Partei kam in Bayern die Wirtschaftliche Aufbauvereinigung, die als Kandidaten immer abwechselnd einen Einheimischen und einen Neubürger aufstellte. Von äußerst begrenztem Erfolg blieben auch ausgesprochene Rechtsgruppierungen wie Deutsche Rechtspartei oder Sozialistische Reichspartei. Ebenfalls nur regionale Bedeutung in Nordrhein-Westfalen erlangte vorübergehend die Wiedergründung der katholischen Zentrumspartei.

IV. Der Weg zur Bundesrepublik Deutschland

1. Anfänge der Vereinigung der britischen und amerikanischen Zone

Während die deutschen Parteien den inneren Aufbau noch nicht abgeschlossen hatten und tastend ihre Beziehungen zueinander zu klären versuchten, gingen die angelsächsischen Besatzungsmächte schon zur nächsten Stufe der Neuordnung Deutschlands über. Vor allem drängten die Amerikaner vorwärts. Ihnen war an der Wiederbelebung Gesamtwesteuropas gelegen, die allerdings ohne ein gesundes Deutschland nicht möglich erschien. Die ersten internen amerikanischen Überlegungen setzten schon im Frühjahr 1946 ein, indessen hielt sich die Militärregierung offiziell noch zurück, da sie offensichtlich die Ergebnisse der Außenministerkonferenz in Paris Juni/Juli 1946 abwarten wollte.

Die „deutsche Frage" erwies sich jedoch auf der Pariser Außenministerkonferenz vor allem hinsichtlich der Probleme der gemeinsamen Wirtschaftsverwaltung und der sowjetischen Reparationsforderungen als kaum lösbar. Der amerikanische Militärgouverneur, General McNarney, erklärte am 20. 7. 1946 vor dem Kontrollrat, seine Regierung habe ihn ermächtigt, sich mit jeder anderen Besatzungsmacht oder mit mehreren Besatzungsmächten ins Benehmen zu setzen, um Vereinbarungen über die einheitliche Verwaltung der Zonen zu treffen, und zwar so lange, bis Deutschland als Ganzes wiederhergestellt sei. Die Sowjetunion wies den Vorschlag zurück, und auch Frankreich beharrte auf seinem ursprünglich ablehnenden Standpunkt; lediglich die britische Regierung ließ erklären, sie habe ihre Militärregierung in Deutschland ermächtigt, die Vereinigung ihres Gebietes mit dem amerikanischen in die Wege zu leiten. Das nun offen zutage tretende Auseinanderdriften der sowjetischen Zone einerseits und der britisch-amerikanischen andererseits war kaum aufzuhalten.

Da eine Vereinigung aller vier Zonen aufgrund der sowjetischen und französischen Widerstände nicht möglich war, blieb nichts anderes übrig, als eine bizonale Lösung anzustreben. Allerdings waren die politischen Organisationen der Deutschen nun schon so weit wieder gefestigt, daß auch sie ihre Interessen vorbringen konnten. Hier trafen also die Planungen und Maßnahmen der Besatzungsmächte mit den deutschen Vorstellungen zusammen, und es zeichnete sich allmählich, wenn auch unter vielen Schwierigkeiten und Widerständen, ein gemeinsames Vorgehen ab, das schließlich zur Gründung der Bundesrepublik Deutschland führen sollte.

2. Die Gründung bizonaler Wirtschaftsbehörden

Schon im August begannen eingehende Gespräche zwischen dem britischen Militärgouverneur Robertson und dem Amerikaner General Clay. Am 9. August einigten sich die beiden Generale: Sie beschlossen die Errichtung deutscher bizonaler Wirtschaftsbehörden unter Kontrolle eines Zweimächteamtes. Anschließend forderten sie vor dem Länderrat in Stuttgart die Deutschen auf, die Einzelheiten der Verschmelzung beider Zonen vorzubereiten. In der zweiten Augusthälfte entwarfen deutsche Unterhändler fünf Abkommen, die der Länderrat billigte und der Zonenbeirat zur Kenntnis nahm.

Diese fünf Abkommen schufen fünf Verwaltungsräte (für Wirtschaft; Ernährung und Landwirtschaft; Finanzen; Post und Fernmeldewesen sowie Verkehr), in denen die Länderminister der jeweiligen Fachressorts saßen, sowie fünf Verwaltungsämter. Die gesamte Konstruktion stellte einen Kompromiß zwischen dem Föderalismus der amerikanischen Zone und dem Zentralismus der britischen dar.

Alle Vorgänge seit dem Winter 1945/46 waren in der breiten deutschen Öffentlichkeit nicht oder kaum bekannt, vor allem waren bislang die amerikanischen Pläne nicht recht durchschaubar gewesen. So wirkte die Rede des US-Außenministers Byrnes im September 1946 in Stuttgart, in der er zum ersten Mal den Deutschen den Kurs seiner Regierung offen darlegte, wie ein Zeichen der Wende zu einer besseren Zukunft. Allerdings bildete die Rede nicht das Signal für den Beginn einer neuen Zeit, sondern war nur ein Höhepunkt in der Entwicklung der vergangenen Monate, in denen wichtige historische Entscheidungen gefällt worden waren. Die Alliierten ließen, ohne dies offen zuzugeben, wahrscheinlich auch ohne sich dessen voll bewußt zu sein, das Ziel der Einheit Deutschlands in den Hintergrund treten. Die Deutschen waren gezwungen, diesem neuen Kurs zu folgen, wobei sie wohl die Hoffnung hegten, daß damit keine endgültigen Entscheidungen getroffen würden. In diesen Monaten entstanden außerdem in der britischen Zone neue Länder, die den Föderalismus in der Bundesrepublik bis heute prägen, und schließlich gewannen die amerikanischen Vorstellungen von Staat und Gesellschaft allmählich gegenüber den britischen die Oberhand. Zudem machte sich aber auch stärker als bisher der Einfluß deutscher Interessen geltend.

Der Verwaltungsrat für Wirtschaft, eine der fünf vereinbarten Einrichtungen, trat am 12. September 1946 in Minden zum ersten Mal zusammen. Vorsitzender wurde der hessische Wirtschaftsminister Rudolf Mueller (CDU), den allerdings die der SPD angehörenden Minister bald stürzten und durch den bisherigen Leiter des Zentralamtes für Wirtschaft, Viktor Agartz (SPD), ersetzten. In diesem Vorgang zeichneten sich die künftigen Kämpfe zwischen der CDU und SPD um die Wirtschaftsordnung Westdeutschlands ab. Neben dem Verwaltungsrat für Wirtschaft entstand ein Verwaltungsamt für Wirtschaft (VAW). Es sollte gemeinsame Wirtschaftsfragen der beiden Zonen, unter anderem im Bereich der Gütererzeugung und -verteilung, der Preisbildung, des Verkehrs und der Normung sowie der Energieversorgung regeln.

Der Ernährungs- und Landwirtschaftsrat für die amerikanische und britische Zone kam im September 1946 in Bad Kissingen zusammen und wählte Hermann Dietrich (FDP) zu seinem Vorsitzenden sowie Schlange-Schöningen (CDU) zum Stellvertreter. Das entsprechende Verwaltungsamt setzte sich aus dem Hauptausschuß für Ernährung und Landwirtschaft des Länderrates und dem Zentralamt für Ernährung und Landwirtschaft zusammen und hatte angesichts der Hungersnot die lebenswichtige Aufgabe, die vorhandenen Nahrungsmittel gleichmäßig auf die Länder zu verteilen. Diese Aufgabe war hinsichtlich der von den Ländern selbst erzeugten Güter nur schwer lösbar, da die Überschußgebiete selten bereit waren, freiwillig bis an die Grenze ihrer Möglichkeiten ihre Produkte abzugeben. Lediglich bei der Verteilung von importierten

Am 7. September 1946 hielt der amerikanische Außenminister Byrnes in Stuttgart eine programmatische Rede, in der er die Abkehr von den Ideen des Morgenthauplans ankündigte und für Deutschland einen demokratischen Wiederaufbau forderte.

Nahrungsmitteln vermochte sich das Verwaltungsamt gegen die Länderegoismen zu behaupten. Da aber die deutsche Wirtschaft nur wenig exportierte, reichten die Einfuhren, die für den Exportgewinn gekauft werden konnten, nicht aus. So verschlechterte sich im Winter 1946/47 auch unter der Regie der bizonalen Verwaltung die Versorgung der Bevölkerung weiter.

Die Verwaltungsräte und Verwaltungsämter waren insgesamt gesehen mit zahlreichen Mängeln behaftet. Schließlich fehlte dem gesamten Aufbau die parlamentarisch-demokratische Kontrolle und damit die Legitimierung. Eine Revision der fünf Abkommen war daher seit Frühjahr 1947 nötig und wurde auch von deutscher Seite angestrebt.

3. Gegensätze unter Alliierten und Deutschen

Amerikaner und Briten zögerten jedoch mit dem weiteren Ausbau der trizonalen Zentralorgane. Vermutlich wollten sie erst die Ergebnisse der Moskauer Außenministerkonferenz vom März/April 1947 abwarten. Die vier Mächte einigten sich in Moskau überraschend schnell zunächst über die Probleme einer gesamtdeutschen Verwaltung, aber dann brachen die Gegensätze, vor allem zwischen der Sowjetunion und Frankreich auf, da Außenminister Bidault im Sinne der französischen Staatenbund-Theorie die deutschen Zentralämter nur als Kollegialorgane verfaßt wünschte, was der sowjetische Außenminister Molotow als im Widerspruch zur „Potsdamer Erklärung" stehend ablehnte. Demgegenüber verlangte die Sowjetunion sogar die Übertragung von Befugnissen der Länder auf die Zentralverwaltungen sowie eine Einbeziehung von Parteien und „antifaschistischen Organisationen" in den Entscheidungsprozeß, ein Vorschlag, der den amerikanischen Vorstellungen widersprach. Zudem forderte Molotow erneut eine Beteiligung seines Landes an der Kontrolle des Ruhrgebietes, was jedoch bei den Briten keineswegs auf Gegenliebe stieß. Der neue amerikanische Außenminister George Marshall wies demgegenüber auf die Verflechtung der deutschen mit der westeuropäischen Wirtschaft hin und kam dadurch den sowjetischen Interessen in die Quere. Die Konferenz scheiterte an den alliierten Gegensätzen. Die bestehenden Spannungen gingen von nun an in den „Kalten Krieg" über.

Noch vor der Moskauer Konferenz waren auch auf deutscher Seite Gespräche zu diesem Fragenkreis in Gang gekommen. Die Parteien der sowjetischen Zone hatten sie angeregt. Walter Ulbricht, Stellvertretender Vorsitzender und Mitglied des ZK der SED, hatte schon Ende 1946 eine „vorparlamentarische Ordnung" mit einer Volksvertretung als oberster Körperschaft verlangt. Die CDU der Ostzone griff diesen Gedanken auf, denn Jakob Kaiser war besorgt, die Deutschen könnten versäumen, rechtzeitig eine Vertretung zu bilden, die den Alliierten als Partner in künftigen Verhandlungen zur Verfügung stünde. Er vertrat die Ansicht, das Ziel müsse eine Nationalversammlung und die Bildung einer Regierung sein. Die Liberal-Demokratische Partei hatte daraufhin CDU und SED zu einem gemeinsamen Aufruf über die Errichtung eines Ausschusses bewogen, der für die deutsche Seite die Moskauer Konferenz vorbereiten sollte. Kaiser trug diese Gedanken auch in die westdeutsche CDU hinein, bei der der

Vorstand der gerade gegründeten Arbeitsgemeinschaft von CDU und CSU entsprechende Einladungen an sämtliche Parteien verschickte. FDP und LDP sowie SED stimmten zu, während Schumacher einer Konferenz mit Vertretern der SED ablehnend begegnete, solange die SPD in der sowjetischen Zone nicht zugelassen sei. Adenauer unterstützte das Projekt ebenfalls nicht, weil er annahm, es werde ohnehin am Widerstand der Franzosen scheitern.

4. Die Münchener Ministerpräsidentenkonferenz

Nun griffen aber die Ministerpräsidenten der Länder den Gedanken einer gesamtdeutschen Vertretung auf. In München betrieb der bayerische Ministerpräsident Ehard (CSU) die Zusammenkunft sämtlicher Länderchefs. Er hoffte, eine solche Konferenz könne zur ständigen Einrichtung erhoben werden.

Ehard hatte die Konferenz für den 5. Juni 1947 einberufen. Die Teilnahme der Vertreter der Ostzone war jedoch noch am 3. Juni ungewiß. Als sie dann doch eintrafen, fanden sie eine fertige Tagesordnung vor, deren Änderung sie verlangten. Die Ministerpräsidenten der Westzonen gingen auf diesen Wunsch nur bedingt ein, und so scheiterte das Treffen an Verfahrensfragen, noch ehe es recht begonnen hatte.

Die Beurteilung der Münchener Konferenz ist in der Literatur kontrovers, wozu spätere Äußerungen einiger Teilnehmer beitrugen. Einerseits wird behauptet, sie habe mit einem Mißerfolg enden müssen, da die Länderchefs von ihren jeweiligen Militärregierungen abhängig gewesen seien. Hinter der Ostdelegation habe die SED und die sowjetische Militäradministration als Drahtzieher gestanden. Dagegen verkündete die SED, die Amerikaner hätten die Tagesordnung diktieren wollen. Es gibt aber auch Argumente dafür, daß die Deutschen keineswegs dem Druck der Besatzungsmächte ausgesetzt gewesen waren, sondern daß sie sich in ihre eigenen Widersprüche verwickelt hatten. Ehard wußte, daß er bei der Zusammenkunft keine ausgesprochen parteipolitischen Themen aufwerfen durfte, wollte er die SPD-Ministerpräsidenten überhaupt mit Vertretern der SED an einen Tisch bringen. Die SED ihrerseits befürchtete, sie würde im Kreis der Ministerpräsidenten überspielt, ein Eindruck, der sich bei ihr noch verstärkte, da ja die Tagesordnung, wenn auch nur vorläufig, ohne ihre Beteiligung festgelegt worden war. Die gesamtdeutschen Gespräche scheiterten demnach auch am gegenseitigen Mißtrauen.

5. Das Vereinigte Wirtschaftsgebiet

Die zunehmend sich verschärfenden internationalen Gegensätze, aber auch das Auseinanderleben der Deutschen beschleunigten 1947 den Ausbau der bestehenden bizonalen Einrichtungen. Die Amerikaner, die sich bisher noch sämtliche politischen Möglichkeiten offen gehalten hatten, wollten nunmehr ohne sowjetische und französische Zustimmung die Steigerung der deutschen Industrieproduktion in Angriff nehmen. So

Pressekonferenz zum Abschluß der Münchener Ministerpräsidentenkonferenz am 8. Juni 1947. Nachdem die Ministerpräsidenten der Sowjetzone die Konferenz sofort nach der Eröffnung wieder verlassen hatten, berieten die Delegationen der Westzonen allein. Sitzend von links nach rechts: Leo Wohlleb (Südbaden), Hans Erhard (Bayern), Louise Schroeder (Berlin), Reinhold Meier (Württemberg-Baden), Hermann Lüdemann (Schleswig-Holstein).

Versorgungskrise auf dem Höhepunkt

Im März 1947 erreichte die Versorgungskrise im Industriegebiet ihren Höhepunkt. In Nordrhein-Westfalen hatten seit Monaten Nährmittel nur noch in geringsten Mengen ausgegeben werden können, Kartoffeln für einen großen Teil der Bevölkerung überhaupt nicht mehr. Mitte März hatte Nordrhein-Westfalen bei einem Monatsbedarf von etwa 130 000 t Getreide für Brot und Nährmittel nur noch Vorräte für zwei bis drei Tage. Dagegen lagerten in Bremen und Hamburg 160 000 t Getreide, die nicht abgefahren werden konnten. Um eine Katastrophe zu verhindern, wurden acht Tage lang alle vorhandenen Waggons von den Häfen aus nach Nordrhein-Westfalen dirigiert und die übrigen Gebiete der britischen Zone überhaupt nicht beliefert. Als die unmittelbare Gefahr im Industriegebiet beseitigt war und 25 000 t Getreide nach Niedersachen, Weser-Ems und Schleswig-Holstein geleitet werden sollten, wurden die für diese Gebiete bestimmten drei Dampfer von den Alliierten plötzlich nach außerdeutschen Ländern beordert, und die Lücke mußte durch Landtransporte aus den Vorräten Bremens geschlossen werden, was die Transportkrise abermals verschärfte.

aus: Hans Schlange-Schöningen (Hrsg.), Im Schatten des Hungers, Verlag Paul Parey, Hamburg 1958.

führte Clay Ende Mai 1947 mit Robertson in Tempelhof Gespräche über die Reorganisation der bizonalen Einrichtungen, Gespräche, aus denen die Proklamation Nr. 5 der Amerikaner und die VO Nr. 88 der Briten entstanden. Die Ministerpräsidenten trafen sich daraufhin Mitte Juni und leiteten, entsprechend der beiden Vorschriften, eine Reform der Verwaltungsräte und -ämter in die Wege: Sie schufen einen „Wirtschaftsrat für das Vereinigte Wirtschaftsgebiet", der sich aus drei Organen zusammensetzte: dem Wirtschaftsrat im engeren Sinne, dem Exekutivrat und den Direktoren der Verwaltungen.

6. Der Wirtschaftsrat

Die politisch bedeutendste dieser drei Institutionen war der Wirtschaftsrat, der, aus 52 Abgeordneten der Landtage bestehend, die politischen Kräfteverhältnisse widerspiegeln sollte. Nordrhein-Westfalen schickte 16, Bayern 12, Niedersachsen 8, Hessen und Württemberg-Baden je 5, Schleswig-Holstein 3, Hamburg und Bremen je einen Parlamentarier. CDU und SPD hielten sich mit 20 zu 20 Mitgliedern die Waage, die Liberalen verfügten über 4, das Zentrum über 3, die KPD ebenfalls über 3, die Deutsche Partei über 2 und die Wirtschaftliche Aufbauvereinigung über einen Vertreter. Im Entscheidungsprozeß des Wirtschaftsrates setzte sich nunmehr die parteipolitische Gliederung gegenüber der föderativen durch. Die Abgeordneten schlossen sich zu Fraktionen zusammen und betrachteten sich als Sprecher der Parteien und der Gesamtheit der beiden Zonen.

Der Wirtschaftsrat wies wie sein Vorgänger eine Reihe von Mängeln auf. Zum einen war die Zahl von 52 Abgeordneten zu klein, um die anfallende Arbeit zu bewältigen, ja einige Fraktionen waren nicht einmal in der Lage, die Ausschüsse zu besetzen, und zum andern war der Exekutivrat zu schwach, um die Länderinteressen zu vertreten. Der Wirtschaftsrat insgesamt vermochte keineswegs die ihm gestellte Aufgabe, die Verbesserung der Versorgung, zu lösen. Im Gegenteil, im Winter 1947/48 brach die schwerste Ernährungskrise der Nachkriegszeit aus, die Streiks, Arbeitsniederlegungen und Demonstrationen hervorrief und nur durch die von den Gewerkschaften erzwungenen Abmachungen der Länder notdürftig aufgefangen werden konnte.

Der Anstoß zur Reorganisation des Wirtschaftsrates kam erneut von der internationalen Politik. Der „Kalte Krieg" verschärfte sich: Auf der einen Seite widersprach die anlaufende Marshallplanhilfe für Europa den Interessen der Sowjetunion, auf der anderen Seite waren die USA über das Vorgehen Moskaus in den Ländern Osteuropas besorgt und schlossen einen weiteren Vorstoß der Roten Armee nach Westeuropa nicht aus. Die vier Zonen gerieten dadurch Ende 1947 verstärkt in das Spannungsfeld zwischen Ost und West, zumal die Großmächte nun versuchten, ihren Einflußbereich endgültig abzusichern. Nach der konfliktgeladenen, abgebrochenen Konferenz der vier

Außenminister in London unterzeichneten die USA und Großbritannien ein Zusatzabkommen zum Vertrag vom Dezember 1946, das den Briten einen großen Teil der finanziellen Lasten für ihre Zone abnahm. Zur gleichen Zeit kündigten die beiden Besatzungsmächte im Wirtschaftsrat eine Revision seiner Statuten an. Am 7./8. 1. 1948 trafen sich dann die Länderchefs sowie der Präsident und der Vizepräsident des Wirtschaftsrates, Erich Köhler (CDU) und Gustav Dahrendorf (SPD) mit den Militärgouverneuren Clay und Robertson in Frankfurt zur ersten deutsch-alliierten Besprechung auf höchster Ebene, die mit dem Ergebnis endete, daß in zehn Tagen der Entwurf eines neuen Statut vorgelegt werden sollte.

Die sogenannten „Frankfurter Beschlüsse" waren in der deutschen Öffentlichkeit heftig umstritten. Der Parteivorstand der SPD äußerte die Ansicht, die Deutschen dürften die Verantwortung für die Entwicklung nicht übernehmen. Die KPD protestierte und begann, ihre Mitarbeit in den Länderregierungen einzustellen. Selbst die Befürworter eines beschleunigten Ausbaues der Bizone vermochten sich über die Grundsätze der Reform nicht zu einigen. So kam eine gemeinsame Stellungnahme der Deutschen hinsichtlich der Reform des Wirtschaftsrates nicht zustande: Briten und Amerikaner verliehen infolgedessen den von ihnen entworfenen Plänen in fast unveränderter Form Gesetzeskraft: am 5. 2. 1948 unterzeichneten sie das „Frankfurter Statut".

Konferenz des bizonalen Wirtschaftsrates in Frankfurt im Juli 1947. Der Präsident des Wirtschaftsrats, Dr. Erich Köhler, begrüßt die Militärgouverneure Luftmarschall Sir Sholto Douglas und General Lucius D. Clay (rechts außen).

Der neue Wirtschaftsrat umfaßte nunmehr 104 Mitglieder, wodurch sich allerdings an den politischen Verhältnissen nichts änderte. Die SPD blieb gegen CDU/CSU und FDP in der Opposition. Die Gesamtkonstruktion des Wirtschaftsrates ähnelte schon in manchem den späteren Verfassungsorganen der Bundesrepublik, auch wenn die Unterschiede, vor allem die fortdauernde Kontrolle der beiden Besatzungsmächte, nicht übersehen werden dürfen. Der Wirtschaftsrat kennzeichnet die Übergangssituation der Westzonen, eine Situation, in der die Besatzungsmächte sich hinsichtlich der internationalen Beziehungen noch einige Möglichkeiten offen zu halten versuchten und doch sich und die Deutschen auf die Gründung eines Weststaates vorbereiteten.

7. Die Londoner Empfehlungen

Noch während der Wirtschaftsrat seine Strukturen änderte, trat auf der internationalen Ebene hinsichtlich der deutschen Frage eine weitere Wende ein. Die Entwicklungen überschlugen sich gleichsam.

Amerikanische Regierungskreise hatten schon 1947 den Plan erwogen, die französische Zone in eine Union der drei Westzonen einzubeziehen, waren dabei jedoch auf den Widerstand der Pariser Regierung gestoßen, die noch im Januar 1948 gegen die Reform des Wirtschaftsrates protestiert hatte. Um Frankreich kompromißbereit zu machen, gestanden die USA und Großbritannien ihm im Februar 1948 die Einbeziehung des Saargebietes in das französische Wirtschaftssystem zu. Und in der Tat gelang

---

Konferenzen über Deutschland

Das andauernde Unvermögen des Rates der Außenminister, zu einer Vier-Mächte-Einigung zu kommen, hat in Deutschland eine Lage geschaffen, die in zunehmendem Maße unglückliche Folgen für Westeuropa haben würde, wenn man sie fortdauern ließe. Es war darum notwendig, die dringenden politischen und wirtschaftlichen Probleme zu lösen, die sich aus dieser Lage in Deutschland ergaben. Die teilnehmenden Mächte hatten die Notwendigkeit im Auge, den wirtschaftlichen Wiederaufbau Westeuropas einschließlich Deutschlands sicherzustellen und eine Grundlage für die Beteiligung eines demokratischen Deutschlands an der Gemeinschaft der freien Völker zu schaffen.

Aus dem Kommuniqué der Londoner Besprechungen über Deutschland vom 6. März 1948

Die Delegationen sind daher übereingekommen, ihren Regierungen zu empfehlen, daß die Militärgouverneure eine gemeinsame Sitzung mit den Ministerpräsidenten der Westzonen Deutschlands abhalten sollen. Auf dieser Sitzung werden Ministerpräsidenten Vollmacht erhalten, eine verfassungsgebende Versammlung zur Ausarbeitung einer Verfassung einzuberufen, die von den Ländern zu genehmigen sein wird...

Aus dem Londoner Deutschland-Kommuniqué vom 7. Juni 1948

es den beiden Mächten schon in der ersten Phase der gleich anschließenden Londoner Sechs-Mächte-Besprechung (einschließlich der Beneluxstaaten), der französischen Delegation die Zustimmung zur Teilnahme der französischen Zone an der Marshall-Planhilfe abzuringen, ja sie sogar zur Anerkennung der Formel, man wolle die Grundlagen für die Beteiligung eines demokratischen Deutschlands an der Gemeinschaft der freien Völker schaffen, zu bewegen. Damit hatten die Westmächte ihre Absicht, einen westdeutschen Staat zu gründen, auf internationaler Bühne kundgetan.

Die Londoner Konferenz vertagte sich nun und ließ im März den drei Militärgouverneuren Zeit zu Gesprächen, bei denen sie Vorschläge zur Verschmelzung der drei Zonen fertigten. Der sowjetische Militärgouverneur protestierte und verließ den Kontrollrat, der von jetzt an seine Arbeit als oberste gemeinsame Kontrollinstanz einstellte. Am 20. 4. 1948 begann dann die zweite Phase der Sechs-Mächte-Konferenz, für die ein Fünf-Punkte-Programm der amerikanischen Regierung vorlag, das die Bildung einer deutschen Regierung innerhalb eines Jahres vorsah. Die Gespräche endeten mit den „Londoner Empfehlungen", in denen die deutschen Ministerpräsidenten ermächtigt wurden, eine verfassungsgebende Versammlung einzuberufen. Ferner hieß es, „dem deutschen Volk solle die Möglichkeit gegeben werden, auf der Basis einer freien und demokratischen Regierungsform die schließliche Wiederherstellung der gegenwärtig nicht bestehenden deutschen Einheit zu erlangen". Die Beschlüsse der sechs Mächte brachten in den drei Westzonen vor allem zwei Entwicklungen in Gang: die Einführung der Marktwirtschaft und die Errichtung eines Parlamentarischen Rates zur Ausarbeitung einer Verfassung.

8. Währungsreform und Marktwirtschaft

Die Zoneneinteilung und die unterschiedliche Entwicklung der Länder hatten zwischen 1946 und 1947 eine Vielfalt von Methoden der Wirtschaftslenkung und große Rechtszersplitterung hervorgebracht. Ein „Bewirtschaftungsnotgesetz" (Oktober 1947) und ein „Preisgesetz" (Dezember 1947) sollten diese wirren Zustände beseitigen. Beide Gesetze stellten aber auch in anderer Hinsicht eine Wende dar. In ihnen zeichnete sich, wenn auch vorsichtig, eine Liberalisierung ab, die sich in der Tendenz im Frühjahr 1948 weiter verstärkte. Entscheidend war jedoch die Währungsreform in den Westzonen.

Ein Gesetz der drei Besatzungsmächte leitete am 20. 6. 1948 die schon lange notwendige Neuordnung des Geldwesens in die Wege. Die bislang gültige, aber wertlose Reichsmark und die alliierte Militärmark wurden durch eine Deutsche Mark ersetzt. Altgeldnoten und Münzen mit einem Nennwert bis zu einer Mark durften mit einem Zehntel ihres Wertes in Umlauf bleiben. Jeder Bewohner der drei Westzonen erhielt einen „Kopfbetrag" von 60,— DM, wovon 40,— DM sofort ausgezahlt wurden, die restlichen 20,— DM einen Monat später. Altgeldguthaben und Forderungen wurden im Verhältnis von 10 : 1 umgestellt.

Die Währungsreform, die die Besatzungsmächte ohne deutsche Beteiligung geplant hatten — sogar die neuen Banknoten waren in den USA gedruckt worden —, über-

Geldumtausch am Tag der Währungsreform

Währungsreform

Vorbereitungen

Die Währungsreform, angekündigt am 18. Juni und am Sonntag, den 20. Juni 1948 in Kraft gesetzt, entpuppte sich, neben der Beendigung der Inflation im Jahre 1923, als die tiefgreifendste und umfassendste Finanzoperation in der deutschen Geschichte. Lange zuvor geplant, hatte ihre letzte Phase am 20. April 1948 begonnen:

An diesem Tag fuhr frühmorgens von Frankfurt aus ein Omnibus mit etwa 25 Personen besetzt nach Norden ab. Niemand der Insassen konnte nach außen sehen. Die Fenster waren mit Milchglasscheiben und Vorhängen versehen. Keiner wußte den Weg. Der Omnibus durchfuhr Kassel, bog dann in einen Flughafen ein, der von den Amerikanern belegt war. Etwas abseits dieses Flughafens stand ein Gebäude, doppelt mit Stacheldraht umgeben und von den amerikanischen Soldaten bewacht. Dort wurden die Insassen des Omnibusses ausgeladen. Es waren deutsche Sachverständige, die das von den Alliierten fertiggestellte Währungsgesetz in die endgültige Form bringen sollten. Unter ihnen sollte man sich einige Namen merken, sie behielten auch für die folgende Zeit ihre Bedeutung: Pferdmenges, Blücher, Möller, Pfleiderer.

Die Arbeiten geschahen unter strenger Geheimhaltung. Die Insassen des „Käfigs" durften nicht einmal mit den Arbeitern des Flughafens in Berührung kommen. Allein in den Abendstunden war ihnen erlaubt, einen Spaziergang in alliierter Begleitung zu unternehmen.

Sieben Wochen arbeiteten sie so dahin. Dann wurden sie entlassen, nachdem sie sich schriftlich dazu verpflichtet hatten, niemandem etwas von ihrer Arbeit zu sagen. Auch sie wußten nicht, auf wann der Zeitpunkt der von ihnen soeben mitgeplanten Reform festgesetzt werden würde.

Mitte Juni 1948 tauchte in Frankfurt ein Kommando britischer und französischer Soldaten auf. Wenig später fuhren zwei schwerbewachte Güterzüge mit den neuen Banknoten in die britische Zone. Die Verteilung in der amerikanischen und französischen Zone geschah durch Lastkraftwagen. Am 19. Juni 1948 wurde der Währungsschnitt bekanntgegeben. Jedermann bekam vorerst 40 Mark des neuen Geldes, die Banknoten behielten nur 6,5 Prozent ihres Wertes.

aus: Paul Noack, Die deutsche Nachkriegszeit, Günter Olzog Verlag, München 1973.

Am Tag danach

Sie hatten am Sonntag nach stundenlangem Anstehen in Warteschlangen, die manchmal über 100 Meter lang waren, ihre 40 D-Mark in Empfang genommen, den ersten Teil der Kopfquote, voller Skepsis, ob ihnen damit auch wirkliche Kaufkraft an die Hand gegeben war.

Am nächsten Morgen dann trauten sie ihren Augen nicht: Siehe da, die Heinzelmännchen hatten den Tisch gedeckt. In den Schaufenstern und Regalen der Geschäfte türmten sich die Waren geradezu. Nicht der alte Ramsch, nicht Aschenbecher, Feuerzeuge, Leuchter, Mausefallen und ähnliche Dinge, von denen es auch in den Jahren des Mangels immer genug gegeben hatte, nein, Kochtöpfe, Fahrräder, Schnürsenkel, Glühbirnen, Dinge, für die man früher von Geschäft zu Geschäft gelaufen war und doch vergeblich, alles war plötzlich wieder da. Und die Händler, die in den letzten Wochen froh schienen über jeden Kunden, den sie mit einem mürrischen Achselzucken aus dem Laden bekamen, weil er doch nur Reichsmark in die Kasse gebracht hätte, für die Großhandel und Produzenten schon lange nichts mehr herausrückten: Plötzlich bedienten sie wieder freundlich und zuvorkommend. Es war wie im Märchen, ein Wunder war geschehen.

Ein jahrelang angestauter Konsumbedarf brach sich nun Bahn. Viele Konsumenten gerieten bei dem Erlebnis, mit dem neuen Geld wirklich etwas kaufen zu können, in Rauschzustände. Und die Händler hatten nichts Eili-

Das Gesicht der D-Mark.

geres zu tun, als mit den frisch verdienten D-Mark sich bei Großhandel und Produzenten mit neuen Waren einzudecken. Der Geldumlauf erreichte eine atemberaubende Geschwindigkeit.

Willenborg, Karl-Heinz in: Weber, Jürgen: 30 Jahre Bundesrepublik Deutschland. Band II. München 1979, S. 186

War die Währungsreform gerecht?

Am Tage der Währungsreform hielt mir der Bauunternehmer, bei dem ich zum Maurer umgeschult wurde, zwei Zwanzig-Mark-Scheine vor die Nase und sagte: Siehst du, jetzt habe ich genau so viel Geld wie du, jetzt kommt es nur darauf an, was man aus seinem Geld macht.

Ich war so naiv, daß ich tatsächlich einige Zeitlang glaubte, durch diesen Geldumtausch wären alle Menschen gleich geworden, alle hätten nun die gleichen Startchancen, die Währungsreform wäre eine besondere Art von Sozialisierung.

Der Bauunternehmer hatte ein Jahr später 2 Lastwagen und drei neue Betonmischer und ein neues Auto und einen Polier und 128 Arbeiter; ich konnte mir damals endlich ein neues Fahrrad kaufen, ich war anscheinend nicht tüchtig, ich habe nur 10 Stunden am Tag gearbeitet.

Nach einem weiteren Jahr begann ich zu ahnen, daß wir in dieser Bundesrepublik noch nicht alle gleich geworden sind, daß sich irgendwie ein Mechanismus in Bewegung gesetzt haben mußte, der die einen begünstigte, die anderen benachteiligte — und dem, der hatte, noch gegeben wurde, dem, der nicht hatte, noch genommen wurde.

Max von der Grün: Was ist eigentlich passiert? In: Drewitz, Ingeborg: Städte 1945. Köln 1970 (Eugen Diederichs Verlag), S. 53/54

Lang vermißte Waren füllen wieder die Schaufenster

raschte den Wirtschaftsrat und die Finanzwelt, die beide zahlreiche Vorschläge zu diesem Problem gemacht hatten. Sie entsprach auch nicht in allem den deutschen Wünschen: Viele Experten hielten das Umwandlungsverhältnis von 10 : 1 für zu hart, zumal da mit der Geldneuordnung keine Umverteilung des Vermögens an Produktionsmitteln und Grundbesitz verbunden war, die Besitzer von Sachwerten also eindeutig begünstigt wurden.

Die mißlichen Folgen der Geldneuordnung sollten nach dem Willen der Alliierten durch ein Lastenausgleichsgesetz behoben werden, das aber erst nach der Gründung der Bundesrepublik Deutschland zustande kam. Andererseits bewirkte die Währungsreform, daß nunmehr alle die Waren wieder zu kaufen waren, die die Menschen bisher entbehrt hatten und daß allmählich, wenn auch mit Rückschlägen, die Konjunktur sich aufwärts bewegte.

Der Erfolg dieser Maßnahmen war im Sommer 1948 freilich noch nicht abzusehen. Der Kurs des Abbaus aller Bewirtschaftungsvorschriften, wie ihn der neue Direktor der Verwaltung für Wirtschaft, Ludwig Erhard (parteilos), einschlug, stieß deshalb bei der SPD, aber auch bei weiten Teilen der Bevölkerung auf Kritik. Erhard hatte in seiner ersten Rede vor dem Wirtschaftsrat erklärt:

„Die Richtung ist klar, die wir einzuschlagen haben, die Befreiung von der staatlichen Befehlswirtschaft, die alle Menschen in das entwürdigende Joch einer alles Leben überwuchernden Bürokratie zwingt, die jedes Verantwortungs- und Pflichtgefühl, aber auch jeden Leistungswillen abtötet und darum zuletzt den frömmsten Staatsbürger zum Rebellen machen muß."

Die ersten gesetzlichen Schritte zur Einführung der Marktwirtschaft leitete er noch während der Währungsreform ein. Er brachte im Wirtschaftsrat nach dramatischen Szenen ein „Gesetz über die wirtschaftspolitischen Leitsätze nach der Geldreform" durch, das die Bewirtschaftung lockerte und zugleich eine Reihe von Vorschriften über die Liberalisierung der Märkte enthielt, darunter die Freigabe der Preise und die Aufhebung des Antragswesens, ausgenommen bei Mieten und Hauptnahrungsmitteln. Die Bedeutung dieser „Leitsätze" für die Geschichte der folgenden Jahre ist nicht zu unterschätzen, sie öffneten der Marktwirtschaft die Bahn und prägten so die künftige Gesellschaftsordnung.

Gewerkschaften und SPD protestierten allerdings dagegen. Sie riefen zu Käuferstreiks auf, die mancherorts zu turbulenten Szenen führten; dennoch war die von den Besatzungsmächten eingeleitete und geförderte Entwicklung nicht mehr aufzuhalten.

9. Die Konferenzen der westdeutschen Ministerpräsidenten im Sommer 1948

Die Amerikaner waren sich darüber im klaren, daß die Neuordnung der deutschen Wirtschaft, sollte sie erfolgreich sein, eines stabilen politischen und rechtlichen Rahmens bedurfte; für die Deutschen allerdings ein schwerwiegendes Problem, da mit der Gründung eines Weststaates eine weitere Auseinanderentwicklung von Westzone und Ostzone zu erwarten war.

Hatten die deutschen Politiker in ihrer Mehrheit die Reform des Wirtschaftsrates, trotz Bedenken, gutgeheißen — sie konnten angesichts der herrschenden Not gar keinen anderen Weg einschlagen —, so erwuchsen ihnen angesichts des raschen Tempos der amerikanischen Politik doch schwere Bedenken. Dennoch hatten die Parteien schon im Anschluß an die Londoner Empfehlungen darüber beraten, wie sie sich gegenüber der Gründung eines Weststaates verhalten sollten, wobei sie sich in der Regel auf einen beweglichen und offenen Kurs einstellten.

Die Probleme der Deutschlandpolitik wurden am 1. 7. 1948 akut, als die drei Militärgouverneure den nunmehr elf Länderchefs (die der französischen Besatzungszone waren hinzugekommen) in Frankfurt drei Dokumente überreichten, die wohl zu den bedeutendsten Dokumenten der Staatswerdung der Bundesrepublik Deutschland zählen. Sie hatten im wesentlichen folgenden Inhalt:

- Die Ministerpräsidenten sollten bis zum 1. September 1948 eine „verfassunggebende Versammlung" schaffen, die eine Verfassung auszuarbeiten hatte.

- Sie sollten eine Neuordnung der 1945/46 entstandenen Länder vorbereiten und in die Wege leiten und

Konferenz der Ministerpräsidenten der elf deutschen Länder in den drei Westzonen im Hotel Rittersturz bei Koblenz.

● sollten zu einem von den Militärgouverneuren vorgelegten Besatzungsstatut Stellung nehmen.

Bei Bekanntwerden der drei Dokumente setzte eine lebhafte, zumeist ablehnende Diskussion in der deutschen Öffentlichkeit ein.

Die Ministerpräsidenten wünschten ebenfalls kein „Trizonesien", mußten aber auf die Besatzungsmächte eingehen. Sie trafen sich am 8. 7. zur Erörterung der Dokumente im Hotel Rittersturz bei Koblenz. Ihre Gespräche ergaben, daß sie sich auf eine verfassunggebende Versammlung nicht einlassen wollten. Niedersachsens Ministerpräsident Hinrich Kopf (SPD) meinte, das deutsche Volk sei gar nicht in der Lage, sich eine Verfassung zu geben, da es ja kein Recht zur freien Willensäußerung besäße. Dennoch schlug er zusammen mit dem bayerischen Ministerpräsidenten Ehard (CSU) und Karl Arnold (CDU) von Nordrhein-Westfalen die Errichtung einer Organisation oberhalb der Länderebene vor. Alle drei Politiker waren der Ansicht, die Deutschen müßten die gebotene Chance nützen, denn in absehbarer Zeit sei keine bessere Situation in der deutschen Frage zu erwarten.

Zum Problem der Länderneuordnung gaben die Ministerpräsidenten — selbst betroffen — lediglich vorsichtige Stellungnahmen ab. Sie neigten daher dazu, diese Angelegenheit auszuklammern. Insgesamt einigten sie sich darauf, die Einberufung einer „Nationalversammlung" abzulehnen und nur einen „Parlamentarischen Rat" zu schaffen, der auch keine „Verfassung", sondern ein „Grundgesetz" für eine einheitliche Verwaltung des Besatzungsgebietes schaffen sollte.

Am 20. Juli trafen die Ministerpräsidenten sich erneut mit den Militärgouverneuren, die allerdings offen ihre Enttäuschung über die Ergebnisse des Treffens auf dem Rittersturz zum Ausdruck brachten. Clay drohte mit großen Schwierigkeiten bei Zurückweisung der alliierten Angebote. Die Länderchefs kamen daraufhin noch einmal im Schloß Niederwald bei Rüdesheim zusammen. Ihre Bedenken gegen einen Weststaat mit sämtlichen staatlichen Qualitäten waren nicht geringer als zuvor. Erst das Argument Ernst Reuters (SPD) aus Berlin, daß die Spaltung Deutschlands jetzt nicht geschaffen werde, sondern bereits vorhanden sei, bewirkte einen Stimmungsumschwung. Umstritten blieb jedoch, ob die künftige „Verfassung" durch eine Volksabstimmung, was die Annahme der Existenz eines westdeutschen Staatsvolkes bedeutet hätte, oder nur durch die Landtage verabschiedet werden sollte. Die Besatzungsmächte forderten eine Volksabstimmung, die Ministerpräsidenten dagegen wollten, um das Provisorische zu betonen, nur eine Bestätigung durch die Länderparlamente. Diesen Wunsch der Deutschen wiesen die Militärgouverneure in einer weiteren Besprechung am 26. Juli zunächst hart zurück. Sie betonten, sie könnten unter diesen Umständen nicht weiterverhandeln und müßten die gesamte Angelegenheit an ihre Regierungen zurückgeben. Nach harten Debatten lenkten sie dann doch ein.

Die Ministerpräsidenten beschlossen anschließend mit Zustimmung der Militärgouverneure, daß die Landtage in gleichlautenden Gesetzen den Parlamentarischen Rat zum 1. 9. 1948 einberufen sollten. Gleichzeitig richteten sie in Wiesbaden ein „ständiges Büro" ein und bereiteten die Bildung eines „Verfassungskonvents" vor, der auf Drängen Bayerns am 10. August 1948 in Herrenchiemsee zusammentrat. Der Verfassungskonvent legte nach zweiwöchigen Beratungen einen Grundgesetzentwurf vor, der freilich in zahlreichen Artikeln mehrere Varianten aufwies, die die verschiedenen politischen Auffassungen zutage treten ließen. Die Herrenchiemseer „Denkschrift an die Ministerpräsidenten" kam samt einer Ausarbeitung der CDU/CSU und einem Entwurf des Verfassungsexperten der SPD, Walter Menzel, an das Wiesbadener Büro und wurde dort durch die Ministerpräsidenten noch einmal besprochen.

10. Der Parlamentarische Rat

Der Parlamentarische Rat konstituierte sich am 1. September 1948 in den behelfsmäßig hergerichteten Räumen des Naturhistorischen Museums Alexander König in Bonn. Seine 65 Abgeordneten (je einer pro 750 000 Einwohner) waren von den Landtagen entsandt. Fünf Vertreter West-Berlins nahmen mit beratender Stimme teil. Zu Fraktionen formierten sich 19 CDU- und 8 CSU-Mitglieder, 27 Abgeordnete gehörten der SPD, 5 der FDP und je 2 dem Zentrum, der Deutschen Partei und der KPD an.

Der Parlamentarische Rat wählte den bisherigen Vorsitzenden der CDU-Fraktion im nordrhein-westfälischen Landtag, Konrad Adenauer, zu seinem Präsidenten sowie Adolph Schönfelder (SPD) und Hermann Schäfer (FDP) zu stellvertretenden Präsidenten.

Umkämpft war in erster Linie die Frage der Staatstheorie. Die SPD wünschte, so Carlo Schmid, der Vorsitzende des wichtigsten Hauptausschusses, wo die eigentlichen Sachberatungen stattfanden, „ein zeitlich begrenztes Grundgesetz zur Organisation eines Staatsfragments". Demokratie bestimme sie nach klassischen liberalen Vorstellungen als Trennung von Staat und Gesellschaft, Teilung der Gewalten und Garantie der Grundrechte. Die CDU, vor allem Adolf Süsterhenn, sowie das Zentrum bekannten sich zur christlichen Staatslehre, indem sie herausstellten, daß „das Volk im Rahmen der durch Ethik und Naturrecht gezogenen Grenzen die politische Kompetenzfülle in sich vereine" und daß der Staat sich seiner subsidiären Funktion gegenüber dem einzelnen und der Gemeinschaft bewußt bleiben müsse.

Gegen eine Wiederbelebung des Naturrechts meldeten die Liberalen Bedenken an. Theodor Heuss meinte dazu, der Begriff des Naturrechts stamme aus einer Zeit, in der es keine Demokratie gab. Für ihn hatte „der Staat einen Herrschaftsauftrag auf Frist, also kündbar".

Bei all diesen Gegensätzen muß doch betont werden, daß die übergroße Mehrheit des Parlamentarischen Rates gemeinsame Erfahrungen und Interessen hatte: nie wieder Diktatur — Selbstbestimmung auch gegenüber den Besatzungsmächten. Der Ausbau des sozialen Rechtsstaates mit der Betonung der persönlichen und organisatorischen Freiheitsrechte war im Prinzip nie umstritten. Die Auseinandersetzung mit den Besatzungsmächten zeigte sich bei allen Auffassungsunterschieden im einzelnen bei dem Föderalismusproblem.

Den sozialdemokratischen Abgeordneten schwebte zwar eine föderalistische Verfassung vor, aber sie forderten, daß die Bundesgewalt der Gewalt der Länder vorgehe,

Konrad Adenauer in seinen „Erinnerungen 1945 — 1953"

Ich sagte (in meiner Eröffnungsrede als Präsident des Parlamentarischen Rates), daß es uns allen, den Mitgliedern des Parlamentarischen Rates, gewiß nicht leicht geworden sei, die Aufgabe, die uns aufgetragen worden sei, unter den gegebenen Bedingungen zu übernehmen, aber angesichts der Notlage in Deutschland und erfüllt von unserem Pflichtbewußtsein gegenüber unserem Volk seien wir zusammengekommen, um in gemeinsamer Arbeit ein Grundgesetz zu schaffen. Unsere Arbeit im Parlamentarischen Rat werde von dem festen Willen geleitet werden, das Grundgesetz so zu gestalten, daß durch unsere Tätigkeit die Möglichkeiten für eine Einheit von ganz Deutschland erhalten bleiben und daß in dem neuen Staat die deutschen Gebiete des Ostens jederzeit ihren Platz finden könnten...

...Allgemeiner Grundsatz unsererseits war, daß wir aus den Fehlern der Weimarer Republik die nötigen Folgerungen ziehen müßten. Die Stellung des künftigen Bundespräsidenten durfte nicht mit den Vollmachten versehen sein, die der Reichspräsident der Weimarer Republik besessen hatte. Ein weiterer Grundsatz unserer Arbeit war, die Stellung des Bundeskanzlers stärker zu machen, als es die des Reichskanzlers der Weimarer Republik gewesen war. Es sollte nach dem künftigen Grundgesetz nicht mehr möglich sein, einzelne Minister durch Mißtrauensantrag aus ihren Ämtern zu entfernen und dadurch dem Bundeskanzler die Erfüllung seiner Pflichten zu erschweren. Wenn das Parlament mit der Politik des Bundeskanzlers nicht einverstanden wäre, sollte nicht der jeweilige Ressortminister gestürzt werden können, sondern es würde ein Mißtrauensantrag gegen den Bundeskanzler selbst gestellt werden müssen. Um jedoch die Gefahren, die in einem zu leichten Sturz einer Regierung lagen — die Weimarer Republik galt auch hier für uns als warnendes Beispiel —, auszuschließen, bauten wir die Bestimmung ein, daß gegen einen Bundeskanzler nur dann ein Mißtrauensantrag des Parlaments gestellt werden könnte, wenn gleichzeitig ein neuer Bundeskanzler vorgeschlagen werde, der die nötige regierungsfähige Mehrheit des Parlaments hinter sich hätte.

Carlo Schmid in der 2. Sitzung des Parlamentarischen Rates

...Es ist uns aufgegeben worden, ein Grundgesetz zu machen, das demokratisch ist und ein Gemeinwesen des föderalistischen Typs errichtet. Was bedeutet das?

Das Erste ist, daß das Gemeinwesen auf die allgemeine Gleichheit und Freiheit der Bürger gestellt und gegründet sein muß, was in zwei Dingen zum Ausdruck kommt. Einmal im rechtsstaatlichen Postulat, daß jedes Gebot und jedes Verbot eines Gesetzes bedarf und daß dieses Gesetz für alle gleich sein muß; und zweitens durch das volksstaatliche Postulat, das verlangt, daß jeder Bürger in gleicher Weise an dem Zustandekommen des Gesetzes teilhaben muß...

Nun erhebt sich die Frage: Soll diese Gleichheit und Freiheit völlig uneingeschränkt und absolut sein, soll sie auch denen eingeräumt werden, deren Streben ausschließlich darauf ausgeht, nach der Ergreifung der Macht die Freiheit selbst auszurotten? Also: Soll man sich auch künftig so verhalten, wie man sich zur Zeit der Weimarer Republik zum Beispiel den Nationalsozialisten gegenüber verhalten hat? Auch diese Frage wird in diesem Hohen Hause beraten und entschieden werden müssen. Ich für meinen Teil bin der Meinung, daß es nicht zum Begriff der Demokratie gehört, daß sie selber die Voraussetzungen für ihre Beseitigung schafft...

Das Zweite, was verwirklicht werden muß, wenn man von demokratischer Verfassung im klassischen Sinne des Wortes sprechen will, ist das Prinzip der Teilung der Gewalten... Was bedeutet dieses Prinzip? Es bedeutet, daß die drei Staatsfunktionen, Gesetzgebung, ausführende Gewalt und Rechtsprechung, in den Händen gleichgeordneter, in sich verschiedener Organe liegen, und zwar deswegen in den Händen verschiedener Organe liegen müßten, damit sie sich gegenseitig kontrollieren und die Waage halten können...

Als drittes Erfordernis für das Bestehen einer demokratischen Verfassung gilt im allgemeinen die Garantie der Grundrechte... Der Staat soll nicht alles tun können, was ihm gerade bequem ist, wenn er nur einen willfährigen Gesetzgeber findet, sondern der Mensch soll Rechte haben, über die auch der Staat nicht soll verfügen können. Die Grundrechte müssen das Grundgesetz regieren; sie dürfen nicht nur ein Anhängsel des Grundgesetzes sein, wie der Grundrechtskatalog von Weimar ein Anhängsel der Verfassung gewesen ist. Diese Grundrechte sollen nicht bloße Deklamationen, Deklarationen oder Direktiven sein, nicht nur Anforderungen an die Länderverfassungen, nicht nur eine Garantie der Länder-Grundrechte, sondern unmittelbar geltendes Bundesrecht, auf Grund dessen jeder einzelne Deutsche, jeder einzelne Bewohner unseres Landes vor den Gerichten soll Klage erheben können...

damit „das Ganze nicht durch partikuläre Egoismen gefährdet werde". Sie wollten „eine zentrale Lenkung bei dezentralisierter Verwaltung".

Die CDU/CSU betonte dagegen, die „Länder müßten bei der Bildung des politischen Gesamtwillens im Bund gleichberechtigt mitwirken", ja einige ihrer Abgeordneten billigten den Ländern sogar eine „originäre Staatlichkeit" zu. Insgesamt strebte die Union nach einem durch das Subsidiaritätsprinzip erfüllten Bundesstaat.

Das Zentrum schloß sich im wesentlichen diesen Vorstellungen an; die Deutsche Partei ging jedoch noch weiter. Sie wollte, daß die Bundesregierung aus Bevollmächtigten der Gliedstaaten gebildet werde.

Die Liberalen dagegen warnten vor einer Überspitzung des Föderalismus.

Es zeigte sich also, daß die Fraktionen des Parlamentarischen Rates den alliierten Wunsch nach einer föderalistischen Staatsform in Deutschland durchaus aufgriffen, ihn jedoch völlig unterschiedlich auslegten.

In diesem Zusammenhang tauchte auch die mehr technische Frage auf, wie die Länder in die Willensbildung des Bundes einbezogen werden sollten, ob mittels eines Bundesrates oder eines Senates. CDU/CSU wollten einen Bundesrat, die SPD einen Senat und die FDP ein aus Vertretern der Länderregierungen und der Landtage gemischtes Organ. Nach langen Verhandlungen schlossen SPD und CDU/CSU einen Kompromiß: die SPD verzichtete auf den Senat, und die CDU/CSU erklärte sich mit eingeschränkten Befugnissen des Bundesrates einverstanden. Damit war das Föderalismusproblem allerdings immer noch nicht erledigt. Es führte bei der Frage der Finanzverfassung zu neuen Kontroversen. Die SPD versuchte, eine zentralisierte Steuerverwaltung durchzusetzen, die die Position des Bundes gestärkt hätte; die CDU/CSU eine dezentralisierte zugunsten der Länder.

Ratspräsident Adenauer rief gegen den Willen der SPD die Alliierten als Schiedsrichter in diesem Streitfalle an. Sie bemängelten, daß der vorliegende Teil des Grundgesetzes ihren Auffassungen vom Föderalismus nicht entspräche und verlangten energisch die Stärkung der Länderhoheiten. Vor allem waren die Franzosen aus Sicherheitsgründen an einer möglichst weitgehenden Teilung der Macht im Innern des künftigen Staates interessiert. Die Amerikaner unterstützten diesen Wunsch nicht nur aufgrund ihrer eigenen verfassungspolitischen Überzeugungen, sondern auch aus der Erwägung, ein Veto Frankreichs gegenüber ihrer Deutschlandpolitik müsse vermieden werden.

Die harte alliierte Haltung löste im Parlamentarischen Rat eine schwere Krise aus, die erst im April 1949 überwunden werden konnte, als die Westmächte auf strikte Einhaltung ihrer Forderungen verzichteten. Die deutschen Parteien vermochten nun zur Übereinkunft zu gelangen.

In der Frage, ob der künftige Staat eine parlamentarische oder eine präsidiale Demokratie nach amerikanischem Muster sein sollte, entschied sich der Parlamentarische Rat ohne Auseinandersetzungen schon auf seiner zweiten und dritten Sitzung für das

Das Grundgesetz wurde von den Landtagen der einzelnen Bundesländer ratifiziert. Im Landtag von Württemberg-Baden stimmten 80 Abgeordnete der CDU, SPD und DVP (später FDP) für die Annahme, die 10 Kommunisten dagegen.

96

Am 23. Mai 1949 wurde in Bonn das Grundgesetz der Bundesrepublik Deutschland unterzeichnet.

parlamentarische System. Menzel (SPD), Süsterhenn (CDU/CSU) und Heuss (FDP) sprachen sich unumwunden für die Abhängigkeit der Regierung vom Parlament aus, auch hier Übereinstimmung, die auf den gemeinsamen Erfahrungen in der Weimarer Republik beruhte.

Der Parlamentarische Rat nahm das gesamte Gesetzeswerk am 8. Mai 1949, vier Jahre nach der Kapitulation, an. Gegen das Grundgesetz stimmten sechs Abgeordnete der CSU, zwei der DP und zwei der Zentrumspartei, die mit den Regelungen der Verhältnisse von Bund und Ländern immer noch nicht einverstanden waren. Die beiden KPD-Vertreter lehnten nach wie vor jede konstruktive Mitarbeit ab. Die Militärregierungen genehmigten das Grundgesetz am 12. Mai. Anschließend wurde es von den Landtagen ratifiziert, nur im Bayerischen Landtag fand es statt der erforderlichen Zweidrittelmehrheit nur die einfache Mehrheit der Stimmen. Das Grundgesetz wurde am 23. 5. 1949 verkündet, es trat am 24. 5. 1949 — „mit Ablauf des Tages der Verkündung" — in Kraft.

Die Bundesrepublik Deutschland 1949 — 1955

I. DAS GRUNDGESETZ

Die Zeit und die Situation der Entstehung des Grundgesetzes bedingten einige Besonderheiten, die es von den Verfassungen anderer demokratischer Staaten unterscheiden.

1. Provisoriumscharakter

Deutschland war im Jahre 1949 als Folge des Zweiten Weltkrieges in Besatzungszonen aufgeteilt. Die Wiedervereinigung der durch die Siegermächte getrennten Teile war und ist oberstes Ziel jeglicher deutschen Politik. Das Grundgesetz wurde deshalb als Provisorium aufgefaßt, und es trifft in seiner Präambel selbst die Feststellung.

— daß dem staatlichen Leben in den Bundesländern der drei westlichen Besatzungszonen „für eine Übergangszeit eine neue Ordnung" gegeben werden sollte,

— daß die Bevölkerung dieser Bundesländer — vertreten durch die gewählten Landtage — beim Beschluß des Grundgesetzes „auch für jene Deutschen gehandelt" habe, „denen mitzuwirken versagt war" und

— daß „das gesamte deutsche Volk (. . .) aufgefordert" bleibe, „in freier Selbstbestimmung die Einheit und Freiheit Deutschlands zu vollenden".

Den Gedankengang der Präambel setzt der letzte Artikel (146) fort:

„Dieses Grundgesetz verliert seine Gültigkeit an dem Tage, an dem eine Verfassung in Kraft tritt, die von dem deutschen Volke in freier Entscheidung beschlossen worden ist."

Die Bezeichnung „Grundgesetz" war von seinen Verfassern, den Abgeordneten des Parlamentarischen Rates, ausdrücklich gewählt worden, um den provisorischen Charakter zu betonen. Carlo Schmid, der angesehene SPD-Abgeordnete und Vorsitzende des Hauptausschusses im Parlamentarischen Rat, stellte dazu fest:

„Der Parlamentarische Rat (hat) im Grundgesetz unzweideutig zum Ausdruck gebracht, daß die Bundesrepublik kein eigener und endgültiger Weststaat sein sollte, nicht Produkt eines Aktes der Souveränität einer eigenen westdeutschen Nation. Darum sollte keine Verfassung im klassischen Sinn des Wortes geschaffen werden, sondern lediglich die Organisation eines Zwischenzustandes, ein Instrument, das einen Teil Deutschlands für die Zeit des Übergangs in die Lage versetzen sollte, sich innerhalb der Schranken, die durch die Besatzungswirklichkeit gezogen waren, in sich selbst und in der Welt einzurichten."

2. Eingeschränkte Souveränität — alliierte Vorbehaltsrechte

Die Bundesrepublik Deutschland besaß bei ihrer Gründung keine volle staatsrechtliche Souveränität, das heißt, sie war rechtlich kein Staat, der selbständig über seine äußeren und inneren Angelegenheiten entscheiden kann. Die drei westalliierten Besatzungsmächte hatten sich bei der Genehmigung des Grundgesetzes eine Reihe von Rechten aus der von ihnen bis dahin weitgehend unbeschränkt ausgeübten Besatzungsgewalt vorbehalten. Diese Vorbehaltsrechte waren im sogenannten Besatzungsstatut formuliert, das am 21. September 1949 in Kraft trat und die Regierungsgewalt weitgehend wieder auf deutsche Organe übertrug. Die oberste Gewalt blieb also prinzipiell bei den Drei Mächten; sie sollte allerdings künftig als zivile Kontrolle durch eine Hohe Alliierte Kommission ausgeübt werden. Die im Grundgesetz geregelten Gesetzgebungs-, Vollzugs- und Rechtsprechungsverfahren waren von vornherein durch den im Besatzungsstatut beschriebenen Rahmen eingeschränkt. Die wichtigsten Vorbehalte der Alliierten waren:

— Die Besatzungsmächte konnten die Regierungsgewalt wieder an sich ziehen, wenn dies zur Aufrechterhaltung der demokratischen Staatsform oder aus Sicherheitsgründen erforderlich erscheinen sollte,

— Grundgesetzänderungen bedurften der Zustimmung der Besatzungsmächte,

— für die auswärtigen Angelegenheiten der Bundesrepublik Deutschland (einschließlich des Abschlusses von internationalen Abkommen) waren ausschließlich die Besatzungsmächte zuständig.

Gesamtcharakter und Einzelbestimmungen des Grundgesetzes sind von den Erfahrungen der Mitglieder des Parlamentarischen Rates mit dem Schicksal der „Weimarer Verfassung" des Deutschen Reiches von 1919 geprägt. „Eine Demokratie, die die Tyrannis so widerstandslos aus sich heraus entläßt, ist nicht wert, noch einmal geschaffen zu werden", sagte der CSU-Abgeordnete Krell. Hitler und das nationalsozialistische Regime hatten 1933 im Rahmen der Weimarer Verfassung „die Macht ergreifen" können und sogar mit scheinbar verfassungsrechtlicher Legalität die demokratischen Grundsätze aufzuheben vermocht. Gegen die Wiederholung einer derartigen Entwicklung wurden in das Grundgesetz der Bundesrepublik Deutschland eine Reihe von Sicherungen eingebaut.

3. Vorrang der Grund- und Menschenrechte

Als Betonung ihres überragenden Ranges erhielten die Grund- und Menschenrechte im Text des Grundgesetzes auch räumlich den ersten Platz.

Im Verfassungsentwurf der Paulskirche von 1849, dem ersten — gescheiterten — deutschen Versuch, eine demokratische Staatsordnung zu schaffen, standen sie im vorletzten Abschnitt (§§ 130 — 189). Diese Rechte sollten zwar vor dem Reichsgericht einklagbar sein, aber in Notzeiten vom Staat außer Kraft gesetzt werden können, wenn das Gesamtministerium diese Maßnahmen befürwortete und „sofort" vom Reichstag die Zustimmung einholte.

Die Reichsverfassung von 1871 enthielt keinen Grundrechtskatalog.

In der Weimarer Verfassung von 1919 standen die Grundrechte im 2. Hauptteil (Art. 109 — 165). Aufgrund des sogenannten (Notstands-)Artikels 48 konnten aber „vorübergehend" einige Grundrechte „ganz oder zum Teil außer Kraft" gesetzt werden, wenn dies dem Reichspräsidenten zur Wiederherstellung der öffentlichen Sicherheit und Ordnung nötig erschien. Er hatte davon dem Reichstag „Kenntnis zu geben" und die Aufhebung der Grundrechte auf Verlangen des Parlaments wieder außer Kraft zu setzen.

Das Grundgesetz der Bundesrepublik erklärt dagegen die Grund- und Menschenrechte für unaufhebbar. Die in den Artikeln 1 bis 17 beschriebenen Grundrechte werden im Art. 19,2 jeder wie immer gearteten Mehrheitsentscheidung ausdrücklich entzogen: „In keinem Falle darf ein Grundrecht in seinem Wesensgehalt angetastet werden." Die Art. 1,3 und 19,4 erheben die Grundrechte zum unmittelbar gültigen einklagbaren Recht. „Die nachfolgenden Grundrechte binden Gesetzgebung, vollziehende Gewalt und Rechtsprechung als unmittelbar geltendes Recht... Wird jemand durch die öffentliche Gewalt in seinen Rechten verletzt, so steht ihm der Rechtsweg offen." Einschränkungen sind gemäß Art. 19,1 nur durch Gesetz möglich, das „das Grundrecht unter Angabe des Artikels" nennt und „allgemein und nicht nur für den Einzelfall" gilt.

Eine Folgerung aus den Erfahrungen der Vergangenheit ist auch die Bestimmung des Art. 18: „Wer die Freiheit der Meinungsäußerung, insbesondere die Pressefreiheit (Art. 5,1), die Lehrfreiheit (Art. 5,3), die Versammlungsfreiheit (Art. 8), die Vereinigungsfreiheit (Art. 9), das Brief-, Post- und Fernmeldegeheimnis (Art. 10), das Eigentum (Art. 14) oder das Asylrecht (Art. 16,2) zum Kampfe gegen die freiheitliche demokratische Grundordnung mißbraucht, verwirkt diese Grundrechte. Die Verwirkung und ihr Ausmaß werden durch das Bundesverfassungsgericht ausgesprochen."

Zusätzlich wird eine Veränderung des Grundgesetzes durch die Art. 79,3 und 81,4 erschwert. Nach Art. 79 sind Grundgesetzänderungen nur durch Gesetz und mit Zweidrittelzustimmung im Bundestag und im Bundesrat möglich. Gänzlich unaufhebbar sind nach Art. 79,3 die Grundsätze der Menschenwürde, der Volkssouveränität und der Rechtsstaatlichkeit sowie die föderative Ordnung der Bundesrepublik: „Eine Änderung dieses Grundgesetzes, durch welche die Gliederung des Bundes in Länder, die grundsätzliche Mitwirkung der Länder bei der Gesetzgebung oder die in den Artikeln 1 und 20 niedergelegten Grundsätze berührt werden, ist unzulässig." Durch Gesetze, die nach dem Verfahren des Gesetzgebungsnotstandes (zum Beispiel während einer Regierungskrise) erlassen worden sind, kann das Grundgesetz „weder geändert noch ganz oder teilweise außer Kraft" gesetzt werden (Art. 81,4).

Der Abwehr von Eingriffen in die Verfassung durch das Parlament entsprechen Bestimmungen, die ebenfalls auf den Grundsatz abzielen: Keine Freiheit für die Feinde der Freiheit. So enthalten zwei Grundrechte bereits im Verfassungstext bedeutende Einschränkungen. Es sind dies bemerkenswerterweise die Freiheit der Lehre (Art. 5,3: „Kunst und Wissenschaft, Forschung und Lehre sind frei. Die Freiheit der Lehre entbindet nicht von der Treue zur Verfassung.") und die Vereinigungs- und Koalitionsfreiheit (Art. 9,1 und 2: „Alle Deutschen haben das Recht, Vereine und Gesellschaften zu bilden. Vereinigungen, deren Zwecke oder deren Tätigkeiten den Strafgesetzen zuwiderlaufen oder die sich gegen die verfassungsmäßige Ordnung oder gegen den Gedanken der Völkerverständigung richten, sind verboten.").

4. Parteienprivileg — Parteienverantwortung

Den Parteien wurde im Art. 21 des Grundgesetzes ausdrücklich ein Mitwirkungsrecht bei der politischen Willensbildung des Volkes zugesprochen. Sie sind dadurch gegenüber anderen Organisationen oder Vereinigungen hervorgehoben. Mit dieser Erhebung in den Rang von verfassungsrechtlichen Institutionen macht das Grundgesetz den Parteien zugleich eine Reihe von organisatorischen Auflagen (Art. 21,1). Die Parteien müssen in ihrer inneren Ordnung demokratischen Grundsätzen entsprechen. Sie müssen über die Herkunft ihrer Mittel öffentlich Rechenschaft geben. „Parteien, die nach ihren Zielen oder nach dem Verhalten ihrer Anhänger darauf ausgehen, die freiheitliche demokratische Grundordnung zu beeinträchtigen oder zu beseitigen oder den Bestand der Bundesrepublik Deutschland zu gefährden, sind verfassungswidrig. Über die Frage der Verfassungswidrigkeit entscheidet das Bundesverfassungsgericht" (Art. 21,2).

In der Weimarer Reichsverfassung waren die Parteien überhaupt nicht erwähnt. Das tatsächlich praktizierte umstürzlerische Verhalten von Kommunisten (KPD) und Nationalsozialisten (NSDAP) im Reichstag und die offen erklärte Absicht, das demokratische System zu zerstören, veranlaßten den Gesetzgeber des Grundgesetzes, die Parteien ausdrücklich auf die demokratische Ordnung zu verpflichten.

5. Konstruktives Mißtrauensvotum

Besondere Sorgfalt wandte der Parlamentarische Rat der Festigung von Parlament und Regierung in der Bundesrepublik zu.

Nach der Weimarer Verfassung hatte der Reichspräsident das Recht zur Parlamentsauflösung gehabt. Er war dabei zwar an die Gegenzeichnung durch den Reichskanzler gebunden, aber dies führte doch — vor allem in der Endphase der Weimarer Republik — zu einer Serie von Reichstagsauflösungen und damit in eine permanente Wahlkampfsituation für Parteien und Bevölkerung. Immer häufiger drängte der mit dem Reichstag in Konflikt liegende Reichskanzler auf die Auflösung des Parlaments, die der Reichspräsident dann gewährte oder versagte. Die Folgen dieser Verkehrung der eigentlichen Verfassungsabsicht waren für das parlamentarische System sehr negativ.

Der Parlamentarische Rat schränkte deshalb die Möglichkeiten zur Auflösung des Bundestages ein. Nur wenn das Parlament bei der Kanzlerwahl erfolglos bleibt oder wenn ein Antrag des Bundeskanzlers, ihm das Vertrauen auszusprechen, nicht die genügende Mehrheit findet, kann der Bundestag durch den Bundespräsidenten aufgelöst werden (Art. 63,4 und 68,1). Als entscheidender Stabilisierungsfaktor wurde die Vorschrift des sogenannten konstruktiven Mißtrauensvotums geschaffen. Der Bundestag kann dem Bundeskanzler das Mißtrauen nur dadurch aussprechen, daß er mit Mehrheit einen Nachfolger wählt und den Bundespräsidenten ersucht, den Bundeskanzler zu entlassen (Art. 67).

In der Weimarer Republik konnte dagegen dem Reichskanzler — ja sogar jedem Minister — jederzeit das Mißtrauen ausgesprochen werden. Sie mußten dann zurücktreten. Die Regierung konnte also beseitigt werden, ohne daß durch Neuwahl eines Kanzlers eine neue Regierung gebildet worden wäre („destruktives Mißtrauensvotum"). Bei der Vielzahl der im Reichstag vertretenen Parteien fanden sich oft Mehrheiten zum Sturz der Regierung, ohne daß es Mehrheiten für eine neue Regierung gab. Immer häufiger regierte dann der Reichspräsident mit Hilfe des Notstandsartikels 48,2 der Weimarer Reichsverfassung. Der Parlamentarismus geriet in der Öffentlichkeit in Mißkredit. Die Tendenz zu radikalen Lösungen nahm zu. Wegen dieser Erfahrungen wurde im Grundgesetz die parlamentarische Alleinverantwortung dem Bundeskanzler übertragen (Art. 65). Im Unterschied zur Weimarer Verfassung ist ein Mißtrauensvotum gegenüber einem einzelnen Minister ausgeschlossen.

6. Eingeschränktes Notstandsrecht

Fraglos hatte das vom Reichstag am 24. März 1933 mit 444 : 94 Stimmen beschlossene sogenannte Ermächtigungsgesetz („Gesetz zur Behebung der Not von Volk und Reich") eine entscheidende Rolle für die Ablösung der Demokratie durch die Diktatur gespielt. Dieses Gesetz ließ gemäß Art. 1 ein von der Verfassung abweichendes, allein auf die Reichsregierung übertragenes Gesetzgebungsverfahren zu und besagte in Art. 2 ausdrücklich, solche Gesetze könnten auch von der Reichsverfassung abweichen. Daß ein derartiges Gesetz überhaupt vom Parlament hatte beschlossen werden können, veranlaßte den Parlamentarischen Rat zu Vorkehrungen gegen eine dauernde Aushöhlung des parlamentarischen Gesetzgebungsvorganges. In den Art. 80 (Erlaß von Rechtsverordnungen) und 81 (Gesetzgebungsnotstand) des Grundgesetzes sind die engen Grenzen beschrieben, in denen eine vom normalen Verfahren abweichende Gesetzgebung möglich ist.

Der Artikel 91 enthält die Regelung für den inneren Notstand. In deutlichem Gegensatz zu den im Art. 48 der Weimarer Verfassung dem Reichspräsidenten übertragenen umfangreichen Vollmachten hat jetzt nur die Bundesregierung — unter der Kontrolle des Bundesrats — begrenzte Möglichkeiten, die „Zur Abwehr einer drohenden Gefahr für den Bestand oder die freiheitliche demokratische Grundordnung des Bundes oder eines Landes" notwendigen Maßnahmen zu ergreifen.

7. Verzicht auf „direkte Demokratie"

Auf dem geschichtlichen Hintergrund ist auch die fast völlige Ausschaltung plebiszitärer Bestimmungen, das heißt der direkten Mitwirkung des Volkes an der Gesetzgebung durch Abstimmungen, zu sehen. Nur in einem einzigen Fall werden noch Volksbegehren und Volksentscheid zugelassen, nämlich im Fall der Neugliederung der Bundesländer (Art. 29). Damit distanzierte sich der Parlamentarische Rat ganz entschieden von dem an sich ursprünglichen demokratischen Gedanken der unmittelbaren Mitwirkung des Volkes bei der Gesetzgebung. Auch hier lagen negative Erfahrungen mit den entsprechenden Bestimmungen der Weimarer Verfassung (Art. 73) zugrunde. Die Nationalsozialisten hatten die Möglichkeiten zum Volksbegehren, die vor 1933 gegeben waren, in demagogischer Weise ausgenutzt und später bei verschiedenen Anlässen zu ihren „99 %-Volksabstimmungen" verfälscht; damit war der Volksentscheid in bloße Volksakklamation (Zustimmung) nach der politischen Tat verwandelt worden.

Aus der Tatsache, daß der nationalsozialistische Staat die unmittelbare Demokratie diskreditiert hatte, resultierte das Mißtrauen des Parlamentarischen Rates. In diesem Punkt bleibt das Grundgesetz auch weit hinter den meisten deutschen Länderverfassungen zurück, die, mit Ausnahme von Niedersachsen und Schleswig-Holstein, sämtlich die Gesetzesinitiative per Volksbegehren und die Abstimmung über Gesetze per Volksentscheid vorsehen. Die Entscheidung des Wahlvolkes auf Bundesebene wurde allein auf die Wahl des Bundestages beschränkt. Den aus dieser Wahl hervorgegangenen Abgeordneten wurden alle weiteren Entscheidungen übertragen: Kanzlerwahl, Gesetzgebung, Mitwirkung bei der Wahl des Bundespräsidenten.

Das Grundgesetz betont die repräsentative Verfassungsordnung. Die gewählten Abgeordneten üben die Herrschaftsfunktionen im Namen des Volkes aus; während der vierjährigen Legislaturperiode sind die Abgeordneten gegenüber ihren Wählern nicht ständig zur Rechenschaft verpflichtet. Sie sind „Vertreter des ganzen Volkes, an Aufträge und Weisungen nicht gebunden und nur ihrem Gewissen unterworfen" (Art. 38,1).

8. Die Rolle des Staatsoberhauptes

Um die staatliche Macht in den Gesetzgebungsorganen Bundestag und Bundesrat und in der Person des Bundeskanzlers zu konzentrieren, wurde das Amt des Bundespräsidenten bewußt mit weniger Macht ausgestattet, als sie der Reichspräsident der Weimarer Republik hatte.

- Im Unterschied zum Reichspräsidenten geht der Bundespräsident nicht aus einer Volkswahl hervor. Vielmehr wurde für seine Wahl ein eigenes Organ geschaffen, die Bundesversammlung. Sie besteht aus allen Bundestagsabgeordneten und „einer gleichen Anzahl von Mitgliedern, die von den Volksvertretungen der Länder nach den Grundsätzen der Verhältniswahl gewählt werden". Sie dient ausschließlich dem Zweck, den Bundespräsidenten zu wählen.

- Die Amtsperiode des Bundespräsidenten wurde auf 5 Jahre begrenzt. Seine Wiederwahl ist nur einmal möglich. Der Reichspräsident amtierte dagegen 7 Jahre und konnte unbeschränkt wiedergewählt werden.

- Anordnungen und Verfügungen des Bundespräsidenten bedürfen zu ihrer Gültigkeit der Gegenzeichnung durch den Bundeskanzler oder den zuständigen Minister, die damit auch die politische Verantwortung übernehmen.

- Gegen den Bundespräsidenten können Bundestag oder Bundesrat Anklage vor dem Bundesverfassungsgericht erheben, falls er sich einer „vorsätzlichen Verletzung des Grundgesetzes oder eines anderen Bundesgesetzes" schuldig macht. Das Bundesverfassungsgericht kann ihn dann seines Amtes für verlustig erklären (Art. 61 GG).

Die Amtsrechte des Bundespräsidenten sind eng auf die Erfüllung seiner Aufgaben als Staatsoberhaupt beschränkt, zum Beispiel die völkerrechtliche Vertretung des Bundes, die Ausfertigung (Unterzeichnung) von Gesetzen und anderes.

Durch das Grundgesetz ist dem Staatsoberhaupt jede Möglichkeit zu einer obrigkeitsstaatlichen Alleinbestimmung selbst in Krisenzeiten entzogen.

9. Zusammenfassung

Selbstverständlich berücksichtigt jede neue Verfassung die historischen Erfahrungen und die Bedingungen der innen- und außenpolitischen Gesamtsituation. Dennoch scheint es berechtigt, dem Grundgesetz der Bundesrepublik Deutschland in gewissem Sinn einen Ausnahmecharakter zuzuschreiben:

- Einmalig war die Tatsache, daß eine Staatsordnung für einen Teilbereich des nach wie vor als bestehend, wenn auch als nicht handlungsfähig erachteten Gesamtstaates (Deutsches Reich) geschaffen werden mußte. Sie sollte in sich funktionsfähig und dennoch für die Wiederherstellung der staatlichen Einheit offen sein.

- Einmalig war sicher auch die Situation, die aus der verheerenden moralischen, politischen und militärischen Niederlage Deutschlands 1945 entstanden war. Praktisch vom Nullpunkt aus war eine Neuordnung zu entwickeln, die innenpolitische Stabilität, Wiederherstellung und Sicherung rechtsstaatlicher Verhältnisse gleichzeitig mit der Rückgewinnung außenpolitischen Vertrauens und internationalen Ansehens ermöglichte.

Der Parlamentarische Rat löste diese schwierige Aufgabe in einer Form, die sich in der Folgezeit als überaus weitsichtig und tragfähig erweisen sollte.

II. DIE POLITISCHE STRUKTUR DER BUNDESREPUBLIK DEUTSCHLAND

1. Das Prinzip der Gewaltenteilung im parlamentarischen System

Die Machtminderung des Präsidentenamtes einerseits und die enge Verbindung von Regierung und Parlaments-/Bundestagsmehrheit andererseits machten es notwendig, anstelle des klassischen demokratischen Gewaltenteilungsmodells — Legislative, Exekutive, Judikative (Gesetzgebung, Regierung, Rechtsprechung) — eine Variante zu entwickeln, die sich an das englische System anlehnte, es aber dennoch nicht kopierte.

Da der Bundeskanzler und — in der Regel — die Bundesminister gleichzeitig Abgeordnete des Parlaments und Träger der Exekutivgewalt (als Minister Mitglieder der Regierung) sind, haben sie zugleich legislative und exekutive Kompetenzen. Das Parlament steht der Regierung nicht als Ganzes gegenüber, sondern die Parlamentsmehrheit und die aus ihr hervorgegangene und von ihr getragene Bundesregierung stehen in enger Beziehung zueinander. Folglich kann der Kontrollauftrag des Parlaments gegenüber der Regierung nur bedingt und insoweit funktionieren, als auch die Abgeordneten der Mehrheit an die Verpflichtung des Art. 38 gebunden sind, Abgeordnete des ganzen Volkes zu sein, und sie in ihrer Gesamtheit Unabhängigkeit gegenüber „ihrer" Regierung besitzen.

Praktisch ist also im Einzelfall im politischen Prozeß das Kontrollverfahren so gestaltet, daß gewissermaßen die eine „Gewalt" von der Bundestagsmehrheit und der von ihr getragenen Bundesregierung gebildet und die unmittelbare „Kontrollgewalt" von der Opposition, das heißt von der Bundestagsminderheit ausgeübt wird. Das ausgeprägte föderative System der Bundesrepublik bringt zusätzlich auch den Bundesrat gegenüber der Bundestagsmehrheit und der Bundesregierung ins Spiel.

2. Bundesrat und föderative Ordnung

Die föderative Ordnung der Bundesrepublik ist im Grundgesetz unabänderliches Prinzip. Die Erfahrung mit dem extremen Einheitsstaat des nationalsozialistischen Regimes sowie mit der Weimarer Republik waren hierfür das wesentliche Motiv. Der Weimarer Staat hatte bei seiner höchst problematischen Gliederung in Länder mit sehr unterschiedlicher politischer und wirtschaftlicher Kraft (z. B. Preußen 41,8 Millionen Einwohner und 26 von 66 Sitzen im Reichsrat; Lippe 188 000 Einwohner und ein Reichsratssitz) das Verhältnis zwischen der Zentralregierung und den Gliedstaaten trotz vieler Ansätze zur „Reichsreform" nicht überzeugend lösen können.

Im Parlamentarischen Rat spielte der Einfluß der drei westlichen Besatzungsmächte, die eine weitreichende Kompetenz der Länder ausdrücklich verlangten, eine bedeutende Rolle. Andererseits bestand auch der Wunsch deutscher Politiker, den Föderalismus im Vergleich zur Weimarer Situation nachhaltiger zu stärken.

Legend and map labels:

Bundesrep. Deutschland
— Staatsgrenze
— Ländergrenze, einschl. Berlin (West)
--- Einteilung Baden-Württembergs vor 1952
▨ Kontrollgebiet der Int. Ruhrbehörde 1948-1952
Helgoland 1.3.1952 an Bundesrep. Deutschld. zurück

DDR
— Staatsgrenze
— Ländergrenze vor 1952
····· Grenze der Bezirke

Schleswig-Holstein
Kiel
Rostock
Schwerin
Neubrandenburg
sowjetische
Bremen
amerik. Besatzungszone
Hamburg
Niedersachsen
britische
Sektorenstadt Berlin
Berlin (West)
Berlin (Ost)
Potsdam
Frankfurt
Hannover
Nordrhein-Westfalen
Magdeburg
Besatzungszone
Cottbus
Düsseldorf
Besatzungszone
Halle
Leipzig
Dresden
Bonn
Erfurt
Gera
Karl-Marx-Stadt
Hessen
amerikanische
Suhl
Rheinland-
Wiesbaden
Mainz
Pfalz
franz.
Saarbrücken
Besatzungszone
W.-B.
Baden-
Bayern
Saarland
franz. Zoll- und Wirtschaftsgebiet bis 1957
Stuttgart
W.-H.
Württemberg
Besatzungszone
B.
München

Deutschland nach 1945

0 50 100 km

107

Die deutschen politischen Kräfte waren sich grundsätzlich in der Befürwortung des Föderalismus einig, wenn es auch Unterschiede in den Nuancen gab. Kurt Schumacher, der Vorsitzende der Sozialdemokratischen Partei, forderte: „So föderalistisch wie möglich, so zentralistisch wie nötig." CDU und CSU plädierten für einen Staat, in welchem selbständige freie Länder sich zu einem freien republikanischen Bund zusammenschließen sollten. Lediglich die FDP betonte in ihrem Konzept deutlicher eine Zentralgewalt, innerhalb deren den Ländern partielle Zuständigkeiten eingeräumt werden sollten.

Das Grundgesetz schreibt als politische Ordnung der Bundesrepublik den Bundesstaat vor (Art. 20,1) und räumt den Ländern durch den Bundesrat erhebliche Gesetzgebungsbefugnisse ein. Eine Verfassungsänderung, durch die diese Grundsätze aufgehoben werden, ist unzulässig (Art. 79,3).

Der 1949 geschaffene funktionale Föderalismus bewährte sich durchaus. Dennoch verstärkten sich im Laufe der Zeit zentralistische Tendenzen, weil auf manchen Sachgebieten stärkere Einheitlichkeit angebracht schien. Im Bereich der konkurrierenden Gesetzgebung (Die Länder können Gesetze erlassen, solange der Bund von seinem Gesetzgebungsrecht keinen Gebrauch macht, Art. 72 und 74 Grundgesetz.) und der Rahmengesetzgebung (Der Bund hat das Recht, Rahmenvorschriften zu erlassen, die von den Ländern auszufüllen sind, Art. 75 Grundgesetz.) durch den Bund, die für die Länder nur eine relativ enge Ausgestaltungsmöglichkeit zulassen, führte die Praxis im Laufe der Jahre, vor allem seit 1967, zu einer deutlichen Zunahme der bundeseinheitlichen Regelungen. Von 1949 bis heute hat es insgesamt 106 Änderungen, Einfügungen und Aufhebungen im Grundgesetz gegeben. Von 32 Änderungs- bzw. Ergänzungsgesetzen betreffen 22 das Verhältnis zwischen Bund und Ländern und nicht weniger als 8 Änderungsgesetze bringen Verschiebungen legislativer Befugnisse von den Ländern auf den Bund. Um diesem Prozeß der Kompetenzerweiterung des Bundes entgegenzuwirken, schlossen die Länder auf den ihrer Zuständigkeit vorbehaltenen Gebieten Absprachen und Abkommen, um sachlich gerechtfertigte Vereinheitlichungen auf eigene Initiative durchzuführen. Der Umfang dieser Beziehungen zwischen den Ländern entwickelte sich auf den verschiedensten Gebieten so intensiv, daß neuerdings von einem „kooperativen Föderalismus" gesprochen wird, der bis zur Entstehung einer ganzen Reihe von „Zwischeninstanzen" zwischen der Ebene des Bundes und der Länder führte (zum Beispiel Konferenz der Ministerpräsidenten, Kultusministerkonferenz).

Insgesamt entstanden im Laufe der Entwicklung mehr als 200 Gremien in Form von Ausschüssen, Arbeitsgemeinschaften, Arbeitskreisen, Kommissionen usw.

3. Verwaltungsgliederung

Die föderative Struktur bringt es mit sich, daß auch auf dem Gebiet der Verwaltung ein kompliziertes System der Kompetenzaufteilung zwischen Bund und Ländern entwickelt werden mußte. Es werden drei verschiedene Verwaltungsstränge unterschieden:

- Die bundeseigene Verwaltung (Art. 86 Grundgesetz) erstreckt sich auf alle Bereiche die unmittelbar zur Zuständigkeit des Bundes gehören (Art. 87 und 89). Es sind dies insbesondere der Auswärtige Dienst, Bundesfinanzverwaltung, Bundeseisenbahnen, Bundespost, Bundeswasserstraßen/Schiffahrt sowie die Bundeswehrverwaltung (1956) und die Luftverkehrsverwaltung (1961).

- Die Auftragsverwaltung wird durch die Länderbehörden gemäß den vom Bund für diese Bereiche erlassenen Gesetzen ausgeführt und von Bundesbeauftragten kontrolliert. So verwalten z. B. die Länder im Auftrag des Bundes die Bundesautobahnen.

- Die ländereigenen Verwaltungen sind für alle übrigen Bereiche zuständig; sie erledigen somit den größten Teil der Verwaltungsaufgaben.

Im Verwaltungsaufbau stehen bei Bund und Ländern die Ministerien an der Spitze, wobei hier das umfangreichste Aufgabengebiet in die Zuständigkeit der Innenminister fällt. Die Verwaltungsgliederung der Länder ist in den einzelnen Verfassungen unterschiedlich geregelt, wobei auf der unteren Verwaltungsebene (Städte/Stadtkreise, Landkreise, Gemeinden) der Grundsatz der Selbstverwaltung gilt.

4. Das Bundesverfassungsgericht

Die Einrichtung eines obersten Gerichts zur Schlichtung und Entscheidung von Streitfällen zwischen den verschiedenen Institutionen und Staatsorganen einerseits sowie dem Bürger und diesen Institutionen andererseits besaß in Deutschland eine gewisse Tradition.

Der Verfassungsentwurf von 1849 sah eine höchste juristische Instanz ebenso vor wie die Weimarer Verfassung in Art. 108. Ihre Zuständigkeit war jedoch auf Streitfälle zwischen dem Reich und den Ländern und auf den Fall der Ministeranklage begrenzt.

Demgegenüber stattete das Grundgesetz das Bundesverfassungsgericht mit umfangreichen Befugnissen aus. Als oberster Verfassungshüter entscheidet es gemäß Art. 93 unter anderem

- über die Auslegung des Grundgesetzes,

- bei Meinungsverschiedenheiten oder Zweifeln über die Vereinbarkeit von Bundesrecht und Landesrecht mit dem Grundgesetz, über Rechte und Pflichten von Bund und Ländern und in anderen Streitigkeiten zwischen Bund und Ländern,

- über Verfassungsbeschwerden einzelner Bürger sowie

- in den übrigen im Grundgesetz vorgesehenen Fällen, zum Beispiel über die Verwirkung von Grundrechten, über die Verfassungswidrigkeit von Parteien und anderes.

Diese starke Position im staatlichen Gefüge erklärt sich im wesentlichen aus zwei Erwägungen:

- Das Bundesverfassungsgericht sollte nach dem Willen der Väter des Grundgesetzes in die Lage versetzt werden, mit seinen Entscheidungen eine alle anderen Entscheidungsbefugten überragende kontrollierende und reglementierende Funktion auszuüben.

● In einer pluralistischen Gesellschaft sind Gesetze nicht selbstverständlich und stets Ausdruck einer allgemein akzeptierten Ordnungsvorstellung; sie können vielmehr durchaus auch infolge der Stärkeverhältnisse in der Legislative nur die Zielsetzung einer gesellschaftlichen oder politischen Gruppe widerspiegeln. Deshalb muß eine Instanz vorhanden sein, die von denen angerufen werden kann, die diese Zielsetzung nicht nur nicht akzeptieren können, sondern sie im Widerstreit zur grundgesetzlich festgelegten Ordnung sehen.

Das Bundesverfassungsgericht kontrolliert also auch die anderen obersten Verfassungsorgane: Bundespräsident, Bundestag, Bundesrat, Bundesregierung. Es ist seine Aufgabe, die Zuständigkeiten dieser Institutionen zu definieren, auf ihre Vereinbarkeit mit dem Grundgesetz zu prüfen und notfalls zu beschneiden. Seine Entscheidungen binden alle anderen Staatsorgane. Der Spannungsbogen der richterlichen Kompetenz des Bundesverfassungsgerichts reicht von Entscheidungen über die Beschwerde eines einzelnen Bürgers bis zur Kontrolle der von den gesetzgebenden Körperschaften erlassenen Gesetze (Normenkontrolle). Das Bundesverfassungsgericht nahm seine Tätigkeit aufgrund eines eigenen Gesetzes am 12. 3. 1951 auf. Es besteht aus zwei Senaten mit je 8 Richtern, die von Bundesrat und Bundestag gewählt werden. Der Sitz des Gerichts ist in Karlsruhe.

5. Der Rechtsstaat

In einem eigenen Artikel des Grundgesetzes werden die Staatsform, die Volkssouveränität und die Bindung der Gewalten folgendermaßen beschrieben:

„Die Bundesrepublik Deutschland ist ein demokratischer und sozialer Bundesstaat. Alle Staatsgewalt geht vom Volke aus. Sie wird vom Volke in Wahlen und Abstimmungen und durch besondere Organe der Gesetzgebung, der vollziehenden Gewalt und der Rechtsprechung ausgeübt. Die Gesetzgebung ist an die verfassungsmäßige Ordnung, die vollziehende Gewalt und die Rechtsprechung sind an Gesetz und Recht gebunden." (Art. 20, 1 — 3)

Dieser Artikel enthält gleichsam eine „Verfassung in Kurzform". Bei der ausdrücklichen Festlegung aller Institutionen auf „Gesetz und Recht" hat ebenfalls die Erfahrung Pate gestanden, daß Gesetzgebung und Rechtsstaatlichkeit nicht übereinstimmen müssen. Die nationalsozialistische Gesetzgebungspraxis entwickelte sich in einer Weise, die für den einzelnen Bürger immer weitergehende Rechtlosigkeit bedeutete. Um auch schon den Anfängen zu dieser Entwicklung zu wehren, gibt es im Grundgesetz auch keine ähnlichen Bestimmungen wie in der Weimarer Verfassung, die in akuten Notsituationen Grundrechtseinschränkungen für den Bürger zuließen. Alle Gesetzgebung ist im Grundgesetz ausnahmslos an die Rechtsidee des demokratischen Systems gebunden. Ausdruck dieser Rechtsidee ist die Bindung an eine bestimmte Wertordnung, als deren oberste Grundsätze gelten:

— die unantastbare Würde des einzelnen Menschen und der Schutz seiner Freiheit zur persönlichen Entfaltung,

— die Freiheit zur Selbstbestimmung in der Gemeinschaft,

— die Gleichheit aller Bürger im Staat.

Das Bundesverfassungsgericht äußerte sich in einer Reihe von Urteilen zur Frage, was im einzelnen zum Wesen der Rechtsstaatlichkeit, wie es im Grundgesetz festgelegt ist, gehört:

— Die Rechtsnormen müssen klar und für den Bürger berechenbar sein.

— Der Grundsatz der Verhältnismäßigkeit bzw. des Verbots des Übermaßes, das heißt, die Eingriffe müssen auf das zur Erreichung des Zieles unbedingt notwendige Maß beschränkt bleiben.

— Die Garantie des lückenlosen Rechtsschutzes, das heißt, daß dem Bürger gegenüber dem Staat oder gegenüber anderen Bürgern ein mehrstufiger Rechtsweg bis hinauf zum Bundesverfassungsgericht offensteht und die grundgesetzliche Ordnung vor Übergriffen von einzelnen oder Gruppen rechtmäßig verteidigt werden kann.

Insgesamt sichert also der Rechtsstaat dem einzelnen einen Freiheitsspielraum zur Entfaltung seiner Persönlichkeit, garantiert ihm die Einflußmöglichkeit auf Legislative und Exekutive durch Wahlrecht und Klagerecht, organisiert die gegenseitige Kontrolle der Staatsorgane, verpflichtet aber auch zu gemeinschaftsbezogenem und die grundlegenden Rechtsgrundsätze achtendem Verhalten.

6. Der Sozialstaat

Charakteristisch für die grundgesetzliche Ordnung ist, daß die Sozialstaatlichkeit in die gleiche Rangstufe wie die Rechtsstaatlichkeit erhoben wurde. Menschliche Würde bedarf neben der rechtlichen Sicherheit auch der sozialen Sicherung, also einer menschenwürdigen Existenz.

Die Weimarer Verfassung bezeichnete die 1919 geschaffene Republik nicht ausdrücklich als Sozialstaat. Dennoch waren in den Art. 151 bis 165 (= Fünfter Abschnitt: Wirtschaftsleben) Einzelbestimmungen aufgenommen, die die „Gewährleistung eines menschenwürdigen Daseins für alle" garantieren sollten.

Der Pauschalfestlegung auf die Sozialstaatlichkeit in den Art. 20 und 28 Abs. 1 des Grundgesetzes kommt jedoch eine qualitativ höhere Bedeutung zu. Die verschiedenen Artikel der Weimarer Verfassung besaßen nur programmatischen Charakter ohne rechtliche Einklagbarkeit. Der Art. 20 Grundgesetz hingegen stellt eine alle Instanzen bindende Bestimmung dar, derzufolge alle staatlichen Maßnahmen der Förderung der sozialen Gerechtigkeit, dem Ausgleich sozialer Gegensätze und der Schaffung einer gerechten Sozialordnung zu dienen haben. Das Bundesverfassungsgericht definiert diese Verpflichtung als „annähernd gleichmäßige Förderung des Wohls aller Bürger und annähernd gleichmäßige Verteilung der Lasten". Sie schließt das Recht des Staates ein, die staatliche Tätigkeit auf den Bereich der Sicherung der Daseinsvorsorge für die einzelnen und auf den sozialökonomischen Bereich auszudehnen.

III. DIE POLITISCHE ENTWICKLUNG IN DER BUNDESREPUBLIK DEUTSCHLAND

1. Wahl und Persönlichkeit des ersten Bundespräsidenten

Insgesamt ist das Amt des Bundespräsidenten als neutrale, über den Parteien und den politischen Auseinandersetzungen stehende Institution angelegt. Daß es sich trotz der fehlenden Machtmittel zu beachtlicher öffentlicher Bedeutung entwickeln konnte, lag zweifellos am geistigen Habitus des ersten Bundespräsidenten Theodor Heuss. In der ersten Bundesversammlung am 12. September 1949 wurden als Kandidaten vorgeschlagen: Theodor Heuss (FDP), Kurt Schumacher (SPD), Hans von Schlange-Schöningen (CDU), Rudolf Amelunxen (Zentrum), Karl Arnold (CDU), Josef Müller (CSU) und Alfred Loritz (WAV). Heuss erhielt im zweiten Wahlgang mit 416 von 804 Stimmen die erforderliche absolute Mehrheit (bei seiner Wiederwahl 1954 waren es 871 von 987 Stimmen bei 95 Enthaltungen). Heuss hatte sich bei seinem Amtsantritt 1949 vorgenommen: „Die Deutschen verbinden mit dem Staatsoberhaupt in ihrer Vorstellung immer einen Mann in Uniform: Ich muß ein neues Bild prägen." Die Persönlichkeit des ersten Bundespräsidenten war gekennzeichnet durch schwäbischen Humor, profunde intellektuelle und künstlerische Bildung, liberale Gesinnung und politische Autorität. Redliche Gesinnung und Glaubwürdigkeit verschafften Heuss zunehmende Popularität und allgemeine Achtung.

Die Bedeutung von Theodor Heuss für die Wiedererlangung des deutschen politischen Selbstbewußtseins und für die Wiedergewinnung der Weltachtung ist schwerlich zu überschätzen. Was auch dem deutschen Ansehen an Schaden zugefügt worden war, Heuss gelang — in der Position des unpolitisch gemeinten Bundespräsidenten — ein überzeugender Beweis für ein politisch anderes Deutschland.

2. Grundzüge des Wahlsystems des Deutschen Bundestages

Auch beim Wahlrecht für den Deutschen Bundestag spielten Erfahrungen aus der Weimarer Republik eine Rolle. Im Grundgesetz wurden lediglich Fundamentalforderungen festgelegt (Art. 38 und 41). Dagegen war in Art. 22 der Weimarer Verfassung die Verhältniswahl verankert gewesen. Der Parlamentarische Rat übertrug die Bestimmung des Wahlmodus der späteren Bundesgesetzgebung, damit auf die jeweilige politische Entwicklung leichter und rascher reagiert werden konnte.

Das erste Bundeswahlgesetz vom 15. 6. 1949 galt nur für die erste, das folgende Wahlgesetz (8. 7. 1953) ausschließlich für die zweite Bundestagswahl. In der zweiten Amtsperiode des Bundestages (1953 — 1957) entwickelte eine Wahlrechtskommission Vorschläge für eine endgültige Wahlrechtsregelung. Das daraus resultierende 3. Bundeswahlgesetz wurde am 7. 5. 1956 verkündet und blieb für alle Bundestagswahlen von 1957 bis heute gültig.

Prof. Dr. Theodor Heuss
(Bundespräsident 1949 – 1959)

Dr. Kurt Schumacher
(SPD-Vorsitzender 1946 – 1952)

Dr. Konrad Adenauer
(Bundeskanzler 1949 – 1963)

Prof. Dr. Ludwig Erhard
(Bundesminister für Wirtschaft 1949 – 1963)

Die Wahl der Abgeordneten zum 1. Bundestag fand am 14. 8. 1949 statt. Sie wurde gemäß dem Wahlgesetz vom 15. 6. 1949 nach den Grundsätzen einer mit der Personenwahl verbundenen Verhältniswahl durchgeführt. 60 Prozent der Abgeordneten wurden in den Wahlkreisen als Direktkandidaten gewählt, die restlichen 40 Prozent der Mandate wurden durch Verrechnung der Stimmen über sogenannte Landesergänzungslisten auf die konkurrierenden Parteien verteilt. Insgesamt hatte der 1. Bundestag 402 Abgeordnete. Anders als in der Weimarer Republik konnte nun der Wähler nicht nur für eine Partei, sondern mittels der Erststimme auch unmittelbar für eine Person stimmen. Die Gesamtzahl der Abgeordneten blieb seit 1953 annähernd konstant (1949: 402 Abgeordnete; 1953 infolge Vermehrung der Wahlkreise: 487 Abgeordnete; nach Eingliederung des Saarlandes erhöhte sich die Zahl der Abgeordneten 1956 um 10; seit 1965 sind es 496 Mandate). Hinzu kommen 22 Berliner Abgeordnete; sie sind infolge alliierter Vorbehaltsrechte nicht voll stimmberechtigt. Durch Sperrklauseln wurde überdies Parteien, die bestimmte Mindeststimmenanteile nicht erreichten, der Einzug in den Bundestag verwehrt. Die Bundeswahlgesetze bis 1956 verschärften diese Sperrbestimmungen zunehmend:

1949:
Nur diejenigen Parteien erhalten Sitze im Bundestag, die in einem Bundesland 5 % der Stimmen oder mindestens in einem Wahlkreis ein Direktmandat erhalten hatten.

1953:
Mindestens 5 % der Stimmen im gesamten Bundesgebiet oder ein Direktmandat sind die Voraussetzung für den Einzug in den Bundestag.

1956:
Nach dem Wahlgesetz von 1956 sind 5 % der Stimmen im Bundesgebiet oder drei Direktmandate erforderlich.

Da die Gesamtzahl der Abgeordnetensitze auf die Parteien verteilt wird, die die Sperrklausel überwinden, erhalten die großen Parteien einen höheren Prozentanteil an Bundestagssitzen als ihrem Prozentanteil an Zweitstimmen entspricht. Es erhielten z. B.:

1949:	CDU/CSU:	31,0 % gültige Zweitstimmen 34,7 % der Sitze
	SPD:	29,2 % gültige Zweitstimmen 32,6 % der Sitze
1953:	CDU/CSU:	45,2 % gültige Zweitstimmen 49,9 % der Sitze
	SPD:	28,8 % gültige Zweitstimmen 31,0 % der Sitze

3. Der 1. Deutsche Bundestag und das erste Kabinett Adenauer

Bei der Wahl zum 1. Bundestag am 14. August 1949 gaben von 31 207 620 Wahlberechtigten 23 732 398 gültige Stimmen ab, das entspricht einer Wahlbeteiligung von 78,5 %.

Der erste Deutsche Bundestag hielt am 7. 9. 1949 seine konstituierende Sitzung ab. Am 15. 9. 1949 wählte der Bundestag gemäß Art. 63 des Grundgesetzes den Bundeskanzler. Der auch von FDP und DP unterstützte CDU-Abgeordnete Dr. Konrad Adenauer erhielt 202 Stimmen. Er war damit mit einer Stimme Mehrheit gewählt.

Konrad Adenauer war 73 Jahre alt, als er Bundeskanzler wurde. Er hatte von 1906 bis 1933 bereits in seiner Heimatstadt Köln eine erfolgreiche politische Laufbahn absolviert, die ihm als Kölner Oberbürgermeister seit 1917 in Partei (Zentrum) und Öffentlichkeit soviel Ansehen eintrug, daß er 1926 als Kandidat für das Amt des Reichskanzlers im Gespräch war. Als demokratischer Politiker von entschieden christlicher Prägung wurde Adenauer von den Nationalsozialisten aus seinen politischen Ämtern entfernt. Die Distanz zur nationalsozialistischen Ära und der konsequente Rückzug ins Privatleben ermöglichten ihm, nach 1945 die politische Tätigkeit wieder aufzunehmen. Als eines der führenden Mitglieder der CDU in der britischen Zone, als Mitglied des Zonenbeirats und des nordrhein-westfälischen Landtags und schließlich als Präsident des Parlamentarischen Rates bewies Adenauer geistige Unabhängigkeit, politischen Pragmatismus, die Fähigkeit zu geschicktem politischen Taktieren und ein sicheres Gespür für politische Macht. Unbelastet von jedem Minderwertigkeitsgefühl gegenüber den Besatzungsmächten und weitgehend auch frei von der Neigung zum Theoretisieren, entwickelte er die Politik als „Kunst des Möglichen".

Am 20. 9. 1949 stellte Bundeskanzler Adenauer sein Koalitionskabinett aus CDU/ CSU, FDP und Deutscher Partei vor. Es war in 13 Ressorts gegliedert. Von den klassischen Ministerien fehlte wegen der alliierten Vorbehaltsrechte das Auswärtige Amt. Für die drängenden aktuellen Aufgaben wurden Ministerien für Wiederaufbau (Wohnungsbau), für Vertriebene, für Gesamtdeutsche Fragen und für den Marshallplan gebildet. Wegen der föderativen Struktur der Bundesrepublik gehörte dem Kabinett auch ein Minister für Bundesratsangelegenheiten an. Hauptsprecher der Opposition im Bundestag war der Fraktionsvorsitzende der größten Oppositionspartei, der SPD-Abgeordnete Dr. Kurt Schumacher, ein leidenschaftlicher, kämpferischer Demokrat und Patriot. Auch Schumacher (geb. 1895) war bereits in der Weimarer Republik politisch hervorgetreten (Abgeordneter im Württembergischen Landtag 1924/31, im Reichstag 1930/33), dann allerdings als ebenso prominenter wie mutiger SPD-Politiker von 1933 bis 1944 von den Nationalsozialisten im KZ inhaftiert worden. Sein politisches Profil sicherte ihm unangefochtene Autorität zur Reorganisation und Führung der SPD nach 1945. Daß Schumacher 1949 in der Auseinandersetzung um die Grundlinien der deutschen Politik unterlag, hat neben anderem wohl auch daran gelegen, daß er in seiner engagierten Offenheit und Geradlinigkeit nicht selten schwer zu Vereinbarendes zu kombinieren versuchte: Zurückdrängung der Sowjetmacht bei gleichzeitiger Unabhängigkeit vom Westen, Wiedervereinigung zu einem deutschen Nationalstaat mit entschieden antikommunistischer bzw. antisowjetischer Ausrichtung, Ableh-

Plakate zur Bundestagswahl 1949

nung des innenpolitischen Klassenkampfes bei gleichzeitiger Absicht, den Sozialismus zur Angelegenheit des ganzen Volkes zu machen.

Das Regierungsprogramm der ersten Bundesregierung und das Gesetzgebungswerk des ersten Bundestages konzentrierten sich auf die Wirtschafts- und Sozialpolitik, um die Kriegsfolgen zu überwinden. Als besonders drängendes Problem beschäftigte Regierung und Parlament die Eingliederung der 12 Millionen Flüchtlinge und Vertriebenen aus den deutschen Ostgebieten, aus Ost- und Südosteuropa und die Versorgung der Millionen Kriegsopfer bzw. der durch die Kriegsereignisse und Kriegsfolgen besonders schwer betroffenen Bürger. Alle diese Aufgaben waren so umfangreich, daß ihre Lösung in der ersten Legislatur- bzw. Amtsperiode nur eingeleitet werden konnten. Wegen der Souveränitätsbeschränkungen blieb es in den außenpolitischen Bemühungen bei ersten Ansätzen.

(Gesetzgebungswerk des ersten Deutschen Bundestages: Finanzen 170 Gesetze, Wirtschaft 103, Arbeits- und Sozialordnung 91, Justiz 79, Inneres 58, Verkehr 27, Auswärtiges 17).

Manche Politiker glaubten damals, für diesen umfassenden Aufgabenkomplex müsse eine Große Koalition die tragfähigere Grundlage abgeben. Führende Persönlichkeiten der CDU standen ihr zunächst nicht grundsätzlich ablehnend gegenüber; allerdings

Plakate zur Bundestagswahl 1953

widersetzte sich ihr Adenauer von Anfang an. Unterschiedliche Auffassungen in Grundsatz- und in Einzelfragen gaben schließlich den Ausschlag für die Kleine Koalition. Maßgebend war auch der Gedanke, daß das demokratische System durch eine starke Opposition entscheidend stabilisiert werden könne.

4. Der 2. Deutsche Bundestag und das zweite Kabinett Adenauer

An der Wahl zum zweiten Deutschen Bundestag am 6. September 1953 beteiligten sich 33 202 287 Wahlberechtigte (85,8 %).

Die CDU/CSU hatte beträchtlich an Stimmen gewonnen. 45,2 % der Stimmen brachten ihr infolge des Wahlmodus 49,9 % der Abgeordnetensitze (243 von 487). Daß die Wähler damit im wesentlichen die Politik Adenauers und seiner Partei und nicht so sehr die der Koalition honorierten, ergab sich aus dem vergleichsweise schlechten Abschneiden der anderen Regierungspartner.

Bemerkenswert bei dieser Wahl war die Abkehr der Wähler von den kleineren Parteien. Nur noch dem Zentrum gelang es, mit 3 Abgeordneten (0,8 % der Stimmen) in den Bundestag einzuziehen. Allerdings errang eine neue Partei, der „Gesamtdeutsche Block/Bund der Heimatvertriebenen und Entrechteten"/(GB/BHE) auf der rechten Seite des Parteiengefüges, die bereits bei verschiedenen Landtagswahlen große Erfolge errungen hatte, auch auf Bundesebene einen beachtlichen Stimmengewinn. Mit 27 Sitzen (5,9 % der Stimmen) wurde sie zur viertstärksten Fraktion. Dieses Ergebnis war wohl vor allem darauf zurückzuführen, daß Flüchtlinge, Vertriebene und Kriegsopfer der Überzeugung waren, den Eingliederungs- und Entschädigungsprozeß mit Hilfe einer eigenen Partei auch auf Bundesebene nachdrücklicher fördern zu können.

KPD, Bayernpartei, Deutsche Rechtspartei, Gesamtdeutsche Volkspartei und kleinere Splitterparteien konnten die Sperrbestimmungen des Wahlgesetzes nicht überwinden. Die wiederum von Konrad Adenauer gebildete Koalitionsregierung war von CDU/CSU, FDP, GB/BHE und DP getragen. Das Kabinett umfaßte zunächst 16 Ressorts; im Laufe der Amtsperiode wurden infolge der politischen Entwicklung neue Ministerien gebildet: für Familienfragen (1953), für Verteidigung (1955), für Atomfragen (1955).

Kurt Schumacher war am 20. August 1952 im 57. Lebensjahr verstorben. Der am 27. 9. 1952 zum Ersten Vorsitzenden der SPD gewählte Erich Ollenhauer wurde Sprecher der Opposition.

Auch diesen Bundestag beschäftigten schwerpunktmäßig weiterhin die Bereiche Arbeits- und Sozialordnung (94 Gesetze), Finanzen (133), Wirtschaft (62) und Verkehr (34); im innenpolitischen Bereich reduzierte sich die Gesetzgebungsarbeit auf 48, im Justizressort auf 52 Gesetze. In der Zahl von 65 Gesetzen im Bereich der Auswärtigen Politik und von 19 Gesetzen auf dem Gebiet der Verteidigung dokumentierten sich die politische Wende, die in den Außenbeziehungen der Bundesrepublik eingetreten war, und die veränderte europäische und weltpolitische Lage.

IV. DIE ENTSCHEIDUNGEN IN DER AUSSEN- UND DEUTSCHLANDPOLITIK

1. Die Ausgangslage

In der frühen Phase der Bundesrepublik Deutschland beschränkte sich die praktische Außenpolitik auf den Verkehr der Bundesregierung mit den Hohen Kommissaren, den Vertretern der Westmächte. Ein deutsches Auswärtiges Amt und ein diplomatischer Dienst, die nach der bedingungslosen Kapitulation des Deutschen Reiches aufgelöst worden waren, existierten noch nicht wieder, da sich die alliierten Mächte die Zuständigkeit für die Außenpolitik vorbehalten hatten.

Angesichts der besonderen Lage der Bundesrepublik als Teilstaat Deutschlands und Gliedstaat Westeuropas, politisch eingeengt zwischen den Supermächten USA und Sowjetunion, mußte es für die verantwortlichen deutschen Politiker 1949 darum gehen, im Rahmen eines langfristigen Konzepts folgende Probleme zu lösen bzw. die Voraussetzungen für ihre Lösung zu schaffen:

- Wiedergewinnung der außenpolitischen Handlungsfreiheit,

- Überwindung der deutschen Teilung,

- Sicherung des Friedens durch eine aktive Politik der europäischen Integration und der Stärkung Europas als politische Kraft.

Die komplizierte Verflechtung aller Bereiche der außen- und deutschlandpolitischen Zielsetzung brachte zwischen Regierung und Opposition tiefgreifende Meinungsunterschiede über den einzuschlagenden Weg mit sich, die zu innenpolitischen Spannungen, ja zeitweise zu förmlichen Zerreißproben führten. Die Gesamtproblematik verkürzte sich in der öffentlichen Diskussion auf eine vereinfachte Alternative:

- Würde man als Teil eines wirtschaftlich und militärisch starken Westens die Wiedervereinigung (eventuell sogar die Rückgewinnung der deutschen Ostgebiete jenseits von Oder und Neiße) erreichen oder

- bedeutete die „Westlösung", daß die Wiedervereinigung Deutschlands auf unabsehbare Zeit unmöglich würde, weil es nicht im Sinn der Sowjetunion liegen konnte, ganz Deutschland in den Bereich der amerikanischen Einfluß- und Machtsphäre geraten zu lassen.

Die weltpolitischen Ereignisse jener Zeit wirkten sich auch auf die Entwicklung in Deutschland aus. Die Entstehung der Bundesrepublik und die erste Ausrichtung ihrer Politik standen unter dem Eindruck des beginnenden „Kalten Krieges" zwischen den Großmächten USA und Sowjetunion. Beide Seiten versuchten, den von ihnen beherrschten Teil Deutschlands auf Dauer in ihr Lager zu integrieren. Den Bedenken deutscher Politiker gegen die Bildung eines westdeutschen Separatstaates und dem Wunsch nach direkter Wiedervereinigung der verschiedenen Besatzungsgebiete standen die tatsächlichen Machtverhältnisse gegenüber. Die westdeutsche Bevölkerung fühlte sich ohne Zweifel stärker dem Westen als dem Osten zugehörig. Kulturelle Vergangenheit, zivilisatorisches Niveau und technischer Standard spielten hierbei eine ebenso große Rolle wie die Kriegs- und Nachkriegserlebnisse von Millionen Deutschen beim unmittelbaren Kontakt mit den östlichen Lebensformen und dem Verhalten der Sowjetarmee bei der Besetzung Ost- und Mitteldeutschlands.

Angesichts der Situation, der Zielsetzungen und des politischen Klimas waren nur ganz wenige Möglichkeiten denkbar, um die grundlegenden Ziele der westdeutschen Politik — Freiheit, Frieden, Einheit — zu verwirklichen:

● Man konnte die außen- und deutschlandpolitischen Initiativen den dafür offiziell zuständigen Besatzungsmächten überlassen. In diesem Fall wäre die Bundesrepublik auf unabsehbar lange Zeit bloßes Objekt fremder Politik geblieben. Rückwirkungen auf die westdeutsche Bevölkerung und ihr Demokratieverständnis waren zu befürchten. Bundeskanzler Adenauer war zwar von Anfang an für Zurückhaltung, weil das Mißtrauen gegenüber jeder deutschen außenpolitischen Dynamik weltweit hellwach war, aber er wollte gleichzeitig unbedingt verhindern, daß die Besatzungsmächte allein nach ihren eigenen Interessen handelten, möglicherweise sogar gemeinsam gegen die deutschen Interessen.

● Man konnte vorrangig die Einheit Deutschlands anstreben. Eine solche Politik hätte in der westdeutschen Öffentlichkeit sicherlich starken Widerhall gefunden, da die Teilung als ebenso unerträglich wie unnatürlich empfunden wurde. Auf dem Weg zur deutschen Wiedervereinigung lagen aufgrund der Machtverhältnisse jedoch unüberwindliche Hindernisse. Die Sowjetunion betrieb in ihrer Besatzungszone eine Reparationspolitik, die den wirtschaftlichen Wiederaufbau schwer schädigte; sie hatte überdies mit Hilfe kommunistischer deutscher Kader die künftige Entwicklung der Gesellschafts- und Wirtschaftspolitik in ihrem Machtbereich im kommunistischen Sinn bereits weitgehend festgelegt. Eine Wiedervereinigung konnte deshalb für die Sowjetunion nur dann interessant sein, wenn sie die Chance eingeschlossen hätte, ihr System auch auf die westlichen Teile Deutschlands zu übertragen. Genau dies aber lag weder im Interesse der westlichen Besatzungsmächte noch der westdeutschen Bevölkerung.

● Als dritte Möglichkeit einer aktiven Außen- und Deutschlandpolitik bot sich der Versuch an, durch eine Annäherung an die westeuropäischen Nachbarn und an die USA den Beweis der politischen Zuverlässigkeit und des Friedenswillens zu führen, das Vertrauen des Westens und damit schrittweise die volle politische Handlungsfreiheit zurückzugewinnen. Die auf diese Weise gewonnenen Verbündeten mußten dazu gebracht werden, sich das speziell deutsche Ziel der Wiedervereinigung zu eigen zu machen und ihm so gegenüber der Sowjetunion um so größeren Nachdruck zu verschaffen. Das Ziel „Einheit" blieb auf diese Weise im Blick, die Ziele „Freiheit und Frieden" aber wurden unmittelbar erreicht und abgesichert. Die Teilung mußte dabei zwar zunächst in Kauf genommen werden, doch die Chancen für die europäische Einigung und die Stabilisierung von Frieden und Freiheit erschienen um so größer. Dieses System schließlich auch auf das wiedervereinigte Deutschland zu übertragen, war nach Meinung Adenauers und der Regierungsparteien nicht unmöglich.

Opposition und Teile der Bevölkerung waren freilich anderer Meinung. Auch für sie war die Dreiheit „Frieden — Freiheit — Einheit" unabdingbar; bezüglich der Prioritäten und der politischen Taktik neigten sie ebenfalls zu der Ansicht, daß die außenpolitische Handlungsfreiheit zuallererst wiedergewonnen werden müsse. Sie sollte aber weder durch eine entschieden einseitige Bindung an den Westen „erkauft", noch dazu benützt werden, die Bundesrepublik sofort in ein westeuropäisches Staatssystem zu integrieren. Man befürchtete, aus dieser Position heraus könne die Wiedervereinigung niemals mehr erreicht werden.

Andererseits wurde die Entscheidung für den Westen aus zwei ganz aktuellen Gründen erleichtert. Es waren dies

— die Verteidigung der Freiheit West-Berlins während der sowjetischen Blockade 1948/49 mit Hilfe einer Luftbrücke und

— das Angebot der Marshallplan-Hilfe zum Wiederaufbau der durch Krieg und Nachkriegsereignisse schwer getroffenen deutschen Wirtschaft.

Die Westmächte hatten dadurch Beispiele einer internationalen Verantwortung gezeigt, die über rein egoistische Machtinteressen hinauszuweisen schien. Die ersten praktischen Schritte zu einer festeren Bindung der Bundesrepublik an den Westen unternahm Bundeskanzler Adenauer schon wenige Wochen nach Bildung seiner ersten Bundesregierung.

Am 31. Oktober 1949 trat die Bundesrepublik als gleichberechtigtes Mitglied dem Europäischen Wirtschaftsrat (OEEC) bei. Hauptaufgabe dieser Organisation war es, im Rahmen der Marshallplan-Hilfe ein gemeinsames europäisches Wiederaufbauprogramm aufzustellen und abzuwickeln.

2. Das Petersberger Abkommen

Am 22. November 1949 unterzeichneten die Alliierte Hohe Kommission und der Bundeskanzler das Petersberger Abkommen. Die Bundesrepublik erhielt dadurch die Erlaubnis, konsularische Beziehungen zu ausländischen Mächten aufzunehmen und internationalen Organisationen beizutreten, „in denen deutsche Sachkenntnis und Mitarbeit zum allgemeinen Wohl beitragen können". Bestimmte Beschränkungen beim Bau von Hochseeschiffen wurden aufgehoben und 18 Werke im Ruhrgebiet, in Leverkusen und Ludwigshafen sowie sämtliche Berliner Industriewerke von der Demontage freigestellt. Die Bundesrepublik sagte ihrerseits zu, der Internationalen Ruhrbehörde und dem Europarat beizutreten.

Das außen- und deutschlandpolitische Gedankengerüst des Bundeskanzlers Adenauer orientierte sich im wesentlichen an zwei Fixpunkten:

● Die Aussöhnung mit dem „Erbfeind" Frankreich sollte den Weg Deutschlands zurück zur europäischen „Völkerfamilie" ebnen und Kernstück der Einheit Europas sein.

Dies ist das berühmt gewordene „Teppich-Foto" von Bundeskanzler Adenauer. Als er den drei alliierten Hochkommissaren am 21. September 1949 seinen Antrittsbesuch im Hotel Petersberg, ihrem Dienstsitz, abstattete, lag ein riesiger Teppich auf dem Boden, auf dessen Ende die Hochkommissare standen. Adenauer und seinen Kabinettsmitgliedern (Schäffer, Dehler, Kaiser und Blücher) wurde von einem Protokollbeamten ein Platz jenseits des anderen Teppichendes zugewiesen. Adenauer erkannte sofort die beabsichtigte Distanzierung und betrat wie selbstverständlich den Teppich, von wo er seine Antwortrede hielt, eine Geste, die von allen Anwesenden verstanden wurde.

- Die Furcht vor dem militanten und aggressiven Sowjetkommunismus gebot eine enge Anlehnung an die USA; nur durch den aktiven Schutz starker amerikanischer Streitkräfte in Westdeutschland und Westeuropa war der von Adenauer niemals bezweifelte sowjetische Expansionswille zu blockieren. Zudem konnten durch diese gemeinsamen Anstrengungen die westeuropäische Solidarität und die Integration verstärkt werden.

3. Vom Ruhrstatut zur Montanunion

Zu den schwierigsten Problemen bei den ersten tastenden Versuchen der Bundesrepublik, sich außenpolitisch zu orientieren, gehörte das Verhältnis zu Frankreich. Die alte Rivalität zwischen den beiden benachbarten Völkern hatte sich während des Zweiten Weltkrieges zu einer tiefsitzenden antideutschen Stimmung auf seiten der französischen Öffentlichkeit entwickelt. In den ersten Nachkriegsjahren wechselten die Regierungen in Frankreich häufig, standen aber stets unter dem Druck der deutschfeindlichen Gefühle im Lande. Die Folgen zeigten sich in der Politik gegenüber dem besiegten Deutschland. Frankreich hatte

— 1945 eine überaus harte Besatzungspolitik betrieben,

— noch 1947 den Beitritt zu der wirtschaftlichen Vereinigung der westlichen Besatzungszonen verweigert, die Errichtung zentraler deutscher Verwaltungsstellen strikt abgelehnt und

— am längsten daran festgehalten, das deutsche Wirtschaftspotential von Ruhr- und Saargebiet einer internationalen Kontrolle zu unterstellen.

Noch kurz vor der Gründung der Bundesrepublik (am 22. April 1949) hatten die Westalliierten sich auf das sogenannte Ruhrstatut geeinigt. Es wurde von Frankreich, Großbritannien, den USA, sowie Belgien, den Niederlanden und Luxemburg unterzeichnet und sollte durch internationale Kontrolle sicherstellen, „daß die Hilfsquellen der Ruhr künftig nicht für Angriffszwecke verwendet werden, sondern im Interesse des Friedens". Die Überwachung des Ruhrgebiets durch eine internationale Behörde wurde damals von Vertretern aller deutschen Parteien — auch von dem CDU-Vorsitzenden Adenauer — als verkappte Annexion, als Wegnahme von Souveränitätsrechten und als Versuch einer dauernden Diskriminierung des deutschen Volkes angegriffen. Dabei hatte man als abschreckendes Beispiel die französische Politik gegenüber dem Saargebiet vor Augen. Dieses Industrierevier hatten die Franzosen gleich nach der Besetzung 1945 durch eine Verordnung der Militärregierung zu einer besonderen Verwaltungseinheit gemacht, die praktisch ein französisches Projektorat darstellte.

Eine ähnliche Entwicklung auch für das Kernland der westdeutschen Industrie, das Ruhrgebiet, wollten alle politischen Kräfte unbedingt verhindern. Zur offenen Kontroverse, die teilweise bis zur Feindseligkeit zwischen den Parteiführern führte, kam es dann allerdings nach Bildung der Bundesrepublik. Während die SPD-Opposition unentwegt davor warnte, das Ruhrgebiet nun sogar mit Zustimmung des Parlaments den ausländischen Mächten zu überantworten, sagte Bundeskanzler Adenauer den Alliierten im Petersberger Abkommen zu, die Bundesrepublik werde der Internationalen Ruhrbehörde beitreten und so am „Wiederaufbau der westeuropäischen Wirtschaft" mitarbeiten. Durch eine flexible Politik, durch Verhandlungen und wenn nötig auch durch Vorleistungen wollten Adenauer und die Regierungsparteien eine Eingliederung der Bundesrepublik in die Gemeinschaft der westlichen Staaten beschleunigen. Als direkter Vorteil wurde die Revision der bisherigen alliierten Demontagepolitik angesehen. Die Sozialdemokraten, geführt von Kurt Schumacher, lehnten den Beitritt zur Ruhrbehörde ab. Die Demontagen würden nach ihrer Ansicht auch ohne so große Zugeständnisse an das Ausland schließlich eingestellt werden.

Bundeskanzler Adenauer verfolgte trotz aller Gegnerschaft konsequent seine Politik des immer engeren Anschlusses der Bundesrepublik an den Westen. Die SPD bekämpfte beispielsweise den Beitritt der Bundesrepublik als assoziiertes Mitglied (das heißt ohne Sitz im Ministerrat) zum Europarat, weil auch das Saargebiet als assoziiertes Mitglied aufgenommen werden sollte. Die Einbeziehung der Deutschen in die europäischen Gremien blieb andererseits auch in Frankreich bei Politikern und in der Öffentlichkeit nicht ohne Widerstand. Bundeskanzler Adenauer begann seine manchmal recht wirksame Interview-Politik, um Signale zu geben und Einfluß auf die öffentliche Meinung zu nehmen.

Bereits in der Wochenzeitung „Die Zeit" vom 3. November 1949 hatte Adenauer erklärt:

„Im heutigen Stadium Europas sind ‚Erbfeindschaften' völlig unzeitgemäß geworden. Ich bin daher entschlossen, die deutsch-französischen Beziehungen zu einem Angelpunkt meiner Politik zu machen. Ein Bundeskanzler muß zugleich ein guter Deutscher und guter Europäer sein."

Wiederum in einem Interview, diesmal mit dem amerikanischen Journalisten Kingsbury-Smith von der „New York Times", schlug Adenauer am 7. März 1950 eine deutsch-französische Union auf staatlichem, wirtschaftlichem und finanziellem Gebiet vor. Eine solche Union sei „das Mittel, alle Differenzen über die Saar und andere Probleme beizulegen. . . ich glaube, dies ist die einzige Möglichkeit, die Einheit Europas zu erreichen."

Weniger utopisch, weniger visionär war dann ein Vorschlag von französischer Seite. Während im Deutschen Bundestag noch über den Beitritt zum Europarat verhandelt wurde, unterbreitete der französische Außenminister Robert Schuman in einem Handschreiben an Kanzler Adenauer den Vorschlag zum Zusammenschluß der europäischen Montanindustrie. Entsprechend dem Schuman-Plan sollte der Kohle- und Stahl-Pakt nur ein erster Schritt zur weiteren Integration Europas sein.

Der Vertrag über die Montanunion (Europäische Gemeinschaft für Kohle und Stahl) trat am 25. Juli 1952 in Kraft. Er war für eine Dauer von 50 Jahren abgeschlossen. Am gleichen Tage wurden das Ruhrstatut und alle alliierten Kontrollen und Beschränkungen der deutschen Schwerindustrie aufgehoben und die Internationale Ruhrbehörde aufgelöst. Erstmals übertrugen sechs europäische Staaten (Belgien, Frankreich, Italien, Luxemburg, die Niederlande und die Bundesrepublik Deutschland) nationale Hoheitsrechte auf eine supranationale Organisation. Diese überstaatliche Zusammenarbeit markierte zugleich einen neuen Anfang in den deutsch-französischen Beziehungen. Sie wurde der „erste Grundstein für eine weitere und vertiefte Gemeinschaft unter Völkern", so wie die Vertragspartner es in der Präambel festgestellt hatten.

4. Die Debatte um den Wehrbeitrag

Von westdeutscher Seite wurde die Gründung der DDR (7. 10. 1949) wegen der fehlenden demokratischen Legitimation ihrer Regierung politisch und rechtlich als unakzeptabel abgelehnt. Diese Haltung wurde durch einige Entscheidungen noch verstärkt.

— Ost-Berlin erklärte im Görlitzer Vertrag mit Polen (6. 7. 1950) die Oder-Neiße-Linie als endgültige deutsche Ostgrenze.

— In der Prager Erklärung (23. 6. 1950) bezeichnete Ost-Berlin gegenüber der Tschechoslowakei die Vertreibung der Sudetendeutschen als gerecht und unabänderlich.

— Bereits im Sommer 1948 hatte die sowjetische Besatzungsmacht kasernierte deutsche Polizeiverbände aufgestellt, in denen man eigentlich nur die Vorläufer einer sowjetzonalen Armee sehen konnte.

Die Westalliierten und die Bundesrepublik beurteilten diese einseitigen und den Potsdamer Vereinbarungen eindeutig widersprechenden Maßnahmen als schwere Eingriffe in die eigene Rechtsposition.

Am 25. Juni 1950 überschritten nordkoreanische Truppen die Grenze zu Südkorea. Dieser völlig überraschende Angriff alarmierte Westeuropa. Die Parallele zum ebenfalls zweigeteilten Deutschland drängte sich auf. Der britische Oppositionsführer Churchill sprach sich im Europarat als erster für die Aufstellung einer westeuropäischen Armee aus, in die auch deutsche Truppenkontingente integriert werden sollten. Als Begründung für diese veränderte Haltung gegenüber deutschem Militär führte Churchill neben den Ereignissen in Korea auch die Militarisierung der Sowjetzone an.

Bundeskanzler Adenauer hatte mehrfach erklärt, für die Sicherheit der Bundesrepublik seien die Westalliierten zuständig. Eine Remilitarisierung Deutschlands sei nicht wünschenswert. Aber er griff die Churchill-Initiative sofort auf. Im „Sicherheitsmemorandum" vom 19. August 1950 bat er eindringlich um Verstärkung der Besatzungstruppen und sagte für den Fall, daß es zur Bildung einer internationalen europäischen Armee kommen sollte, die Bereitstellung eines deutschen Kontingents zu.

Neun Westeuropäische Staaten (Belgien, Dänemark, Frankreich, Großbritannien, Island, Italien, Luxemburg, die Niederlande und Portugal) hatten sich bereits am 4. April 1949 mit Kanada und den USA zum Verteidigungsbündnis der NATO (North Atlantic Treaty Organization) zusammengeschlossen. Es war nun an den Politikern, den Widerwillen gegen deutsches Militär, besonders in den ehemals von der deutschen Wehrmacht besetzten Ländern, zu überwinden. Der französische Ministerpräsident René Pleven trat mit einem Plan für eine europäische Armee hervor, die supranational organisiert und geführt werden und an der deutsche Kontingente in Bataillonsstärke beteiligt sein sollten. Mit beträchtlicher Mehrheit stimmte das französische Parlament zu (26. 10. 1950), und Adenauer akzeptierte den Pleven-Plan immerhin als Diskussionsbasis. In den folgenden monatelangen Verhandlungen verlangte die Bundesrepublik ihrerseits, daß die deutsche Mitwirkung an der europäischen Verteidigung mit

Die Entscheidung für einen deutschen Verteidigungsbeitrag fiel nach einer heftigen innenpolitischen Diskussion. Ende 1955 wurde in Andernach die erste Einheit der neuen Streitkräfte aufgestellt. Sie wurde im Januar 1955 von Bundeskanzler Adenauer, von Bundesverteidigungsminister Theodor Blank und Generalinspekteur Heusinger inspiziert.

einer vertraglichen Sicherheitsgarantie für ihr Territorium, mit der Revision bzw. Beendigung des Besatzungsstatuts und mit der Erweiterung des außenpolitischen Handlungsspielraums verbunden sein müsse.

Daß es fünf Jahre nach der totalen militärischen Niederlage Deutschlands, nach der vollständigen Entwaffnung und nach der ständigen Verurteilung des „deutschen Militarismus" wieder deutsche Streitkräfte geben sollte, überstieg im Jahr 1950 das Vorstellungsvermögen weiter Teile der deutschen Bevölkerung. Der Rücktritt von Innenminister Heinemann (11. 10. 1950) aus Protest gegen die eigenmächtige Handlungsweise des Bundeskanzlers in der Sicherheitsfrage — Adenauer hatte das Kabinett erst zwei Tage nach der Übergabe des „Sicherheitsmemorandums" über dessen Inhalt informiert — war das Signal für eine vehement geführte öffentliche Diskussion. Das Spektrum der Argumente reichte vom schlichten „Ohne mich!" bis zur differenzierten moralischen Begründung für die Ablehnung jeder Gewaltanwendung, von der resignierenden Einsicht in die Notwendigkeit, sich verteidigen zu müssen, bis zu wiedererwachten Hoffnungen auf die Rückkehr zu traditionellen militärischen Formen.

Daß die Ost-Berliner Regierung zum gleichen Zeitpunkt anbot, in eine Diskussion zur Vorbereitung gesamtdeutscher Wahlen für eine Nationalversammlung und in Beratungen für den Abschluß eines Friedensvertrages einzutreten, bestärkte die Befürworter der westeuropäischen Integration in ihrer Politik. Gerade daß die Regierung des DDR-Ministerpräsidenten Grotewohl das Fortschreiten der westeuropäischen Integration zu stören versuchte, schien zu beweisen, daß damit ihre eigenen politischen Pläne ins Wanken gerieten. Wenn man also unbeirrt auf diesem Wege fortschritt, mußte dies zu weiteren „Erschütterungen" des von der ostdeutschen Bevölkerung ohnehin abgelehnten Systems führen.

Die Bundesregierung ging zwar indirekt auf die Ost-Berliner Vorschläge ein, unterbreitete ihrerseits konkrete Vorschläge zur Vorbereitung gesamtdeutscher Wahlen und nannte die Bedingungen für die schrittweise Wiederherstellung der deutschen Einheit; gleichzeitig aber nutzte sie mit großer Intensität alle Chancen, die sich ihr in Westeuropa und in Verhandlungen mit den Besatzungsmächten boten.

Kontroversen um die Wiederbewaffnung

Die Wehrdebatte in den Jahren von 1950 bis 1955 umfaßte das gesamte Spektrum der mit der „Remilitarisierung" verbundenen Probleme, neben der Aufrüstung also vor allem Fragen der Westintegration und der nationalen Einheit. Viele, die die Unvereinbarkeit von Westintegration und Wiedervereinigung sahen und die damit verbundene Neigung der Wiederbewaffnungsbefürworter zum „deutschlandpolitischen Quietismus" erkannten, ohne ihn zu billigen, protestierten demnach nicht sosehr aus antimilitaristischen als vielmehr aus nationalen, deutschlandpolitischen Motiven gegen die Wiederbewaffnungspolitik. Am Beginn der Wehrdebatte 1950/51 überwog der militärische Aspekt, seit den Deutschlandinitiativen Stalins stand die Wiedervereinigungsfrage im Vordergrund.

Die SPD lehnte die Wiederbewaffnung zunächst entschieden ab. Zumal in den ersten Monaten der Wehrdebatte bekämpfte sie den Plan eines Verteidigungsbeitrags, weil er nach der Auffassung Kurt Schumachers die Bundesrepublik ohne vorherige Fortschritte bei der Wiedergewinnung der Souveränität zu weitgehend an den Westen band. Von der grundsätzlichen Notwendigkeit eines deutschen Wehrbeitrags war Kurt Schumacher dennoch überzeugt. So kam es, daß die Partei die 1951 verbreitete „Ohne-mich"-Stimmung

in der Bevölkerung unterstützte und parlamentarisch als Gegner des Wehrbeitrags in der von Adenauer anvisierten Form blieb, daß sie aber trotzdem die Wehrpolitik mittrug, ihren Teil an der politischen Verantwortung freiwillig übernahm und vor allem auf dem Feld der Wehrplanung, wo es um das Verhältnis von Staat und Armee ging, das Konzept der „Armee in der Demokratie" unterstützte.

Im Sommer 1952 zeichneten sich gewisse Veränderungen in der Haltung der Partei ab, die sowohl mit der Stalin-Note als auch mit dem Tod Kurt Schumachers zusammenhingen. Die konsequente Westorientierung der SPD unter Schumacher geriet fortan in den Schatten einer Politik, die stärker auf die Idee der Koexistenz konzentriert und dem Gedanken eines wiedervereinigten neutralen Deutschlands nicht grundsätzlich abgeneigt war. Hier bereitete sich die sozialdemokratische Disengagement-Position der mittfünfziger Jahre vor. Eine ostpolitische Gemeinsamkeit zwischen Regierung und Opposition gab es seit 1952 nicht mehr.

Zu den wichtigsten Gegnern der Wiederbewaffnung, die für kurze Zeit — auf der Woge der „Ohne-mich"-Stimmung — die antimilitaristischen Emotionen so weit mobilisieren konnten, daß Adenauers Rückhalt in der Bevölkerung zusehends dahinschwand, zählten die Pazifisten und Neutralisten im Gefolge von Ulrich Noack, Martin Niemöller und Gustav Heinemann. Heinemann war im Oktober 1950 aus Protest gegen Adenauers Verhalten in der Wehrfrage als Bundesinnenminister zurückgetreten und seither in immer heftigere Opposition zum Kanzler geraten. Heinemanns „Notgemeinschaft für den Frieden Europas", aus der 1952 die Gesamtdeutsche Volkspartei (GVP) hervorging, wurde zum Kristallisationskern der antimilitaristischen und neutralistischen Opposition gegen die Regierung Adenauers. Deren Neutralismus entsprach dem Brücke-Konzept Jakob Kaisers, und einen wichtigen Rang in der politischen Argumentation von „Notgemeinschaft" und GVP nahm die Anerkenntnis der deutschen Schuld auch gegenüber der Sowjetunion und Polen ein. Eine solche Haltung setzte unter den Bedingungen des Kalten Krieges allerdings voraus, daß man zu einer „Entdämonisierung des Kommunismus" und zur „Entidealisierung des ,freien Westens'" bereit war, womit man sich zugleich in diametralem Gegensatz zum vorherrschenden Zeitgeist befand. Der Bevölkerung war das Konzept der GVP deshalb kaum plausibel zu machen, und entsprechend gering war die Resonanz der Neutralisten und der GVP.

Die entschiedenen Befürworter der Wiederbewaffnung befanden sich einesteils in den Parteien der Regierungskoalition — der Union, der nationalkonservativen Deutschen Partei und der FDP, deren nationalliberaler Flügel zur politischen Heimat einer großen Anzahl ausgedienter Berufsoffiziere geworden war, und andernteils in den beiden Kirchen, in den Gewerkschaften und der Industrie. Der Protestantismus tat sich auf Grund seiner Entwurzelung in Mitteldeutschland und der deshalb verwaltenden Sorge um die Wiedervereinigung mit seiner Zustimmung schwer und vertrat sie eher halblaut, da Teile der protestantischen Geistlichkeit ablehnend in die Nähe Martin Niemöllers rückten. Auch im Katholizismus waren nationalneutralistische Positionen anzutreffen, so daß die Zustimmung zur Wiederbewaffnung dem Kirchenvolk durch Klerus und Laienführer erst nahegebracht werden mußte. Nach einer kurzen Phase interner Auseinandersetzungen war der Katholizismus die erste gesellschaftliche Großgruppe, die geschlossen die Regierungspolitik unterstützte.

Gewerkschaften und Industrie waren stille Befürworter der Wiederbewaffnung; ihre Haltung ist bezeichnenderweise noch eingehend untersucht worden. Die Gewerkschaftsbasis war unbestritten antimilitaristisch orientiert, doch hatte die Gewerkschaftsführung ebenso wie die Industrie ihre Zustimmung zur Wiederbewaffnung bekundet — nicht allein um der immer beschworenen Profite aus der Rüstungsproduktion willen als vielmehr aus Gründen der innen- und außenpolitischen Stabilisierung der Bundesrepublik zur Gewährleistung des Arbeitsfriedens und des Wirtschaftswachstums.

In den Augen nicht nur der Gegner drohte von der Zustimmung einer Gruppe zur Wiederbewaffnung Gefahr für den Staat: Die große Zahl der ehemaligen Soldaten, die nicht zur extremen Rechten zählten, welche sich der Bonner Politik in süffisantem Chauvinismus verweigerte, konnte sich vom deutschen Wehrbeitrag neue berufliche Möglichkeiten versprechen. Von daher drohte die Wiederbewaffnung in der Tat eine „Remilitarisierung" zu werden, und die frühzeitige Rehabilitierung der Wehrmachtssoldaten durch die Bundesregierung und die NATO-Führung im Frühjahr 1951 war eine erhebliche innenpolitische Belastung, die allerdings durch die projektierte Integration der deutschen Kontingente in die EVG und später der Bundeswehr in die NATO gemildert wurde.

Anselm Doering-Manteuffel: Die Bundesrepublik Deutschland in der Ära Adenauer. Außenpolitische und innere Entwicklung 1949 — 1963, Wissenschaftliche Buchgesellschaft Darmstadt, 1983, S. 73 ff.

5. Der Deutschlandvertrag

Der Deutsche Bundestag formulierte am 8. Februar 1952 noch einmal die Bedingungen für einen deutschen Verteidigungsbeitrag:

- Beendigung des Besatzungsstatuts. Die in Deutschland verbleibenden alliierten Truppen haben nur noch die Aufgabe, zur gemeinsamen Verteidigung Europas und der freien Welt beizutragen.

- Herstellung der inneren und äußeren Souveränität der Bundesrepublik Deutschland.
  Beeinträchtigungen können nur aufgrund der bestehenden Teilungssituation und soweit sie im eigenen deutschen Interesse liegen hingenommen werden.

- Rückgabe der vollen Gesetzgebungshoheit einschließlich des Rechts, darüber zu entscheiden, ob Vorschriften aus der Besatzungszeit aufrechterhalten bleiben oder nicht.

- Keine Erschwerung des künftigen Friedensvertrages durch die Westintegrationsverträge.

- Aufhebung aller diskriminierenden Beschränkungen auf dem Gebiet der industriellen Produktion und der Forschung.

- Sicherung der Stellung Berlins als Teil der Bundesrepublik Deutschland.

Die Erfüllung all dieser Forderungen sicherte der „Vertrag über die Beziehungen zwischen der Bundesrepublik Deutschland und den Drei Mächten" (Deutschlandvertrag) zu, der am 26. Mai 1952 in Bonn unterzeichnet wurde. Die alliierten Sonderrechte sollten durch den Vertrag auf ein Minimum eingeschränkt werden.

Die Bundesrepublik erhielt laut Vertrag die volle Verfügungsgewalt über ihre inneren und äußeren Angelegenheiten mit folgenden Ausnahmen: „Im Hinblick auf die internationale Lage... behalten die Drei Mächte die bisher von ihnen ausgeübten oder innegehabten Rechte und Verantwortlichkeiten in bezug auf Berlin und auf Deutschland als Ganzes einschließlich der Wiedervereinigung Deutschlands und einer friedensvertraglichen Regelung." Sie behalten „weiterhin die bisher ausgeübten oder innegehabten Rechte in bezug auf die Stationierung von Streitkräften in der Bundesrepublik" sowie das Recht, im Falle eines Angriffs von außen oder eines inneren Umsturzes entsprechende Maßnahmen zu ergreifen. Die Einschränkungen in bezug auf die innere Sicherheit der Bundesrepublik wurden mit der Verabschiedung der Notstandsgesetze 1968 aufgehoben. Ein geeintes, gleichberechtigtes Deutschland innerhalb einer westeuropäischen Gemeinschaft war das erklärte Ziel, und die endgültigen Grenzen Deutschlands wurden einem frei ausgehandelten Friedensvertrag vorbehalten.

6. EVG-Vertrag

Mit dem Deutschlandvertrag zeitlich gekoppelt war der Vertrag über die Gründung der Europäischen Verteidigungsgemeinschaft (EVG), der am 27. Mai 1952 in Paris unterzeichnet wurde. Diese Gemeinschaft sollte dem ausschließlichen Zweck dienen, die Sicherheit der Mitgliedsstaaten gegen jede Aggression zu sichern. Es war geplant, eine einheitlich bewaffnete, uniformierte und organisierte Armee von Wehrpflichtigen aus den gleichberechtigten Mitgliedstaaten aufzustellen, deren Divisionen sich national einheitlich, deren Korps hingegen sich schon übernational zusammensetzen sollten.

In Washington und London wurden die Verträge bereits am 1. Juli bzw. 1. August 1952 ratifiziert. Im Deutschen Bundestag und in der Öffentlichkeit entbrannte infolge der verschiedenen Auffassungen der beiden großen politischen Lager eine langwierige, zum Teil heftig geführte Kontroverse über politische Zweckmäßigkeit und rechtliche Zulässigkeit der Verträge. Bundeskanzler Adenauer betonte in seinen vielen Reden und Äußerungen zur Befürwortung von Deutschland- und EVG-Vertrag stets folgendes: Es gehe „kurz zusammengefaßt darum, ob sich die Bundesrepublik an den Westen anschließen soll oder nicht, ob sie sich den Schutz des atlantischen Verteidigungssystems sichern soll oder nicht, ob sie die Integration Europas einschließlich Deutschlands will oder nicht, ob sie die Wiedervereinigung Deutschlands in Freiheit, in einem freien Europa will, oder ob sie bereit ist, eine Teilung Deutschlands oder eine Wiedervereinigung in Unfreiheit hinzunehmen...". Er betonte den Zusammenhang (Junktim) zwischen beiden Verträgen — ohne EVG-Vertrag keine Aufhebung des Besatzungsstatuts — und erinnerte immer erneut an die Gefahren, die aus der von der Sowjetunion verfolgten Politik drohten und drohen. Erst wenn „Sowjetrußland... sieht, daß infolge des Abschlusses der EVG seine Politik, im Wege des Kalten Krieges — im vorliegenden Fall durch Neutralisierung — die Bundesrepublik zu bekommen, keinen Erfolg mehr verspricht", werde es seine Politik entsprechend ändern, und eben dadurch würde die Aussicht auf Wiedervereinigung verbessert werden.

Die Gegner der Verträge bezweifelten gerade dies. Der führende Außenpolitiker der SPD, Carlo Schmid, warnte davor, „die Bundesrepublik unlöslich in ein politisches und militärisches Vertragssystem einzubringen, das die russische Besatzungsmacht, ohne deren Zustimmung wir die Voraussetzung für die Schaffung der Einheit Deutschlands nicht erfüllen können, nun einmal gegen sich gerichtet betrachtet". Die UdSSR würde mit gesamtdeutschen freien Wahlen kaum einverstanden sein. Die Opposition schlug vor, „sich dem Westen in Formen zu verbinden, die der Osten nicht bedrohlich zu finden braucht". Ein FDP-Abgeordneter aus Baden-Württemberg, Karl-Georg Pfleiderer, wandte sich dagegen, freie Wahlen und die Bildung einer gesamtdeutschen Regierung als ersten Schritt einer Wiedervereinigung zu fordern. Um die Zustimmung der Sowjetunion zu einer Wiedervereinigung zu erreichen, müsse man zuerst die Stellung Gesamtdeutschlands im europäischen Staatensystem aushandeln.

Von der Bundesregierung und den Befürwortern der Verträge wurden derartige „dritte Wege" ebenso als unrealistisch verworfen wie die von der Opposition aufgestellte Alternative Westintegration oder Wiedervereinigung. Adenauer blieb bei seiner Grundauffassung, daß es sich gerade nicht um ein Entweder-Oder handle; für ihn war die Westintegration einschließlich der militärischen Beteiligung an der EVG der einzige überhaupt denkbare Weg, die deutsche Einheit ohne Aufgabe der Freiheit wiederzugewinnen.

Am 19. März 1953 stimmte der Deutsche Bundestag den beiden Verträgen zu.

Der EVG-Vertrag wurde jedoch nie wirksam, weil die Mehrheit der französischen Nationalversammlung die Ratifizierung verweigerte. Dennoch hatten die ausgedehnten Vertragsverhandlungen bewirkt, daß die Bundesrepublik Deutschland nun als Partner der Westmächte anerkannt war. Es kam hinzu, daß die Sowjetunion in der Zwischenzeit versucht hatte, den Gang der Ereignisse durch eine Notenoffensive zu beeinflussen.

7. 1952 — Notenkrieg um Deutschland

Seit 1949 hatten die Westalliierten auf Konferenzen und in Verlautbarungen die Wiedervereinigung Deutschlands als ein Hauptziel ihrer Europapolitik bezeichnet. Nach Gründung der Bundesrepublik beteiligte sich auch die Bundesregierung an diesen Bemühungen und unterbreitete ihrerseits Vorschläge für eine Wiedervereinigung. Teilweise erfolgten diese Schritte aus eigener Initiative, teilweise waren es Reaktionen auf Aktivitäten der DDR. Die Westmächte und die Bundesrepublik hielten daran fest, daß eine politische Einigung Deutschlands auf der Grundlage freier gesamtdeutscher Wahlen erfolgen müsse. Diese Pläne gediehen bis zur Vorlage von Wahlgesetzentwürfen (Bundesrepublik Deutschland 27. 9. 1951 und 6. 2. 1952; DDR 9. 1. 1952). Als aber im Herbst 1951 eine Kommission der Vereinten Nationen prüfen sollte, ob die Voraussetzungen für freie Wahlen in beiden Teilen Deutschlands gegeben seien, weigerte sich Polen, die Mitgliedschaft in der Kommission anzunehmen. Die Sowjetunion und die DDR verweigerten der Kommission die Einreisegenehmigung. Entsprechend der Parole „Deutsche an einen Tisch" bezeichnete Ost-Berlin es als unzumutbar, durch Ausländer innerdeutsche Angelegenheiten prüfen zu lassen. Eine solche Prüfung könne allenfalls von einer paritätisch besetzten gesamtdeutschen Kommission durchgeführt werden. Nach einem Besuch in der Bundesrepublik reisten die Delegierten der UN am 23. 3. 1952 unverrichteter Dinge wieder ab.

Damit wurde deutlich, daß die Sowjetunion und die DDR das Risiko gesamtdeutscher freier Wahlen, eventuell sogar unter internationaler Kontrolle, keinesfalls eingehen wollen. Der Westen und die Bundesrepublik Deutschland wollten ihrerseits, gewarnt durch die in der Nachkriegszeit in den osteuropäischen Staaten praktizierten Methoden der Sowjetisierung, unter keinen Umständen davon abgehen. Aufgrund dieses Gegensatzes waren bis dahin alle Verhandlungen und Vorschläge gescheitert.

Es erregte deshalb um so größeres Aufsehen, als die Sowjetunion am 10. März 1952 in einer Note an die drei Westmächte vorschlug, „unverzüglich die Frage eines Friedensvertrages mit Deutschland zu erwägen". Ein solcher Friedensvertrag müsse „unter unmittelbarer Beteiligung Deutschlands, vertreten durch eine gesamtdeutsche Regierung, ausgearbeitet werden" und „die UdSSR, die USA, Großbritannien und Frankreich, die in Deutschland Kontrollfunktionen ausüben, (sollten deshalb) auch die Frage der Bedingungen prüfen..., die die schleunigste Bildung einer gesamtdeutschen, den Willen des deutschen Volkes ausdrückenden Regierung fördern". Schon zwei Wochen später, am 25. März, schickten die Westmächte ihre Antwortnote. Mit Zustimmung von Bundeskanzler Adenauer lehnten sie es ab, die Frage eines Friedensvertrages mit

Kontroverse:
Stalin-Note vom 10. März 1952 — Angebot oder Störmanöver

Im Jahre 1958 kam es in einer Bundestagsdebatte zu einer heftigen Kontroverse über die Ernsthaftigkeit des sowjetischen Angebotes, die bis heute in der Publizistik und in der Geschichtsschreibung fortgesetzt worden ist und inzwischen eine umfangreiche Literatur hervorgebracht hat (Überblick der bis 1970 erschienenen Titel in „Osteuropa-Handbuch: Sowjetunion" S. 480; eingehende Untersuchung von Hermann Graml, Nationalstaat oder westdeutscher Teilstaat. Hier auch die neuere Literatur).

Sowjetisches Angebot: Wiedervereinigung

Der Journalist Paul Sethe faßte später sein Urteil über die Sowjetnote so zusammen:

In ihrem Bestreben, den Abschluß des deutsch-amerikanischen Bündnisses unmöglich zu machen, ging die Sowjetunion sehr weit. Sie beschloß, einen hohen Preis dafür anzubieten: die deutsche Wiedervereinigung, die Bewilligung an die Deutschen, unabhängig Politik zu betreiben... Die sowjetrussische Note vom März und die Rede Grotewohls vom 14. März 1952 (betr. freie Wahlen zur verfassunggebenden Nationalversammlung) sind der eindrucksstärkste Erfolg, den die Politik des Westens im Kalten Krieg errungen hat... indem man die deutschen Uniformen am Horizont der Weltpolitik zeigte, zwang man die Sowjets zu einem Entgegenkommen, das wenige Jahre vorher undenkbar gewesen wäre... Jetzt boten sie nicht nur die deutsche Einheit an, sondern mit dem Abzug der Besatzungstruppen und mit der deutschen Nationalarmee auch eine unabhängige deutsche Politik... Eine unabhängige Politik würde den Schutz für Deutschland nicht verringern, sondern erhöhen... Vor allem würde aber eine unabhängige deutsche Politik leichter als eine durch Bündnisse gefesselte in der Lage sein, zusammen mit befreundeten Mächten im Falle diplomatischer Zuspitzung zwischen den Lagern zu vermitteln und damit zu ihrem Teile dazu beizutragen, daß es überhaupt nicht zur kriegerischen Austragung des Konfliktes komme.

Zwischen Bonn und Moskau. Verlag Scheffler, Frankfurt/M. 1956, S. 96

Der Westkurs kostet seinen Preis

Hierzu nahm der Politikwissenschaftler Waldemar Besson Stellung:

Es war bezeichnend, daß der schärfste Kritiker der Prinzipien Adenauers, Paul Sethe, sich jetzt um die Erhaltung der nationalen Substanz der Deutschen sorgte. Aber auch er steckte, bei allen weisen Bemerkungen über das der Diplomatie aufgetragene Geschäft des Ausgleichs, in der Illusion, daß Deutschland noch immer zwischen Ost und West stehe und zwischen beiden lavieren müsse. Gerade dies aber ließ der Dualismus der Weltmächte nicht mehr zu, und Adenauer wußte es. Aber seine Politik, so richtig sie war, hatte jetzt andererseits alle Naivität und Unschuld verloren. Das Frühjahr 1952 war in der Tat der Moment, der nicht wiederkam. Der Westkurs kostete einen Preis, der moralisch um so anfechtbarer war, da ihn die 18 Millionen Mitteldeutschen bezahlen mußten. Aber Adenauer handelte im Sacro egoismo der Staatsräson der Bundesrepublik, weil er für die Zukunft von 50 Millionen Westdeutschen den schlüpfrigen Weg der Neutralisierung fürchtete.

Die Außenpolitik der Bundesrepublik. Piper Verlag, München 1970, S. 129

Stalins Motive

In einer sorgfältigen Untersuchung setzt sich Hermann Graml mit den bisherigen Interpretationen der Sowjetnote auseinander. Abweichend sowohl von den Protagonisten der Auffassung, die Note sei ein bloßes Störmanöver gewesen, als auch von den Verfechtern der These von einem echten Angebot einer Wiedervereinigung kommt er zu folgendem Ergebnis:

Wenn aber sowohl für sowjetische Konzessionsbereitschaft wie für sowjetische Expansionsneigung jedes Anzeichen fehlt, wenn andererseits manches Anzeichen dafür spricht, daß Stalin eine Annahme seines Konferenzvorschlags durch die Westmächte und durch die Bundesrepublik so wenig erwarten durfte, daß er die Annahme wohl gar nicht gewollt haben kann, scheint es für seine Aktion nur eine plausible Erklärung zu geben. Offenbar ist Stalin zwischen 1950 und 1952 zu dem Schluß gekommen, daß die Bewegung der Kriegs- und ersten Nachkriegsjahre erstarrt sei, daß also jede weitere Anstrengung, den europäischen Herrschaftsbereich seiner Spielart des Sozialismus weiter auszudehnen, keine Erfolgsaussicht mehr habe, zumal gegen die deutlich demonstrierte amerikanische Entschlossenheit zur Verteidigung der 1945 gezogenen Demarkationslinien, und daß deshalb nichts anderes zu tun bleibe, als die innere Lage der Sowjetunion und namentlich die allenthalben im sowjetischen Machtbereich in den Sattel gesetzten Klientelregime zu konsolidieren...

Da Stalin aber auf der anderen Seite offensichtlich nicht gewillt war, völlig grundlos — von seinem Standpunkt aus gesehen — die DDR aus seinem Herrschaftsverband zu entlassen, stand er vor dem Problem, daß seine Deutschlandpolitik nun eindeutig zur Fortdauer und zur weiteren Verfestigung der Spaltung Deutschlands beitragen werde. Der Wunsch, trotzdem nicht mit der Verantwortung für das Ende des deutschen Nationalstaats ganz oder teilweise belastet zu werden, war in solcher Situation eine naheliegende und jedenfalls verständliche Reaktion. Ohne ein entsprechendes Alibi mußte die Konsolidierung der DDR schwieriger werden, und vielleicht schien es ihm auch nützlich, für künftige Expansionsmöglichkeiten die nationale Karte in Reserve zu halten. Die Noten des Frühjahrs und Sommers 1952 hat er wahrscheinlich als taugliche Mittel betrachtet, sich das gewünschte Alibi zu verschaffen.

Nationalstaat oder westdeutscher Teilstaat in: Vierteljahreshefte für Zeitgeschichte 25 (1975), 4. Heft, S. 840—842

Initiative im Propagandakrieg

Nach weiteren eingehenden Studien publizierte Hermann Graml 1981 einen umfangreichen Aufsatz („Die Legende von der verpaßten Gelegenheit. Zur sowjetischen Notenkampagne des Jahres 1952"). Der letzte Absatz lautet:

So lassen sich auch aus dem Ablauf der Ereignisse wohl folgende Schlüsse ziehen: Erstens hat die Sowjetunion zu keinem Zeitpunkt im Jahre 1952 die Wiedervereinigung zu akzeptablen Bedingungen, nämlich der Opferung der SED-Herrschaft in freien gesamtdeutschen Wahlen, angeboten. Die Notenkampagne sollte vielmehr die Initiative im Propagandakrieg zurückgewinnen und hinter dem Schirm einer Schuldzuweisung an den Westen die Stabilisierung — nicht zuletzt die militärische Stabilisierung — der DDR als Glied des Sowjetblocks erleichtern. Außerdem wollte sie gewiß den westlichen Gegnern der westeuropäischen Integrationspolitik den Rücken stärken. Zweitens war der Einfluß der Bundesregierung und des Bundeskanzlers auf die Notenpolitik der Westmächte minimal, auch wenn im Laufe des Notenwechsels die Position der Bundesrepublik eine unverkennbare Aufwertung erfuhr. Aus diesen beiden Gründen ist drittens die Behauptung, im Jahre 1952 sei vor allem auch auf Grund der Haltung des Bundeskanzlers eine Chance zur Wiedervereinigung vertan worden, nicht haltbar. Viertens hat der Notenwechsel bei den Westdeutschen, vom harten Kern der neutralistischen Gruppen abgesehen, im Herbst 1952 nicht das Gefühl hinterlassen, es sei eine Chance zur Wiedervereinigung vom Westen verpaßt worden, sondern Enttäuschung über die Haltung der Sowjetunion und die mehr oder weniger resignierte Erkenntnis, daß der Weg in die Integration Westeuropas unvermeidlich geworden sei. Mithin ist fünftens die Legende von der verpaßten Gelegenheit, auch wenn sie 1952 von der Sowjetunion gezeugt wurde, nicht 1952 geboren worden, sondern 1956, als Paul Sethe sein Buch „Zwischen Bonn und Moskau" veröffentlichte; wiedergeboren wurde sie dann in der großen Bundestagsdebatte vom Januar 1958. Die tatsächliche politische Wirkung der sowjetischen Notenkampagne bestand im übrigen darin, daß die Bereitschaft zur Unterzeichnung des EVG-Vertrags — namentlich in Frankreich —

erheblich gefördert wurde, daß sich der Zusammenhalt der westlichen Allianz in der gemeinsamen Arbeit an den Antwortnoten — trotz aller Meinungsverschiedenheiten im Detail — wesentlich festigte und daß die Bundesrepublik auf dem Wege zur gleichberechtigten Partnerschaft in der westlichen Allianz spürbare Fortschritte verzeichnen konnte. Die historische Bedeutung des Notenwechsels ist hingegen vielleicht darin zu sehen, daß er, obwohl er einen heute noch fühlbaren Stachel hinterließ, die Bevölkerung der Bundesrepublik und ihre politischen Repräsentanten mit der Aussicht auf eine längere Dauer der Spaltung Deutschlands und mit den daraus folgenden politischen Konsequenzen vertrauter machte.

Vierteljahreshefte für Zeitgeschichte 29. (1981), 3. Heft, S. 307 — 341

Chance für die Wiedervereinigung

Rolf Steininger kommt zu anderen Schlußfolgerungen. Stalin sei bereit gewesen, die Wiedervereinigung zuzugestehen, doch sei im Westen niemand an dem Angebot interessiert gewesen. Steininger wiederholt den oft erhobenen Vorwurf, die Westmächte hätten es unterlassen, ernsthaft zu prüfen, wie weit Stalin wirklich zu gehen beabsichtigte.

Nimmt man alle Indizien zusammen, so kann wohl kein Zweifel mehr daran bestehen, daß Stalin im Frühjahr 1952 bereit war, Deutschland die Wiedervereinigung zuzugestehen. Die Frage bleibt nur, wie weit er tatsächlich bereit war zu gehen.

Warum haben die Westmächte dies damals nicht „ausgelotet"? Von welchen Vorstellungen, Zielen und Kalkülen haben sie sich bei der Ablehnung leiten lassen? Kam das Angebot möglicherweise zu spät?

Fassen wir zusammen: 1952 gab es eine Chance zur Wiedervereinigung — abgesehen von ein paar Neutralisten war aber im Westen niemand daran interessiert. Nach allem, was wir über die sowjetische Politik wissen, war das

Angebot Stalins ernst gemeint. Da auch die Westmächte nach anfänglichem Zögern davon überzeugt waren, ist ihre Reaktion besonders interessant. Sie waren nicht bereit, diese „sehr gefährliche" Lösung der deutschen Frage zu akzeptieren. Sie wollten kein neutralisiertes Gesamtdeutschland, da dies zu große Risiken und Nachteile mit sich brachte. Die Westintegration der Bundesrepublik war in jedem Fall die bessere Lösung und die Teilung des Landes begünstigte diese Lösung, die im Frühjahr 1952 mit Nachdruck betrieben wurde, auch um vollendete Tatsachen zu schaffen. Entsprechend lautete ihre Forderung: freie Wahlen und Handlungsfreiheit einer gesamtdeutschen Regierung. Über den ersten Punkt hätte Stalin möglicherweise mit sich reden lassen, der zweite war unannehmbar, denn damit wäre für ganz Deutschland das möglich geworden, was er mit seinem Angebot ja schon für die Bundesrepublik hatte verhindern wollen: die Integration in den Westen. So waren die Positionen von Ost und West von Anfang an unvereinbar.

Da Adenauer für sich die Alternative Westintegration oder „Einheit in Freiheit" ausschloß, vielmehr das erste im Vertrauen auf den Westen als die Voraussetzung für das zweite betrachtete und entsprechend handelte, gab es auch für die Westmächte keinerlei Veranlassung, von ihrer Position abzurücken, obwohl sie die Problematik Westintegration-Wiedervereinigung sehr deutlich sahen. Die ganze „Notenschlacht" 1952 war dann lediglich Taktik, damit wurde sozusagen ein Nebenkriegsschauplatz eröffnet, um insbesondere in der deutschen Öffentlichkeit die forcierte Westintegration abzusichern. Daß nicht einmal versucht wurde, in direkten Verhandlungen „auszuloten", wie weit Stalin wirklich bereit gewesen wäre zu gehen, was — bei aller Problematik — ohne Gefährdung der Westintegration möglich gewesen wäre, bleibt das historische Versäumnis jenes Frühjahrs 1952.

Deutsche Geschichte 1945 — 1961, Bd. 2, Fischer Taschenbuch Verlag, Frankfurt² 1984, S. 411 ff.

Legende von der verpaßten Chance

Andreas Hillgruber weist darauf hin, daß wir es mit einem unbewältigten Problem von großer Wichtigkeit zu tun haben, nämlich der ausgebliebenen Wiedervereinigung. Dabei sei die „verpaßte Chance" der Stalin-Note zu einem geschichtsmächtigen Mythos geworden.

Wie im Falle des deutsch-sowjetischen Rapallo-Vertrages von 1922, bei dem der realgeschichtliche Vorgang und der sich darum herumrankende Rapallo-Mythos weit auseinanderklaffen, stellt auch bei der Stalin-Note von 1952 die Zerstörung der Legende von der verpaßten Chance zur Wiedervereinigung nur die Lösung eines Teilaspektes, nicht das Wichtigste dar.

Zur Verhärtung einer Legende zu einem geschichtsmächtigen Mythos kommt es in der Regel dann, wenn es sich um ein unbewältigtes zentrales Problem handelt, mit dem große Teile einer Nation nicht fertig werden. Meist handelt es sich um solche, bei denen sich die daran geknüpften Erwartungen nicht erfüllt haben. Angewendet auf die Entscheidung von 1952: Weder wurde die Integration Westeuropas erreicht noch das von der „Politik der Stärke" erwartete „Roll back". Folglich behält die 1952 verworfene „vage, kleine Hoffnung", als vermeintlich fortbestehende und in näherer oder fernerer Zukunft erneut gestellte Möglichkeit, stimmungsgemäß auf- und abschwellend, ihre Aktualität. Das Thema „Stalin-Note von 1952" gehört nicht zu einer abgeschlossenen Epoche der deutschen Geschichte.

Bericht über eine Tagung. Frankfurter Allgemeine Zeitung, 4. 4. 1981.

Deutschland zu erörtern, ehe nicht freie, gesamtdeutsche Wahlen stattgefunden hätten.

Die Sowjetunion hatte in dem ihrer Note beigefügten Entwurf eines Friedensvertrages eine Reihe von Vorschlägen niedergelegt, die zum Teil — besonders für die Bevölkerung im gespaltenen Deutschland — recht verlockend klangen:

— Wiederherstellung Deutschlands als einheitlicher Staat innerhalb der von der Potsdamer Konferenz festgelegten Grenzen.

— Abzug aller Besatzungstruppen spätestens ein Jahr nach Inkrafttreten des Friedensvertrages.

— Gewährleistung aller demokratischen Rechte und der freien Betätigung demokratischer Parteien und Organisationen.

— Verbot von Organisationen, „die der Demokratie und der Sache der Erhaltung des Friedens feindlich sind".

— Teilnahme aller nicht verurteilten ehemaligen Angehörigen der deutschen Armee und aller ehemaligen Nazis am „Aufbau eines friedliebenden demokratischen Deutschland".

— Nationale Land-, Luft- und Seestreitkräfte zur Landesverteidigung sowie eine entsprechende Rüstungsindustrie.

— Keinerlei wirtschaftliche Beschränkung für die Entwicklung einer Friedenswirtschaft.

— Die Verpflichtung Deutschlands, „keinerlei Koalitionen oder Militärbündnisse einzugehen, die sich gegen irgendeinen Staat richten, der mit seinen Streitkräften am Krieg gegen Deutschland teilgenommen hat".

So bestechend die Offerte in Teilen klang, der Zeitpunkt ihrer Abgabe machte sie verdächtig. Wenige Wochen vor der Unterzeichnung des Deutschland- und des EVG-Vertrages war es schwer, in dem sowjetischen Verhandlungsangebot nicht ein allzu durchsichtiges Störmanöver zu erblicken. Gleichwohl — oder gerade deswegen — verlangten die SPD und einige FDP-Abgeordnete, die Sowjetunion müsse beim Wort genommen und die Ernsthaftigkeit ihrer Vorschläge müsse durch Verhandlungen geprüft werden. Auch bei den Bundestagsabgeordneten der CDU war die Einschätzung der Sowjet-Note nicht einheitlich. Bei manchen erweckten die Sowjet-Vorschläge den Eindruck, die Wiedervereinigung sei beim Verzicht der Bundesrepublik auf die Integration in den Westen, insbesondere in die EVG, tatsächlich erreichbar.

Bundeskanzler Adenauer dagegen sah in erster Linie die Gefahr, die für seine Politik der Westintegration und damit für die Sicherheit und Freiheit der Bundesrepublik entstand. Einem Aufschub oder gar Verzicht auf die Westintegration standen einige vage und unklar formulierte russische Versprechungen gegenüber. Das mühsam erworbene Vertrauen der westlichen Verbündeten in die eindeutige Haltung der Bundesrepublik stand auf dem Spiel. Für Adenauer stellte das sowjetische Verhandlungsangebot an die Westmächte zu diesem Zeitpunkt einen eindeutigen Versuch dar, die alte Einigkeit der Kriegsallianz der Siegermächte gegen Deutschland neu zu beleben und enthielt zugleich einen unverhohlenen Appell an deutsche nationalistische Kräfte. Die angebotene Neutralisierung Deutschlands sollte nach Ansicht Adenauers und der Westmächte den verschleierten Absichten der Sowjets auf Expansion dienen, denn — so lautete die Befürchtung — beim Entstehen eines Machtvakuums in Deutschland würde ganz Mitteleuropa in den gefährlichen Sog sowjetischen Einflusses geraten.

Der Notenwechsel zwischen der Sowjetunion und den drei Westmächten zog sich bis zum 23. September 1952 hin und begleitete gewissermaßen die entscheidenden Beratungen des Deutschland- und des EVG-Vertrages in der Bundesrepublik und in den westlichen Ländern. Insgesamt wurden viermal Noten gewechselt, wobei sich die sowjetischen Äußerungen von anfänglich bemühter Sachlichkeit zu immer größerer Schärfe im Ton fortentwickelten. Über das angestrebte westliche Verteidigungsbündnis hieß es am Schluß etwa: „Das Bonner Separatabkommen der USA, Großbritanniens und

Frankreichs mit der Adenauer-Regierung stellt ein unverhülltes Kriegsbündnis dar, das eindeutig aggressive Ziele verfolgt. Dieses ‚Abkommen' legalisiert die Wiedergeburt des deutschen Militarismus und die Aufstellung einer westdeutschen Söldnerarmee mit hitlerfaschistischen Generalen an der Spitze." Die Wandlung in der Ausdrucksweise trug wesentlich dazu bei, den sowjetischen Vorstoß mit der Friedensvertrags-Note als einen Akt von Propaganda-Diplomatie erscheinen zu lassen.

1952 sind diese Ansätze zu Ost-West-Gesprächen von der damaligen Bundesregierung nicht ernstlich erwogen worden, weil man erst die gesicherte Position der Integration in das Westbündnis zu erlangen suchte. Ob allerdings echte Chancen zur Wiedervereinigung in Freiheit verpaßt worden sind, war immer zweifelhaft.

8. Die Pariser Verträge und die Souveränität

Verschiedene weltpolitische Ereignisse beeinflußten die Deutschlandpolitik, ohne jedoch eine entscheidende Veränderung zu bewirken. Dazu gehörten der Tod Stalins am 5. März 1953, der Machtkämpfe und eine Umgruppierung innerhalb der Sowjet-Führung zur Folge hatte, und auch der Volksaufstand in Ost-Berlin und in der DDR vom 17. Juni 1953, durch den das DDR-Regime zeitweise verunsichert wurde. Von westlicher Seite wurden deshalb weitere Bemühungen unternommen, den Verhandlungsspielraum der neuen sowjetischen Führung (bis 1955: Ministerpräsident Malenkow, dann Bulganin; KP-Chef Chruschtschow) zu testen und gegebenenfalls neue Konstruktionen für die westeuropäische Sicherheit nach dem Scheitern der EVG zu finden. Lebhafter Notenwechsel und mehrere Konferenzen der Außenminister brachten in der Frage der deutschen Wiedervereinigung aber keine Fortschritte. Der sowjetische Außenminister Molotow erklärte allerdings erstmalig das Interesse seines Landes an einem gesamteuropäischen Sicherheitssystem, das heißt an einer Ablösung der westlichen Verteidigungsorganisation durch eine Art von Nichtangriffspakt zwischen Ost und West. Etwas später erklärte sich die Sowjetunion bereit (23. Oktober 1954), die westliche Forderung nach gesamtdeutschen Wahlen zu prüfen und stellte fest (15. Januar 1955), daß es noch ungenützte Möglichkeiten für eine Wiedervereinigung Deutschlands gebe.

Diese neuen sowjetischen Vorschläge wurden in der Bundesrepublik unterschiedlich bewertet (Briefwechsel zwischen Adenauer und dem Oppositionsführer Ollenhauer im Januar 1955). Der Bundeskanzler sah auch hierin ein bloßes Manöver der Sowjets zur Beeinflussung der öffentlichen Meinung und gegen den sich stabilisierenden westlichen Integrationsprozeß; dieser müsse erst abgeschlossen sein, bevor sinnvolle Verhandlungen möglich würden. Demgegenüber wertete die Opposition das starre Beharren auf der Westintegration weiterhin als verhängnisvoll für alle Bemühungen um die deutsche Einheit. In einem „Deutschen Manifest", das in der Frankfurter Paulskirche am 29. Januar 1955 verkündet wurde, verlangten auch zahlreiche Persönlichkeiten des öffentlichen Lebens den Vorrang der Wiedervereinigung vor Wiederbewaffnung und militärischer Blockbildung.

Auf einer Kundgebung in der Paulskirche wurde am 29. Januar 1955 ein „Deutsches Manifest"
verabschiedet, in dem der Vorrang der Wiedervereinigung vor einer „Westlösung" gefordert wurde.

Zügig verfolgte unterdessen der Westen die Neukonstruktion seines Verteidigungssystems unter Einbeziehung der Bundesrepublik Deutschland. Vom 21. bis 23. Oktober 1954 tagten in Paris vier Konferenzen in unterschiedlicher Zusammensetzung. Als Ergebnis wurden die Pariser Verträge unterzeichnet, die vier Komplexe regelten:

● Deutschlandvertrag

Neufassung des Vertrages über die Beziehungen zwischen der Bundesrepublik Deutschland und den Drei Mächten (Deutschlandvertrag) nebst vier abgeänderten Zusatzverträgen über ausländische Streitkräfte in der Bundesrepublik und deren steuerliche Behandlung, über den finanziellen Verteidigungsbeitrag und über die Ablösung des Besatzungsregimes in der Bundesrepublik.

● Beitritt zur Westeuropäischen Union

Die Bundesrepublik und Italien treten dem „Vertrag über wirtschaftliche, soziale und kulturelle Zusammenarbeit und über berechtigte kollektive Selbstverteidigung" (Brüsseler Vertrag) von 1948 bei, der geändert, ergänzt und damit zur Westeuropäischen Union (WEU) erweitert wird.

- Aufnahme der Bundesrepublik in die NATO

Die Bundesrepublik wird zum Beitritt zur NATO eingeladen. Sie verzichtet ihrerseits auf atomare, bakterielle und chemische Waffen und bekennt sich zu den Grundsätzen der Satzung der Vereinten Nationen. Sie verpflichtet sich auf den defensiven Charakter der NATO und bekräftigt, daß sie niemals die Wiedervereinigung oder eine Änderung der gegenwärtigen Grenzen mit gewaltsamen Mitteln anstreben werde.

- Saarstatut

Frankreich und die Bundesrepublik einigen sich im Saarstatut auf einen europäischen Status des Gebiets, in dem alle demokratischen Freiheiten wiederherzustellen sind. Die Bevölkerung der Saar soll drei Monate nach Inkrafttreten in einer Volksabstimmung über das Statut entscheiden.

In einer Erklärung, die auch die anderen NATO-Mitglieder übernahmen, erkannten lie drei Westmächte die Bundesregierung als einzige deutsche Regierung an und erklärten, daß eine friedensvertragliche Regelung für Gesamtdeutschland und die Wiedervereinigung grundsätzliche Ziele ihrer Politik seien. Die Sicherheit der Bundesrepublik und das Wohl Berlins wurden garantiert.

Die Pariser Verträge wurden ratifiziert und konnten bereits am 5. Mai 1955 in Kraft treten. Dieses Datum wurde zum Tag der Souveränität der Bundesrepublik Deutschland.

Auf der nun gegebenen Basis ergriff der Westen eine neue Initiative in Richtung auf die Wiedervereinigung Deutschlands. Die Sowjetunion wurde zu einer Gipfelkonferenz (Konferenz der Regierungschefs) nach Genf eingeladen. Die Annahme der Einladung schien die westliche Meinung zu bestätigen, daß nach den Pariser Verträgen keineswegs alle Möglichkeiten zur Wiedervereinigung verbaut waren. Die Konferenz (vom 17. bis 23. Juli 1955) erarbeitete dann eine Weisung für die Außenminister, daß die „Frage der Wiedervereinigung Deutschlands durch freie Wahlen im Einklang mit den nationalen Interessen des deutschen Volkes als auch im Interesse der europäischen Sicherheit gelöst werden" solle. Beobachterdelegationen der Bundesrepublik Deutschland und der DDR (seit 25. März 1954 durch Erklärung der Sowjetunion souverän; seit 28. Januar 1956 Mitglied im Warschauer Pakt, einem östlichen Gegenstück zur NATO) nahmen teil.

Wenig später (8.—14. September 1955) kam es auch zu einem spektakulären Besuch von Bundeskanzler Adenauer in Moskau, bei dem die Freilassung der restlichen rund 10 000 deutschen Kriegsgefangenen erreicht werden konnte und die Aufnahme diplomatischer Beziehungen mit der Sowjetunion beschlossen wurde. Hinsichtlich der Grenzen und des Rechtes der Regierung der Bundesrepublik, Deutschland als Ganzes zu vertreten, wurden Vorbehaltserklärungen abgegeben, von der Sowjetunion entgegengenommen, aber nicht bestätigt.

Bei dem durch die Genfer Gipfelkonferenz ausgelösten Außenministertreffen in Genf (27. 10.—15. 11. 1955) traten jedoch die unterschiedlichen Stufenkonzepte für Deutschland zwischen West und Ost wieder in aller Deutlichkeit in Erscheinung. War es vor der Souveränität der Bundesrepublik die zeitliche Reihenfolge Wiedervereinigung Deutschlands vor oder nach „freien Wahlen" gewesen, so war es nunmehr ein europäisches Sicherheitssystem, das die Sowjetunion zeitlich vor der deutschen Wiedervereinigung geschaffen sehen wollte.

Die westlichen Minister stimmten dem nicht zu; der Dialog über Deutschland sollte erst mehrere Jahre später (1959) weitergeführt werden.

9. Zusammenfassung

Außen- und deutschlandpolitisch war die Entwicklung der Bundesrepublik Deutschland von 1949 bis 1955 durch den Provisoriumscharakter geprägt. Man sprach von „Westdeutschland" und den „Westzonen" und hatte oft den Eindruck, in der Bundesrepublik nur eine weitere Form der ehemaligen „Tri-Zone" (des aus amerikanischer, britischer und französischer Zone gebildeten Drei-Zonen-Gebietes) bzw. des „Vereinigten Wirtschaftsgebietes" mit politischer Führungsspitze zu sehen. Es wurde innerlich akzeptiert, was die Alliierten dem neuen Staat in einer Erklärung im September 1950

Mit der Hinterlegung der Ratifizierungsurkunden des Deutschlandvertrages am 5. Mai 1955 wurde die Bundesrepublik Deutschland nach zehnjähriger Besatzungszeit wieder souverän. Von links nach rechts die Hohen Kommissare Hoyer Millar, Großbritannien, und François Poucet, Frankreich, und Bundeskanzler Adenauer.

zugestanden hatten: Daß die Regierung der Bundesrepublik Deutschland als einzige nach Freiheit und Recht gebildete Regierung in Deutschland allein berechtigt sei, für Deutschland zu sprechen (Alleinvertretungsanspruch). Obwohl der Staat als Provisorium angesehen wurde, war man stolz auf seine frei gewählten Organe, die die Basis für die Alleinvertretung darstellten. Als die Regierung der Bundesrepublik dann die These aufstellte, daß jede diplomatische Anerkennung der von den Sowjets bereits im März 1954 für souverän erklärten DDR einen unfreundlichen Akt gegen die Bundesrepublik und damit gegen die von ihr vertretene Auffassung des Fortbestehens des Deutschen Reiches darstelle (sogenannte Hallstein-Doktrin), gab es dagegen zunächst kaum Bedenken. Die „Sowjetzone" war für die Vorstellungswelt der westdeutschen Bevölkerung vor allem durch die als charakteristisch angesehenen Ereignisse beim Juni-Aufstand 1953 geprägt. Aus dem sowjetischen Besatzungsgebiet flüchteten Jahr für Jahr Hunderttausende von Menschen; die SBZ/DDR — so lautete eine weit verbreitete Meinung — würde sich nicht lange halten können. (Noch 1963 bis 1965 hielten rund 45 % der Deutschen diese Meinung für richtig; rund 30 % waren unentschieden und nur rund 20 — 25 % hielten dies für falsch.) Eine langfristige Überlegung zur Hallstein-Doktrin und damit auch zur Politik gegenüber dem „Staat" DDR erschien jedenfalls 1955 vielen Bundesbürgern nicht erforderlich. Die Voraussetzung dafür, eine Stabilisierung der DDR, wurde nicht erwartet.

Zwischen 1950 und 1955 änderte sich das Bild der Parteien, die noch aus der Weimarer Republik stammten. Der SPD hatte man damals „internationalistische Tendenzen" nachgesagt. Jetzt profilierte sich diese Partei durch deutliche Betonung des Willens zur Einheit Deutschlands unter dem nachhaltigen Einfluß ihres Vorsitzenden Schumacher zur eigentlich „nationalen" Partei. Die sogenannten „bürgerlichen Kräfte" in den christlichen Parteien CDU und CSU, bei den Freien Demokraten und in der Deutschen Partei, denen man traditionell nationale Schwerpunkte zuschrieb, traten dagegen mit einer eher übernationalen, (west-)europäischen politischen Zielsetzung hervor.

Das Engagement für Politik war unter den Bürgern der Bundesrepublik nicht sehr groß. Nur 27 % erklärten 1952, sie seien an politischen Vorgängen interessiert. Es dauerte weitere 20 Jahre, bis der Anteil der politisch Interessierten auf 47 % stieg.

Andererseits bewiesen die hohen Beteiligungen bei den Bundestagswahlen eine große Anteilnahme an der Auseinandersetzung um Wiederbewaffnung und Wiedervereinigung. Für viele Bürger der Bundesrepublik lagen in der Phase von 1949 bis 1955 allerdings die Interessenschwerpunkte deutlich auf sozial- und wirtschaftspolitischem Gebiet. Erst Mitte der 50er Jahre verlagerten sich mit dem Abklingen materieller Not des einzelnen die Interessen auf andere politische Probleme. Etwa von der gleichen Zeit an wurden jedoch die Möglichkeiten der Ost- und Deutschlandpolitik nur noch in Erklärungen behandelt.

Insgesamt gesehen war wohl die Kraft, die sich von der Integration der Bundesrepublik in das westliche Bündnissystem auf das Ziel der deutschen Wiedervereinigung auswirken sollte, überschätzt worden. Die zunehmende Konfrontation der beiden Supermächte auf weltpolitischer Ebene wirkte sich zu Lasten der deutschen Frage aus. Die deutsche und die europäische Einheit blieben jedoch als grundlegende Ziele deutscher Politik weiterhin bestehen.

V. DIE ENTSCHEIDUNGEN IN DER WIRTSCHAFTS- UND SOZIALPOLITIK

1. Die Soziale Marktwirtschaft

Die eigentlichen Schöpfer der Konzeption der Sozialen Marktwirtschaft waren die Mitglieder der sogenannten Freiburger Schule, vor allem Franz Böhm, Walter Eucken und Hans Großmann-Doerth. Sie entwickelten den Gedanken einer Gesellschafts-, Wirtschafts- und Sozialordnung, die grundsätzlich freiheitlich gestaltet war, aber deutliche soziale Verpflichtungen einschloß. Sie wandten sich damit gegen die liberalen Wirtschaftsideen des 18. und 19. Jahrhunderts, die vom Staat Abstinenz in wirtschaftspolitischen Fragen forderten und die Ordnung der Selbstregelung durch den Markt, das heißt dem Spiel von Angebot und Nachfrage, überlassen wollten.

Noch entschiedener als den ungehemmten Kapitalismus und Wirtschaftsliberalismus westlicher Prägung lehnte die Freiburger Schule das in den kommunistischen Staaten entstandene System der extrem konzentrierten zentralen Lenkungswirtschaft ab. Der Grundgedanke ihres sogenannten Ordoliberalismus war, daß der Staat die Wirtschafts-, Gesellschafts- und Sozialordnung bewußt durch gesetzgeberische Aktivität sowie laufende Kontrolle und Regulierung so gestalten sollte, daß bei grundsätzlicher Bejahung und Sicherung der wirtschaftlichen Freiheit ein gleichzeitiges Höchstmaß an sozialer Sicherung und sozialer Gerechtigkeit erreicht wird.

Für diese Verbindung von rechtsstaatlich gesicherter Freiheit, Unterstützung derPrivatinitiative und Anreiz durch Gewinnermöglichung einerseits und dem Schutz der wirtschaftlich und sozial Schwächeren andererseits wurde von Alfred Müller-Armack, einem Vertreter dieser neuen Wirtschaftstheorie, der Begriff „Soziale Marktwirtschaft" geprägt.

Die Soziale Marktwirtschaft soll die Ziele Freiheit und Gerechtigkeit kombinieren. Die wirtschaftliche Freiheit umfaßt dabei eine breite Skala:

- Konsumfreiheit (jeder Verbraucher kann Güter beliebiger Wahl kaufen).

- Gewerbefreiheit, freie Berufs- und Arbeitsplatzwahl, Freiheit der Eigentumsnutzung (Arbeitskraft, unternehmerische Fähigkeiten, Geld und Sachgüter können nach eigener Wahl eingesetzt werden).

- Produktions- und Handelsfreiheit (die Unternehmer können selbst entscheiden, was sie produzieren und absetzen wollen).

- Wettbewerbsfreiheit (jeder Käufer und Verkäufer von Gütern oder Leistungen kann sich neben anderen um das gleiche Ziel bemühen).

Als sozial soll sich die Marktwirtschaft erweisen, indem sie möglichst großen „Wohlstand für alle" produziert, wobei die Marktfreiheit aus sozialen Gründen beschränkt und korrigiert werden soll, wenn gesellschaftlich unerwünschte Ergebnisse entstehen. Die soziale Marktwirtschaft strebt an: möglichst großen wirtschaftlichen Wohlstand durch geordneten Wettbewerb (z. B. Unterbindung von Monopolen und Kartellen), stetiges Wirtschaftswachstum, Vollbeschäftigung, Außenhandelsfreiheit und freie Austauschbarkeit der Währungen, soziale Sicherheit und gerechte Einkommens- und Vermögensverteilung.

Ludwig Erhard war diesem Konzept verpflichtet, und er begann, es nach der Währungsreform konsequent zu verwirklichen. Im „Gesetz über die wirtschaftlichen Leitsätze nach der Geldreform" (24. Juni 1948) wurde die Liberalisierung der Märkte eingeleitet, Bewirtschaftungs- und Preiskontrollen aufgehoben (ausgenommen Mieten und Grundnahrungsmittel) und der Lohnstop abgeschafft.

Aufgrund der oben dargestellten weitverbreiteten Sozialisierungstendenzen hatte Erhard selbstverständlich gegen starke Widerstände anzukämpfen. Die SPD meinte, die Währungsreform werde keine Produktionswunder bringen: „Jeder von uns wünscht, daß das Zwangsbewirtschaftungssystem wegfällt... Wir stehen (aber) nach wie vor auf dem Standpunkt, daß die Wirtschaft nur in Gang gesetzt werden kann durch eine systematische Planung und durch eine ebenso systematische Lenkung aller notwendigen Bedarfsgüter in Deutschland." Der von Erhard vorgesehenen Regulierung über die freie Preisgestaltung wurde entgegengehalten, daß dies „in einer Wirtschaft, wo der Mangel unerschöpflich ist", nur zu Lasten des kleinen Mannes erfolgen könne. Darüber hinaus argwöhnte die SPD, daß auf dem Weg der Marktwirtschaft der wirtschaftliche Aufschwung nicht mit einer gesellschaftlichen und sozialen Neuordnung verbunden werden könne. Die Marktwirtschaft wurde vom SPD-Vorsitzenden Schumacher als „Politik der Reprivatisierung und Restauration früherer Verhältnisse" bezeichnet. Die sozialdemokratische Wirtschaftspolitik zielte dagegen 1949 darauf ab, die Produktion durch Kredite anzukurbeln, die Einkommensunterschiede auszugleichen, das dementsprechende Steuersystem zu schaffen und gegen die Arbeitslosigkeit mit dem Mittel staatlicher Subventionen vorzugehen.

2. Erfolge und Probleme der Sozialen Marktwirtschaft in der Praxis

Die spürbaren Erfolge der Erhardschen Wirtschaftspolitik führten in der CDU zu einem programmatischen Neuansatz in den „Düsseldorfer Leitsätzen" (Juli 1949), wo die wirtschaftspolitische Wende und der beginnende Aufschwung beschrieben und daraus die politischen Folgerungen für die Zukunft gezogen wurden: „Die Währungsreform allein hat diesen Umschwung nicht herbeigeführt. Sie schaffte die technischen Voraussetzungen. Der wesentlichste Impuls aber kam aus der Inkraftsetzung marktwirtschaftlicher Grundsätze."

Bereits nach wenigen Monaten war tatsächlich nur noch der Wohnungsmarkt staatlich bewirtschaftet. Die offizielle Aufhebung aller Rationierungsmaßnahmen erfolgte allerdings erst am 1. März 1950. Der Produktionsindex, der — 1936 gleich 100 gesetzt — 1946 auf 33 abgesunken und auch 1948 — nicht zuletzt infolge der Beschränkungsvor-

ALLTAG 1949

Freude über Demontagestop

Hamburg, 25. Nov. (dpa)
Der verkündete Demontagestop hat in den betroffenen Betrieben große Freude ausgelöst. Über den Werken wehte am Freitagmorgen die schwarz-rot-goldene Fahne, und die Eingangstore waren mit Girlanden geschmückt. An einem der Betriebe verkündete ein Schild: „Die größte Freude vom heutigen Tage ist der Stop der Demontage".

In Duisburg wurde auf allen öffentlichen Gebäuden für zwei Tage die Bundesflagge gesetzt.

477 Heimkehrer in Hof-Moschendorf

München (SZ)
Mit zwei Transporten trafen in der Nacht zum Donnerstag im Entlassungslager Hof-Moschendorf 477 Heimkehrer aus Lagern bei Simferopol, Sewastopol, Kertsch und Rostow ein. 355 davon bleiben in Bayern.

Deutschland wieder Reiseziel

Frankfurt a. M., 25. März. (ap) In Frankfurt a. M. sind die ersten amerikanischen Touristen dieses Jahres eingetroffen. — Die alliierten Behörden wollen Deutschland in diesem Jahre erstmalig seit Beendigung des Krieges dem internationalen Reiseverkehr zugänglich machen. Für 1949 werden etwa 200 000 Besucher aus dem Ausland erwartet, die, so heißt es in der Meldung, „Millionen von Dollar nach Deutschland bringen werden"

Kohlenberge wachsen in den Himmel
Volle Lager — wenig Kunden / Nur scheinbarer Ueberfluß

(SZ) Die Geldknappheit weiter Kreise der Bevölkerung hat zur Folge, daß zur Zeit riesige Kohlenberge die Lager der Münchner Kohlenhändler füllen. Selbst die Befürchtungen einer Erhöhung des Kohlenpreises im Zusammenhang mit der Herabsetzung des Umrechnungskurses der D-Mark haben keine gesteigerte Kauflust verursacht, sondern beschränkten sich lediglich auf Anfragen. Inzwischen hat Bundeswirtschaftsminister Erhard erklärt, der Preis für Inlandskohle werde nicht erhöht. Im folgenden berichten wir über die augenblickliche Lage der Brennstoffversorgung.

2000 Gramm Fett im September

Frankfurt (SZ/Ffm) — Das Zweimächte-Kontrollamt genehmigte eine von der Ernährungsverwaltung beantragte S o n d e r z u t e i l u n g an F e t t. Die Fettration für Normalverbraucher erhöht sich demnach im September auf insgesamt 2000 Gramm. Der Butteranteil beträgt wie bisher 375 Gramm. Kleinkinder von eins bis sechs Jahren erhalten zusätzlich 125 Gramm Fett.

Umsiedlung von 150 000 Flüchtlingen

Eig. Ber. B o n n. 10. November
Der Bundesrat beschloß gegen eine Stimme die Annahme der von Schleswig-Holstein geforderten Rechtsverordnung über den Bevölkerungsausgleich. Die Verordnung sieht vor, daß bis Ende des nächsten Jahres 150 000 Flüchtlinge aus Schleswig-Holstein und je 75 000 aus Niedersachsen und Bayern in die übrigen Länder der Bundesrepublik umgesiedelt werden.

6 Aufbau-Wohnungen
zu vermieten, je 2 Zimmer, Küche und Bad

2 Wohnungen für die Maurer- und Putzarbeit
1 Wohnung für Zimmer- und Schreinerarbeit
1 Wohnung für elektrische Installation
1 Wohnung für Gas-, Wasser- u. Heizungs-Installation
1 Wohnung für Dachdecker- u. Dachklempnerei-Arbeit

Sämtliches Material wird vom Bauherrn gestellt. Die Arbeit wird als Lohn auf die Miete ganz verrechnet. Eilangebot an Tel. Dortmund 4 1384

Teuerungszulage für die Wohlfahrtsunterstützten

(SZ) In unserer Samstagausgabe berichteten wir kurz von der Absicht des Wohlfahrtsreferates, die Unterstützungssätze für die etwa 22 000 Münchner Wohlfahrtsunterstützten vom 1. November an zu erhöhen. Der vorgeschlagenen Teuerungszulage hat nun auch der Wohlfahrtsausschuß unter dem Vorsitz des Stadtrates Fackler nach dem Vortrag des Wohlfahrtsreferenten Dr. Hamm, zugestimmt. Einschließlich der bereits am 1. September gewährten Erhöhung sehen die neuen Sätze eine m o n a t l i c h e A u f b e s s e r u n g der Unterstützung für Alleinstehende um fünf Mark, für Alleinstehende mit Anschluß an einen fremden Haushalt und für Haushaltungsvorstände um vier Mark und für mitunterstützte Hausangehörige um zwei Mark vor.

Berlin ist froh, aber skeptisch

Nu. Berlin (Eig. Ber.) — Die Reaktion auf die Blockadeaufhebung war hier trotz der großen Freude gleichzeitig skeptisch. Man wolle erst die weitere Entwicklung abwarten, erklärte der FDP-Vorsitzende Schwennicke. Der „Telegraf" schrieb, für die Berliner Bevölkerung sei eine Regelung nicht ausreichend, die sich mit der einfachen Verbindung nach dem Westen begnüge. Der einfache Mann freut sich vor allem darauf, daß die täglich 20stündige Stromsperre, die ewige Trockennahrung und die Verkehrsruhe nach 18 Uhr aufhören werden.

schriften des „Industrieplanes" — erst auf ca. 50 gestiegen war, erreichte nach 1949 die Marke 90 und 1950 bereits 120. Bald gab es fast wieder alles „frei" zu kaufen. Dennoch konnte vom angestrebten „Wohlstand für alle" noch keine Rede sein. Dies lag zunächst an zwei Erscheinungen, die vor allem für die Masse der Bevölkerung negative Auswirkungen hatten:

● Bereits in der 2. Hälfte des Jahres 1948 begann ein Preisanstieg, der die einkommensschwächeren Schichten von der Möglichkeit, die propagierte Konsumfreiheit zu nutzen, teilweise ausschloß. Erhard versuchte, dieser Benachteiligung unter anderem durch die Förderung von Sonderprogrammen zur Herstellung und zum Angebot von Billigwaren zu begegnen.

● Die Arbeitslosigkeit stieg von März 1949 bis März 1950 stark an und erreichte im September 1950 die Zahl von 1 580 000 bei 13 827 000 Beschäftigten (= 11,4 %). Die Gewerkschaften riefen bereits im November 1948 zum Generalstreik auf, und in der Öffentlichkeit wuchs die Mißstimmung.

Einer raschen Überwindung der Krise stellten sich zudem Ereignisse im außenwirtschaftlichen Bereich in den Weg. Der Koreakrieg ließ die Rohstoffpreise rapide ansteigen. Die Zahlungsbilanz wies ein starkes Defizit auf. Dabei war die Industrie in starkem Maße auf die Finanzierung des Produktionsaufbaus aus erwirtschafteten Gewinnen angewiesen, da Sparbeträge und Kredite nur in sehr beschränktem Umfang zur Verfügung standen.

Trotz alledem hielten Erhard, Adenauer und die Regierungsparteien im Vertrauen darauf, daß sich langfristig ihre wirtschaftspolitische Grundlinie bewähren würde, energisch an ihrem Kurs fest. Der ab 1951 einsetzende Aufwärtstrend gab ihnen recht. Es zeichnete sich ab, was später „Wirtschaftswunder" genannt wurde. Der Ausdruck ist trotz seiner weiten Verbreitung und Popularität irreführend, denn es handelt sich natürlich keinesfalls um ein Wunder, sondern um einen rational begründeten Vorgang. Einige der Ursachen seien genannt:

● Die Ausgangslage war von den Produktionsstätten und Produktionsmöglichkeiten her gesehen trotz Zerstörungen, Reparationen, Demontagen und „Industrieplan" nicht durchweg negativ zu bewerten. Die Kriegszerstörungen hatten zwar den Kapazitätszuwachs von 1939 — 1944 wieder zunichte gemacht, aber es war doch eine Basis für die Produktion in den verschiedenen Wirtschaftsbereichen vorhanden.

● Beim Wiederaufbau der zerstörten Produktionsstätten konnte man sich dem veränderten technischen Entwicklungsstand anpassen und moderne Geräte, Maschinen und Anlagen beschaffen, die eine rationelle Produktion mit hohem Standard erlaubten.

● Die große Auslandsnachfrage ließ nach der relativ kurzen Krisenperiode 1949/50 den Außenhandel rasch ansteigen, so daß ab 1952 die Handelsbilanz positiv wurde.

1949 wurden Güter im Wert von 6 Milliarden DM exportiert, 1955 schon für 36 Milliarden DM; dies waren 7 % (1949) und 1955 schon fast 20 % des Bruttosozialproduktes. Dadurch konnten Millionen zusätzlicher Arbeitsplätze geschaffen werden, so daß in wenigen Jahren die Arbeitslosenzahl beträchtlich gesenkt werden konnte.

Typen des Alltags

„ Verzeihung, was gibt's denn hier?" „Det kann ick Sie nich sagen, ick stell mir prinzipiell an jede Schlange, irgend wat wird's schon geben."
Herbert Sandberg 1946.
Quelle: Ulenspiegel, August 1946.

Bereits 1951 betrugen die Exportüberschüsse 6,6 Mrd. DM. Dies zwang noch im gleichen Jahr zu einer ersten Aufwertung der Deutschen Mark.

● Die Qualität deutscher Waren und die Stabilität der DM bewirkten, daß Deutschland als vertrauenswürdiger Handelspartner weltweites Ansehen genoß, was weitere Steigerungen der Handelsumsätze zur Folge hatte.

● Dieser Wandel des weltpolitischen Klimas zugunsten Westdeutschlands war aber auch darauf zurückzuführen, daß die westlichen Siegermächte die Bundesrepublik bereits ab 1948/49 als Partner und wenig später als Verbündete behandelten. Dem deutschen Wiederaufbau kam die Eingliederung in den Marshall-Plan zugute. (Insgesamt erhielt die Bundesrepublik 1,5 Mrd. Dollar Marshallplan-Mittel.) In der Bundesrepublik konnten in den Anfangsjahren alle diese Mittel unmittelbar der Wirtschaftsförderung zugute kommen, weil — anders als in Großbritannien und Frankreich — keine Armee unterhalten und kein Kolonialreich aufgegeben werden mußte. Zudem änderten die Besatzungsmächte ab 1950 ihre Demontagepolitik und hoben mit Inkrafttreten der Montanunion auch die Produktionsbeschränkungen auf, was einen neuerlichen allgemeinen Aufschwung bedeutete. Demgegenüber fielen die „unproduktiven" Besatzungs- bzw. Stationierungskosten, auch wenn sie sich auf jährlich über 7 Mrd. DM beliefen, relativ gering ins Gewicht.

● Das Arbeitskräftepotential, das für den Wiederaufbau bereitstand, war nicht nur zahlenmäßig groß, sondern auch von der Ausbildung her zu Spitzenleistungen befähigt und von einem intensiven Arbeitswillen erfüllt. Arbeit bedeutete zunächst — und dieser Aspekt war nach den „verlorenen Jahren" des Soldaten-, Gefangenen- und Hungerlebens gar nicht hoch genug zu veranschlagen — friedliches Tätigseindürfen; und sie ermöglichte Verdienst, der in den Konsum notwendiger und lang entbehrter Waren umgesetzt werden konnte. Zwei besondere Gruppen von Arbeitskräften trugen zum „Wirtschaftswunder" ebenfalls bei: Flüchtlinge und Vertriebene aus den deutschen Ostgebieten (bis 1950 8 Millionen) und aus der sowjetischen Zone bzw. der DDR (3,6 Millionen bis 1962).

Das System der freien Marktwirtschaft enthielt auch seine Risiken für die Unternehmer. Im Jahre 1950 stieg die Zahl der Konkurse und Vergleichsverfahren infolge der Krise von 1949/50 auf einen Höchststand. Aber insgesamt wirkte sich der Gewinnanreiz für die Unternehmer voll aus. Steuergesetze steigerten die Gewinnmöglichkeiten und die Investitionsbereitschaft zusätzlich.

Ebensowenig wie man den Wirtschaftsaufschwung als „Wunder" ansprechen konnte, war das Funktionieren des Prinzips der Sozialen Marktwirtschaft das Verdienst einzel-

Arbeitsloser in Berlin-Kreuzberg. West-Berlin war besonders hart von der Arbeitslosigkeit betroffen, dort war wegen der — soeben aufgehobenen — Blockade und der Abschnürung vom Hinterland 1949 fast jeder Dritte ohne Arbeit.

Arbeitsplätze — Arbeitslose

		1950	1955
Einwohner	(Mill.)	47,9	50,2
Erwerbspersonen	(Mill.)	22,0	24,2
Arbeitslose	(Mill.)	1,6	0,9
Arbeitslosenquote	(%)	7,2	3,9
Erwerbstätige	(Mill.)	20,4	23,2
Erwerbstätige in Land- u. Forstwirtschaft	(Mill.)	5,0	4,3
(ohne Berlin)			

ner. Auch hier müßten viele Gremien, Einzelpersonen und Umstände genannt werden. Maßgebend war, daß die Entscheidungsträger in zweckdienlicher Zusammenarbeit das Instrumentarium je nach gegebener Sachlage im Wirtschaftsablauf fördernd oder bremsend einsetzten. Das gilt für die gesetzgeberische Tätigkeit des Parlaments, die Kreditpolitik der „Bank deutscher Länder" (seit 1957: Deutsche Bundesbank), die Lohnpolitik des Deutschen Gewerkschaftsbundes bzw. der Einzelgewerkschaften und die Arbeitnehmerschaft mit ihrer hohen Arbeitsmoral und Arbeitsproduktivität.

Dennoch entstanden schwer zu lösende Probleme. Der ins Auge springende Kontrast zwischen dem oft offen zur Schau gestellten Luxus der wenigen rasch zu Reichtum Gekommenen und der Armut von großen Gruppen, die auf der Schattenseite des „Wirtschaftswunders" standen, erforderte energische Maßnahmen auf sozialpolitischem Gebiet.

3. Die Entwicklung in der Sozial- und Gesellschaftspolitik

Die Bundesrepublik Deutschland übernahm eine Tradition sozialstaatlicher Sicherung des einzelnen Bürgers, die aus dem deutschen Kaiserreich stammte. Kranken-, Unfall-, Altersversorgungs-, Invalidenversicherung und die Begrenzung der Arbeitszeit waren bereits in den 80er und 90er Jahren des vergangenen Jahrhunderts im Sinne einer Arbeiterschutzpolitik gesetzlich geregelt worden. Diese staatlichen sozialen Sicherungsmaßnahmen waren auch in der Weimarer Republik und während des Dritten Reiches beibehalten und zum Teil weiter ausgebaut worden. Es gab 1945 und 1949 praktisch niemanden, der einen Abbau oder gar eine Auflösung dieses Fürsorgesystems gefordert hätte.

Es ging in den ersten Jahren des neuen Staates zunächst darum, das System wieder zu aktivieren und auf den Kreis derjenigen zu konzentrieren, die durch den Krieg und seine Folgen in eine besonders bedürftige Lage geraten waren. Sodann galt es, das soziale System insgesamt den sich rasch ändernden Verhältnissen anzupassen.

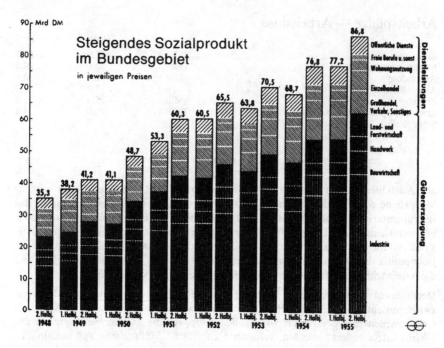

Steigendes Sozialprodukt im Bundesgebiet

in jeweiligen Preisen

90 — Mrd DM

Öffentliche Dienste
Freie Berufe u. sonst
Wohnungsnutzung
Einzelhandel
Großhandel, Verkehr, Sonstiges
Land- und Forstwirtschaft
Handwerk
Bauwirtschaft
Industrie

Dienstleistungen — Gütererzeugung

2.Halbj. 1948	1.Halbj. 2.Halbj. 1949	1.Halbj. 2.Halbj. 1950	1.Halbj. 2.Halbj. 1951	1.Halbj. 2.Halbj. 1952	1.Halbj. 2.Halbj. 1953	1.Halbj. 2.Halbj. 1954	1.Halbj. 2.Halbj. 1955
35,3	38,2 41,2	41,1 48,7	53,3 60,3	60,5 65,5	63,8 70,5	68,7 76,8	77,2 86,8

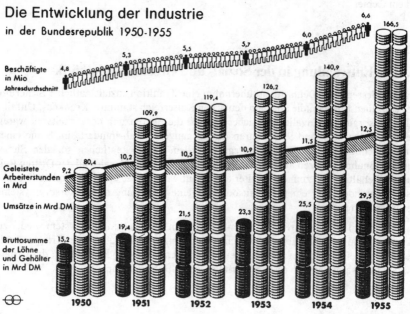

Die Entwicklung der Industrie

in der Bundesrepublik 1950-1955

Beschäftigte in Mio Jahresdurchschnitt: 4,8 5,3 5,5 5,7 6,0 6,6

Geleistete Arbeiterstunden in Mrd: 9,2 10,2 10,5 10,9 11,5 12,5

Umsätze in Mrd DM: 80,4 109,9 119,4 126,2 140,9 166,5

Bruttosumme der Löhne und Gehälter in Mrd DM: 15,2 19,4 21,5 23,3 25,5 29,5

| 1950 | 1951 | 1952 | 1953 | 1954 | 1955 |

150

4. Die wichtigsten sozialpolitischen Maßnahmen

Zunächst mußte das staatliche Versicherungssystem finanziell wieder in Gang gebracht werden. Wie sollten die Versicherungsleistungen bezahlt werden? Die Vermögenswerte waren durch die Kriegsfinanzierung des Dritten Reiches erschöpft. Neue Beitragsleistungen der Versicherten und der Unternehmen konnten zunächst nur sehr begrenzt erbracht werden. Staatliche Zuschüsse über Steuern aus der noch nicht wieder gestärkten Wirtschaft waren kaum aufzubringen. Die Gegebenheiten in den Anfangsjahren der Bundesrepublik ließen lediglich zu, daß Kranken-, Unfall-, Renten-, Knappschafts- und Arbeitslosenversicherung wieder in Kraft gesetzt wurden. Wesentliche Verbesserungen konnten erst in der dritten Legislaturperiode (1957 — 1961) geleistet werden.

Die Gesetze über die Hilfe für die besonders geschädigten Bevölkerungsgruppen bildeten Schwerpunkte in der Arbeit des ersten Bundestages:

● Kriegsopferversorgung
1950 wurde das Bundesversorgungsgesetz verabschiedet, das die vorher auf Länder- bzw. Zonenebene geregelte Versorgung der Kriegsopfer (Kriegsbeschädigte und Hinterbliebene) bundeseinheitlich gestaltete. Im wesentlichen ging es um die Zahlung von Renten, um kostenlose ärztliche Versorgung und um bevorzugte Vermittlung und Sicherung von Arbeitsplätzen.

● Heimkehrerentschädigung
1950 verabschiedete der Bundestag das „Gesetz über Hilfsmaßnahmen für Heimkehrer". Ehemalige Kriegsgefangene erhielten aufgrund eines Entschädigungsgesetzes von 1954 Geldbeträge zugestanden. Angehörigen von Kriegsgefangenen sprach das Unterhaltsbeihilfegesetz von 1950 Zahlungen in gleicher Höhe wie den Hinterbliebenen zu.

● Lastenausgleich
Von größter Bedeutung war das Lastenausgleichsgesetz von 1952. Es beabsichtigte, Schäden und Verluste der Vertriebenen und Flüchtlinge aus den deutschen Ostgebieten und der Sowjetzone in der Weise auszugleichen, daß die von Kriegsereignissen nicht oder weniger Betroffenen einen Teil ihres erhalten gebliebenen Vermögens abzugeben hatten, damit er zur teilweisen Entschädigung der Vertriebenen und Flüchtlinge verwendet werden konnte. Ein solches umfassendes Vorhaben bedingte ein kompliziertes Gesetzgebungswerk und ein eigenes Verwaltungswesen (Lastenausgleichsämter). Die Leistungen gliederten sich in folgende Formen: Hauptentschädigung, Wohnraumhilfe, Darlehen, Renten, Unterhaltsbeihilfen, Hausratsentschädigungen und Behandlung verlorener Sparguthaben.

Trotz aller gesetzgeberischen Bemühungen und großen finanziellen Aufwands blieb das Los vieler Vertriebener und Flüchtlinge bitter. Sie hatten sich in den Jahren nach 1945 vor allem in den Ländern mit überwiegend landwirtschaftlicher Struktur vorläufig niedergelassen und waren deshalb im Krisenjahr 1949/50 schwerer als die einheimische Bevölkerung von der Arbeitslosigkeit betroffen gewesen. Wegen des in den Städten herrschenden Wohnungsmangels war eine „Zuzugsgenehmigung" (behördliche Erlaubnis, an einem bestimmten Ort wohnen zu dürfen) in die Städte kaum zu erhalten. Die Umsiedlung in Gebiete mit einem günstigeren Arbeitsplatzangebot beanspruchte einen langen Zeitraum („Gesetz zur Umsiedlung von Heimatvertriebenen" von 1951). Der Prozeß wurde zusätzlich erschwert bzw. verzögert, weil bald auch die Abwanderung aus der personell überbesetzten Landwirtschaft in andere Wirtschaftszweige einsetzte. Für viele war der Neubeginn mit einem erzwungenen Berufswechsel verbunden.

Noch komplizierter war die Beschaffung von Wohnraum, weil hier die gesamte Bevölkerung wegen der Kriegszerstörungen unter großem Mangel litt.

Die Entwicklung der Wählerstimmen für den GB/BHE kann in etwa ein Hinweis auf den Eingliederungsprozeß der Flüchtlinge und Vertriebenen sein: 1953 (hier nahm der GB/BHE erstmals an Bundestagswahlen teil): 5,9 %; 1957: 4,6 %; 1961 (1960 hatte sich der GB/BHE mit der DP zur GDP — Gesamtdeutsche Partei — verbunden): 2,8 %. 1965 trat die Partei nicht mehr mit eigenen Kandidaten zum Wahlkampf an. Es stellt fraglos eine der bedeutendsten sozial- und gesellschaftspolitischen Leistungen des jungen Staates Bundesrepublik dar, etwa 12 Millionen Menschen in anderthalb Jahrzehnten integriert zu haben. Insgesamt waren dafür bis 1964 55 Mrd. Mark für individuelle Entschädigungsleistungen und allgemeine Eingliederungs- und Hilfsprogramme aufgewendet worden.

● Wiedergutmachung
   Für die Personengruppe der von den Nationalsozialisten aus politischen, religiösen und rassischen Gründen Verfolgten mußte ebenfalls die Wiedergutmachung der an Leib und Leben sowie an Hab und Gut erlittenen Schäden gesetzlich geordnet werden. Auch dieser Komplex wurde durch eine Reihe von Landes- und Bundesgesetzen geregelt; sie bezogen sich auf Rentenzahlung, Krankenversorgung, Darlehensgewährung, Hinterbliebenenversorgung. Da die Wiedergutmachung grundsätzlich allen Verfolgten zugute kommen sollte, wurde der größte Teil der in den ersten 15 Jahren aufgebrachten 26 Milliarden an Ausländer ausbezahlt. Teilweise befriedigte man die Ansprüche durch pauschale Zahlungen auf der Basis von Staatsverträgen, so z. B. mit Israel 1952 (3,45 Mrd. DM).

Von 1949 bis 1950 stiegen die Löhne um etwa ein Drittel, das Preisniveau blieb jedoch relativ stabil bzw. kletterte langsamer, so daß die wirtschaftlich und sozial Schwächeren ihre Notsituation überwinden und die Mittelschichten die Grundlage für einen gewissen Wohlstand schaffen konnten. Dennoch war nicht zu übersehen, daß die Einkommensstruktur beträchtliche Unterschiede aufwies und die wirtschaftliche Macht sehr ungleich verteilt war. SPD und Gewerkschaften konzentrierten deshalb ihre Forderungen auf die Bereiche Mitbestimmung der Arbeitnehmer in den Betrieben und Neuordnung der Vermögensverteilung. Sie griffen damit jene Ziele wieder auf, die in der unmittelbaren Nachkriegszeit bereits stark diskutiert und in Form von Forderungen nach einer neuen Gesellschaftsstruktur bis in Verfassungstexte vorgedrungen waren. Da sie aber 1946/49 von dringlicheren Problemen verdrängt bzw. die entsprechenden Artikel der Landesverfassungen von den Besatzungsmächten außer Kraft gesetzt wurden, begannen die Auseinandersetzungen um die gesellschaftspolitischen Gestaltungsvorstellungen im Parlament und in der Öffentlichkeit in den ersten beiden Legislaturperioden.

5. Ringen um soziale Gerechtigkeit

In einer Wirtschaftsverfassung, der die Freiheit des einzelnen und der Schutz des Privateigentums zugrunde liegt, kann Einkommen nicht allein auf persönliche Arbeitsleistung, sondern auch auf die Erträge aus Vermögen zurückgehen. Einkommen aus Kapital- und Produktionsmittelbesitz gehört ebenso legitim zum System wie Einkommen aus Arbeitsleistung. Die Auseinandersetzungen innerhalb und zwischen den auf dem Boden des Grundgesetzes stehenden demokratischen Kräften zielten (und zielen) deshalb auch nicht auf eine grundsätzliche Beseitigung des Eigentumseinkommens. Vielmehr ging der Streit um

— das Maß der Begrenzung dieser Einkommensform und

— die Frage, wie man zu einer Änderung der Eigentumsverhältnisse gelangen könne, um auch den bislang nicht am Kapital- bzw. Produktionsmitteleinkommen Beteiligten einen Anteil daran zu sichern.

Gesucht wurden Wege, auf denen man unter Beibehaltung der grundgesetzlichen Freiheits- und Rechtsordnung das Gebot der sozialen Gerechtigkeit erfüllen konnte. Außer den Kommunisten war allen maßgebenden politischen Kräften der Bundesrepublik bewußt, daß eine totale Sozialisierung der Spar-/Kapital- und Produktionsvermögen die Unabhängigkeit und Freiheit des einzelnen gefährden würde. Wie Beispiele aus kommunistischen Ländern zeigen, entwickelt sich zwangsläufig ein komplizierter und wenig wirkungsvoller Verwaltungszentralismus, in dem der Arbeiter der staatlichen Machtkonzentration noch entschieden ohnmächtiger ausgeliefert ist als der privaten. Nicht Sozialisierung also, aber auch keine Beschränkung auf das bloße Bemühen um höhere Löhne und besseren Schutz in Notfällen, sondern

— eine neue Regelung der Verfügungsgewalt in den Unternehmungen, damit die Arbeitnehmer anteilig am Entscheidungsprozeß mitwirken können und

— die Erschließung von Möglichkeiten zu Vermögens- bzw. Eigentumsbildung für jeden einzelnen

mußten langfristig die Aufgaben sein. Auf diesem Wege konnte einerseits die Unabhängigkeit der bislang sozial Schwächeren vergrößert und ihnen andererseits zusätzlich zu ihrem Arbeitslohn ebenfalls Einkommen aus Vermögen verschafft werden.

Angesichts der Gesamtlage waren sozial- und gesellschaftspolitische Regelungen dieser Zielrichtung und Tragweite in den Anfangsjahren der Bundesrepublik nur in Ansätzen zu verwirklichen. Einige der bemerkenswertesten gesetzlichen Regelungen auf diesem Gebiet seien genannt:

● Tarifvertragsgesetz

Das Tarifvertragsgesetz vom 9. 4. 1949 bestimmte, daß der Tarifvertrag zwischen den Sozialpartnern (Organisationen der Arbeitgeber und der Arbeitnehmer) auf dem Wege einer freien Vereinbarung zustande kommt. Das System der Tarifautonomie (Recht zur Festlegung von Löhnen und Gehältern durch Vertreter von Arbeitnehmern und Arbeitgebern) war seit 1932 in Deutschland nicht mehr praktiziert worden. Es mußte sich erst wieder einspielen. Es gab eine Reihe von Streiks

Im Zweiten Weltkrieg waren Millionen Wohnungen zerstört worden. Überdies strömten bis in die fünfziger Jahre etwa zehn Millionen Vertriebene und Flüchtlinge in das Gebiet der heutigen Bundesrepublik ein. Von 1949 bis 1955 wurden fast drei Millionen Wohnungen gebaut.

um höhere Löhne und bessere Arbeitsbedingungen (Höhepunkt: 1955 mit 600 000 beteiligten Arbeitnehmern). Die Arbeitszeit betrug in der Regel 48 Stunden pro Woche.

Der Deutsche Gewerkschaftsbund hatte bereits 1949 das Recht auf Mitbestimmung in allen Aktiengesellschaften mit mehr als 300 Belegschaftsmitgliedern gefordert. Es ist bezeichnend für die Zeitsituation, daß die Bürger an dieser Frage relativ wenig interessiert zu sein schienen. Bei einer Meinungsumfrage im März 1950 gaben rund 40 % eines repräsentativen Bevölkerungsquerschnitts auf die Frage nach dem praktischen Inhalt der Mitbestimmung nur vage, ablehnende oder unentschiedene Antworten. Nur ca. 10 % erstrebten eine Mitentscheidung der Arbeiter und Angestellten in wirtschaftlichen Führungsaufgaben bei der Produktions- und Unternehmenssteuerung.

● Mitbestimmung in der Montanindustrie

Der Gesetzgeber nahm sich des Problems 1951 an. Zunächst stand der Gesetzentwurf über die Mitbestimmung im Bereich der Montanindustrie zur Entscheidung an. Der Deutsche Gewerkschaftsbund hatte sich in einer Urabstimmung der breiten Zustimmung seiner Mitglieder aus Bergbau und eisenschaffender Industrie versichert, daß ab dem 1. 2. 1951 gestreikt würde, falls das Gesetz nicht die gewerkschaftlichen Forderungen erfülle. Ende Januar einigte sich Bundeskanzler Adenauer, dem im Hinblick auf die schwierigen außenpolitischen Verhandlungen an einem innenpolitischen Interessenausgleich gelegen war, mit dem DGB auf das „Gesetz über die Mitbestimmung der Arbeitnehmer in den Aufsichtsräten und Vorständen der Unternehmungen des Bergbaus und der Eisen und Stahl erzeugenden Industrie". Es sah für die Unternehmen mit mehr als 1000 Beschäftigten im Aufsichtsrat „Parität", das heißt zahlenmäßige Gleichheit zwischen den Vertretern der Beschäftigten und den Vertretern der Kapitaleigner vor.

Ein weiteres „neutrales" Aufsichtsratsmitglied kam hinzu, um Pattsituationen (Stimmengleichheit) zu vermeiden. Dem Gesetz stimmte in Konsequenz der Einigung zwischen dem Bundeskanzler und dem DGB neben der CDU/CSU auch die SPD zu. Das Gesetz trat am 21. Mai 1951 in Kraft.

● Betriebsverfassungsgesetz

Die Regelung der Mitbestimmung für die Industrie außerhalb des Montanbereichs erfolgte später im Betriebsverfassungsgesetz von 1952. In ihm wurden die bisherigen Regelungen aus Länderverfassungen und Gesetzen über den Betriebsrat vereinheitlicht. In allen Betrieben mit mindestens 5 Arbeitnehmern war ein Betriebsrat aus Betriebsangehörigen zu bilden; er erhielt Mitwirkungsrechte vor allem in sozialen Angelegenheiten und Fragen der Arbeits- und Urlaubseinteilung, aber auch ein Informationsrecht im wirtschaftlichen Bereich des Unternehmens. Darüber hinaus wurde festgelegt, daß in Aktiengesellschaften ein Drittel der Aufsichtsratsmitglieder aus Vertretern der Arbeitnehmer zu bestehen habe.

Eine ähnliche Regelung verfügte das Personalvertretungsgesetz von 1955 für die öffentlichen Dienststellen.

Obwohl das Betriebsverfassungsgesetz (und später das Personalvertretungsgesetz) vom gewerkschaftlichen Ziel der paritätischen Mitbestimmung weit entfernt war, trug es doch erheblich zur Sicherung des sozialen Friedens in der Bundesrepublik bei. Der mächtige Gewerkschaftsbund blieb positiv zum neuen Staat eingestellt; die Arbeitnehmer hatten auf dem Weg zur Anerkennung als gleichwertige Wirtschaftspartner einen bedeutenden Fortschritt erzielt.

● Wohnungsnot

Die gesetzlichen Maßnahmen zur Förderung des Wohnungsbaues waren breit gestreut; das erste Wohnungsbaugesetz vom 24. 4. 1950 begünstigte den sogenannten sozialen Wohnungsbau („Bau von Wohnungen, die nach Größe, Ausstattung und Miete bzw. Belastung für die breiten Schichten des Volkes bestimmt und geeignet sind").

Die Tatsache, daß das „Wohnungsamt" – die Behörde, die Wohnungen an „Anspruchsberechtigte" nach einem komplizierten Schlüssel der „Bedürftigkeit" zuwies — noch viele Jahre in Tätigkeit bleiben mußte, ist ein Hinweis darauf, daß das Wohnungsproblem mit am schwierigsten zu lösen war. Zunächst handelte es sich für viele Jahre für die meisten Wohnungssuchenden kaum darum, Wohnungseigentum zu erwerben; vielmehr ging es um die ganz banale Sorge um das „Dach über dem Kopf".

1949 waren die Wohnverhältnisse in der Bundesrepublik Deutschland niederschmetternd. Nach Kriegsende waren Millionen von Menschen in Gebiete zurückgeströmt, in denen durch den Luftkrieg und die Kampfhandlungen ein Großteil der Wohnungen zerstört worden waren. In den nach Menge und Qualität ungenügenden Behausungen drängten sich die Menschen. Man hat geschätzt, daß um 1950 ca. 50 % aller Haushaltungen in Untermiete wohnten (1968: ca. 5 %), und nur 8 % Wohnungseigentümer waren (1968: ca. 34 %). Die Situation konnte nur durch eine Kombination staatlicher und privater Anstrengungen verbessert werden. 1949 wurden insgesamt 220 000 Wohnungen gebaut, davon 70 % im sozialen Wohnungsbau, 1955 bereits rund 560 000. Seit 1953 wurde pro Jahr über eine halbe Million Wohnungen gebaut.

Das 1. Wohnungsbaugesetz von 1950 sah ein Bauvolumen von 1,8 Millionen Sozialwohnungen in 6 Jahren vor, das 2. Wohnungsbaugesetz von 1956 bezog sich dann schon auf die verstärkte Förderung des Baues von Familieneigenheimen.

Trotz aller privaten und staatlichen Anstrengungen war man aber von der Lösung des Problems, für möglichst alle Bürger menschenwürdige Heime bereitzustellen, 1955 noch immer weit entfernt. Die rund 41 % eines repräsentativen Querschnitts der Bevölkerung, die im Oktober 1950 mit ihrer Wohnung mehr oder minder unzufrieden waren, hatten sich fünf Jahre später, im Oktober 1955, auf nur 32 % vermindert.

Wie bei der Förderung des privaten Wohnungsbaus wurden auch bei der Begünstigung der Sparleistungen erste Schritte getan, um die Kapitalbildung in der Hand einzelner zu erleichtern. In größerem Umfang konnten solche Regelungen aber erst in den späteren Jahren durchgesetzt werden, als die Phasen des Wiederaufbaus und der Konsolidierung abgeschlossen waren und den Unternehmen sowie dem Staat Belastungen zugunsten der wirtschaftlich Schwachen zugemutet werden konnten (Sparprämiengesetz, Privatisierung von Bundesvermögen durch Ausgabe von „Volksaktien", Ausgabe von Aktien mit Sozialbonus an Betriebsangehörige von Privatunternehmen usw.). Ausnahmen, wie zum Beispiel ein Großunternehmen der Elektroindustrie, das den mit dem Wiederaufbau Beschäftigten Unternehmensanteile in Form von Aktien überließ, hatten keine allgemeine Signalwirkung.

VI. DIE ENTWICKLUNG IM KULTURELLEN BEREICH

1. Schule und Bildung

Daß die Niederlage 1945 nicht nur auf militärischem, politischem und wirtschaftlichem Gebiet katastrophal war, sondern auch zu einer geistigen Krise führte, machte sie so folgenschwer und einen „Wiederaufbau" so schwierig. Gerade weil es nicht damit sein Bewenden haben konnte, die zerstörten Schulen, Theater und Museen wieder aufzubauen, neue Bücher zu drucken bzw. die Ernährung der Kinder durch tägliche kostenlose „Schulspeisungen" zu verbessern, war der Neubeginn im Erziehungs- und Bildungswesen und im kulturellen Bereich so kompliziert. Die Besatzungsmächte begannen „Umerziehungsprogramme" für eine grundlegend neue Denkweise und Geisteshaltung in Gang zu setzen, noch dazu in jeder Zone unterschiedlich in Ziel und Intensität.

Den Deutschen wurde die Krise ihres Selbstverständnisses immer bewußter. Je gründlicher man das soeben Vergangene reflektierte, desto entschiedener wurde der Entschluß, einen Weg einzuschlagen, der niemals wieder zu derartigen politischen und moralischen Verirrungen führen würde, wie sie für den Nationalsozialismus charakteristisch gewesen waren. Auch wenn sich im längerfristigen Rückblick feststellen läßt, daß manche Entscheidungen dieser Absicht nicht förderlich waren, so sind sie aus der Situation der ersten Nachkriegsjahre heraus doch zu verstehen:

● Die Entfernung aller Lehrer aus dem Schuldienst, die in Beziehung zum Nationalsozialismus gestanden hatten, betraf insgesamt nicht weniger als 60 % aller Lehrpersonen. Diese pauschale Maßnahme behinderte nicht nur massiv den Wiederbeginn des Schulbetriebs, sie verriet auch Verständnislosigkeit gegenüber den Methoden eines totalitären Systems. Wie die meisten anderen „Entnazifizierungsmaßnahmen" wirkte sie negativ auf die erhoffte Bereitschaft zum politischen Engagement im freiheitlich-demokratischen Rechtsstaat.

● Die Besatzungsmächte übertrugen den Ländern die Kulturhoheit und steckten den Rahmen ab, in dem das Schul- und Bildungswesen neu aufgebaut werden müßte: Sicherstellung der Bildungsmöglichkeiten für alle in gleicher Weise (Schulgeld- und Lernmittelfreiheit), Beseitigung ständisch bedingter Unterrichtssysteme, Weckung von staatsbürgerlichem Verantwortungsbewußtsein und Sinn für internationale Toleranz (Direktive des Alliierten Kontrollrats vom 25. Juni 1947). Über diese Festlegung hinaus waren die Länder in der Gestaltung frei. Das Grundgesetz besiegelte den kulturellen Föderalismus und legte nur im Art. 7 einige wenige übergeordnete Prinzipien fest.

Die sich in den folgenden Jahren entwickelnde Vielgestaltigkeit des Bildungswesens ist oft beklagt und auch bekämpft worden. Aber in diesem Punkt ist der Vorwurf, es habe sich um ein zeitbedingtes Besatzungsdiktat mit überwiegend negativen Folgen gehandelt, bei genauer Betrachtung nicht gerechtfertigt. Die Länder schufen in der „Ständigen Konferenz der Kultusminister" aus eigener Initiative eine Einrichtung (seit Ende

1949), die in allen notwendigen Fällen im wünschenswerten Maße für die Vereinheitlichung sorgte. Durch Absprachen bzw. Abkommen wurden der einheitliche Schuljahresbeginn, die Anerkennung der Reifezeugnisse, die Festlegung der gymnasialen Schultypen und anderes bundeseinheitlich geregelt (Düsseldorfer Abkommen, Februar 1955).

● Aber gerade im Zusammenhang mit dieser Festschreibung der traditionellen Gymnasialtypen (humanistisch, neusprachlich, mathematisch-naturwissenschaftlich) entwickelte sich eine Kontroverse um die Schulstruktur im allgemeinen. 1945 hatte man in den drei westlichen Besatzungszonen das dreigegliederte Schulsystem (Volksschule, Mittel-/Realschule, Gymnasium) wieder so aufgebaut, wie es im 19. und frühen 20. Jahrhundert geschaffen worden war. Bei der inhaltlichen Gestaltung der Stoffpläne und der Zielsetzung hatte man auf Vorbilder aus der Weimarer Republik zurückgegriffen. So sehr diese Rückkehr zu Bewährtem aus dem verständlichen Wunsch heraus erfolgt war, die geistige Neuorientierung auf dem Fundament der christlich-abendländischen Tradition zu vollziehen, so begreiflich waren andererseits skeptische Stimmen. Sie plädierten dafür, die Chance des Neubeginns zur Schaffung einer schulpolitischen Gesamtregelung zu nützen und neue, einer demokratischen Gesellschaft angemessene Formen zu suchen. Nur in den Stadtstaaten war es zu Ansätzen eines neuen Systems gekommen. Hier hatte man statt einer 4- eine 6jährige Grundschule geschaffen (mit einer Fremdsprache im 5. und 6. Schuljahr) und daran eine nach Zweigen gegliederte Oberstufe angeschlossen. Alle dafür vorgebrachten Argumente waren im Kern Vorwürfe gegen die Trennung der Schullaufbahnen bereits nach dem 4. Schuljahr. Aber der Streit um Vor- und Nachteile dieser „Gemeinschaftserziehung" bzw. Gesamtschule oder „Einheitsschule" entbrannte in vollem Umfang erst in den 60er Jahren. Er ist dann nicht isoliert, sondern im Zusammenhang mit Auseinandersetzungen um andere Bereiche (Lehrerbildung, Steigerung der Abiturientenzahl, Mittelpunktschulen usw.) geführt worden.

Zur inneren Schulsituation sollen nur einige wenige Aussagen versucht werden, die für die Jahre 1949 — 1955 einen gewissen Grad von Allgemeingültigkeit beanspruchen können.

● Unter ungünstigen äußeren Bedingungen (Raumnot, Ausstattungsmangel, Lehrmittelprobleme) zeigten ältere Schüler und Studenten ein hohes Maß an Lerninteresse. Das Gefühl, in den Kriegs- und Nachkriegsjahren viel versäumt zu haben, ließ sie mit Eifer und Ernst intensiv und zielstrebig arbeiten.

● Dieser „Bildungshunger" war keineswegs eng und eingleisig berufs- bzw. karrierebezogen. Es war vielmehr ein Kennzeichen der Zeitsituation, daß man nach dem Bewußtwerden der geistigen Begrenzung und Isolierung in der nationalsozialistischen Ära die jetzt gegebenen Möglichkeiten zur umfassenden Information im kulturellen Bereich voll nutzte. Auf den Gebieten der Literatur, der darstellenden und bildenden Kunst war das Bedürfnis, das Versäumte nachzuholen, ebenso deutlich spürbar wie im Bereich des schulischen Lernens.

- Die dabei gewonnene Vertrautheit mit den deutschen und ausländischen Werken der bildenden Kunst und der Literatur führte im Laufe der Jahre zu einer ausgeprägten Weltoffenheit der heranwachsenden Generation. Sprachkenntnisse ermöglichten bei den immer häufiger werdenden Auslandskontakten (von Briefwechseln bis zu längeren Studienaufenthalten auf dem Weg des Schüler- und Studentenaustausches) des Kennenlernen anderer Denk- und Lebensweisen. Gerade diese Möglichkeiten zum Vergleich und das daraus entwickelte Relativieren des eigenen Standpunktes trugen erfolgreich zu einer politischen Bildung im weitesten Sinne bei.

2. Information, Unterhaltung und Erholung

Wenn man in groben Zügen für einen Leser der achtziger Jahre darstellen will, wie sich die Menschen in der Bundesrepublik vor 30 Jahren unterhielten, informierten und erholten, so kann man zunächst eine ganze Reihe von Einrichtungen und Möglichkeiten aufführen, die es in dieser Zeit noch nicht gab:

- Es gab für die Unterhaltung weder Spielautomaten noch Discotheken, kaum Schallplatten und keine Tonbänder.

- Es gab kaum Fernsehen (1953 erst 12 000 Genehmigungen) und UKW-Radio. „Bild" kam erst später (Erstausgabe: 24. 6. 52). Der „Spiegel" (Auflage: 1949 ca. 60 000, 1954 ca. 170 000 Stück) hatte zwar schon Einfluß, es existierten aber weder „Stern" noch „Quick", dafür natürlich eine Fülle von anderen Illustrierten und literarischen und politischen Zeitschriften.

- Es gab für die Erholung zum Beispiel keine oder so gut wie keine Gesellschaftsreisen. Statt an die Adria oder gar nach Mallorca reiste man allenfalls an den Starnberger See und an das Steinhuder Meer.

Unterhaltung hieß für die Mehrzahl der Bürger Kino, Stammtisch und sonntäglicher Gang zum Fußballplatz (1948: Einführung des Fußballtotos). Auch die Theater waren überfüllt und boten neben der Auseinandersetzung mit der unmittelbaren Vergangenheit (Zuckmayer: „Des Teufels General", Borchert: „Draußen vor der Tür") die großen zeitgenössischen ausländischen Dramatiker Anouilh, Eliot, Giraudoux, O'Neill, Sartre und Tennessee Williams sowie das Wiedersehen mit den Klassikern des In- und Auslandes.

Auch das Kino zeigte zumeist ausländische Filme. Die großen deutschen Filmkonzerne waren aufgelöst worden, nunmehr versuchten zahlreiche kleinere Produktions- und Verleihfirmen ihr Glück auf dem Markt. Sie bemühten sich, den Kampf um die Existenz durch Konzessionen an den Publikumsgeschmack zu gewinnen, künstlerischen Ehrgeiz hatten nur wenige.

Die Informationsquellen waren in den Anfangsjahren der Bundesrepublik weit weniger reichhaltig als heute. Wichtigstes Mittel zur Information über eine sich rasch verändernde Welt waren Rundfunk und Tageszeitungen. Die Anzahl der Rundfunkhörer stieg von 7,5 Millionen 1949 auf 12,8 Millionen im Jahre 1955. Die Tageszeitungen erreichten die Rekordauflage von 25 Millionen, die sie im Jahre 1932, dem schlimmsten Jahr der Weltwirtschaftskrise, im Deutschen Reich gehabt hatten, nie wieder. Die Auflagen waren durch die Gleichschaltung der NS-Pressepolitik auf 16 Millionen 1939 gefallen und lagen 1949 und 1955 in der Bundesrepublik gleichbleibend bei 17 Millionen. Immerhin gab es nach 16 Jahren nationalsozialistischer Gleichschaltung und anschließender alliierter Zensur wieder eine freie Presse.

VII. ZUR SITUATION 1955

Die Lage der Bundesrepublik Deutschland im Jahre 1955 war durch eine Kombination von günstigen und ungünstigen Faktoren gekennzeichnet. Einerseits hatte der rasche Wiederaufbau, das sogenannte „Wirtschaftswunder", weltweite Aufmerksamkeit gefunden, weil die Zerstörungen des Zweiten Weltkrieges im übrigen Westeuropa weit weniger schnell beseitigt wurden. Darüber hinaus fand die demokratische Grundhaltung des neuen Staates und seiner Bürger Anerkennung, da sie von der Erinnerung an das NS-Regime deutlich abstach.

Der neue Staat — wie provisorisch er auch immer sein mochte — hatte sich Symbole geschaffen, die sein Selbstbewußtsein zum Ausdruck brachten. Die Bundesflagge, deren Farben Schwarz-Rot-Gold im Grundgesetz festgelegt waren, wehte bald über zahlreichen Botschaften, Konsulaten und auf Schiffen in aller Welt. 1951 wurde der Bundesverdienstorden gestiftet. Jahrelange heftige Diskussionen gab es über die Frage, was mit den vor 1945 verliehenen Orden und Ehrenzeichen zu geschehen habe, vor allem mit den Kriegsauszeichnungen des Zweiten Weltkrieges. Die endgültige Regelung erfolgte erst durch Gesetz im Jahre 1957. Sie durften wieder getragen werden, natürlich ohne Hakenkreuz.

Nicht weniger problematisch war die Frage der Nationalhymne. Ihre Bestimmung obliegt dem Bundespräsidenten. Theodor Heuss wollte dem deutschen Volk eine „unbelastete" Hymne geben. Er meinte, „daß der tiefe Einschnitt in unserer Volks- und Staatsgeschichte einer neuen Symbolgebung bedürftig sei", und wählte die von Rudolf Alexander Schröder gedichtete und von Hermann Reutter vertonte „Hymne an Deutschland". Meinungsumfragen ergaben, daß drei Viertel der Bevölkerung für die Beibehaltung des Deutschlandliedes waren und nur 9 % sich für die neue Hymne oder eine andere Lösung aussprachen. Entschieden für das Deutschlandlied setzte sich auch Bundeskanzler Adenauer ein. Nach einer längeren Kontroverse, die in einem Briefwechsel ausgetragen wurde, stimmte der Bundespräsident schließlich dem Wunsch zu. Alle drei Strophen des Deutschlandliedes bilden die Nationalhymne, „bei staatlichen Veranstaltungen soll die dritte Strophe gesungen werden".

Insgesamt wurde das Bild, das die Bundesrepublik 1955 bot, allgemein als positiv empfunden; sportliche Erfolge — wie etwa bei den olympischen Spielen 1952 oder der Sieg bei der Fußballweltmeisterschaft 1954 — rundeten diesen Eindruck bei der breiten Öffentlichkeit ab. Die Menschen in diesem neuen Staat waren froh, daß nach so vielen Veränderungen nunmehr etwas Ruhe einzukehren schien.

ALLTAG 1955

Löhne und Gehälter erhöht

Deutsche Presse-Agentur

Dortmund. Um 15 Pfg. werden die Stundenlöhne für die gewerblichen Arbeitnehmer im Betonsteingewerbe von Nordrhein-Westfalen in allen Tarif- und Ortsklassen vom 1. September an erhöht. Gleichzeitig steigen die Gehälter für die technischen und kaufmännischen Angestellten des Gewerbes um 5 Prozent und die Ausbildungsbeihilfen für Lehrlinge um monatlich vier Mark. Dies teilte die Bezirksleitung Westfalen der IG Bau, Steine und Erden mit. Die Stundenlöhne betrugen bisher 1,40 bis 1,74 Mark. Die Angestelltengehälter 143 bis 671 Mark und die Lehrlingsbeihilfen 19 bis 36,50 Mark monatlich.

Heimkehrer frei ins Kino

Deutsche Presse-Agentur

Düsseldorf. Der Wirtschaftsverband der Filmtheater Nordrhein-Westfalen e. V. hat seinen Mitgliedern empfohlen, allen in diesen Tagen heimkehrenden Kriegsgefangenen freien Eintritt zu drei Filmveranstaltungen für je zwei Personen zu gewähren. Die Gutscheine dafür sollen die örtlichen Sozialämter an die Heimkehrer verteilen.

Wohnungstausch bleibt genehmigungspflichtig

N. **Bonn.** Wohnungstausch soll nach wie vor genehmigungspflichtig bleiben. Der Wohnungsbauausschuß des Bundestages lehnte am Donnerstag den Vorschlag der Bundesregierung ab, den Wohnungstausch künftig von der Genehmigungspflicht auszunehmen. Der Ausschuß hält die Genehmigungspflicht für erforderlich, um sozial schwachen Schichten einen Schutz zu erhalten.

Wohnungen für 500 000 Familien

Deutsche Presse-Agentur

Bonn. Rund 500 000 Familien erhielten im vergangenen Jahr in der Bundesrepublik eine Neubauwohnung. Wie aus einer Veröffentlichung des Bundeswohnungsbauministeriums hervorgeht, wurden 1954 in der Bundesrepublik 541 000 Wohnungen gebaut. Das sind 23 000 Wohnungen mehr als im Vorjahr.

Pakete kommen an

Deutsche Presse-Agentur

Braunschweig. Nach einer DRK-Mitteilung werden alle Pakete an Kriegsgefangene in der Sowjetunion, wenn die Empfänger in ein anderes Lager verlegt worden sind, nicht mehr an die Absender zurückgeschickt, sondern an die Empfänger weitergeleitet.

„Verfeinerte Freßwelle"

Deutsche Presse-Agentur

Münster. Von einer „verfeinerten Freßwelle" ist im Bericht der Handwerkskammer Münster auf Grund von Beobachtungen der Fleischer die Rede. Mehr und mehr habe sich eine Änderung der Geschmacksrichtung durchgesetzt, da sich die Nachfrage auf feine Wurst- und Wurstwaren konzentriere.

Die Preise für Schweinefleisch hätten merklich angezogen. Das Fleischerhandwerk habe bei niedrigen Einkaufspreisen und bei teilweise nicht folgenden Verkaufspreisen eine klare Gewinnspanne gehabt. Der Brotumsatz sei dagegen rückläufig gewesen. Die Bäckereien wären ohne gestiegenen Umsatz von Brötchen und Feingebäck nicht existenzfähig gewesen.

MONATLICHE AUSGABEN FÜR NAHRUNGSMITTEL*

(Monatsdurchschnitt – 4 köpfigen Arbeitnehmerfamilien mittlerer Einkommensgruppen)

Eine verbesserte Speisekarte

weist die Statistik auch im Jahre 1954 für die durchschnittliche Arbeitnehmerfamilie aus. Sie gab bei einem monatlichen Einkommen von 467,73 DM für Nahrungsmittel 179,86 DM aus und bevorzugte noch stärker als in den früheren Jahren Nahrungsmittel tierischer Herkunft. Der Anstieg der Ernährungsausgaben von 131 DM 1949 auf fast 180 DM je Monat im Jahre 1954 ist zum größten Teil der qualitativen Verbesserung zugute gekommen. Die Preiserhöhungen der letzten Jahre haben die tierischen Nahrungsmittel weniger betroffen als die pflanzlichen. Aufs Ganze gesehen mußte unsere Arbeitnehmerfamilie an Nahrungsmitteln 1954 monatlich 20 DM mehr aufwenden als 1950.

(Globus)

Kohlenvorräte knapp

Eigener Nachrichtendienst

Bonn. In der Kohlenversorgung der Großverbraucher sind in letzter Zeit einige Engpässe aufgetreten, die hauptsächlich auf die Exportverpflichtungen zurückzuführen sind. Die Versorgungsbetriebe klagen über unzureichende Lieferungen. Im Bundeswirtschaftsministerium wird die Kohlenversorgung weniger kritisch gesehen. Es wird darauf hingewiesen, daß der Kohlenhandel bisher mit den gleichen Mengen Hausbrand beliefert worden sei wie im Vorjahr. Lediglich die Koksversorgung weise einen kleinen Engpaß auf.

Einige Politiker der Bundesrepublik wurden zu besonderen Repräsentanten des neuen Deutschland. Da war der Kanzler Konrad Adenauer: Christ, Katholik, Nichtnazi, Hausvatertyp mit indianisch unbewegtem Gesicht. Seine menschliche Reife warb um Vertrauen für sich, seine Politik und den neuen Staat. Er gewann dieses Vertrauen im In- und Ausland. Auch die anderen Repräsentanten der jungen Republik weckten im Ausland neues Verständnis für die Deutschen. Da gab es den leidenschaftlichen Demokraten, den von Krieg und KZ-Haft gezeichneten SPD-Führer Kurt Schumacher. Der entschlossene, unermüdliche Kämpfer für die Freiheit Ernst Reuter wurde als Regierender Bürgermeister von Berlin (1947 — 1953) weltbekannt. Nicht zuletzt ist Bundespräsident Theodor Heuss zu nennen, ein Privatmann und Gelehrter, der an den öffentlichen Dingen lebhaften, aktiven Anteil nahm und in seiner geistvollen Art für das Ausland einen bis dahin recht ungewohnten Typ eines deutschen Politikers verkörperte.

Natürlich waren 1955 die offenen Probleme in der Außen- und Innenpolitik der Bundesrepublik groß. Die ungelöste Deutschland- und Berlinfrage war fraglos das bedeutsamste. Es überschattete auch die — von der Situation von 1949 aus betrachtet — erstaunliche Tatsache, daß dieser Teilstaat eines vernichtend geschlagenen Reiches in nur wenigen Aufbaujahren wieder die volle Souveränität erlangt hatte und eine nicht unbedeutende Rolle in der internationalen Politik zu spielen begann.

Die Bundesrepublik Deutschland 1955 – 1966

I. DEUTSCHLANDPOLITIK UND OST-WEST-BEZIEHUNGEN

1. Leitlinien der Deutschlandpolitik

Die Deutschlandpolitik der Bundesrepublik war auch im Zeitraum von 1955 bis 1966 von jenen Leitlinien bestimmt, die bereits seit 1949 das politische Handeln und die politischen Entscheidungen geprägt hatten:

— Die Bundesrepublik Deutschland ist alleinige Rechtsnachfolgerin des über 1945 hinaus fortexistierenden Deutschen Reiches.

— Das Streben nach Wiedervereinigung in Frieden und Freiheit ist ein aus dem Grundgesetz ableitbares Gebot, das alle politischen Staatsorgane rechtlich bindet.

— Das deutsche Volk hat Anspruch auf das Recht zur Selbstbestimmung.

— Berlin untersteht der Vier-Mächte-Verantwortung, West-Berlin ist ein Teil der Bundesrepublik Deutschland.

Diese Grundsätze waren und sind im innenpolitischen Bereich zwischen den demokratischen Parteien unbestritten; Meinungsverschiedenheiten entstanden stets nur in der Diskussion um die beste Verfahrensweise bei ihrer Verfolgung. Völlig kontrovers jedoch waren und blieben die Auffassungen über die Maximen in der Auseinandersetzung zwischen der Bundesrepublik Deutschland und der DDR und zwischen den Westmächten und den Ostblockstaaten.

2. Die Auffassung von der Rechtslage Deutschlands

Das Fortbestehen des Deutschen Reiches wird aus der Tatsache abgeleitet, daß die Siegermächte es nicht annektiert, sondern lediglich vorübergehend, das heißt bis zum Abschluß eines Friedensvertrages, in den Grenzen vom 31. 12. 1937 für Besatzungszwecke in vier Zonen aufgeteilt haben. Das Deutsche Reich besitze demnach nach wie vor Rechtsfähigkeit, sei aber als Gesamtstaat infolge der fehlenden Gesamtstaatsgewalt nicht handlungsfähig. In die Auffassung vom Fortbestehen des Deutschen Reiches ist die Interpretation eingeschlossen, daß auch das deutsche Staatsvolk und das deutsche Staatsgebiet weiterexistieren. In diesem Sinne gehört zum Beispiel das Gebiet der DDR zu Deutschland bzw. sind die in den Grenzen des Deutschen Reiches vom 31. 12. 1937 lebenden Deutschen deutsche Staatsangehörige.

Unter den Teilen des Deutschen Reiches ist allein die Bundesrepublik Deutschland handlungsfähig. Sie ist als Staat identisch mit dem Deutschen Reich, bezüglich der räumlichen Ausdehnung jedoch nur teilidentisch. Sie ist die alleinige rechtmäßige Vertreterin der Interessen des Deutschen Reiches und des deutschen Volkes.

Diese Ansicht wurde stets auch von den Westmächten geteilt. In der Schlußakte der Londoner 9-Mächte-Erklärung vom 3. Oktober 1954 gaben sie zum Beispiel folgende Erklärung ab:

„Die Regierungen der Vereinigten Staaten von Amerika, des Vereinigten Königreiches von Großbritannien und Nordirland und der Französischen Republik... erklären, daß sie die Regierung der Bundesrepublik Deutschland als die einzige deutsche Regierung betrachten, die frei und rechtmäßig gebildet wurde und daher berechtigt ist, für Deutschland als Vertreter des deutschen Volkes in internationalen Angelegenheiten zu sprechen."

Alle NATO-Staaten stimmten dem am 23. Oktober 1954 zu. Die deutsche Regierung betonte in der Zeit von 1949 bis 1955 diesen Anspruch einige Male mit besonderem Nachdruck, zum Beispiel

— beim Volksaufstand vom 17. Juni 1953, der aller Welt die Kluft zwischen Regierung und Bevölkerung in der Sowjetzone vor Augen geführt hatte;

— nach der Souveränitätserklärung der DDR vom 25. März 1954. Dabei wies die Bundesregierung alle Spekulationen darüber zurück, daß sich dadurch grundsätzlich eine neue Lage ergäbe:

„Die sowjetische Erklärung vermag jedoch nichts gegen die Tatsache, daß es nur einen deutschen Staat gibt, gegeben hat oder geben wird, und daß es einzig und allein die Organe der Bundesrepublik Deutschland sind, die heute diesen niemals untergegangenen Staat vertreten. Daran ändert auch die schmerzliche Wirklichkeit nichts, daß die deutsche Staatsgewalt heute nicht einheitlich in allen Teilen Deutschlands ausgeübt werden kann... Die Bundesrepublik war und ist daher berechtigt, auch für jene 17 Millionen Deutschen zu handeln und zu sprechen, denen schon 1949 versagt war, bei der Schaffung des Grundgesetzes mitzuwirken und die bis zum heutigen Tag nicht die Freiheit haben, ihren politischen Willen zum Ausdruck zu bringen."

— Im gleichen Sinne proklamierte die Bundesregierung am Tag der Bekanntgabe der eigenen Souveränität am 5. Mai 1955 vor dem Bundestag:

„Wir sind ein freier und unabhängiger Staat. Was sich auf der Grundlage wachsenden Vertrauens seit langem vorbereitete, ist nunmehr zur rechtsgültigen Tatsache geworden: Wir stehen als Freie unter Freien den bisherigen Besatzungsmächten in echter Partnerschaft verbunden. Mit der Bundesregierung gedenken in dieser Stunde 50 Millionen freie Bürger der Bundesrepublik in brüderlicher Verbundenheit der Millionen Deutschen, die gezwungen sind, getrennt von uns in Unfreiheit und Rechtlosigkeit zu leben. Wir rufen ihnen zu: Ihr gehört zu uns, wir gehören zu Euch! Die Freude über unsere wiedergewonnene Freiheit ist so lange getrübt, als die Freiheit Euch versagt bleibt. Ihr könnt Euch immer auf uns verlassen, denn gemeinsam mit der freien Welt werden wir nicht rasten und ruhen, bis auch Ihr die Menschenrechte erlangt habt und mit uns friedlich vereint in einem Staat lebt."

3. Die „Hallstein-Doktrin"

Aus dem Alleinvertretungsanspruch ergab sich als logische Folge, daß es die Bundesregierung als „unfreundlichen Akt" auffaßte, wenn ein Staat, der mit ihr diplomatische Beziehungen unterhielt, gleiche Beziehungen mit der DDR aufnehmen wollte, da hiermit eine Anerkennung des DDR-Regimes verbunden war. Schon im Jahr 1955 gewann dieses Problem durch die Herstellung diplomatischer Beziehungen zwischen der Bundesrepublik Deutschland und der Sowjetunion — dabei hatte bekanntlich die Entlassung der deutschen Kriegsgefangenen eine bedeutende Rolle gespielt — große Aktualität. Die Bundesregierung betonte den Ausnahmecharakter dieses Vorgangs. Am 22. 9. 1955 sagte Bundeskanzler Adenauer vor dem Bundestag:

„Die Haltung der Bundesregierung gegenüber der Sowjetzonenregierung wird... durch die Aufnahme diplomatischer Beziehungen zwischen der Sowjetunion und der Bundesregierung nicht berührt. Die Regierung der sogenannten ‚DDR' ist nicht aufgrund wirklich freier Wahlen gebildet worden, sie verfügt daher über kein echtes Mandat des Volkes, ja sie wird von der überwiegenden Mehrheit der Bevölkerung abgelehnt... Die Bundesregierung ist daher nach wie vor die einzige freie und rechtmäßig gebildete deutsche Regierung, die allein befugt ist, für das ganze Deutschland zu sprechen."

Den deutschen Botschaften wurde am 11. 2. 1955 in Bonn vom Leiter der politischen Abteilung des Auswärtigen Amtes, Wilhelm Grewe, die Sachlage so erläutert:

„Wenn wir die Beziehungen mit Moskau aufgenommen haben, obgleich solche Beziehungen zur ‚DDR' bestehen, so doch nur mit der Maßgabe, ...daß diese diplomatischen Beziehungen ein Mittel sein sollen auf dem Wege zur Überwindung der Spaltung Deutschlands und zur Wiederherstellung der Einheit Deutschlands. Dazu können uns aber diplomatische Beziehungen mit Polen, Ungarn, Rumänien und anderen kommunistischen Staaten nicht verhelfen. Das ist der große Unterschied."

Schließlich bekräftigte Außenminister von Brentano am 28. 6. 1956 im Rahmen eines Berichts zur außenpolitischen Lage, daß die Bundesregierung zu der klaren Feststellung gezwungen sei, diplomatische Beziehungen zu den Staaten des Sowjetblocks nicht aufnehmen zu können, da sie damit ihren Anspruch auf Wiederherstellung der staatlichen Einheit Deutschlands aufgeben würde.

Dieser außenpolitische Grundsatz, keine Beziehungen zu Staaten aufzunehmen bzw. diese abzubrechen, wenn diese Staaten die DDR durch Aufnahme diplomatischer Beziehungen anerkannten, wurde später mit dem Namen des Staatssekretärs im Auswärtigen Amt, Walter Hallstein, in Verbindung gebracht und als „Doktrin" bezeichnet. Sie bestimmte für das folgende Jahrzehnt die Haltung der Bundesregierung gegenüber den Ostblockstaaten und alle anderen Staaten der Welt.

Nun war schon die gedankliche Konstruktion von der „Ausnahme Sowjetunion" nicht leicht zu rechtfertigen gewesen. Noch schwieriger mußte es werden, die Maxime auch dann aufrechtzuerhalten, wenn im Laufe der Jahre die vom Ostblock ohnehin erwartete „normative Kraft des Faktischen" die Teilung Deutschlands verfestigen würde. Dann versperrte der Grundsatz die Anbahnung normaler Beziehungen zu den östlichen Nachbarstaaten und ver- oder behinderte die Bewältigung gemeinsamer Probleme aus der Vorkriegs-, Kriegs- und Nachkriegszeit. Die Opposition wies früh auf diese Folgen hin:

„Die sozialdemokratische Bundestagsfraktion ist im Gegensatz zu der Auffassung des Herrn Außenministers der Meinung, daß die Normalisierung der Beziehungen zu osteuropäischen Ländern zunächst zu den Ländern in Angriff genommen werden sollte, die wie Polen und die Tschechoslowakei unmittelbar an Deutschland angrenzen... Es gibt noch einen anderen Gesichtspunkt, der vom deutschen Standpunkt aus für die Aufnahme solcher Beziehungen spricht. In fast allen Ländern Osteuropas leben noch eine größere Zahl von Deutschen, die in der Vergangenheit ihre Existenz unter sehr schweren Bedingungen führen mußten. Viele von ihnen leben in dem

Der erste Botschafter der UdSSR in der Bundesrepublik, Valerian Sorin, überreichte am 7. Januar 1956 Bundespräsident Heuss sein Beglaubigungsschreiben. Links: Außenminister v. Brentano

Wunsch, mit ihren jetzt in der Bundesrepublik lebenden Angehörigen wieder in einen persönlichen Kontakt zu kommen. Die Schaffung deutscher Vertretungen in diesen Ländern würde daher nicht nur die Möglichkeit zur Erweiterung der Beziehungen zu diesen Ländern im allgemeinen bieten, sondern sie könnte auch eine Hilfe für diese Menschen sein."

(Erich Ollenhauer am 29. 6. 1956 vor dem Deutschen Bundestag.)"

Auch die Folgen für die Beziehungen zu den blockfreien Staaten in Afrika und Asien waren bereits 1955 erörtert worden: Würde es gelingen, die Nichtanerkennung der DDR mit Hilfe der „Hallstein-Doktrin" zu erzwingen? Mußte nicht befürchtet werden, daß die Zeit für die Gegenseite arbeite und die Bundesrepublik Deutschland isoliert würde?

Den Bundeskanzler vermochten diese Einwände nicht zu beirren. Er war davon überzeugt, daß die Bundesregierung durch die Aufnahme diplomatischer Beziehungen zur Sowjetunion die Politik der Wiedervereinigung Deutschlands um so intensiver betreiben könne, da sie nunmehr über einen direkten Kontakt zu allen vier für die Deutsche Frage verantwortlichen Großmächten verfügte. Für die Zeit bis 1966 behielt Adenauer insofern recht, als die „Hallstein-Doktrin" nur gegenüber drei Staaten angewendet werden mußte, gegen Jugoslawien 1957, gegen Kuba 1963 und gegen Sansibar 1964. Der aus dem Zusammenschluß von Tanganjika und Sansibar entstandene Staat Tansania erkannte hingegen die DDR nicht an. Eine allgemeine internationale Aufwertung der DDR konnte die Bundesregierung im fraglichen Zeitraum mit weitgehendem Erfolg verhindern.

4. Das Grundgesetz-Gebot der Wiedervereinigung

Ein wesentliches Moment der Deutschland- und Ostpolitik der Bundesrepublik bildete das Streben nach einer Wiedervereinigung Deutschlands. Auch das Bundesverfassungsgericht hat sich in einer Reihe von Urteilen zu dieser Frage geäußert. Eine entscheidende Interpretation des Grundgesetzes im Hinblick auf die Wiedervereinigung erfolgte im Zusammenhang mit dem Verbot der KPD. In dieser Entscheidung vom 17. 8. 1956 stellte das Karlsruher Gericht fest, es sei aus der Präambel des Grundgesetzes „für alle politischen Staatsorgane der Bundesrepublik Deutschland die Rechtspflicht abzuleiten, die Einheit Deutschlands mit allen Kräften anzustreben, ihre Maßnahmen auf dieses Ziel auszurichten und die Tauglichkeit für dieses Ziel jeweils als einen Maßstab ihrer politischen Handlungen gelten zu lassen". Die Präambel des Grundgesetzes, die durch dieses Urteil eine überragende rechtliche und politische Bedeutung erhielt, hat folgenden Wortlaut:

„Im Bewußtsein seiner Verantwortung vor Gott und den Menschen, von dem Willen beseelt, seine nationale und staaliche Einheit zu wahren und als gleichberechtigtes Glied in einem vereinten Europa dem Frieden der Welt zu dienen, hat das Deutsche Volk..., um dem staatlichen Leben für eine Übergangszeit eine neue Ordnung zu geben, kraft seiner verfassungsgebenden Gewalt dieses Grundgesetz der Bundesrepublik Deutschland beschlossen. Es hat auch für jene Deutschen gehandelt, denen mitzuwirken versagt war. Das gesamte deutsche Volk bleibt aufgefordert, in freier Selbstbestimmung die Einheit in Frieden und Freiheit zu vollenden."

Das Wiedervereinigungsgebot schließt ein Verbot aller Handlungen und Abkommen ein, die einen Verzicht von Rechtspositionen bzw. eine Ver- oder Behinderung der Wiedervereinigung bedeuten würden. Gleichzeitig wurde in dem Beschluß des Bundesverfassungsgerichts von 1956 den politischen Staatsorganen jedoch ein Handlungsspielraum dadurch eingeräumt, daß sie entscheiden könnten, welche Wege sie zur Herbeiführung der Wiedervereinigung als politisch richtig und zweckmäßig ansehen.

In der politischen Diskussion ist diese bedeutsame Entscheidung häufig angegriffen worden. Das Bundesverfassungsgericht hielt jedoch eindeutig an dieser Auslegung des Grundgesetzes fest; zuletzt wurde sie im Beschluß vom 31. 7. 1973 im Rechtsstreit um den Grundvertrag zwischen der Bundesrepublik Deutschland und der DDR vom 21. 12. 1972 erneut und detailliert dargelegt.

5. Der Anspruch auf das Recht zur Selbstbestimmung

Das Recht eines Volkes auf Selbstbestimmung meint die Freiheit von fremder Herrschaft und die Forderung nach Volksabstimmungen bei politischen Macht- bzw. Gebietsveränderungen. Insbesondere war es die Absicht des amerikanischen Präsidenten Wilson am Ende des Ersten Weltkrieges, im Völkerrecht die Grundsätze zu verwirklichen,

„...daß Völker und Gebiete nicht von einer Staatshoheit zur anderen herumgeschoben werden dürfen...

daß jede Lösung einer Gebietsfrage, die durch den Krieg aufgeworfen wurde, im Interesse und zugunsten der betroffenen Bevölkerung... getroffen werden muß..."

In der Atlantic-Charta von 1941, in der Charta der Vereinten Nationen und in späteren Beschlüssen der UN-Vollversammlung wurde das Prinzip der Selbstbestimmung erneut proklamiert:

„Alle Völker haben das Recht auf Selbstbestimmung. Kraft dieses Rechts entscheiden sie frei über ihren politischen Status und betreiben frei ihre wirtschaftliche, soziale und kulturelle Entwicklung.

Jeglicher Versuch, der auf die teilweise oder vollständige Spaltung der nationalen Einheit und der territorialen Integrität eines Landes abzielt, ist unvereinbar mit den Zielen und Prinzipien der Charta der Vereinten Nationen."

Die Politik der Bundesrepublik Deutschland war von Anfang an bei allen Gesprächen, Verhandlungen und Verträgen darauf abgestellt, das Selbstbestimmungsrecht auch für die deutsche Bevölkerung zu verwirklichen. Die Vertreibung von Millionen Deutschen aus ihrer angestammten Heimat und die durch die Siegermächte verfügte Teilung Deutschlands nach dem Ende des Zweiten Weltkrieges erschienen als besonders eklatante Verstöße gegen die Grundsätze von Heimat- und Selbstbestimmungsrecht. Bei den verschiedensten Anlässen machten die politischen Entscheidungsgremien und die Politiker aller Parteien den Anspruch geltend, daß die Deutsche Frage so lange als ungelöst betrachtet werde, wie dem deutschen Volk diese elementaren Menschenrechte nicht gewährt seien.

6. Die Vier-Mächte-Verantwortung für Deutschland als Ganzes

Ein weiterer Grundsatz der Politik der Bundesrepublik Deutschland war die auch nach der Souveränitätserklärung bestehende Vier-Mächte-Verantwortung für den Abschluß eines Friedensvertrages und die Wiederherstellung der deutschen Einheit, die von ihr stets hervorgehoben wurden. Seit den alliierten Kriegskonferenzen waren Beteiligte und Betroffene stets davon ausgegangen, daß die Teilung Deutschlands eine vorläufige Entscheidung gewesen war, entstanden aus der Unmöglichkeit, sich bei oder nach Kriegsende auf eine von allen Siegermächten akzeptierte Lösung des deutschen Problems zu einigen. In einer Regierungserklärung anläßlich der Genfer Konferenz der Großmächte sagte Adenauer am 25. Februar 1954:

„Die Teilung Deutschlands beruht nicht auf einem innerdeutschen Zwist, sondern auf dem Konflikt der vier Großmächte. Infolgedessen hat Deutschland ein vitales Interesse daran, daß der Ost-West-Konflikt entspannt und die Wiederherstellung der deutschen Einheit aufgrund einer Übereinkunft der vier Großmächte ermöglicht wird."

Auch die Kriegsalliierten selbst hatten bei allen Entscheidungen das Fortbestehen ihrer Verantwortung für Deutschland als Ganzes betont und sie als übergeordneten Grundsatz aller abgeschlossenen Verträge anerkannt. So hatten sich die Westalliierten in dem zwischen ihnen und der Bundesrepublik Deutschland abgeschlossenen sogenannten Deutschlandvertrag, der am 5. Mai 1955 in Kraft trat, ihre „Rechte und Verantwortlichkeiten in bezug auf Berlin und auf Deutschland als Ganzes einschließlich der Wiedervereinigung Deutschlands und einer friedensvertraglichen Regelung" ausdrücklich vorbehalten. Die Sowjetunion betonte diesen Grundsatz in ihrem Vertrag über die Beziehung zur DDR vom 20. September 1955, wo es in der Präambel heißt, der Vertrag werde geschlossen „unter Berücksichtigung der Verpflichtungen, die die Deutsche Demokratische Republik und die Sowjetunion gemäß den bestehenden internationalen Abkommen, die Deutschland als Ganzes betreffen, haben" sowie im Bündnisvertrag zwischen der Sowjetunion und der DDR vom 12. Juni 1964:

„Beide Seiten gehen davon aus, daß bis zum Abschluß eines deutschen Friedensvertrages die Vereinigten Staaten von Amerika, Großbritannien und Frankreich nach wie vor ihre Verantwortung für die Verwirklichung der Forderungen und Verpflichtungen auf dem Territorium der Bundesrepublik tragen, die die Regierungen der vier Mächte im Potsdamer und in anderen internationalen Abkommen zur Ausrottung des deutschen Militarismus und Nazismus und zur Verhinderung einer deutschen Aggression übernommen haben."

7. Der Status Berlins

Im Zusammenhang mit den aus der Teilung Deutschlands resultierenden Problemen spielte die besondere Situation Berlins eine entscheidende Rolle. So kam es immer wieder zu Kontroversen zwischen Ost und West über den Rechtsstatus der Stadt.

Berlin (West) als Land der Bundesrepublik Deutschland

Zwar waren sich die Bundesrepublik Deutschland und die Westalliierten grundsätzlich darüber einig, daß ganz Berlin einem Vier-Mächte-Status unterstehe, doch gab es auch zwischen ihnen Differenzen in der Rechtsauffassung. Die Bundesorgane und West-Berlin waren von Anfang an um eine möglichst vollständige Integration der Stadt als Bundesland in die Bundesrepublik Deutschland bemüht. So zählt Berlin nach Art. 23 GG zum Geltungsbereich des Grundgesetzes. Doch hatten die Westmächte bereits bei den Beratungen des Parlamentarischen Rates dagegen Einwendungen erhoben und sich auch gegen eine Wahl von Bundestagsabgeordneten in Berlin ausgesprochen. Dem wurde in der endgültigen Fassung des Grundgesetzes durch eine Sonderregelung für die Berliner Vertreter in Art. 144 Abs. 2 zum Teil Rechnung getragen. In ihrem Genehmigungsschreiben vom 12. Mai 1949 hielten die Alliierten jedoch im Grundsatz an ihrer Haltung fest:

„Ein dritter Vorbehalt betrifft die Beteiligung Groß-Berlins am Bund. Wir interpretieren den Inhalt der Artikel 23 und 114 Abs. 2 des Grundgesetzes dahin, daß er die Annahme unseres früheren Ersuchens darstellt, demzufolge Berlin keine abstimmungsberechtigte Mitgliedschaft im Bundestag oder Bundesrat erhalten und auch nicht durch den Bund regiert werden wird, daß es jedoch eine beschränkte Anzahl Vertreter zur Teilnahme an den Sitzungen dieser gesetzgebenden Körperschaft benennen darf..."

Auch von seiten West-Berlins wurden von Anfang an Versuche unternommen, die Stadt voll in das Rechtsgefüge der Bundesrepublik Deutschland einzubeziehen. So wurde das Grundgesetz durch Beschluß der Stadtverordnetenversammlung vom 19. Mai 1949 nach Berlin übernommen. Die am 1. September 1950 verkündete neue Berliner Verfassung dokumentiert in Art. 1 die Zugehörigkeit Berlins als Land (Gliedstaat) zur Bundesrepublik Deutschland:

1. Berlin ist ein deutsches Land und zugleich eine Stadt.

2. Berlin ist ein Land der Bundesrepublik Deutschland.

3. Grundgesetz und Gesetze der Bundesrepublik Deutschland sind für Berlin bindend.

Daneben wurde in Art. 87 eine Übergangsregelung zur Anwendung und Geltung des Grundgesetzes und zur Anwendung von Bundesgesetzen in Berlin getroffen.

In ihrem Genehmigungsschreiben zur Verfassung vom 29. August 1950 bekräftigten die Alliierten jedoch ausdrücklich ihren Standpunkt. Sie erklärten die Abs. 2 und 3 des Art. 1 als „zurückgestellt" und verwiesen darauf, daß „Berlin keine der Eigenschaften des zwölften Landes besitzen wird".

170

Um die Präsenz der Bundesrepublik Deutschland in Berlin zu unterstreichen, trat der Bundestag regelmäßig zu Ausschuß- und Plenarsitzungen in Berlin zusammen (Oktober 1955).

Der Bundespräsident hat einen Amtssitz in Berlin, Schloß Bellevue.

Rechtseinheit

In allen praktischen Fragen wurden trotz dieser unterschiedlichen Grundauffassungen des Bundes und Berlins einerseits sowie der drei Schutzmächte andererseits Regelungen getroffen, die den Bedürfnissen beider Seiten Rechnung tragen. So werden Bundesgesetze, die in Berlin gelten sollen, mit einer sogenannten „Berlin-Klausel" versehen und im Rahmen der „Mantelgesetzgebung" nach Berlin übernommen. Die Alliierten haben allerdings die Übernahme einiger Bundesgesetze nicht zugelassen. Dies gilt vor allem für Rechtsvorschriften aus dem Bereich der Verteidigung und der öffentlichen Sicherheit.

Auch die Gerichte und Verwaltungsbehörden des Bundes werden grundsätzlich in West-Berlin tätig. Zahlreiche Bundesdienststellen haben ihren Sitz in der Stadt. Dies gilt sogar für Oberste Bundesgerichte, wie das Bundesverwaltungsgericht und einen Strafsenat des Bundesgerichtshofs, und für Obere Bundesbehörden, wie das Bundeskartellamt. Einschränkungen aufgrund alliierter Vorbehalte gelten demgegenüber vor allem für die Verfassungsgerichtsbarkeit. Die Alliierten lehnten die Gültigkeit des Bundesverfassungsgerichtsgesetzes für West-Berlin ab. Dennoch ist das Bundesverfassungsgericht von einer Tätigkeit in sogenannten „Berliner Sachen" nicht schlechthin ausgeschlossen und hat beispielsweise unbeanstandet von den Alliierten die Geltung des Grundrechtsteils des Grundgesetzes in Berlin festgestellt.

Ferner wurde West-Berlin in internationale Verträge und Verpflichtungen des Bundes einbezogen und unterhält insbesondere keine selbständigen Beziehungen zu auswärtigen Staaten. Damit konnte unabhängig von der umstrittenen Frage der Gliedstaatsqualität eine weitgehende Rechtseinheit zwischen der Stadt und dem Bundesgebiet erreicht werden.

Demonstrative Bundespräsenz

Darüber hinaus bemühte sich die Bundesrepublik Deutschland, auch demonstrativ in West-Berlin in Erscheinung zu treten. So fand von 1954 bis 1969 die Wahl des Bundespräsidenten — der in der Stadt einen Amtssitz hat — in West-Berlin statt. Bundestag und Bundesrat, vor allem aber die Ausschüsse beider Körperschaften, hielten ebenfalls seit den 50er Jahren Sitzungen in Berlin ab. Das Reichstagsgebäude wurde für eine Benutzung durch den Bundestag wieder aufgebaut. Die Bundesregierung war — von gelegentlichen Kabinettssitzungen abgesehen — durch ständige Vertretungen der Ministerien in der Stadt präsent, deren Tätigkeit von dem Bevollmächtigten der Bundesrepublik Deutschland in Berlin koordiniert wurde.

Durch diese Akte der Bundespräsenz — die von den Alliierten nicht verhindert wurden — sollte einerseits die Unterstützung der Stadt in der Ost-West-Auseinandersetzung durch den Bund bekräftigt werden. Zum anderen aber sollte damit wohl auch der Hauptstadtanspruch Berlins für ganz Deutschland unterstrichen werden. Schließlich wurde auf diese Weise gegenüber der UdSSR und der DDR, aber in einem gewissen Umfang auch gegenüber den drei Schutzmächten, die Zugehörigkeit West-Berlins zum Bund dokumentiert.

Sektorengrenze zwischen West- und Ost-Berlin vor dem Bau der Mauer.

Ost-Berlin. Palast der Republik (früher befand sich an dieser Stelle das Berliner Schloß).

Sicherung der Lebensfähigkeit

Durch die Ereignisse der Kriegs- und Nachkriegszeit war Berlin seines natürlichen Hinterlandes, der ehemaligen deutschen Ostgebiete, beraubt worden. Die Abschnürung der Stadt seit der Blockade 1948/49 und schließlich durch den Mauerbau 1961 führte darüber hinaus zu einer weitgehenden Unterbrechung der wirtschaftlichen Verbindungen West-Berlins zu seinem unmittelbaren Umland, dem Gebiet der DDR. In dieser Situation war die Stadt auf die Hilfe und Unterstützung des Bundes auf finanziellem und wirtschaftlichem Gebiet angewiesen. Hierzu hatte sich die Bundesregierung in einem Vertrag über wirtschaftliche Zusammenarbeit mit den Vereinigten Staaten von 1949 und im Zusammenhang mit dem Abschluß des Deutschlandvertrages auch verpflichtet. Dieses Interesse des Bundes an der Aufrechterhaltung der Lebensfähigkeit der Stadt wurde auch von den Westalliierten geteilt, die damit ihrer Verantwortung für die Bevölkerung ebenso Rechnung trugen wie der Notwendigkeit, ihre Position gegenüber der UdSSR aufrechtzuerhalten.

Die Berlin-Hilfe — auf der Grundlage des sogenannten „Berlin-Hilfe-Gesetzes", jetzt „Berlinförderungsgesetz" — bestand einerseits aus unmittelbaren Zuwendungen aus dem Bundeshaushalt an den West-Berliner Landeshaushalt; zum anderen wurde sie in Form von steuerlicher Erleichterung gewährt, die Investitionen in der Stadt, aber auch eine Arbeitsaufnahme für Arbeitnehmer erleichtern und attraktiv machen sollten.

Auf dieser Weise konnte die wirtschaftliche Lebensfähigkeit West-Berlins erhalten und gestärkt werden. Die Stadt stellte in den Jahren der Ost-West-Konfrontation ein „Schaufenster des Westens" dar.

Gegenüber dem Ostsektor Berlins verfolgte die Bundesrepublik Deutschland keine grundsätzlich andere Politik als gegenüber der DDR allgemein. Zwar hielt die Bundesregierung — ebenso wie der West-Berliner Senat — lange an dem Grundsatz fest, daß die Stadt eine Einheit bilde, die nur widerrechtlich geteilt worden sei. Dies war jedoch nur ein Teilaspekt der allgemeinen Haltung gegenüber der Teilung Deutschlands. Die Bundesrepublik Deutschland hat jedoch niemals eine Eingliederung Ost-Berlins versucht oder verlangt, die mit der östlichen Politik gegenüber West-Berlin vergleichbar gewesen wäre.

Berlin (Ost) als „Hauptstadt" der DDR

Ost-Berlin wurde von vornherein weitgehend in die DDR integriert. So heißt es bereits in Art. 2 der Verfassung der DDR vom 7. Oktober 1949: „Die Hauptstadt der Republik ist Berlin." Dementsprechend haben alle Staatsorgane der DDR ihren Sitz in Ost-Berlin genommen. Die Einschränkungen, denen die Zuordnung West-Berlins zur Bundesrepublik Deutschland unterliegt, finden zum großen Teil keine Entsprechung in Ost-Berlin. Daß die DDR im auswärtigen Bereich auch für Ost-Berlin handelt, ist nie problematisch gewesen.

Einige Einschränkungen gab es lediglich dadurch, daß die Vertreter Ost-Berlins in der Volkskammer ebenfalls eine Sonderstellung hatten und nicht direkt gewählt, sondern durch die Stadtverordnetenversammlung entsandt wurden, und daß bis 1968 Gesetze und Verordnungen der DDR — ähnlich dem in West-Berlin praktizierten Verfahren — durch Übernahmeverordnung für Ost-Berlin gesondert in Kraft gesetzt wurden.

Die Rechtsauffassung der DDR geht dahin, daß ganz Berlin von vornherein in einem besonderen Verhältnis zur Sowjetischen Besatzungszone gestanden habe. Sie wurde darin stets von der UdSSR unterstützt, die bereits in einer Note an die Westmächte vom 14. Juli 1948 Berlin als „im Zentrum der Sowjetischen Besatzungszone" liegend und „einen Teil dieser Zone" darstellend bezeichnet hatte. Nach Auffassung der DDR sei Berlin ein Sondergebiet innerhalb der SBZ gewesen, an dessen Verwaltung die Westmächte mitwirkten. Die UdSSR habe der DDR zusammen mit den Hoheitsrechten über das Gebiet der DDR auch die ihr zustehende oberste Gewalt über Groß-Berlin übergeben. Infolgedessen sei Berlin nach der Verfassung (Art. 2) die Hauptstadt der DDR, die auf die Ausübung ihrer Souveränität über ganz Berlin Anspruch erheben könne. In einer Erklärung vor der Volkskammer vom 3. Dezember 1958 äußerte sich die DDR über die Lage Berlins: „Auch Westberlin gehört rechtens zur Deutschen Demokratischen Republik." Eine Note der DDR vom 7. Januar 1959 an die UdSSR spricht davon, daß „ganz Berlin" nach den Vier-Mächte-Vereinbarungen seit 1949 „zum Gebietsstand" der DDR gehöre.

Auch in den Rechtsauffassungen der DDR und der UdSSR waren jedoch gewisse Differenzen zu erkennen. Zwar stimmten beide Seiten darin überein, daß Ost-Berlin zu Recht Hauptstadt der DDR sei, während sich West-Berlin zu einer „selbständigen politischen Einheit" entwickelt habe, für die das Fehlen jeder Bindung an die Bundesrepublik Deutschland kennzeichnend sei. Dennoch kam in sowjetischen Äußerungen stärker zum Ausdruck, daß der UdSSR — jedenfalls was West-Berlin anginge — bestimmte Rechte zustünden, während die DDR eher ihre alleinige Zuständigkeit betonte.

Chruschtschows „Berlin-Ultimatum"

Im Zusammenhang mit den Anfang 1958 einsetzenden Erörterungen um eine Gipfelkonferenz wurde auch die Deutsche Frage — vor allem der Abschluß eines Friedensvertrages und die Wiedervereinigung — Gegenstand der west-östlichen Entspannungsdiskussion. Doch anstelle der allgemein erhofften Entspannung kam es Ende 1958/Anfang 1959 zu einer Zuspitzung der politischen Situation. In gleichlautenden Noten an die USA, Großbritannien und Frankreich vom 27. November 1958 sowie je einer Note an die Bundesregierung und an die DDR vom gleichen Tage hatte die UdSSR unter anderem ihre Vorstellungen zur Berlin-Frage fixiert. Indem sie in diesen Noten einerseits den Westmächten den Bruch des Potsdamer Abkommens vorwarf und die alliierten Vereinbarungen von 1944 und 1945 für ungültig erklärte und andererseits die Umwandlung West-Berlins in eine entmilitarisierte Freie Stadt forderte, richtete sie sich gleichzeitig gegen die westliche Präsenz in Berlin und die Bindungen der Stadt an die Bundesrepublik Deutschland. Darüber hinaus schlug die UdSSR Verhandlungen zur Klärung der Lage vor, an deren Zustand sie in einem Zeitraum von sechs Monaten nichts ändern wolle.

Mit dem Bau der Mauer in Berlin am 13. August 1961 wurde die politische Situation erneut verschärft. Für die Wirtschaft West-Berlins, deren Entwicklung ohnehin durch die Insellage erschwert war, bedeutete der Mauerbau durch das Ausbleiben von Arbeitskräften aus der Umgebung eine weitere Schwächung, woraus sich wiederum die Notwendigkeit verstärkter Hilfeleistungen des Bundes ergab. Die Bevölkerung der Stadt aber wurde für lange Zeit getrennt. Es gab lediglich zwischen 1963 und 1966 vier Passierscheinabkommen.

Behinderungen auf den Zugangswegen

Während die östliche Seite ihre Auffassung, an sich gehöre West-Berlin zur DDR, zwar verbal vertreten, aber nicht erfolgreich durchgesetzt hat, wandte sie sich stets energisch gegen alle Maßnahmen, in denen sie einen Ausdruck der Zugehörigkeit West-Berlins zur Bundesrepublik Deutschland erblickte. Dies gilt vor allem für die Akte der demonstrativen Bundespräsenz. Insbesondere die offizielle Tätigkeit von Repräsentanten des Bundes in Berlin, und hier wiederum die Tagungen seiner Körperschaften, wurden von der DDR mit heftigen Protesterklärungen begleitet. Darüber hinaus wurden aber auch einzelne Veranstaltungen tatsächlich behindert. Während die UdSSR durch Tiefflüge von Militärmaschinen ihren Unwillen bekundete, sperrten die DDR-Organe die Zugangswege oder nahmen die Abfertigung an den Kontrollpunkten mit erheblicher Verzögerung vor. In besonderem Maße war dies der Fall bei der 5. Sitzung des Deutschen Bundestages im April 1965 und noch während der Bundesversammlung im März 1969.

8. Die Entwicklung der Deutschen Frage

Wiedervereinigung durch Neutralisierung und Entspannung?

In der ersten Hälfte des Jahres 1955 hatte die von Bundeskanzler Adenauer konsequent betriebene Politik der politischen, wirtschaftlichen und militärischen Eingliederung der Bundesrepublik Deutschland in die westeuropäischen bzw. atlantischen Zusammenschlüsse ihren vorläufigen Abschluß gefunden. Es schien so, als könne die souveräne Bundesrepublik nunmehr auf stabiler Grundlage und mit Unterstützung der westlichen Bündnispartner ihre politischen Leitlinien mit Entschiedenheit weiter verfolgen und zum Ziel der Wiedervereinigung gelangen. Eben diese Erwartung erfüllte sich jedoch nicht, weil die Sowjetunion, als sie erkannt hatte, daß die Wiederbewaffnung nicht mehr zu verhindern war, eine neue politische Richtung einschlug.

Die von den vier Alliierten im Staatsvertrag von 1955 beschlossene Neutralisierung Österreichs wurde insbesondere von amerikanischer Seite als sowjetisches Schwächeanzeichen gedeutet. Man glaubte, daraus die Schlußfolgerung ziehen zu dürfen, daß auf diesem Wege auch anderswo in Europa eine Zurückdrängung der Sowjets möglich sein würde. Gleichzeitig erwartete man von laufenden Verhandlungen eine Entspannung in der Ost-West-Auseinandersetzung und als Folge davon einen Abbau der atomaren Rüstungskosten sowie des nuklearen Kriegsrisikos. Diese Überlegungen mußten zwangsläufig dazu führen, daß die Deutschlandfrage zumindest in einem neuen Zusammenhang gesehen wurde, wenn man sie nicht gar als störend gegenüber dieser neuen Gesamtlinie betrachtete. Die Sowjetunion förderte diesen Prozeß, indem sie auch für Deutschland einen Neutralisierungsvorschlag unterbreitete.

Bundeskanzler Adenauer beurteilte diese Vorstellungen und Vorschläge mit großer Skepsis und verstärkte sein Bemühen bei den westlichen Partnern, die Deutsche Frage weiterhin als Kernpunkt der europäischen Politik zu betrachten. Es gelang ihm, die Westmächte darauf festzulegen, daß sie auf der Genfer Gipfelkonferenz (17. — 23. 7. 1955; Eisenhower, Eden, Faure, Bulganin) alle Pläne für ein europäisches Sicherheitssystem ausschließlich in Verbindung mit der Wiedervereinigung Deutschlands diskutierten und eine Neutralisierung Deutschlands von vornherein ablehnten. Die Genfer Konferenz bildete dennoch den Beginn einer Phase, in der die Deutsche Frage in den Hintergrund zu rücken begann:

— Beide Seiten trafen sich in dem Wunsch, in Europa eine militärische Verdünnungszone zu schaffen; darauf sollte eventuell eine allgemeine kontrollierte Rüstungsbegrenzung folgen.

— Der „Geist von Genf" schien eine Entspannung im „Kalten Krieg" und ein Sichabfinden der Großmächte mit der Teilung Deutschlands zu signalisieren.

Sofortige Folgerungen in diese Richtung wurden allerdings in der Zeit unmittelbar nach der Konferenz nicht gezogen. Dies war im wesentlichen auf eine Reihe von politischen Ereignissen im Jahre 1956 zurückzuführen, die weltweites Aufsehen erregten und die Vorbedingungen für die neue politische Linie zum Teil wieder aufhoben:

„Geheimrede" Chruschtschows — „Entstalinisierung"

Im Februar 1956 hatte Chruschtschow auf dem 20. Parteitag der KPdSU eine Geheimrede gehalten, die nach ihrem Bekanntwerden im Westen als spektakulärer Auftakt zur „Entstalinisierung" gewertet wurde. Manche westlichen Politiker knüpften daran die Erwartung, eine entscheidende Wandlung des sowjetischen Herrschaftssystems stehe unmittelbar bevor, es werde in Kürze auch zu einer Lockerung des Satellitengefüges im Ostblock kommen. George Kennan, der amerikanische Botschafter in Moskau, schlug vor, die Situation in der Weise zu nützen, daß in Mitteleuropa ein neutraler Gürtel unter Einbeziehung des wiedervereinigten Deutschland angestrebt werde. Diese „Disengagement-Politik" stieß auf den Widerstand jener, die den Entstalinisierungsprozeß als innenpolitischen Vorgang werteten, der das außenpolitische Grundkonzept der kommunistischen Weltrevolution unberührt gelassen habe. Zu ihnen gehörte Bundeskanzler Adenauer, der vor einer „Aufweichung" der westlichen Abwehrfront entschieden warnte.

Volksaufstände in Polen und Ungarn

Im Herbst 1956 fanden in Polen und Ungarn antisowjetische Volksaufstände statt, die die Menschen im Westen tief erregten; schien es zunächst doch, als kündige sich die gewaltsame „Selbstbefreiung" der osteuropäischen Völker vom sowjetischen Joch in eindrucksvoller Weise an. Die Sowjetunion hatte jedoch, vor allem in Ungarn mit äußerster Brutalität eingegriffen und keinen Zweifel an ihrer Entschlossenheit gelassen, das Satellitensystem in ihrem Machtbereich aufrechtzuerhalten. Bundeskanzler Adenauer folgerte, die Sowjets würden nun keinesfalls mehr einem Rückzug aus Mitteleuropa zustimmen; daher sei die Wiedervereinigung auf dem Weg der Neutralisierung nicht zu erreichen.

Suez-Aktion

Die Krisen in Polen und Ungarn hatten die politische Stellung und das Selbstbewußtsein des Westens außerordentlich gestärkt. Deshalb bedeutete die militärische Aktion Englands und Frankreichs gegen die ägyptische Besetzung der Suez-Kanalzone einen katastrophalen moralischen Rückschlag. Entgegen den amerikanischen Vorstellungen hatte sich insbesondere der britische Premierminister Eden für eine Strafexpedition gegen Ägypten stark gemacht, die Erinnerungen an imperialistische Kolonialpolitikpraktiken des 19. Jahrhunderts wecken mußte. Die Gleichzeitigkeit der sowjetischen Invasion in Ungarn und der britisch-französischen Landung in Port-Said beraubte den Westen der Möglichkeit, aus der Ostblockkrise politischen Gewinn zu ziehen.

Für die Bundesrepublik Deutschland ergab sich die bittere Folge, daß die Deutsche Frage aufgrund der Ereignisse des Jahres 1956 aus dem Blickfeld der Blockführungsmächte geriet; der Weg zur Wiedervereinigung schien in der unmittelbaren Zukunft verbaut.

Der Rapacki-Plan

Die Debatte um Entspannung und Neutralisierung wurde 1957 noch einmal durch einen Vorschlag des polnischen Außenministers Rapacki belebt. Am 2. Oktober 1957 schlug er in einer Rede vor der Vollversammlung der Vereinten Nationen eine kernwaffenfreie Zone in Europa vor. Der Plan wurde später in einem Memorandum konkretisiert:

1. Schaffung einer atomwaffenfreien Zone mit den Gebieten der Bundesrepublik Deutschland, der DDR, Polens und der Tschechoslowakei;

2. Verpflichtung dieser Staaten, keine Atomwaffen herzustellen, zu besitzen oder auf ihrem Staatsgebiet zu stationieren, ebenso nicht Zusatzgeräte für Atomwaffen;

3. Verpflichtung Frankreichs, Großbritanniens, der UdSSR und der USA, ihre in den genannten Staaten stationierten Truppen nicht mit atomaren Waffen auszurüsten, dort keine atomaren Zusatzgeräte aufzustellen und weder die einen noch die andern diesen Staaten zu übergeben;

4. gleiche Verpflichtung aller anderen Staaten, die möglicherweise zukünftig Truppen in den genannten Gebieten stationieren;

5. Verpflichtung der Atommächte, gegen die genannten Staaten keine Atomwaffen einzusetzen;

6. Einrichtung eines Kontrollsystems zur Gewährleistung dieser Verpflichtungen.

Die östliche Seite schlug in den fünfziger Jahren in immer neuen Variationen direkte Verhandlungen zwischen den beiden deutschen Staaten vor. Das Plakat nennt die schlagwortartige Forderung jener Jahre: „Deutsche an einen Tisch".

Die Bundesrepublik Deutschland forderte demgegenüber freie Wahlen als ersten Schritt zur Wiedervereinigung.

Im Januar 1958 lehnte die Bundesregierung diesen Vorschlag ab, da er die Verteidigungsbemühungen der NATO einseitig beschränke und damit Frieden und Sicherheit in Europa gefährde. Zur Wiederherstellung der deutschen Einheit sei der Plan untauglich. Er ziele ganz offenkundig auf eine Schwächung des Westens und auf eine „Anerkennung der sowjetisch besetzten Zone als Verhandlungs- und Vertragspartner".

Wiedervereinigung durch „Konföderation"?

Am 31. Dezember 1956 schlug Walter Ulbricht in einem Artikel im „Neuen Deutschland" vor:

„Ist es also nicht notwendig, daß im Interesse der Wiedervereinigung die Arbeiterklasse ganz Deutschlands den Kampf gegen den Militarismus und die Herrschaft der großen Monopole in Westdeutschland führt und zu diesem Zweck eine Verständigung zwischen den Arbeiterparteien und den Gewerkschaften ganz Deutschlands erfolgt? Nachdem in Deutschland zwei Staaten mit verschiedenen gesellschaftlichen Systemen bestehen, ist es notwendig, zunächst eine Annäherung der beiden deutschen Staaten herbeizuführen, später eine Zwischenlösung in Form der Konföderation zu finden, bis es möglich ist, die Wiedervereinigung und wirklich demokratische Wahlen zur Nationalversammlung zu erreichen."

179

Ulbricht ergänzte diese Ausführungen am 3. Februar 1957 durch den Vorschlag,

einen gesamtdeutschen Rat, der sich paritätisch aus Vertretern beider deutscher Staaten zusammensetzt, zu bilden. Die Mitglieder des Rates sollten in beiden Teilen Deutschlands aufgrund der geltenden Wahlgesetze gewählt werden. Ein solcher gesamtdeutscher Rat wäre ein Organ der Vereinigung Ost- und Westdeutschlands auf der Grundlage der Konföderation, das heißt eines Staatenbundes, der aus beiden deutschen Staaten — der DDR und der deutschen Bundesrepublik — gebildet würde.

Mit dieser Initiative verschoben die DDR und die Sowjetunion das Problem der Wiedervereinigung einerseits auf eine Ebene, die für die Bundesrepublik aufgrund der Bindung an ihre politischen Leitlinien keinesfalls betreten werden konnte; andererseits erlaubte sie Moskau, sich aus der unmittelbaren Adressatenrolle für die Deutsche Frage zurückzuziehen. Die Bundesregierung reagierte deshalb auch sofort mit einem direkten Schreiben an Bulganin (vom 27. 2. 1957), in dem es hieß:

Sie sprechen in Ihrem Brief (vom 5. 2. 1957) davon, daß man von der Tatsache des Bestehens zweier deutscher Staaten ausgehen müsse. Diese Auffassung kann ich, wie Ihnen zur Genüge bekannt ist, nicht teilen. Ich bitte Sie, meine Empfindungen zu verstehen, wenn ich Ihnen mit allem Nachdruck und allem Ernst sage: Sie, Herr Ministerpräsident, und Herr Generalsekretär Chruschtschow haben bei den Moskauer Verhandlungen ausdrücklich anerkannt, daß die Sowjetunion als Besatzungsmacht verpflichtet ist, zusammen mit den drei Westmächten die Einheit Deutschlands wiederherzustellen. Diese Verpflichtung der Sowjetunion besteht, und sie muß erfüllt werden...

Die drei Westmächte sind zur Lösung der Frage bereit... (Ich bitte) Sie, Herr Ministerpräsident, ...sich der Verpflichtung der Wiederherstellung der staatlichen Einheit Deutschlands nicht dadurch zu entziehen, daß Sie die Existenz zweier deutscher Staaten betonen und erklären, eine Lösung des deutschen Problems könne nur durch eine Annäherung zwischen der ‚DDR' und der BRD gefunden werden. Nichts würde dem deutsch-sowjetischen Verhältnis und dem Frieden in Europa und der Welt mehr dienen als der Beweis echter Achtung von dem Selbstbestimmungsrecht der Völker, den Sie und Ihre Regierung mit der Zustimmung zur alsbaldigen Vereinigung der beiden Teile Deutschlands aufgrund gesamtdeutscher freier Wahlen erbringen könnten. Geben Sie 17 Millionen Deutsche frei, Herr Ministerpräsident, und sie werden einer freundschaftlichen Zusammenarbeit unserer beiden Länder einen außerordentlich großen Dienst erweisen.

In einem Memorandum vom 20. Mai 1957 erläuterte sodann die Bundesregierung ihren Standpunkt in allen Einzelheiten.

Der Konföderationsvorschlag wurde von der Sowjetunion und der DDR noch für längere Zeit als vorgeblich einzig gangbarer Weg zur Vereinigung Deutschlands bezeichnet.

Aufgrund der östlichen Haltung war die Einsicht unvermeidlich, daß kurz- oder mittelfristig die Wiedervereinigung nicht erreicht werden konnte. Bundeskanzler Adenauer entwickelte deshalb Initiativen, die ein neues Nahziel anvisierten, ohne daß die Hauptsache aus den Augen verloren wurde. Die Sorge um die Lage der ostdeutschen Bevölkerung führte zu Überlegungen, die als „Österreich-Plan" konkretisiert wurden: Die

DDR solle einen Österreich vergleichbaren Status erhalten. Adenauer glaubte, damit einerseits die Interessen der Sowjetunion hinreichend zu berücksichtigen und andererseits eine Humanisierung der Verhältnisse in der DDR erreichen zu können. Dieser im März 1958 dem sowjetischen Botschafter in Bonn unterbreitete Vorschlag wurde von Moskau nicht beachtet. Etwa ein Jahr später kam es in Bonn zur Formulierung eines weiteren Vorschlags, der zum einen die gegenwärtige Situation in Rechnung stellte, zum anderen aber doch Bewegung in die Gegebenheiten bringen sollte: Für eine Zeitspanne von fünf Jahren sollte am Status quo festgehalten werden; danach würden in beiden Teilen Deutschlands Volksabstimmungen über die Frage der Wiedervereinigung abgehalten werden. Bei mehrheitlicher Zustimmung wäre sie unmittelbar darauf herzustellen, im Falle der Ablehnung in einem Teil erhielten beide Teile den Status souveräner Staaten. Für Berlin war ein besonderer Status unter der Garantie der Vereinten Nationen vorgesehen. Dieser nach dem Staatssekretär im Kanzleramt, Globke, benannte Plan wurde länger im Gespräch gehalten und ebenfalls dem Sowjetbotschafter unterbreitet. Eine positive Reaktion von östlicher Seite erfolgte nicht.

Etwa zur gleichen Zeit veröffentlichte die SPD ihren „Deutschland-Plan" (März 1959): Nach der Verwirklichung der militärischen Entspannung in Mitteleuropa sollte in einer dreistufigen Entwicklung die politische und wirtschaftliche Zusammenführung der beiden Teile Deutschlands bewerkstelligt werden (Bildung einer Gesamtdeutschen Konferenz, Zusammentritt eines Gesamtdeutschen Parlamentarischen Rates, Wahl einer Verfassunggebenden Nationalversammlung). Die Bundesregierung lehnte den Plan ab. Im Hinblick auf die Bundestagswahlen von 1961 setzte sich in der SPD die Ansicht durch, es solle eine gemeinsame Außenpolitik mit der Bundesregierung angestrebt werden, der Sicherheit der Bundesrepublik sei der Vorrang vor der Wiedervereinigung einzuräumen.

Wiedervereinigung durch Friedensvertrag?

Am 4. September 1958 übermittelte die DDR der Bundesregierung eine Note, in der sie die Bildung einer Vier-Mächte-Kommission und einer Kommission aus Vertretern beider deutscher Staaten zur Vorbereitung eines Friedensvertrages vorschlug. Der Bundestag hatte bereits am 2. Juli 1958 einstimmig den Beschluß gefaßt:

„Um die Wiederherstellung der deutschen Einheit zu fördern, wird die Bundesregierung beauftragt, sich bei den Vier Mächten... dafür einzusetzen, daß... auf einer künftigen internationalen Konferenz (Gipfelkonferenz) oder auch unabhängig davon ein Vier-Mächte-Gremium (mindestens im Range einer Botschafter-Konferenz) mit dem Auftrag gebildet wird, gemeinsame Vorschläge zur Lösung der deutschen Frage zu erarbeiten."

Diese Entschließung wurde nunmehr den vier Mächten offiziell zugeleitet. Da jedoch die östliche Seite unabdingbar auf der gleichzeitigen Bildung einer zweiseitigen deutschen Kommission beharrte, kam es zu keinerlei Fortschritten. Das sowjetische Berlin-Ultimatum vom November 1958 führte sogar zu einer erneuten empfindlichen Verschärfung der Gegensätze. Im Januar 1959 ergriff die Sowjetunion mit einem neuerlichen Friedensvertragsentwurf die Initiative. Er enthielt im wesentlichen die bereits früher (1952) gemachten Vorschläge, verändert freilich durch die neuen Leitlinien ihrer Deutschland- und Berlin-Politik: Zwei-Staaten-Theorie, Konföderationsplan, Neutralität mit zugestandenen eigenen nationalen Streitkräften, Berlin als „entmilitarisierte Freie Stadt".

Bundesregierung und Westmächte reagierten ihrerseits mit einem entschiedenen Nein und schlugen eine Außenministerkonferenz vor. Sie kam im Mai 1959 in Genf zustande. Erstmals nahmen daran auch Delegationen der Bundesrepublik Deutschland und der DDR als gleichberechtigte Berater teil, was für Ost-Berlin fraglos eine bemerkenswerte diplomatische Aufwertung bedeutete.

Kernstück der Verhandlungsrunde war der vom amerikanischen Außenminister Herter vorgelegte westliche Friedensplan, der die Wiederherstellung der deutschen Einheit mit der Schaffung eines europäischen Sicherheitssystems zu verbinden versuchte. In der zweieinhalbjährigen Anfangsphase sollten Wahlen für eine gesamtdeutsche Verfassung durch einen gemischten Ausschuß aus 25 westdeutschen und 10 ostdeutschen Vertretern vorbereitet werden. Obschon der Westen dieses Verfahren als Entgegenkommen gegenüber den östlichen Gesprächspartnern interpretierte, wurde es abgelehnt, da

Kennedy und Chruschtschow in Wien im Juni 1961.

Kernstücke der sowjetischen und ostdeutschen Vorstellungen unberücksichtigt geblieben seien. Damit endete auch die Konferenz ergebnislos, freilich mit einer erneuten Drohung der Sowjetunion, bei weiterer „Verzögerung" durch die Westmächte einseitig einen Friedensvertrag mit der DDR abzuschließen.

Dieser Diskussionsstand wurde in den folgenden Jahren nicht mehr überschritten. Auf Gipfeltreffen in Camp David (September 1959; Eisenhower — Chruschtschow) und Wien (Juni 1961; Kennedy — Chruschtschow) wurde jeweils über die Deutschland- und Berlin-Frage verhandelt. Aber weder der scheinbar versöhnliche „Geist von Camp David" noch die Einschüchterungs- und Drohgebärden Chruschtschows in Wien bewirkten eine grundsätzliche Veränderung der Standpunkte.

Besiegelung der Spaltung Deutschlands durch den Mauerbau?

Bereits vor seinem Treffen mit Chruschtschow in Wien hatte Kennedy eine „Politik der Stärke" proklamiert: Angesichts des atomaren Patts der beiden Weltmächte sollte der Status quo in Europa gesichert werden. Die westliche Verteidigungskonzeption wurde neu gestaltet: Seit Mitte der 50er Jahre hatte der Schwerpunkt auf der nuklearen Verteidigung gelegen, jetzt sollte ein stufenweises Reagieren auf östliche Angriffshandlungen ermöglicht werden. Dies bedingte vor allem eine Verstärkung der konventionellen Streitkräfte und nichtatomaren Waffen, um nicht sofort Kernwaffen einsetzen zu müssen. Kennedy erhöhte demonstrativ den amerikanischen Verteidigungshaushalt und verlangte auch von den europäischen Verbündeten größere Leistungen. Die Wiener Erfahrungen mit Chruschtschow führten zu dem Entschluß, unmißverständlich deutlich zu machen, daß die USA ihre Stellung in Europa und insbesondere in Berlin unter keinen Umständen antasten lassen würden. In einer Fernsehrede am 27. Juli 1961 erklärte Kennedy eindeutig, daß man notfalls für die amerikanische Anwesenheit in Berlin auch kämpfen werde. Die US-Streitkräfte in Europa würden um 200 000 Mann erhöht und das See- und Lufttransportsystem ausgeweitet. Gegenüber Chruschtschows Ultimatum, West-Berlin im Zusammenhang mit dem Sonderfriedensvertrag zwischen der Sowjetunion und der DDR zur „Freien Stadt" zu machen und damit die Rechte der Westmächte in Berlin „erlöschen" zu lassen, war damit eine klare Grenze gezogen.

Angesichts dieser neuen Krise um den Kristallisationspunkt Berlin in der Ost-West-Auseinandersetzung war die Bundesregierung in einer überaus schwierigen Lage: Sie mußte einerseits die amerikanische Stärkedemonstration begrüßen, konnte sich aber andererseits nicht mit dem Hauptziel — Erhaltung und Stabilisierung des Status quo — identifizieren. Für die auf Wiedervereinigung festgelegte deutsche Politik konnte die Festigung der westlichen Positionen nur ein Mittel zum Zweck, nicht das eigentliche Ziel sein. Man fürchtete, die neue amerikanische Politik laufe auf ein Sich-Abfinden mit der deutschen Teilung hinaus.

Flucht aus der DDR

Auf der Gegenseite war Chruschtschow nicht nur wegen seiner starken Worte in Wien zum Handeln gezwungen: Seit 1945, verstärkt seit 1949 war ein Strom von Menschen aus Ostdeutschland in den Westen geflüchtet. Diese „Abstimmung mit den Füßen"

Die Flucht aus der DDR erreicht im Juli 1961 ihren Höhepunkt; 30.000 Flüchtlinge werden in diesem Monat im Notaufnahmelager Berlin-Marienfelde gezählt.

Soldaten der Volkspolizei der DDR beim Errichten der Mauer an der Sektorengrenze in der Sebastianstraße (August 1961).

gegen das Ost-Berliner Regime war in der Bundesrepublik Deutschland als überzeugender Beweis für die eigene Auffassung gesehen worden, keinerlei Zugeständnisse in Richtung auf eine politische Anerkennung der Ulbrichtregierung zu machen. Seit 1945 bis Mitte 1961 hatten insgesamt 2 739 000 Menschen (= 15,2 % der Bevölkerung von 1945) die DDR verlassen. Je nach der politischen Gesamtlage waren es in den einzelnen Jahren unterschiedlich viele gewesen, zum Beispiel 1953: 331 390, 1959: 143 917. In der ersten Jahreshälfte 1961 war die Fluchtbewegung wieder stark angeschwollen: Im Juli waren allein 30 000 Menschen „in den Westen" gegangen, seit Januar bereits ca. 200 000. Da innerhalb Berlins eine freie Bewegung möglich war, kamen die Flüchtlinge zumeist mit den öffentlichen Verkehrsmitteln in das Aufnahmelager nach Marienfelde in West-Berlin und suchten um Asyl nach.

Die Mauer

Wie man heute weiß, waren sich die führenden Persönlichkeiten im Weißen Haus darüber im klaren, daß Chruschtschow würde handeln müssen. Walt Rostow, ein Vertrauter Kennedys, berichtet von einem Gespräch mit Kennedy Anfang August 1961:

„Ich unterhielt mich mit Präsident Kennedy, während wir am Swimming-Pool im Weißen Haus spazierengingen. Plötzlich drehte sich der Präsident zu mir und sagte: Chruschtschow steht vor einer unerträglichen Situation. Ostdeutschland blutet aus, und damit ist der ganze Ostblock in Gefahr. Er muß etwas tun, um das aufzuhalten. Vielleicht eine Mauer."

Die „gefaßte Haltung" der Westmächte, als es dann am 13. August 1961 tatsächlich dazu kam, erklärt sich aus dieser Lageeinschätzung. Die Enttäuschung auf deutscher Seite über die Passivität der Amerikaner war groß. Während man hier die brutale Aktion der totalen Absperrung als eine ungeheure Provokation empfand, der gegenüber Gegenmaßnahmen absolut unvermeidlich seien, interpretierte der amerikanische Außenminister das Ereignis noch am 13. August als „Vorgang innerhalb des sowjetischen Machtbereichs", der die für die Westmächte unabdingbaren Positionen nicht berührt habe: den freien Zugang nach Berlin und ihre Stellung in West-Berlin. Gegen die durch die Absperrung erfolgte Verletzung des Vier-Mächte-Status von Berlin werde man natürlich protestieren. Weder von einem „Einreißen" der Mauer, noch von einem „Panzergegenstoß", noch von ähnlichen massiven Aktionen zur Wiederherstellung des vorherigen Zustandes, wie sie teilweise von der deutschen Bevölkerung erwartet worden waren, war auch nur die Rede.

Die Frage des Regierenden Bürgermeisters von Berlin, Willy Brandt, was angesichts der neuen Lage aus den Wiedervereinigungsbemühungen der Bundesregierung und aus dem Wiedervereinigungsgebot des Bundesverfassungsgerichts geworden sei, unterstrich ebenso die Ohnmacht der Bundesrepublik Deutschland wie die Worte Adenauers, die Wiedervereinigung werde dennoch kommen und Berlin wieder die Hauptstadt des wiedervereinigten Deutschland werden.

Die als bestürzend nachgiebig empfundene amerikanische Verhaltensweise löste insbesondere in Berlin ein Gefühl der Enttäuschung und Entmutigung aus. Um dem entgegenzuwirken, schickte Kennedy Vizepräsident Johnson und den aus den Tagen der

Luftbrücke (1948/49) bei den Berlinern sehr populären General Clay nach Berlin. Es kam zur Festlegung der drei Bedingungen, die für die Folgezeit als die wesentlichen Voraussetzungen für Frieden und Sicherheit West-Berlins Gültigkeit behielten:

— Das Recht der Westmächte auf Anwesenheit in Berlin,

— der freie Zugang nach Berlin vom Gebiet der Bundesrepublik Deutschland aus,

— die wirtschaftliche Verflechtung West-Berlins mit der Bundesrepublik Deutschland zur Sicherung der Lebensgrundlagen für die Teilstadt.

Diese als „essentials" bezeichneten Grundsätze sollten notfalls mit Waffengewalt und sei es bis zur atomaren Eskalation verteidigt werden.

So klar diese „Berlin-Garantie" auch formuliert war, sie konnte niemanden darüber hinwegtäuschen, daß damit gleichzeitig die Wiedervereinigungspolitik auf unabsehbare Zeit zum Stillstand verurteilt wurde: Beide Block-Führungsmächte hatten ihren Einflußbereich abgesteckt. Dies mochte für sie ein Schutz vor immer neuen Krisen und Unsicherheiten sein. Für die Regierung in Ost-Berlin konnte die neue Lage nur von Vorteil sein, weil sich ihre Gesamtsituation, wenn auch „eingemauert", festigte; für die Bundesregierung und ihre Deutschlandpolitik bedeutete der Vorgang einen Rückschlag, da das Arrangement der Block-Führungsmächte die Wiedervereinigungsbemühungen zur Illusion zu machen schien. Natürlich wurde nicht sofort von einem notwendig gewordenen neuen Konzept gesprochen, aber daß die von Adenauer geprägte politische Linie sich ihrem Ende zuneigte, war vielen bewußt.

Wiedervereinigung durch „Politik der kleinen Schritte"?

Der Mauerbau hatte die Spannungen zwischen den USA und der Sowjetunion zwar in Berlin und in der Deutschlandfrage gemildert — weil beide Seiten die Abgrenzung der Einflußsphären akzeptierten —, aber global gesehen ging die Auseinandersetzung durchaus weiter. Erst nachdem in der Kuba-Krise im Oktober 1962 die USA den Abbau der sowjetischen Raketenbasen durch die Androhung kriegerischer Gegenmaßnahmen erzwungen hatten, waren die Positionen der beiden Weltmächte „abgeklärt".

Für die Lage in Deutschland bedeutete dies alles dennoch keine Beruhigung: Die Fluchtbewegung über die Mauer und den Eisernen Vorhang hielt an. Aufgrund der immer raffinierter gestalteten Absperrmaßnahmen und des rigorosen Schußwaffengebrauchs der ostdeutschen Grenzstreitkräfte endete sie jetzt jedoch für viele Menschen tödlich. Die Unmenschlichkeit der Situation wurde besonders drastisch am 17. August 1962 sichtbar: Als der 18 Jahre alte Ost-Berliner Bauarbeiter Peter Fechter in der Nähe der Friedrichstraße über die Mauer zu fliehen versuchte, wurde er von Grenzposten der „Nationalen Volksarmee" angeschossen. Er fiel auf Ost-Berliner Gebiet zurück und verblutete langsam im Grenzstreifen, da von östlicher Seite keine Hilfe geleistet wurde und vom Westen her ein Zugang nicht möglich war.

Die Unerträglichkeit dieser Vorgänge war der eine Grund für die Bundesregierung, auf eine Veränderung der Situation zu drängen; der andere lag in der Gefährdung westdeutscher Grundpositionen durch die von der Sowjetunion propagierte „Friedliche Koexistenz". Auf dem 6. Parteitag der SED bezog Chruschtschow in seiner Rede

Volkspolizei vor dem Brandenburger Tor (13. 8. 1961)

Die Wohnung dieser Familie liegt unmittelbar an der Sektorengrenze. Nach dem 13. August wird die Haustür von innen zugemauert, aber der Sprung aus dem Fenster der Wohnung im Hochparterre genügt zur Flucht nach West-Berlin.

(Januar 1963) die „Sicherung einer friedlichen Koexistenz der beiden deutschen Staaten" als „eine Aufgabe von Weltbedeutung" in das neue strategische Konzept mit ein. Der Mauerbau sei der wichtigste Schritt zur Festigung der Souveränität der DDR gewesen, der Abschluß eines Friedensvertrages sei jetzt kein so drängendes Problem mehr.

Verbesserung der Beziehungen zu Osteuropa

Angesichts dieser Entwicklung bedeutete der Besuch des amerikanischen Präsidenten Kennedy in Berlin (26. Juni 1963) eine Demonstration der Freundschaft und der Sicherheitsgarantie für „diesen Teil der Bundesrepublik" (Adenauer). Um das zentrale Ziel der Wiedervereinigung auch unter den veränderten Bedingungen verfolgen zu können, begann die Bundesregierung neue außenpolitische Aktivitäten zu entwickeln. In einer Rede in Düsseldorf sagte Außenminister Schröder am 28. Juni 1963:

„Wir haben verschiedentlich den Wunsch nach besseren deutsch-sowjetischen Beziehungen ausgesprochen. Mit diesem Wunsch ist es uns durchaus ernst. Indessen dürfen wir nicht übersehen, daß das zentrale Problem in unseren Beziehungen die Berlin- und Deutschland-Frage ist. Sie bestimmt das Verhältnis zwischen uns und Moskau. Entscheidend verbessern läßt es sich nur, wenn in dieser Frage Fortschritte erzielt werden. Denn darüber darf kein Zweifel aufkommen: Das Selbstbestimmungsrecht der Deutschen in der Sowjetzone, die Freiheit und Lebensfähigkeit West-Berlins

Präsident John F. Kennedy spricht am 26. Juni 1963 in West-Berlin und bekräftigt mit den Worten: „Ich bin ein Berliner" das US-Engagement für ein freies Berlin (West).

sind für uns keine Handelsobjekte. Wir werden wahrscheinlich in einiger Zeit wieder mit der Sowjetunion über ein neues Wirtschaftsabkommen verhandeln...

Vielleicht könnte man mit Moskau auch über einen intensiven Kulturaustausch... sprechen. Das sind allerdings nur kleine Schritte, und ich weiß nicht, ob sie die sowjetische Haltung in den entscheidenden politischen Fragen, die zwischen uns stehen, sehr beeinflussen werden... Wie Sie wissen, haben wir kürzlich mit der polnischen Regierung Verhandlungen geführt, die befriedigend verlaufen sind. (Vor einem Jahr) regte ich an, bessere Kontakte mit den osteuropäischen Völkern herzustellen und auch die Möglichkeiten des Wirtschaftsaustausches zu prüfen. Die Vereinbarungen, die wir kürzlich mit der polnischen Regierung getroffen haben, sind ein erster Schritt auf diesem Wege. Zu dieser Politik bewog uns der Wunsch, den amtlichen Kontakt zu den Staaten Osteuropa wiederherzustellen, die Atmosphäre zu entspannen, menschliche und kulturelle Beziehungen zu knüpfen und das Verhältnis für die gegenseitigen Probleme zu fördern."

Der zweite Bundeskanzler der Bundesrepublik Deutschland, Prof. Erhard, sagte in seiner Regierungserklärung am 18. Oktober 1963:

„Wir sind uns alle darüber klar, daß auf dem Weg zur Wiederherstellung der deutschen Einheit große Schwierigkeiten zu überwinden sind. Der Weg mag lang und dornenvoll sein... Am Ende des Weges muß nach der Überzeugung der Bundesregierung ein Friedensvertrag stehen, der von einer in freien Wahlen gebildeten gesamtdeutschen Regierung frei verhandelt und geschlossen wird. In diesem Vertrag — und nur in ihm — können und müssen die endgültigen Grenzen Deutschlands, das nach gültiger Rechtsauffassung in seinen Grenzen vom 31. Dezember 1937 fortbesteht, festgelegt werden."

Im Rückblick kann gesagt werden, daß beide Äußerungen als symptomatisch für die Außenpolitik der ersten Nach-Adenauer-Phase gelten können: Bei aller Festigkeit bezüglich des Gesamtziels der Deutschlandpolitik sollte die Annäherung an die osteuropäischen Staaten einen Wandel des Status quo bewirken. Nach dem Konzept von Außenminister Schröder sollte die Verbesserung der deutschen Beziehungen in Osteuropa als Hebel gegenüber der DDR wirken. Der amerikanische Professor Brzezinski formulierte es so:

„Um das osteuropäische Interesse an Ostdeutschland auszuhöhlen, muß der Westen seine Haltung gegenüber Ostdeutschland und dem übrigen Osteuropa scharf differenzieren. Gegenüber Ostdeutschland ist eine Politik der Isolation geboten; gegenüber Osteuropa eine Politik des friedlichen Engagements — in wirtschaftlicher, kultureller und schließlich auch politischer Hinsicht. Nur so wird Ostdeutschland auf der Landkarte Europas zu einem politischen Anachronismus werden — eine Quelle stetiger Peinlichkeiten für Moskau und nicht länger ein Sicherheitsfaktor für die Osteuropäer."

Egon Bahr: „Wandel durch Annäherung"

Am 15. Juli 1963 hielt der Leiter des Presse- und Informationsamtes des Landes Berlin, Egon Bahr (SPD), in der Evangelischen Akademie in Tutzing ein Referat zur Deutschlandfrage, das großes Aufsehen erregte und eine heftige Kontroverse auslöste. Bahrs Überlegungen wurden vorerst politisch nicht wirksam, deuteten aber Vorstellungen an, die viel später Bedeutung erlangen sollten. Er sagte unter anderem:

„Die Voraussetzungen zur Wiedervereinigung sind nur mit der Sowjetunion zu schaffen. Sie sind nicht in Ost-Berlin zu bekommen, nicht gegen die Sowjetunion, nicht ohne sie... Die amerikanische Strategie des Friedens läßt sich... durch die Formel definieren, daß die kommunistische Herrschaft nicht beseitigt, sondern verändert werden soll...

Die erste Folgerung, die sich aus einer Übertragung der Strategie des Friedens auf Deutschland ergibt, ist, daß die Politik des Alles oder Nichts ausscheidet. Entweder freie Wahlen oder gar nicht, entweder gesamtdeutsche Entscheidungsfreiheit oder ein hartes Nein, entweder Wahlen als erster Schritt oder Ablehnung, das alles ist nicht nur hoffnungslos antiquiert und unwirklich, sondern in einer Strategie des Friedens auch sinnlos. Heute ist klar, daß die Wiedervereinigung nicht ein einmaliger Akt ist, der durch einen historischen Beschluß an einem historischen Tag auf einer historischen Konferenz ins Werk gesetzt wird, sondern ein Prozeß mit vielen Schritten und vielen Stationen...

Wir haben gesagt, daß die Mauer ein Zeichen von Schwäche ist. Man könnte auch sagen, sie war ein Zeichen der Angst und des Selbsterhaltungstriebes des kommunistischen Regimes. Die Frage ist, ob es nicht Möglichkeiten gibt, diese durchaus berechtigten Sorgen dem Regime graduell so weit zu nehmen, daß auch die Auflockerung der Grenzen und der Mauer praktikabel wird, weil das Risiko erträglich ist. Das ist eine Politik, die man auf die Formel bringen könnte, Wandel durch Annäherung.“

Bilanz der „Politik der kleinen Schritte“

Natürlich war es nach den anderthalb Jahrzehnten nicht leicht, neue Wege einzuschlagen. Es konnte sich zunächst nur um „kleine Schritte“ handeln, und im übrigen mußte man sich auch an neue Zeitdimensionen gewöhnen. Die dreijährige Regierungszeit von Bundeskanzler Erhard reichte nicht aus, um die Konturen schon deutlich werden zu lassen. Aber die Äußerungen von Politikern und die Erklärungen der Regierung ließen klar erkennen, daß Alternativen gesucht und konstruktive Vorschläge entwickelt wurden, um die Stagnation zu überwinden. Am 15. 10. 1964 zog Bundeskanzler Erhard eine Bilanz über die begrenzten Erfolge im deutsch-deutschen Kontakt:

„Wenn wir uns nicht selbst täuschen wollen, müssen wir erkennen, daß uns ... alle ... Erleichterungen, die wir für die Deutschen jenseits des Eisernen Vorhangs erringen und gewinnen können, der Verwirklichung des Selbstbestimmungsrechts nicht automatisch näherbringen. Die Passierscheinübereinkunft (abgeschlossen am 17. 12. 63), die Möglichkeit für ältere Rentner, Verwandte in der Bundesrepublik zu besuchen (gestattet seit 2. 11. 1964), der Bau der Saale-Brücke (Abkommen vom 18. 8. 1964), die Amnestie für politische Häftlinge (Absprachen seit Ende 1963) — all das hat die Zone nicht in der Absicht zugestanden, damit einen Schritt in Richtung auf die Wiedervereinigung zu tun. Die Mauer wird nicht durch Passierscheine abgetragen, sie wird verschwinden, wenn Moskau sein eigenes Interesse an einer Befriedung im Herzen Europas erkennt ... Man vergißt, daß der Schlüssel zur Wiedervereinigung nicht in Bonn, sondern in Moskau liegt ... In unseren Beziehungen zu den osteuropäischen Staaten können wir Ansätze zu einer positiven Entwicklung verzeichnen (Absprachen mit Polen, Rumänien, Ungarn, Bulgarien und Jugoslawien über Handelskontakte) ... Wir hoffen, daß die Errichtung deutscher Handelsmissionen in den osteuropäischen Ländern der Verständigung mit diesen Völkern nützt.“

Der Vizekanzler und Minister für gesamtdeutsche Fragen im Kabinett Erhard, Dr. Mende, distanzierte sich am 22. 3. 1965 vor dem Bundesparteitag der FDP von einer starren Anwendung der Hallstein-Doktrin, sie sei kein geeignetes außenpolitisches Mittel mehr, um den Alleinvertretungsanspruch der Bundesrepublik Deutschland zu wahren und die Wege zu einer friedlichen und freiheitlichen Lösung der Deutschen Frage offen zu halten. Mende sagte:

„Überall dort, wo die Bundesrepublik ihre Flagge streicht, wird die Spalterflagge Ulbrichts hochgezogen werden."

Redneraustausch

Die SPD ging als Oppositionspartei einen Schritt weiter und verlangte — bei allem Festhalten an den Grundsätzen der Deutschlandpolitik — direkte Gespräche zwischen führenden Politikern aus der Bundesrepublik Deutschland und aus der DDR. Der 1965 diskutierte Redneraustausch kam freilich nicht zustande. In der Regierungserklärung der 1966 gebildeten Großen Koalition kam dann die neue Linie der Außenpolitik gegenüber Osteuropa bereits deutlich zum Ausdruck:

„Deutschland war jahrhundertelang die Brücke zwischen West- und Osteuropa. Wir möchten diese Aufgabe auch in unserer Zeit gern erfüllen. Es liegt uns darum daran, das Verhältnis zu unseren östlichen Nachbarn, die denselben Wunsch haben, auf allen Gebieten des wirtschaftlichen, kulturellen Lebens zu verbessern, und wo immer dies nach den Umständen möglich ist, auch diplomatische Beziehungen aufzunehmen. In weiten Schichten besteht der lebhafte Wunsch nach einer Aussöhnung mit Polen, dessen leidvolle Geschichte wir nicht vergessen haben und dessen Verlangen, endlich in einem Staatsgebiet mit gesicherten Grenzen zu leben, wir im Blick auf das gegenwärtige Schicksal unseres eigenen geteilten Volkes besser als in früherer Zeit begreifen. Aber die Grenzen eines wiedervereinigten Deutschlands können nur in einer frei vereinbarten Regelung festgelegt werden...

Auch mit der Tschechoslowakei möchte sich das deutsche Volk verständigen. Die Bundesregierung verurteilt die Politik Hitlers, die auf die Zerstörung des tschechoslowakischen Staatsverbandes gerichtet war. Sie stimmt der Auffassung zu, daß das unter Androhung von Gewalt zustande gekommene Münchener Abkommen nicht mehr gültig ist ... die politischen Gegebenheiten haben die Wiedervereinigung unseres Volkes bisher verhindert. Und noch ist nicht abzusehen, wann sie gelingen wird... Auch diese Bundesregierung betrachtet sich als die einzige deutsche Regierung, die frei, rechtmäßig und demokratisch gewählt und daher berechtigt ist, für das ganze deutsche Volk zu sprechen. Das bedeutet nicht, daß wir unsere Landsleute im anderen Teil Deutschlands, die sich nicht frei entscheiden können, bevormunden wollen. Wir wollen, soviel an uns liegt, verhindern, daß die beiden Teile unseres Volkes sich während der Trennung auseinanderleben. Wir wollen entkrampfen und nicht verhärten, Gräben überwinden und nicht vertiefen. Deshalb wollen wir die menschlichen, wirtschaftlichen und geistigen Beziehungen mit unseren Landsleuten im anderen Teil Deutschlands mit allen Kräften fördern. Wo dazu die Aufnahme von Kontakten zwischen Behörden der Bundesrepublik und solchen im anderen Teil Deutschlands notwendig ist, bedeutet dies keine Anerkennung eines zweiten deutschen Staates. Wir werden diese Kontakte von Fall zu Fall so handhaben, daß in der Weltmeinung nicht der Eindruck erweckt werden kann, als rückten wir von unserem Rechtsstandpunkt ab."

Stimmen zu Adenauers Deutschlandpolitik

Der außenpolitische Kurs des ersten Kanzlers der Bundesrepublik Deutschland war mehr als ein Jahrzehnt lang Gegenstand erregter Debatten im Parlament und in der öffentlichen Meinung. Die Kontroverse spitzte sich auf die Frage zu, ob die Westorientierung die Wiedervereinigung verbaute oder ob Adenauer eine Wiedervereinigung womöglich gar nicht gewollt habe. Die folgenden Stellungnahmen von Politikwissenschaftlern und Historikern, in der Rückschau formuliert und weit entfernt vom Tagesstreit, spiegeln die Bandbreite der Diskussion wider. Sie reicht von vehementer Kritik an der Adenauerschen Politik durch Waldemar Besson und Arnulf Baring bis zu ihrer engagierten Verteidigung durch Klaus Gotto.

Waldemar Besson: Prinzipienfragen der westdeutschen Außenpolitik

Die Meinung ist weit verbreitet, daß Konrad Adenauers Leistung vornehmlich darin bestand, die der Bundesrepublik von außen gestellte Aufgabe anzunehmen und zu ihrer Unterstützung die inneren Motivationen und Institutionen entsprechend einzurichten. Eine aus eigenen deutschen Zielsetzungen stammende westdeutsche Außenpolitik hat es demnach überhaupt nicht gegeben. Die innerdeutsche Debatte um ihre Richtung und Methode sinkt in einer solchen Betrachtung zum bloßen Scheingefecht herab. Die Integration in den atlantisch-westeuropäischen Block unter Verzicht auf alle deutschnationale Aspiration war demnach die raison d'être der Neugründung. Die Überlegung, ob eine solche Politik schließlich auch die Wiedervereinigung bringen werde, war danach von vornherein sekundär.

Eine solche Interpretation legt es nahe, Adenauer und das Konzept der Westintegration geradezu des Verrates an Deutschland zu zeihen. Dieser Vorwurf hat schon in den Anfängen der Bundesrepublik eine Rolle gespielt und wird es in Zukunft noch mehr tun, nachdem eines der Ziele der westdeutschen Integrationspolitik, die wachsende Stärke des Westens gegenüber Moskau, nicht mehr realisierbar ist. Beweisen lassen wird sich freilich kaum, ob Adenauer, was Gesamtdeutschland angeht, bewußt falsch gespielt hat. Im Ansatz von 1949 ließ sich jedenfalls bona fide durchaus Westintegration und Wiedervereinigung vereinigen.

Politische Vierteljahresschrift, März 1968.

Arnulf Baring: Die westdeutsche Außenpolitik in der Ära Adenauer

Die Außenpolitik Konrad Adenauers ... war zwar ganz entscheidend geprägt von einer eigenwilligen persönlichen Interpretation der deutschen — der westdeutschen Interessen, beruhte aber doch zugleich auf weitverbreiteten Überzeugungen in der Bevölkerung ...

Daß die Bundesrepublik dann aber mit solcher Entschiedenheit auf Westkurs ging, lag ohne Zweifel an Konrad Adenauer.

Was viele andere noch lange als provisorischen Zustand betrachteten, hatte er frühzeitig als etwas wahrscheinlich Endgültiges begriffen. Nicht jedermann war so klarsichtig und zugleich so kühl, schon im Herbst 1945 die sowjetisch besetzte Zone schlicht abzubuchen. „Der von Rußland besetzte Teil", sagte er damals zu einigen Journalisten, „ist für eine nicht zu schätzende Zeit für Deutschland verloren". Ihm lagen die Gebiete, um die es ging, sowieso ferne...

Er hielt es, nach dem Zweiten Weltkrieg zur Macht gekommen, für seine Hauptaufgabe, den ihm anvertrauten Teilstaat in einen größeren westeuropäischen Zusammenhang einzugliedern. Adenauer wußte dabei seinen Landsleuten nicht nur das Gefühl zu vermitteln, dieses vereinte Westeuropa symbolisiere den historischen Fortschritt gegenüber den alten, abgelebten Nationalstaaten. Zugleich beschrieb er die Erreichung dieses Zieles als eine vom nationalen Interesse diktierte Pflicht.

Aber selbst unter dem Schock der Niederlage, selbst angesichts des Eisernen Vorhangs ließ sich der Westabmarsch, wie ihn Gustav Heinemann genannt hat, nach Überzeugung des Bundeskanzlers der Bevölkerung nur plausibel machen, wenn man ihn zugleich als kürzesten Weg zur Wiedervereinigung ausgab.

Trotz aller Entschlossenheit, den Bonner Staat nicht als Provisorium oder Transitorium, sondern als ein endgültiges Staatswesen aufzufassen, trotz seiner geradezu genialen taktischen Begabung wagte Adenauer nicht, sich zu dem zu bekennen, was er tat.

Politische Vierteljahresschrift, März 1968.

Klaus Gotto:
Die Deutschland-Politik der Regierung Adenauer

Adenauers Außenpolitik ist also von zwei Grundüberzeugungen geprägt, und diese Grundüberzeugungen sind der Angelpunkt seiner gesamten außenpolitischen Vorstellungswelt: Es ist die Einsicht, daß die Zeit der nationalstaatlich orientierten Interessenpolitik in Europa vorbei sei und daß die ihm bewahrenswert und notwendig erscheinende europäische Welt von sowjetischem Expansionsdrang bedroht sei. In dieses Koordinatensystem ist stets seine konkrete Politik eingebettet gewesen, auch und besonders seine Deutschland- und Ostpolitik.

Bei einer solchen Konstellations- und Bedrohungsanalyse gab es für Adenauer keine sinnvollen, das heißt erfolgversprechenden Alternativen zu einer Westintegrationspolitik. Denn dann konnte sowohl das „Brücken"- wie das „Neutralitätskonzept" keine Chance haben, die gegensätzlichen Zielvorstellungen der Besatzungsmächte auf einer höheren Ebene zugunsten der deutschen Einheit zu überwinden. Auch die sozialdemokratische Politik einer nichtintegrierten Westbindung — mit Rücksicht auf die Wiedervereinigung — mußte unter dieser Perspektive von Adenauer abgelehnt werden. Sie hatte im übrigen gegenüber der sowjetischen Zielsetzung wohl auch kaum eine Realisierungschance. Wenn schon die Wiedervereinigung in Freiheit und unter den gegebenen Umständen nicht erreichbar war, mußte nach seiner Überzeugung das Nächstliegende und Vordringliche angestrebt werden, ohne jedoch das Ziel der Wiedervereinigung aufzugeben: die Sicherung der drei Westzonen und die Grundlegung und die Mitarbeit an einer neuen europäischen Zusammenarbeit. Beides war für ihn untrennbar ineinander verwoben...

Adenauer erwartete Chancen für eine Wiedervereinigung nur für den Fall, daß ein starker und gefestigter Westen die Sowjetunion zu der Einsicht brächte, eine Neuorientierung ihrer Politik sei unumgänglich und auch in ihrem eigenen Interesse. Daher mußte seine praktische Politik sich zwei Ziele setzen: zunächst eine gemeinschaftsorientierte Politik der Verbündeten zu gewährleisten, um dann auf dieser Basis immer neu zu testen, ob sich Ansatzpunkte für ein Arrangement zwischen Ost und West ergaben. Dieses Konzept, das die Wiedervereinigung im Rahmen einer globalen Entspannung anstrebte, war jedoch beständig und besonders seit der Mitte der fünfziger Jahre der Gefahr ausgesetzt, daß die jeweiligen Führungsmächte in den verschiedenen Lagern eine Übereinkunft unter Ausklammerung der besonders umstrittenen deutschen Frage anstreben könnten.

Die bisher zu Adenauers Deutschland- und Ostpolitik gehegten Vermutungen, er habe im Grunde keine Wiedervereinigung gewollt, Wiedervereinigung und Westintegration der Bundesrepublik seien konzeptionelle Widersprüche in sich gewesen, Ostpolitik habe unter ihm nicht stattgefunden und starre Phantasielosigkeit habe Chancen verpaßt oder erst gar nicht aufkommen lassen, sind gegenstandslos.

Adenauer hat unbeirrt bis zum Schluß seiner

Kanzlerschaft Wiedervereinigungspolitik betrieben, und zwar in der Hoffnung, daß die Sowjetunion eines Tages einsehen würde, daß die Trennung Europas und Deutschlands ihr nicht zum Vorteil gereiche: „Wir müssen aufpassen, ob der Augenblick kommt. Aber wenn ein Augenblick naht oder sich zu nahen scheint, der eine günstige Gelegenheit bringt, dann dürfen wir ihn nicht ungenützt lassen." Diese langfristige Wiedervereinigungspolitik war begründet in der Hoffnung auf eine Änderung der bestehenden Machtkonstellation und in der Zuversicht auf den letztlichen Erfolg geduldig verfolgter Ziele. Konkret bedeutet dies, daß eine Wiedervereinigung nur dann erreichbar sei, wenn die Sowjetunion zu einem strategischen Rückzug aus Deutschland gezwungen sein würde, um auch in ihrem eigenen Selbstverständnis übergeordnete Zielprojektionen verwirklichen zu können. Die Chance eines solchen strategischen Rückzugs für eine Wiedervereinigung auszunützen, ist Adenauers eigentliches politisches Wiedervereinigungskonzept. Dieses Konzept beruhte auf zwei Grundannahmen: Daß die Sowjetunion in einen über kurz oder lang eintretenden Zielkonflikt zwischen Aufrüstung und Hebung des Lebensstandards der eigenen Bevölkerung geraten würde und daß sie weiterhin in eine machtpolitische Auseinandersetzung mit China gezwungen würde. Diesem Konzept liegen aber auch positive Annahmen zugrunde:

— Adenauer war überzeugt von der letztlichen Überlegenheit des geistig-sittlichen und ökonomisch-technischen Potentials des Westens.

— Er hoffte auf den Überlebenswillen der westlichen, speziell der europäischen Welt, der sich in einem Zusammenschluß manifestieren würde.

— Er war überzeugt, daß das deutsche Volk einen ungebrochenen patriotischen Durchhaltewillen besäße, der die stets latente Gefahr des Nationalismus niederhalten und seine Erfüllung in der Eingliederung eines staatlich geeinten Deutschlands in eine neue, jedoch postnationalstaatlich strukturierte europäische Einheit finden würde.

Die Deutschlandpolitik der Regierung Adenauer. Adenauers Analyse der Lage Deutschlands im Ost-West-Konflikt, in: Kosthorst/Gotto/Soell, Deutschlandpolitik der Nachkriegsjahre, Schöningh-Verlag, Paderborn 1976.

Alfred Grosser: Deutschlandbilanz

Unbestreitbar hat (Adenauer) wichtige Entscheidungen getroffen, ohne sich um die nach demokratischen Grundsätzen theoretisch erforderlichen vorbereitenden Verfahren zu kümmern...

Aber er konnte nicht jede beliebige Entscheidung treffen. Er hat der öffentlichen Meinung gegenüber Listen angewandt, damit sie die Wiederaufrüstung akzeptiere. Auf analoge Weise und für Zwecke, die man unterschiedlich beurteilen kann, hat Roosevelt die Amerikaner dazu gebracht, den Krieg zu akzeptieren, und de Gaulle die Franzosen, die algerische Unabhängigkeit zu akzeptieren. In allen drei Fällen stützte sich die List auf schon vorher vorhandene Gefühle, die es zu verstärken galt. Die Deutschen insbesondere hatten sich schon für Sicherheit und Zugehörigkeit zum Westen entschieden, als ihr Kanzler es unternahm, sie zu dem Eingeständnis zu bringen, daß die Wiederaufrüstung eine Konsequenz dieser bereits getroffenen Entscheidung sei. Es hieße, seine Rolle und seine Möglichkeiten beträchtlich überschätzen, würde man ihn als den Schöpfer einer internationalen Realität hinstellen, der er sich in Wirklichkeit nur unterwarf, indem er lediglich versuchte, sie zu modifizieren...

Ein Staat sein wie die anderen, die Last der Vergangenheit abschütteln, sich unterstützt fühlen gegenüber der Großmacht, die siebzehn Millionen Deutsche gefangen hält und die Freiheit der anderen bedroht, all das läßt sich in einem Wort zusammenfassen: Vertrauen.

Man muß sich unablässig vergewissern, daß man Vertrauen haben kann. Man muß alles tun, um Vertrauen einzuflößen. Die wichtigste Waffe, die Bundeskanzler Adenauer in der Innenpolitik hatte, war das Vertrauen, das er im Ausland, insbesondere in den Vereinigten Staaten erweckte.

Es bedeutet wenig, daß die Sozialdemokraten sich schlecht und recht dafür stark machten, die Politik des Kanzlers sei unheilvoll, weil sie der Wiedervereinigung entgegenwirkt: Sie mußten notwendigerweise bei vielen Wählern den Eindruck erwecken, daß, wenn sie an die Macht kämen, das Vertrauen der Amerikaner zur Bundesrepublik erschüttert wäre und infolgedessen auch das Vertrauen der Deutschen auf Schutz und Unterstützung seitens der Vereinigten Staaten. 1961 war in der sozialdemokratischen Haltung schon ein deutlicher Wandel spürbar. Aber 1964/65 sollte es dann die spektakulärste Kurswendung geben. Angesichts einer christdemokratischen Partei, die über die Außenpolitik uneins war, hat die SPD entschlossen und vollständig die amerikanische Karte ausgespielt...

Die neue Einstellung war sehr anders als die von Kurt Schumacher, der geglaubt hatte, man müsse eher Respekt denn Vertrauen einflößen durch einen eigenen Willen, müsse auf eine harte Art seine Unabhängigkeit dartun und sich seinen Verbündeten gegenüber eigenständig zeigen auf die Gefahr hin, sich ihre Sympathie zu verscherzen und eben dieses Vertrauen zu erschüttern. Es ist kaum paradox zu behaupten, daß die SPD rückblickend Adenauer recht gegeben hat...

Allem Anschein zum Trotz hat absoluten Vorrang in der deutschen Außenpolitik von Anfang an nicht die europäische Einigung und nicht die deutsche Wiedervereinigung, sondern die Sicherheit. Das Wort wird in der Bundesrepublik noch häufiger ausgesprochen als in Frankreich in der Zeit zwischen den beiden Weltkriegen. Einmal, weil die Bedrohung sehr real erscheint, und zum anderen, weil eben das Vorhandensein der Bedrohung die Bundesrepublik begünstigt. Die Spannung zwischen den beiden Blöcken beschleunigt ihre gleichberechtigte Integration in eines der beiden Lager und treibt ihre Verwandlung von einem passiven Objekt der internationalen Politik in ein aktives Subjekt innerhalb der westlichen Welt voran. Der Graben, der die Bundesrepublik vom anderen Deutschland trennt, wird dadurch vertieft, aber der Gewinn an Prestige und Einfluß ist beträchtlich.

Deutschlandbilanz. Geschichte Deutschlands seit 1945, Carl Hanser Verlag, München 1977.

Friedrich Karl Fromme:
Bonner Politik zwischen Deutschland und Europa

Wie hielt es Konrad Adenauer, der erste Bundeskanzler der Bundesrepublik, mit der Wiedervereinigung? Die Frage war damals eigentlich die Gretchenfrage, im unverfälschten Sinn des oft mißbrauchten Zitats, an jeden Politiker...

(Es) wurde, für die Experten nicht ganz neu, aber für die Anhänger und flinken Beantworter der alten „Gretchenfrage" nach der Wiedervereinigung doch überraschend, das Bild eines Adenauer sichtbar, der es entgegen landläufigem Vorurteil an Beweglichkeit in der Deutschlandfrage nicht fehlen ließ, gerade in jener kurzen Periode von der weltpolitischen Konstellation gewährter relativer Bewegungsmöglichkeiten in den Jahren 1955 bis 1958. Das führte bis zu der von Adenauer im Gespräch mit dem sowjetischen Botschafter Smirnow am 19. März 1958 angebotenen „Österreich-Lösung" für die DDR: Keine „Wiedervereinigung", aber Neutralisierung der DDR — das heißt, Entlassung aus dem sowjetischen Machtverbund, aber garantierte Nichtaufnahme in das westliche Bündnissystem, dafür mehr Freiheit für die Bewohner der DDR. Verankerung der Bundesrepublik im Westen, Tasten nach einem Modus vivendi mit dem Osten, so läßt sich eine Linie ziehen zwischen der Politik Adenauers und dem was

Schmidts offizielle Regierungspolitik ist; schon der Begriff „Entspannung" war Adenauer nicht fremd.

Diese im dritten Band der Erinnerungen Adenauers (Seiten 377 und folgende) „enthüllte" Tatsache wurde auf der Tagung eingeordnet in eine Entwicklungslinie, die Konsequenz für sich hat: also nicht eine Laune des — wie oft etwas zu direkt angenommen wird — rein „westlich" orientierten Adenauer darstellt, sondern einen konsequenten Schritt des CDU-Politikers Adenauer. Dessen Partei hatte — worauf der frühere Bundestagspräsident Gerstenmaier hinwies — schon auf ihrem Parteitag 1954 eine Rangfolge der politischen Ziele aufgestellt, die da hieß: „Freiheit, Friede, Einheit". Gerstenmaier, einst dem Kanzler Adenauer in kritischer, durchaus nicht spannungsfreier Loyalität verbunden, faßte Adenauers Politik zwischen Moskau (1955) und dem Vorschlag der Österreich-Lösung für die DDR (nicht für Gesamtdeutschland, was Adenauer unterschied von den Deutschlandpolitikern der anderen Parteien) dahin zusammen: Man sehe einmal wieder, daß die Legende von dem sturen und starren Adenauer eben Legende sei.

Die Widerlegung dieser Legende ergab sich im einzelnen aus dem auf sorgfältige Studien der Akten gestützten Referat des Kölner Politikwissenschaftlers Professor Hans-Peter Schwarz. Er brachte Adenauers deutschlandpolitische Positionen in der fraglichen Zeit auf fünf Punkte: Entspannung — denn solange es sie nicht gibt, braucht die Sowjetunion ihren Vorposten namens DDR, Abrüstung als Vorbedingung oder Begleitumstand der Entspannung, wirtschaftliche Krise in der Sowjetunion, Frustration, also Verzweiflung der Sowjetunion an ihrem Weltherrschaftsstreben und, fünftens, die Konkurrenz mit China im kommunistischen Lager. Damit aber, beide jetzigen politischen Lager und ihre vorgegebenen oder wirklichen Ziele in den Blick genommen, war Adenauers Politik äußerst modern.

Demgegenüber war es fast nebensächlich, zu untersuchen, ob und was Adenauer „wirklich" und was er nur „verbal" gewollt habe. Verschiedene Redner, vom früheren Botschafter Grewe bis zu Golo Mann, neigten zu der Ansicht, die Abrüstungs-Vorschläge Adenauers seien „nur verbal" gewesen, es sei nicht glaubhaft, daß der „Realist" Adenauer daran geglaubt habe. Die Aufteilung in „verbale" und „wirkliche" Ziele Adenauers war einmal Widerhall des längst vergessenen bürgerlichen Disputs darüber, ob Adenauer zum Beispiel „wirklich" die Wiedervereinigung gewollt habe oder ob es ihm, dem Linksrheiner, ganz recht gewesen sei, wie es nach 1945 kam. Schwarz meinte, Adenauer sei auf das „Reich" Bismarckscher Prägung fixiert gewesen. Golo Mann, Grewe und der frühere Bundestagsabgeordnete Gradl stimmten dahin überein, daß Europa Adenauer mehr am Herzen gelegen habe als die Wiedervereinigung. Frau Poppinga, Adenauers letzte Sekretärin, verteidigte den Kanzler leidenschaftlich gegen den — aus ihrer Sicht — Vorwurf, er sei nur „verbal" für Wiedervereinigung und Abrüstung gewesen.

Bonner Politik zwischen Deutschland und Europa. Die Ziele des Politikers Konrad Adenauer, in „Frankfurter Allgemeine Zeitung", Nr. 115, vom 5. Juni 1978 (Bericht über eine Tagung).

II. EUROPA- UND WELTPOLITIK

1. Gründung von EWG, EURATOM und EFTA

So sehr die politischen Anstrengungen zur Einbindung in die westeuropäisch-atlantische Gemeinschaft von dem übergeordneten Ziel der Wiedervereinigung beeinflußt sein mochten, so hatten die politischen Bemühungen um ein immer stärkeres Zusammenwachsen der westeuropäischen Staaten doch auch einen Selbstzweck. Der Anstoß, die „Vereinigten Staaten von Europa" zu schaffen, war aus der bitteren Erfahrung der Selbstzerstörung der europäischen Völker im Zweiten Weltkrieg gekommen. Bis 1955 waren auf diesem Weg Fortschritte erzielt worden — das Funktionieren der Europäischen Gemeinschaft für Kohle und Stahl (EGKS) war ein überzeugendes Beispiel — aber es gab auch Rückschläge. In der Kontroverse um die Europäische Verteidigungsgemeinschaft (EVG) war offenkundig geworden, daß die Überwindung nationalstaatlicher Interessen doch schwieriger war, als man in der Europa-Euphorie der Nachkriegsphase geglaubt hatte. Ebenso war das Scheitern der Europäischen Politischen Gemeinschaft (EPG), die eine politische Förderation der sechs in der EGKS zusammengeschlossenen Staaten herstellen sollte, ein Zeichen dafür, daß der Weg mühsamer und länger sein würde, als zunächst angenommen.

Trotzdem zweifelte niemand daran, daß die vorgezeichnete Linie weiter verfolgt werden würde. Bei den ernstzunehmenden politischen Kräften stand eine Alternative nicht zur Debatte. Mochten Einzelheiten der Gestaltung und des Verfahrens umstritten sein, über die Gesamtabsicht bestand Übereinstimmung. Die Erfahrungen mit EVG und EPG bewirkten eine gewisse Bescheidung bei der Verwirklichung der europäischen Bemühungen. Als Nahziel setzten sich die europäischen Außenminister die Schaffung eines europäischen Marktes und die Zusammenarbeit auf dem Gebiet der friedlichen Nutzung der Kernenergie. Am 25. März 1957 unterzeichneten die sechs Staaten der Montanunion die Verträge zur Gründung der Europäischen Wirtschaftsgemeinschaft (EWG) und der Europäischen Atomgemeinschaft (EURATOM). Beide Verträge (die sogenannten „Römischen Verträge") traten am 1. Januar 1958 in Kraft.

Großbritannien und andere westeuropäische Staaten traten der EWG nicht bei, weil sie eine Beeinträchtigung ihrer Handelsinteressen befürchteten. Diese Staaten (Großbritannien, Norwegen, Schweden, Finnland, Österreich, Schweiz, Portugal) schlossen am 21. 7. 1959 einen Vertrag über die Schaffung einer Europäischen Freihandels-Vereinigung (European Free Trade Association — EFTA); im Unterschied zur EWG war hier lediglich der Abbau der Industriezölle, nicht aber ein gemeinsamer Außenzoll geplant. Beide Gemeinschaften konnten in den folgenden Jahren ihre Produktion in den entscheidenden Bereichen wesentlich erweitern und so mit der Entwicklung der beiden Weltmächte Schritt halten. Die Industrieproduktion der EWG-Länder lag 1961 bereits um 26 % über der von 1958. Die EFTA-Staaten und die USA hatten im gleichen Zeitraum nur einen Anstieg von 15 % zu verzeichnen. Die Exportsteigerung der EWG-

Staaten betrug 40 % (1958—1961; USA: 10 %; EFTA 13 %). Der Außenhandel der EWG-Staaten untereinander wuchs um 70 %.

Aufgrund der günstigen Auswirkungen des Zusammenschlusses der sechs Volkswirtschaften in der EWG gewann die Gemeinschaft an Anziehungskraft für andere europäische Staaten:

— 1961/62 bewarben sich Griechenland, die Türkei, Spanien und Irland sowie alle EFTA-Länder um Assoziierung bzw. Vollmitgliedschaft. Das Assoziierungsabkommen mit der Türkei und Griechenland trat am 1. 12. 1964 in Kraft.

— Am 20. 7. 1963 wurde mit 17 afrikanischen Staaten und Madagaskar ein Assoziierungsabkommen geschlossen; 1966 folgte ein entsprechendes Abkommen mit Nigeria. 26 weitere Staaten unterhielten bereits 1961 diplomatische Beziehungen zur EWG; die Neugestaltung der Handelspolitik und die Verstärkung der Partnerschaft waren Hauptziele.

— Die Anziehungskraft beruhte nicht zuletzt auf der finanziellen Ausstattung des Europäischen Entwicklungsfonds — 1. Fond (1958—1964): 581 Mio. Dollar; 2. Fond: 739 Mio. Dollar — aus dem Wirtschafts- und Sozialvorhaben in den assoziierten Ländern finanziert wurden (Schwerpunkte: Verbesserung der Infrastruktur, Modernisierung der Landwirtschaft, Entwicklung des Ausbildungs- und Gesundheitswesens).

2. Der Europarat

Am 5. Mai 1949 wurde von zehn europäischen Ländern (Großbritannien, Frankreich, Benelux-Länder, Dänemark, Irland, Italien, Norwegen, Schweden) der Europarat gegründet. In Artikel 1 der Satzung heißt es:

Der Europarat hat zur Aufgabe, eine engere Verbindung zwischen seinen Mitgliedern zum Schutze und zur Förderung der Ideale und Grundsätze, die ihr gemeinsames Erbe bilden, herzustellen und ihren wirtschaftlichen und sozialen Fortschritt zu fördern.

Diese Aufgabe wird von den Organen des Rates erfüllt durch Beratung von Fragen von gemeinsamem Interesse, durch den Abschluß von Abkommen und durch gemeinschaftliches Vorgehen auf wirtschaftlichem, sozialem, kulturellem und wissenschaftlichem Gebiet und auf den Gebieten des Rechts und der Verwaltung sowie durch den Schutz und die Fortentwicklung der Menschenrechte und Grundfreiheiten.

Mit diesem Programm hatten sich die Mitgliedstaaten im Grunde nichts geringeres als die politische Einigung Europas zum Ziel gesetzt. Die Popularität dieser Absicht führte bis 1966 zum Beitritt weiterer acht Staaten (Österreich, Zypern, Bundesrepublik Deutschland — 1951 — Griechenland, Island, Malta, Schweiz, Türkei). Die Arbeit des Rates, die in zwölf Sachbereichsausschüssen geleistet wird, erbrachte zahlreiche Konventionen und Vereinbarungen sowie Ergänzungen und Zusatzprotokolle zu Konventionen. Die bedeutendste ist die Konvention zum Schutz der Menschenrechte und Grundfreiheiten von 1950 (in Kraft 1953).

Trotz der Übereinstimmung im Grundsätzlichen und der Erfolge bei vielen Einzelabsprachen blieb der Fortschritt im Hinblick auf die politische Union Europas fürs erste aus. Es zeigte sich, daß Staatsmänner und Parlamente zwar bereit waren, auf bestimmten Gebieten nationale Souveränitätsrechte zugunsten supranationaler Institutionen aufzugeben, nicht jedoch zur vollen Integration. Zentrale Persönlichkeiten dieser Diskussion waren der deutsche Bundeskanzler und, ab Herbst 1958, der französische Staatspräsident de Gaulle.

3. Die deutsch-französischen Beziehungen

Die leidvolle Geschichte der deutsch-französischen Nachbarschaft und die Ergebnislosigkeit aller Bemühungen um eine dauerhafte Befriedung der beiderseitigen Beziehungen waren die Ursache, daß nach dem Zweiten Weltkrieg in der Bevölkerung beider Staaten eine umfassende Bewegung mit dem Ziel einer Aussöhnung entstand. Zunächst waren Adenauer und der französische Außenminister Schumann die Repräsentanten dieser Neuorientierung. Ihre Politik führte dazu, daß beide Staaten in die entstehenden europäischen Gemeinschaften fest integriert wurden. Aber es sollte gerade zwischen Deutschland und Frankreich eine noch intensivere Zusammenarbeit geben als mit den anderen westeuropäischen Staaten, und sie sollte als Kernzelle der gesamteuropäischen Integration wirken. Diese Absicht — in zahllosen Dokumenten bekräftigt (das deutsch-französische Vertragswerk von 1956 über die Eingliederung der Saar in die Bundesrepublik Deutschland ab 1. 1. 1957, die Schiffbarmachung der Mosel, den Ausbau des Oberrheins, die Errichtung der europäischen Gemeinschaft für Kohle und Stahl und den Niederlassungsvertrag war dabei eines der wichtigsten Abkommen) — wurde nach der Regierungsübernahme durch General de Gaulle (1958) keineswegs aufgegeben, aber doch variiert.

De Gaulles Europavorstellungen waren durch folgende Akzente charakterisiert: Es ging ihm um ein von den Vereinigten Staaten relativ unabhängiges und auf lange Sicht auch Osteuropa umfassendes Europa. Für Adenauer war diese politische Linie zunächst nicht ohne weiteres nachvollziehbar, da sein Konzept stets die USA miteinbezogen hatte. Es kam zu einer auch in die parteipolitische Auseinandersetzung innerhalb der Bundesrepublik hineinspielende Diskussion zwischen „Gaullisten" und „Atlantikern"; sie zog sich über Jahre hin. Der Deutschlandbesuch de Gaulles im September 1962 zeigte aber, daß es sich im Ernst nicht um eine Option für oder gegen Washington gehandelt hatte. Die Nachkriegs-Aussöhnung zwischen Frankreich und Deutschland sowie das Engagement beider Staaten für die Zusammenarbeit in Europa war und blieb Zentralpunkt; das unterschiedliche Verhältnis zu Amerika ergab sich aus der unterschiedlichen Interessenlage und Abhängigkeitssituation.

Vertrag über die deutsch-französische Zusammenarbeit

In der Folgezeit sollten praktische Maßnahmen ergriffen werden, um die Bande wirksam zu verstärken. 1962 begannen Verhandlungen, die mit einem Vertrag über die Zusammenarbeit beider Länder am 22. 1. 1963 abgeschlossen wurden. In der gemeinsamen Erklärung hieß es:

Deutschlandbesuch de Gaulles im Jahre 1962

„Der Bundeskanzler der Bundesrepublik Deutschland, Dr. Konrad Adenauer, und der Präsident der Französischen Republik, General de Gaulle, haben sich...

— in der Überzeugung, daß die Versöhnung zwischen dem deutschen und dem französischen Volk, die eine Jahrhunderte alte Rivalität beendet, ein geschichtliches Ereignis darstellt, das das Verhältnis der beiden Völker zueinander von Grund auf neu gestaltet,

— in dem Bewußtsein, daß eine enge Solidarität die beiden Völker sowohl hinsichtlich ihrer Sicherheit als auch hinsichtlich ihrer wirtschaftlichen und kulturellen Entwicklung miteinander verbindet,

— angesichts der Tatsache, daß insbesondere die Jugend sich dieser Solidarität bewußt geworden ist, und daß ihr eine entscheidende Rolle bei der Festigung der deutsch-französischen Freundschaft zukommt,

— in der Erkenntnis, daß die Verstärkung der Zusammenarbeit zwischen den beiden Ländern einen unerläßlichen Schritt auf dem Wege zu einem vereinigten Europa bedeutet, welches das Ziel beider Völker ist, mit der Organisation und den Grundsätzen der Zusammenarbeit zwischen den beiden Staaten... einverstanden erklärt.

Im gleichzeitig unterzeichneten Vertrag wurde folgendes vereinbart:

1. „Die Staats- und Regierungschefs treten . . . zusammen, so oft dies erforderlich ist und grundsätzlich mindestens zweimal jährlich. Die Außenminister . . . treten mindestens alle drei Monate zusammen. Unbeschadet der normalen Kontakte über die Botschaften treten die leitenden Beamten der beiden Außenministerien, denen die politischen, wirtschaftlichen und kulturellen Angelegenheiten obliegen, allmonatlich abwechselnd in Bonn und Paris zusammen . . . zwischen den zuständigen Behörden beider Staaten finden regelmäßig Zusammenkünfte auf den Gebieten der Verteidigung, der Erziehung und der Jugendfragen statt . . .“

Die beiden Regierungen konsultieren sich vor jeder Entscheidung in allen wichtigen Fragen der Außenpolitik.

1963 wurde das Deutsch-französische Jugendwerk errichtet, das Kontakte zwischen Jugendlichen aus beiden Ländern organisiert: 1964 trafen sich bei 5500 Begegnungen 280 000 Jugendliche, 1967 bei 7500 Begegnungen 420 000 Jugendliche.

4. Der Ausbau der auswärtigen Beziehungen

1951 war aus der „Dienststelle für Auswärtige Angelegenheiten“ (gegründet 1950) das Auswärtige Amt entstanden, das Konrad Adenauer bis 1955 in Personalunion führte. Zunächst war der Bundesrepublik Deutschland nur die Errichtung konsularischer und wirtschaftlicher Vertretungen erlaubt. Das erste Generalkonsulat wurde im Mai 1950 in London eröffnet. Es folgte im Zuge der westeuropäischen Integration die Aufnahme voller diplomatischer Beziehungen mit den westlichen Nachbar- und Partnerstaaten. Im Jahr 1961 unterhielt die Bundesrepublik bereits in 62 Staaten Botschaften, in 7 Ländern Gesandtschaften, in einem Land eine Handelsvertretung (Finnland) und sechs Vertretungen bei zwischenstaatlichen und supranationalen Organisationen (UN, Europarat, NATO, OECD, EWG, EURATOM). Bis 1966 stieg die Zahl der Staaten, mit denen diplomatische Kontakte unterhalten wurden, auf 94 (1983: 158).

Für die Pflege der kulturellen Beziehungen sind neben den diplomatischen Vertretungen eigene Institutionen geschaffen bzw. wiedererrichtet worden (Goethe-Institut, Deutscher Akademischer Austauschdienst, Deutsches Institut für Auslandsbeziehungen). 1966 gab es 248 deutsche Auslandsschulen und 230 deutsche Kultur- und Sprachinstitute. Seit 1953 wurden mit 23 Staaten zweiseitige Kulturabkommen mit dem Ziel eines umfassenden Austausches auf geistigem, künstlerischem und wissenschaftlichem Gebiet abgeschlossen.

Aufgrund der deutschlandpolitischen Grundsatzentscheidungen wurden mit Ausnahme der Sowjetunion mit keinem Land diplomatische Beziehungen aufgenommen, das solche zu Ost-Berlin unterhielt. Mit Polen, Ungarn, Rumänien und Bulgarien wurden 1963/64 Handelsmissionen ausgetauscht. Eine Änderung dieser politischen Grundlinie erfolgte erst um 1969.

5. Beziehungen zu Israel und den arabischen Staaten

Die Bundesrepublik Deutschland hatte bereits durch den Abschluß des Wiedergutmachungsvertrages mit Israel am 10. 9. 1952 zu erkennen gegeben, daß sie gewillt war, zur Linderung wenigstens der materiellen Schäden beizutragen, die den Juden durch die nationalsozialistische Verfolgung zugefügt worden waren. Dem Staat Israel wurden 3 Milliarden DM für den Ankauf von Waren und die Beschaffung von Dienstleistungen, jüdischen Organisationen, 450 Millionen DM zur Unterstützung von notleidenden jüdischen Verfolgten zur Verfügung gestellt, ein Jahr später durch das Bundesentschädigungsgesetz weitere 4 Mrd. DM für individuelle Entschädigungen.

Bereits diese deutsch-israelischen Kontakte stießen auf den Widerstand der arabischen Nachbarstaaten, zu denen die Bundesrepublik Deutschland diplomatische Beziehungen unterhielt und für die sie Entwicklungshilfe leistete. Die Hinwendung der arabischen Staaten, insbesondere Ägyptens, zum Ostblock resultierte aus der westlichen Nahostpolitik, die mit dem Suez-Debakel von 1956 ihren Tiefpunkt erreichte. Auch die westliche Beteiligung am Bau des Assuan-Dammes wurde abgebrochen. Der Konflikt verschärfte sich, als ein Jahr später die Bundesrepublik mit Israel ein Abkommen über Waffenlieferungen abschloß. 1964 entwickelte sich die Spannung zur Krise, da die Bundesrepublik auf Anraten von Präsident Johnson Panzer amerikanischer Herstellung nach der Ausmusterung an Israel weiterleitete. Die Bundesrepublik Deutschland

Die Bundesrepublik Deutschland und Israel nehmen im August 1965 diplomatische Beziehungen auf. Der erste deutsche Botschafter in Israel, Rolf Pauls, überreicht Staatspräsident Shazar sein Beglaubigungsschreiben.

sah dies als eine Art Kompensation an, da deutsche Wissenschaftler in Ägypten an der Entwicklung von Kampfflugzeugen mitgewirkt hatten. Zudem ließ die Bundesregierung erkennen, daß sie mit Israel diplomatische Beziehungen aufnehmen wolle. Der ägyptische Präsident der seit 1958 aus dem Zusammenschluß von Ägypten, Syrien und Jemen entstandenen Vereinigten Arabischen Republik (VAR), Gamal abd-el Nasser, ergriff daraufhin die Initiative zur Anbahnung diplomatischer Beziehungen zur DDR. Ulbricht besuchte im Mai 1962 Kairo, ein Kreditabkommen und wirtschaftlich-technische Zusammenarbeit wurden vorbereitet. Bundeskanzler Erhard erläuterte vor dem Deutschen Bundestag die schwierige Situation für die Bundesrepublik:

„Die Spannungen mit Ägypten sind nicht entstanden, weil Deutschland Israel Waffen lieferte, sondern weil die Regierung in Kairo, die mit kommunistischer Hilfe selbst in unerhörtem Maße aufrüstet, Ulbricht einlud. Israel hat bekanntlich von vielen Staaten militärische Ausrüstung erhalten... den arabischen Staaten gegenüber konnten unsere Beziehungen auf eine lange Tradition nie getrübter Freundschaft gestützt werden. Unsere Beziehungen zu Israel hingegen waren auf das Schwerste belastet. Deutschland stand und steht unter der Schuld, die ihm das Dritte Reich aufgebürdet hat. Dem Frieden wäre ein guter Dienst geleistet worden, wenn die arabischen Staaten... die Ahnenschuld des deutschen Volkes gegenüber den Juden besser verstanden hätten."

Die deutsche Entwicklungshilfe für die VAR wurde eingestellt; der Rat der Arabischen Liga empfahl den Abbruch der diplomatischen Beziehungen zur Bundesrepublik Deutschland. Im Mai 1965 folgten Irak, Libanon, Sudan, Jordanien, Syrien, Saudi-Arabien, Jemen, VAR (seit 1961, dem Jahr der Auflösung des Bündnisses zwischen Ägypten, Syrien und Jemen, Bezeichnung für Ägypten) und Algerien dieser Empfehlung; nur Tunesien erhielt die Beziehungen aufrecht. Gleichzeitig begannen die deutsch-israelischen Verhandlungen über den Austausch von Botschaftern; im August 1965 übernahmen die Diplomaten ihre Ämter in Tel-Aviv und Bonn. Die arabischen Staaten schlossen allerdings mit der DDR nur Kontakte auf konsularischer Ebene.

6. Die Bundesrepublik Deutschland und die Dritte Welt

Bereits im Jahr nach ihrer Gründung beteiligte sich die Bundesrepublik Deutschland an Hilfeleistungen für die Entwicklungsländer. Von 1950—1955 wurden insgesamt 2,535 Mrd., 1956—1959 9,666 Mrd. und von 1960—1964 13,824 Mrd. DM zur Verfügung gestellt; von 1950—1966 waren es insgesamt 31,375 Mrd.

Die Hilfe war breit gestreut: 1966 war die Bundesrepublik an 2800 Projekten in 93 verschiedenen Staaten beteiligt; Schwerpunkte lagen in Indien, Pakistan, Türkei, Griechenland, Syrien, Afghanistan, Ägypten, Spanien, Chile und Brasilien. Die Hilfeleistungen wurden in der Form von Kapital- bzw. Kreditgewährung und technischer Hilfe (zum Beispiel Errichtung von gewerblich-technischen Ausbildungsstätten, landwirtschaftlichen Musterbetrieben, Ausbildung von Praktikanten und Studenten) gegeben.

1959 entstand die „Deutsche Stiftung für Entwicklungsländer". Sie konzentriert sich auf die Bildungshilfe, indem sie die Aus- und Fortbildung von Fachkräften in den Entwicklungsländern und in Betrieben in Deutschland, den Erfahrungsaustausch mit Führungskräften sowie die Vorbereitung deutscher Fachleute auf ihre Aufgabe bei der

Realisierung von Entwicklungsprojekten organisiert und durchführt. So werden zum Beispiel deutsche Lehrer und Fachkräfte auf ihre Tätigkeit in technischen Ausbildungsstätten Afrikas, Asiens und Lateinamerikas vorbereitet. Ausländische Lehr- und Fachkräfte werden in Kursen soweit geschult, daß sie im Durchschnitt nach zwei Jahren den Platz der deutschen Entwicklungshelfer einnehmen können.

Die deutsche Entwicklungshilfe folgte in der politischen Grundentscheidung den Maßstäben, die unmittelbar nach dem Zweiten Weltkrieg gesetzt und dann im Programm für die sogenannte Erste UN-Entwicklungs-Dekade (1961—1971) präzisiert worden waren: Das reale Wachstum des Bruttosozialprodukts sollte beschleunigt (Plan: jährlich 5 %), die Unterschiede im Pro-Kopf-Einkommen zwischen reichen und armen Ländern verringert, der Lebensstandard bis Ende der 80er Jahre verdoppelt, die industrielle Produktion jährlich um 8,5 %, die landwirtschaftliche Produktion jährlich um 4 % gesteigert, die Terms of Trade (Verhältnis der Preise für den Rohstoff-Export und den Industriewaren-Import) sollten um 10 % verbessert werden.

Nach dem Vorbild des für den Wiederaufbau Europas nach 1945 erfolgreichen Marshallplans glaubte man auch in den Entwicklungsländern, mit Kapitalhilfe einen Wirtschaftsaufschwung in Gang bringen zu können. Die Erwartungen erfüllten sich nicht; bereits in der zweiten Hälfte der Dekade kam es zu einer kritischen Überprüfung von Verfahren und Zielsetzung. Zum einen hatten die Industriestaaten ihr Soll an Hilfsaufwendungen (1 % des Bruttosozialprodukts) nicht erfüllt, zum anderen gerieten die Entwicklungsländer infolge der Kredite in immer höhere Verschuldung. Ideologische Kontroversen belasteten die Frage, auf welche Weise und mit welchen Absichten Entwicklungshilfe geleistet werden sollte, überdies beträchtlich.

In der Bundesrepublik gab es für keine Regierung und kein Parlament einen Zweifel daran, daß man einen Beitrag zu den verschiedenen Hilfsprogrammen leisten werde. Ab dem 4. Kabinett Adenauer (1961) leitete und koordinierte ein eigenes Ministerium die deutsche Entwicklungshilfe (Bundesministerium für wirtschaftliche Zusammenarbeit). Die Entwicklungspolitik beruhte auf folgenden Motiven:

● Aus humanitären Gründen sollte das Elend in der Welt gelindert werden; dabei spielte die Erinnerung an die Hilfe, die West-Deutschland nach 1945 für den Wiederaufbau erhalten hatte, eine wichtige Rolle.

● Wirtschaftliche Erwägungen waren es, die die Entwicklungshilfe als Möglichkeit zur Schaffung von lohnenden Absatzmärkten und Investitionsbereichen verstanden.

● Schließlich wurde gerade die deutsche Entwicklungshilfe auch mit nationalpolitischen Motiven gerechtfertigt. Bundeskanzler Erhard sagte in seiner Regierungserklärung am 18. 10. 1962, die Bundesregierung vertraue und hoffe darauf, daß die Länder, die in Anwendung des Selbstbestimmungsrechts der Völker ihre nationale Selbständigkeit erlangt hätten, auch für die deutsche Forderung, nämlich die Gewährung des Selbstbestimmungsrechts für das deutsche Volk, Verständnis aufbrächten.

Diese Kombination von Gründen blieb auch in der Folgezeit für die deutsche Entwicklungshilfe maßgebend.

III. DIE INNENPOLITISCHE ENTWICKLUNG

1. Entscheidungen und Kontroversen bis zur Bundestagswahl 1957

Nach der Bundestagswahl 1953 hatte Bundeskanzler Adenauer ein Koalitionskabinett aus CDU/CSU (243 Abgeordnete), FDP (48), DP (15) und GB/BHE (27) gebildet. Bereits während der Auseinandersetzung über die 1953/1955 zur Entscheidung anstehenden politischen Themen — vor allem Saarfrage, Europäische Verteidigungsgemeinschaft, Pariser Verträge — kam es innerhalb der beiden Koalitionsparteien FDP und GB/BHE und auch innerhalb der Koalition selbst zu Meinungsverschiedenheiten.

Im Juli 1955 spaltete sich der GB/BHE: Seine beiden Bundesminister (Kraft und Oberländer) und fünf Abgeordnete traten zur CDU/CSU-Fraktion über, zwei Abgeordnete schlossen sich der FDP an, die übrigen 18 gingen in Opposition. Für die Koalition war damit die Zweidrittelmehrheit im Bundestag verloren. Sie konnte dies jedoch leicht hinnehmen, da die verfassungsändernden Gesetze im Zusammenhang mit der Westintegration und der Wiederbewaffnung bereits 1954 verabschiedet worden waren.

Zum Streit mit der FDP kam es zum einen wegen der kritischen Äußerungen des FDP-Vorsitzenden Dehler gegenüber der Außenpolitik Adenauers, zum anderen, weil die CDU/CSU-Vorschläge zur Wahlrechtsreform die FDP mit hoher Wahrscheinlichkeit aus dem Bundestag ausgeschlossen hätten. Die FDP war in sich uneins über die politische Taktik: So stürzte die FDP Nordrhein-Westfalens zusammen mit der SPD den CDU-Ministerpräsidenten Arnold und bildete eine neue Koalition, obwohl der Bundesvorstand der Partei den Schritt nicht gutgeheißen hatte. Dies wiederum hatte zur Folge, daß 16 FDP-Bundestagsabgeordnete, darunter die 4 Bundesminister, aus der Partei austraten und eine neue Partei gründeten (Freie Volkspartei/FVP), die sich im Januar 1957 mit der Deutschen Partei zusammenschloß. Die Rest-FDP ging im Bundestag in Opposition.

2. Das Verbot der KPD

Die nach 1945 als antifaschistische Partei zugelassene KPD hatte auf Landesebene zunächst in einigen Regierungskoalitionen mitgewirkt und auch auf Bundesebene Wahlerfolge errungen (1949: 5,7 % = 1 361 708 Stimmen, 1953: 2,2 % = 607 860

Stimmen). Seit der Gründung der Bundesrepublik Deutschland war die Partei immer deutlicher von ihrer vorher praktizierten demokratischen Anpassung abgegangen und auf die von Moskau und den Ostblockstaaten propagierte antidemokratische Linie eingeschwenkt. Unter Berufung auf Art. 21 Abs. 2 des Grundgesetzes hatte die Bundesregierung am 22. November 1951 beim Bundesverfassungsgericht den Antrag gestellt, die Verfassungswidrigkeit der KPD festzustellen. Die Vorbereitungen des Prozesses dauerten mehrere Jahre, die Verhandlung fand vom November 1955 bis zum Juli 1956 statt. Am 17. August 1956 verkündete der 1. Senat das Urteil:

„Die KPD lehnt die grundlegenden Prinzipien des Grundgesetzes ab, da sie sich leidenschaftlich zum Marxismus-Leninismus und seinem Endziel, der sozialistisch-kommunistischen Gesellschaftsordnung bekennt. Sie versteht diese Lehre nicht nur als wissenschaftliche Theorie, sondern als Anleitung zum revolutionären Handeln. Sie will ihr Endziel über die sozialistische Revolution und die Diktatur des Proletariats erreichen. Insbesondere ihr Bekenntnis zur Diktatur des Proletariats ist mit der freiheitlich-demokratischen Grundordnung unvereinbar."

Die Vertreter der KPD brachten vor allem zwei Verteidigungsargumente vor: Die Partei stehe auf dem Boden des Grundgesetzes; ein Verbot sei aber auch deshalb verfassungswidrig, weil dadurch die Wiedervereinigung behindert werde.

In der offiziellen und öffentlichen Diskussion spielte die Frage der Zweckmäßigkeit des Verbotes eine wichtige Rolle. Treibe man die KPD in den Untergrund, sei sie um so schwerer zu beobachten. „Es ist besser, den ganzen Eisberg zu sehen, als nur das kleine Stück, das über dem Wasser schwimmt." Mit dem gleichen Argument wurde auch nach dem Inkrafttreten des Verbots immer wieder für eine Aufhebung plädiert. Dabei wird zumeist verkannt, daß die Aufhebung eines vom Bundesverfassungsgericht erlassenen und rechtskräftig gewordenen Parteienverbots nur durch ein verfassungsänderndes Gesetz des Bundestages möglich wäre. Dies ist ebensowenig vorstellbar wie der andere Weg, das Gesetz über das Bundesverfassungsgericht zu ändern, um eine Wiederaufnahme des Verfahrens zu ermöglichen.

3. Der Aufbau der Bundeswehr

Am 6. Juni 1955 wurde der bisherige „Beauftragte des Bundeskanzlers für die mit der Vermehrung der alliierten Truppen zusammenhängenden Fragen", Theodor Blank, zum Bundesminister für Verteidigung ernannt. Auf der Grundlage des Freiwilligen-Gesetzes (23. 7. 1955) meldeten sich bis zum 1. 8. mehr als 150 000 Mann für die Streitkräfte.

Am 6. 3. 1956 beschloß der Bundestag mit 390 : 20 Stimmen die 2. Wehrergänzung des Grundgesetzes. Damit waren die rechtlichen Voraussetzungen für die Einführung der allgemeinen Wehrpflicht (Art. 12 a Grundgesetz), für die Ernennung der Offiziere und Unteroffiziere durch den Bundespräsidenten (Art. 60 Grundgesetz) und für die Übernahme der Befehls- und Kommandogewalt durch den Bundesminister der Verteidigung (Art. 65 a Grundgesetz) geschaffen. Das Wehrergänzungsgesetz trat am 19. 3. 1956, das Gesetz über die Rechtsstellung des Soldaten (Soldatengesetz) am 1. 4. 1956 in Kraft.

Zu dieser Zeit war die Kontroverse über den deutschen Wehrbeitrag noch keineswegs verstummt. Die Regierungsparteien unternahmen große Anstrengungen, den Prozeß der Aufstellung der Streitkräfte durch eine breitere Zustimmung in der Bevölkerung demokratisch abzusichern: Es handle sich nicht um eine Kreuzzugsarmee gegen die Sowjetunion, sondern um Streitkräfte zum Schutz unserer Freiheit, unserer Heimat und Europas (Adenauer). Die Soldaten der Bundeswehr als „Staatsbürger in Uniform" hätten einen völlig anderen Status als die Soldaten der Weimarer Republik und des Dritten Reiches; Tendenzen zur Entwicklung eines „Staates im Staat", zum Rückfall in „Barras-", bzw. „Kommiß"-Denk- und Verhaltensweisen seien ausgeschlossen. Der Wehrbeauftragte des Deutschen Bundestages (Art. 45 b Grundgesetz; seit 1957), berufen „zum Schutz der Grundrechte und als Hilfsorgan des Bundestages bei der Ausübung der parlamentarischen Kontrolle", garantiere gleichfalls die Einbindung der Armee in die freiheitlich-demokratische Grundordnung.

Überdies war man auch gegenüber den Angehörigen der wehrpflichtigen Jahrgänge bemüht, durch materielle Anreize und ideelle Appelle Skepsis und Widerstände abzubauen. Für die SPD war die Situation insofern schwierig, als sie einerseits an ihrer

Bundeskanzler Konrad Adenauer besuchte am 20. Januar 1956 in Andernach fünf Lehrkompanien freiwilliger Soldaten der neuen deutschen Streitkräfte.

Ein erbitterter Streit entbrannte um die Frage, ob die Bundeswehr mit Atomwaffen ausgerüstet werden solle. Kundgebung des Münchener „Komitees gegen Atomrüstung".

grundsätzlichen Ablehnung des deutschen Verteidigungsbeitrages und der Pariser Verträge festhalten wollte, andererseits aber darauf achten mußte, daß die gegen ihren Willen aufgestellten Streitkräfte in den Staat integriert wurden. So stimmte die Partei zwar der 2. Wehrergänzung des Grundgesetzes zu, lehnte aber das Soldatengesetz und die Einführung der allgemeinen Wehrpflicht ab. Als Grund für die Verweigerung nannte der SPD-Abgeordnete Erler die dadurch verschlimmerte Situation in der Deutschen Frage:

„Zwei Armeen werden in den beiden Teilen Deutschlands aufgestellt. Das ist schon schlimm genug. Noch schlimmer ist es, daß diese beiden Armeen eingeschmolzen werden in einander feindlich gegenüberstehende Militärblöcke, und noch schlimmer ist es, wenn durch unser Zutun dafür gesorgt wird, daß es sich bei diesen Armeen um Wehrpflichtarmeen handelt."

Mit dem an sich klaren Konzept des Primats der Politik in der Wehrverfassung der Bundesrepublik war aber das Problem der Integration der Streitkräfte längst nicht gelöst. In den folgenden Jahren kam es in den Entscheidungsgremien und in der Öffentlichkeit wiederholt zu krisenhaften Auseinandersetzungen. In der Diskussion um die Befehls- und Kommandogewalt ging es um teilweise subtile Überlegungen zur Frage der politischen und militärischen Kompetenzverteilung. Daß hierbei jeweils „Empfindlichkeiten" bei den Beteiligten spürbar wurden, erklärt sich sowohl aus den Erfahrungen der jüngsten Vergangenheit als auch aus den Umständen, unter denen der deutsche Verteidigungsbeitrag zustandegekommen war. Dieselben Gründe waren auch für die in der näheren und ferneren Zukunft immer wieder diskutierte Frage der Einordnung der Soldaten und der Armee in das Bewußtsein der Öffentlichkeit maßgeblich.

In der öffentlichen Diskussion blieb die Bundeswehr weiterhin umstritten. Dies hing nicht zuletzt damit zusammen, daß angesichts des seit 1955/56 zwischen den Blockführungsmächten entstandenen atomaren Patts eine Änderung des wehrpolitischen Konzepts nahezuliegen schien. Die Frage, ob die europäischen NATO-Streitkräfte, und somit auch die Bundeswehr, neben der konventionellen Ausrüstung auch über zumindest taktische Atomwaffen verfügen sollten, um im Hinblick auf eine entsprechende Umrüstung der Ostblockstreitkräfte ihrer Verteidigungsaufgabe weiterhin gerecht werden zu können, führte zu einer ebenso erregten wie tiefgreifenden Auseinandersetzung. Der seit der Kabinettsbildung vom 16. Oktober 1956 als Nachfolger von Theodor Blank amtierende Verteidigungsminister Franz Josef Strauß vertrat die Auffassung, es müsse alles getan werden, um das militärische Gleichgewicht aufrechtzuerhalten, da ein Rüstungsgefälle einer Aufforderung zur Offensive gleichkomme. Deshalb müßten die amerikanischen Truppen auf deutschem Boden ein atomares Potential erhalten. Darüber hinaus könne auch die Bundeswehr auf Dauer nicht auf eine Angleichung an den inzwischen erreichten Rüstungsstandard verzichten.

Die Opposition widersprach, da durch diese Entwicklung die Lösung der Deutschen Frage abermals erschwert werde. Sie erhielt Unterstützung von 18 führenden Atomwissenschaftlern, die im „Göttinger Manifest" ebenfalls für einen deutschen Verzicht auf Atomwaffen plädierten (April 1957). Der Streit belastete auch in der Folgezeit den Aufbau der auf eine halbe Million Soldaten konzipierten Bundeswehr (1957: 100 000 Mann).

4. Die Wahl zum 3. Deutschen Bundestag (Das 3. Kabinett Adenauers)

Die Regierungsparteien konzentrierten ihren Wahlkampf im wesentlichen auf zwei Akzente: „Keine Experimente" und „Wohlstand für alle". Beide Parolen erwiesen sich als sehr erfolgreich:

Die Politik der Sicherung des Erreichten erschien nach der Phase der großen Kontroversen um die außen- und deutschlandpolitischen Grundsatzentscheidungen von 1953 bis 1955 umso richtiger, je deutlicher sich die vollzogene Westintegration als vorteilhaft für die Bundesrepublik erwies. Der Ungarnaufstand im Oktober 1956 und seine brutale Niederwerfung durch sowjetische Truppen schien das Konzept der „Politik der Stärke" und der Einbettung der Bundesrepublik Deutschland in das Schutz- und Sicherheitssystem des Westens nachdrücklich zu bestätigen. Der Hinweis, daß die Wiedervereinigung Deutschlands gerade durch diese Integration in den Westen in unerreichbare Ferne gerückt worden sei, vermochte demgegenüber in der aktuellen Situation vergleichsweise wenig zu bewirken.

Die wirtschaftliche Entwicklung war insgesamt beeindruckend erfolgreich. Die Unterschiede im Anteil an diesem Erfolg und bei der Bildung von Vermögen waren zwar nicht gering, aber die Bundesregierung hatte soeben durch die Rentengesetze bewiesen, daß sie die bis dahin noch zu kurz Gekommenen durchaus an der positiven Gesamtentwicklung beteiligen werde, wenn man ihr die Möglichkeit gebe, ihre Arbeit fortzusetzen: Die Wahl am 15. September 1957 brachte der CDU/CSU die absolute Mehrheit (50,2 %; CDU: 39,7 %, CSU: 10,5 %; Zuwachs gegenüber 1953: 5,0 %). Die SPD konnte ihren Stimmenanteil um 3,0 % auf 31,8 % verbessern. Die FDP verlor 2,2 % und erreichte nur noch 7,7 %. Von den kleineren Parteien gelang nur noch der Deutschen Partei (Zusammenschluß aus ehemaliger DP und neugegründeter FVP) der Einzug in den Bundestag (3,4 % der Stimmen), weil sie mit der CDU ein Wahlabkommen geschlossen und deshalb in Niedersachsen 5 Direktmandate und in Hessen eins errungen hatte. Daß von den übrigen 8 Parteien keine die im Wahlgesetz vorgeschriebenen Hürden (5 % der im Bundesgebiet abgegebenen Stimmen oder 3 Direktmandate) überwinden konnte, war eigentlich nur beim GB/BHE überraschend (4,6 %; Verlust gegenüber 1953: 1,3 %); hier hätte vermutet werden können, daß die Stammwähler der Partei noch für einige Zeit treu bleiben würden.

Da die für die nicht in den Bundestag einziehenden Parteien abgegebenen 7 % der Stimmen bei der Berechnung der Sitzverteilung nach dem d'Hondtschen Höchstzahlverfahren den im Bundestag vertretenen Parteien zugute kamen, erhielten:

CDU/CSU 270 Sitze (= 54,3 %; 194 direkt gewählt, 76 über Landeslisten)

SPD 169 Sitze (= 34,0 %; 46 direkt gewählt, 123 über Landeslisten)

FDP 41 Sitze (= 8,3 %; 1 direkt gewählt, 40 über Landeslisten)

DP 17 Sitze (= 3,4 %; 6 direkt gewählt, 11 über Landeslisten).

Auf Vorschlag seiner Partei wurde Konrad Adenauer vom Deutschen Bundestag (274 : 193 Stimmen bei 9 Enthaltungen) zum drittenmal gewählt und von Bundespräsident Heuss zum Bundeskanzler ernannt. Das am 29. 10. 1957 vorgestellte Kabinett bestand aus 17 Mitgliedern der Koalitionsparteien CDU (11), CSU (4) und DP (2).

5. Die CDU/CSU auf dem Höhepunkt ihrer Macht

Aus der Rückschau betrachtet umfaßt die „Ära Adenauer" nicht mehr die gesamte Legislaturperiode des 3. Deutschen Bundestages. Seine Führungsrolle, seine Entscheidungskompetenz in allen politischen Bereichen und sein alle übrigen Persönlichkeiten überragender Eindruck auf die Bevölkerung waren ein Jahrzehnt lang unbestritten. Der Wahlerfolg von 1957 war Ausdruck und Beweis der in allen Bevölkerungsschichten vorhandenen Wertschätzung des CDU-Vorsitzenden und Regierungschefs. Es war typisch für ihn, daß er ungeachtet seiner 81 Lebensjahre mit dem neuen Mandat die Leitlinien seiner Politik mit aller Energie weiterverfolgte. In der Außenpolitik blieben selbstverständlich das enge Zusammenwirken mit den westeuropäischen Staaten und die Erhaltung von Sicherheit und Frieden oberste Ziele. Im Bereich der Innenpolitik

Plakate zur Bundestagswahl 1957

sollten die Fortführung der Sozialreform mit der Absicht einer breiten Streuung des Privateigentums, die Hilfe für die Landwirtschaft bei der strukturellen Umwandlung und die Anwendung marktwirtschaftlicher Grundsätze auch in der Wohnungswirtschaft Vorrang haben. Diese Vorhaben schienen ohne größere Schwierigkeiten durchführbar, wenn der eingeschlagene und bisher so erfolgreiche Weg weiterverfolgt wurde.

Trotzdem sah Adenauer die Zukunft nicht problemlos. Es war Ausdruck seiner Sorge um die künftige Entwicklung, daß er in der Frage der Nachfolge für Bundespräsident Heuss, dessen Amtszeit im September 1959 auslief, eine schwankende Haltung einnahm: Der von Bundesinnenminister Schröder vorgeschlagene Bundeswirtschaftsminister Erhard widerrief seinen Entschluß, sich zur Wahl zu stellen. Der Wunsch der Partei, den populären Garanten des wirtschaftlichen Aufschwungs weiterhin als Wählermagnet einsetzen zu können, war dabei ebenso wichtig wie die Erwägung, daß Erhard auch der ernsthafteste Kandidat für die Kanzlernachfolge war. Adenauer wollte Erhard jedoch weder als Nachfolger für sich selbst noch für Heuss akzeptieren:

„Ich hatte mich schon seit Jahr und Tag mit dem Gedanken getragen, das Amt des Bundeskanzlers abzugeben, und war bemüht gewesen, einen geeigneten Nachfolger zu finden . . ., aber eine Lösung hatte sich nicht gezeigt."

In dieser Situation entschloß sich Adenauer, das Amt des Bundespräsidenten selbst anzustreben. Aufgrund eines Gutachtens wurden die Befugnisse des Bundespräsidenten in einer Weise interpretiert, die weit über die von Heuss geübte Praxis hinausreichten. Vor dem Wahlmännergremium der CDU/CSU sagte Adenauer am 7. 4. 1959:

„Eines muß ich noch sagen: Ich denke nicht daran, mich auf das Altenteil zurückzuziehen. Das liegt mir völlig fern. Ich möchte keinen Zweifel daran lassen, aber auch gar keinen Zweifel, der ich einer der Väter des Grundgesetzes bin, daß ich für eine extensive Interpretation des Grundgesetzes eintreten werde."

Kurze Zeit später widerrief Adenauer seine Kandidatur, da ihm bewußt geworden war, daß die von ihm zunächst in dem Amt gesehenen Möglichkeiten unrealistisch waren.

Diese Kandidatendiskussion war zweifellos mehr als ein Zwischenspiel: Sie bewies die Schwierigkeit der CDU/CSU, Persönlichkeiten für die Nach-Adenauer-Zeit zu finden, die vom Bundeskanzler akzeptiert wurden und die an sein Format heranreichten. Der Kandidat der Partei, Erhard, wurde von Adenauer nicht gutgeheißen, da er ihn zwar für einen guten Wirtschaftsminister hielt, für das Kanzleramt jedoch als nicht befähigt ansah. Für die Heuss-Nachfolge bestimmte die Partei schließlich Heinrich Lübke, der im 3. Kabinett Adenauer Ernährungsminister war. Er konnte bei der Wahl durch die Bundesversammlung in Berlin über seinen Gegenkandidaten Carlo Schmid/SPD erst im 2. Wahlgang mit 526 : 394 obsiegen.

Die Kanzler-Nachfolge wurde aufgeschoben; die CDU/CSU trat bei der Wahl 1961 unter dem Motto „Adenauer, Erhard und die Mannschaft" an.

6. Die Folgerungen der SPD aus dem Wahlergebnis von 1957

So stabil sich auch das Wählerpotential aller demokratischen Parteien erwiesen hatte — 82 % hatten die „großen" Parteien gewählt, weit über 90 % sich für klassisch-demokratische Parteien entschieden — die SPD mußte ihren nur geringfügigen Wählerzuwachs als Niederlage empfinden. Die Lektion, die die Partei erteilt bekommen hatte, lehrte, daß es nicht möglich sein würde, auf dem bisher eingeschlagenen Weg die Mehrheit zu erringen. Die Partei stand vor der entscheidenden Frage, welche Kursänderung denkbar wäre, die traditionelle Wähler nicht verprellte und gleichzeitig für neue Schichten attraktiv wäre. Für eine Partei mit nahezu 90jähriger sozialistischer Tradition konnte dieser Prozeß nicht ohne Komplikationen vor sich gehen, aber die Zeit drängte.

Leicht fiel die künftig noch entschiedenere Abgrenzung gegenüber dem Kommunismus. Im Hinblick auf die Wirksamkeit von Adenauers radikal vereinfachender Formel, die Wahl (von 1957) entscheide darüber, ob die Bundesrepublik christlich bleibe oder kommunistisch werde, wurde eine parteipolitische Perspektive entwickelt, die sich deutlich von allen sozialistischen Zielsetzungen distanzierte. Man war sich darüber klar, daß sich die SPD zu einer Volkspartei entwickeln mußte, die für alle Schichten der Gesellschaft als politische Heimat in Betracht kam; sie mußte sich als Alternative für die bürgerlichen Parteien profilieren. Alle Kontakte zu kommunistischen Gruppen wurden abgebrochen.

Das Godesberger Programm

Das Ende des Entscheidungsprozesses markierte das „Godesberger Programm" von 1959.

Die Sozialdemokratische Partei ist von einer Partei der Arbeiter zu einer Partei des Volkes geworden. Sie will die Kräfte, die durch die industrielle Revolution und durch die Technisierung aller Lebensbereiche entbunden wurden, in den Dienst von Freiheit und Gerechtigkeit für alle stellen. Die gesellschaftlichen Kräfte, die die kapitalistische Welt aufgebaut haben, versagen vor dieser Aufgabe unserer Zeit... Die alten Kräfte erweisen sich als unfähig, der brutalen kommunistischen Herausforderung das überlegene Programm einer neuen Ordnung politischer und persönlicher Freiheit und Selbstbestimmung, wirtschaftlicher Sicherheit und sozialer Gerechtigkeit entgegenzustellen.

Der Verabschiedung des neuen Parteiprogramms folgte eine Reihe von Revisionen bisher eingenommener Positionen.

Die Einstellung gegenüber der Bundeswehr hatte man bereits 1958 differenziert, obwohl die Haltung der Partei in der Wehrfrage zwiespältig blieb: Die SPD beharrte weiterhin auf der grundsätzlichen Ablehnung des Verteidigungsbeitrags in der gegenwärtigen Form und unterstützte insbesondere die Kampagne „Kampf dem Atomtod". Sie versuchte hier sogar eine Volksabstimmung zu erreichen, scheiterte aber damit am Urteil des Bundesverfassungsgerichts; andererseits wurden Kontakte zu Bundeswehrangehörigen aufgenommen und Parteimitglieder zum Eintritt in die Bundeswehr ermuntert. Es war abzusehen, daß man die Unterscheidung zwischen Soldaten und Armee aufgeben würde.

Am 30. 6. 1960 hielt der SPD-Fraktionsvorsitzende Herbert Wehner im Bundestag eine Rede, in der er für seine Partei erstmals erklärte, die SPD stimme mit der CDU/CSU darin überein, daß bei der Abwägung der nationalen Lebensfragen die Sicherheit Vorrang vor der Wiedervereinigung habe. Mit der plausiblen Erklärung, das Scheitern der Pariser Gipfelkonferenz (Mai 1960) erzwinge eine gemeinsame Außenpolitik von Regierung und Opposition, sprach Wehner davon, daß auch für die SPD das europäische und atlantische Vertragssystem, dem die Bundesrepublik angehört, Grundlage und Rahmen der deutschen Außen- und Wiedervereinigungspolitik sei.

„Die SPD hat nicht gefordert und beabsichtigt nicht, das Ausscheiden der Bundesrepublik aus den Vertrags- und Bündnisverpflichtungen zu betreiben. Sie ist der Auffassung, daß ein europäisches Sicherheitssystem die geeignete Form wäre, den Beitrag des wiedervereinigten Deutschlands zur Sicherheit in Europa und in der Welt leisten zu können; die SPD bekennt sich in Wort und Tat zur Verteidigung der freiheitlichen demokratischen Grundrechte und Grundordnung und bejaht die Landesverteidigung."

Damit waren die von den Experten Helmut Schmidt und Fritz Erler entwickelten Vorschläge und Vorstellungen zum sicherheitspolitischen Programm der Partei geworden. Wenig später (24. 11. 1960) gab der Regierende Bürgermeister von Berlin, Willy Brandt, für die SPD die Erklärung ab, die Partei würde im Falle einer Regierungsübernahme die allgemeine Wehrpflicht beibehalten. Damit blieb zwischen CDU/CSU und SPD im Bereich der Verteidigung letztlich als einziger Kontroverspunkt die Ausrüstung der Bundeswehr mit atomaren Trägermitteln, die seit dem NATO-Beschluß von 1957 und der Zustimmung des Bundestags von 1958 auf Divisionsebene erfolgt war. Die Verfügungsgewalt über die Nuklear-Sprengköpfe verblieb bei den Vereinigten Staaten.

Das neue wirtschafts- und sozialpolitische Konzept — Bejahung von freiem Wettbewerb, freier Unternehmerinitiative, privatem Eigentum an Produktionsmitteln, soweit dadurch nicht der Aufbau einer gerechten Sozialordnung behindert wird, und die Zustimmung zu einer gemeinsamen Deutschland- und Außenpolitik auf der Grundlage der Westintegration der Bundesrepublik, unter selbstverständlicher Weiterverfolgung des Zieles Wiedervereinigung — charakterisiert die SPD am Ende des Jahres 1960. Es war nur folgerichtig, daß man diese veränderte Programmatik auch mit einem personellen Wechsel verband: Am 25. 10. 1960 wurde Willy Brandt zum Kanzlerkandidaten für die Bundestagswahl 1961 und damit als Gegenspieler Konrad Adenauers nominiert.

7. Die „unbewältigte Vergangenheit"

Selbstverständlich waren von 1945 bis zur Gründung der Bundesrepublik Deutschland und im ersten Jahrzehnt ihrer Geschichte die historischen Fakten über die Entwicklung des Nationalsozialismus, über die Ereignisse des Zweiten Weltkrieges, über die Untaten der nationalsozialistischen Herrschaft in den besetzten europäischen Ländern usw. durch Publikationen und Prozesse über Kriegs- und Konzentrationslagerverbrechen einer breiten Öffentlichkeit bekannt geworden. Aber offensichtlich waren diese Informationen bis in die zweite Hälfte der fünfziger Jahre hinein im Bewußtsein eines Großteils der Bevölkerung überlagert worden durch die für den einzelnen aktuelleren Probleme der Existenzsicherung, der Teilhabe am „Wirtschaftswunder", der künftigen privaten und gemeinschaftlichen Lebensgestaltung, der Zukunftsorientierung im außen-, innen-, wirschafts- und sozialpolitischen Bereich. Anders ist es nicht zu erklären, daß erst nach 1959 das Bemühen um die „Bewältigung der Vergangenheit", um die Reflexion des bis 1945 Geschehenen zu einem allgemeinen Anliegen wurde.

Drei Phänomene waren es im wesentlichen, die die Beschäftigung mit der Zeitgeschichte für lange Zeit in den Mittelpunkt des Denkens der Menschen in der Bundesrepublik und auch in das Handeln der politisch verantwortlichen Instanzen rückten.

— Auslösendes Moment waren antisemitische und nazistische Vorfälle an der Jahreswende 1959/60: In der Zeit von Dezember 1959 bis Ende Januar 1960 war es in einer Reihe von Großstädten zu Hunderten von Schändungen jüdischer Friedhöfe und zu Hakenkreuzschmierereien an Gebäuden gekommen. In ihrem Weißbuch vom 17. 2. 1960 stellte die Bundesregierung diese Vorfälle im Detail dar. Die Täteranalyse ergab, daß von den bisher ermittelten 234 Urhebern 130 jünger als 20, 179 jünger als 30 Jahre waren.

— Als „Hauptschuldigen" glaubte die öffentliche Kritik die Schule erkannt zu haben. Die Aufklärungsarbeit sei sträflich vernachlässigt worden, die Unwissenheit über die zeitgeschichtlichen Ereignisse sei erschreckend. Diese Tatsachen stünden fest und könnten nicht durch Hinweise auf die Informationstätigkeit zum Beispiel der Bundeszentrale für Heimatdienst (seit 1963 Bundeszentrale für politische Bildung), die Forschungs- und Publikationstätigkeit des seit 1953 bestehenden Instituts für Zeitgeschichte in München sowie die Tagungen, Seminare und Vortragsveranstaltungen der vielen Bildungseinrichtungen ausgeglichen werden — alle diese Anstrengungen hätten eben offensichtlich nicht die erwünschte Wirkung bei den Jugendlichen gezeitigt.

— Für die geforderte „Auseinandersetzung mit der Vergangenheit" wurde aber bereits in der Bundestagsdebatte über das Weißbuch (am 18. 2. 1960) deutlich gemacht, daß es verfehlt wäre, die Vorfälle als „Exzesse weniger einzelner" abzutun oder die Last der Verantwortung allein den Geschichtslehrern an den öffentlichen Schulen zuzuschieben.

Anläßlich der Gerichtsverfahren über die während der nationalsozialistischen Machtperiode begangenen Verbrechen tat sich der konsternierten Öffentlichkeit ein nicht für möglich gehaltener Abgrund an Unmenschlichkeit auf: Über die Prozesse gegen KZ-Bewacher — dem Prozeß gegen den Leiter des mit der „Endlösung des Judenproblems" beauftragten Referates im Reichssicherheitshauptamt, Adolf Eichmann, der 1961 mit dem Todesurteil vor einem israelischen Gericht endete, kam dabei besondere Bedeutung zu — über SS-Angehörige im Dienst der berüchtigten Einsatzgruppen und Soldaten, die sich Kriegsverbrechen hatten zuschulden kommen lassen, wurde in den Medien breit berichtet.

Die Reaktion war geteilt: Während die einen den „Schlußstrich" forderten, verlangten andere die schonungslose Verfolgung und die Aburteilung aller Schuldigen. Diese Ansicht setzte sich — nach umfangreicher und heftiger Debatte in der Öffentlichkeit und im Parlament — schließlich durch: Am 25. 3. 1965 verabschiedete der Bundestag mit 364 : 96 Stimmen (bei 4 Enthaltungen) den Entwurf eines Gesetzes über die

Berechnung strafrechtlicher Verjährungsfristen, das den Beginn der zwanzigjährigen Verjährungsfrist für mit lebenslänglichem Zuchthaus zu ahndende NS-Verbrechen vom 8. 5. 1945 auf den 31. 12. 1949 verlegte.

Es kann keinem Zweifel unterliegen, daß alle diese Vorgänge das innenpolitische Leben in den frühen 60er Jahren nicht wenig belasteten. Durch die Hakenkreuzschmierereien von Ende 1959 erhielt die öffentliche Aufmerksamkeit einen neuen Konzentrationspunkt, und die Diskussion auf allen politischen Ebenen einen neuen Kontroversgegenstand. Die Erörterung reichte von polemischen Vorwürfen und peinlicher Schnüffelei bis zu ebenso sensibler wie tiefgründiger Betrachtung der moralischen Dimension der Vorgänge und der Verhaltensweisen von Gruppen und einzelnen.

8. Die 4. Bundestagswahl und das 4. Kabinett Adenauer

Die Wahlkampfstrategien der Parteien — die „neue" SPD des Godesberger Programms, die „Dritte Kraft" FDP, die sich unter ihrem neuen Bundesvorsitzenden Erich Mende bereits vor der Wahl auf eine „Koalition mit der CDU ohne Adenauer" festlegte, die von der „Kanzlerpartei" zur Partei mit Führungsmannschaft gewandelte CDU/CSU, bei der auch der CSU-Parteivorsitzende Strauß eine wichtige Rolle spielte — mußten kurz vor dem Wahltermin infolge des Mauerbaus am 13. August 1961 bezüglich der deutschlandpolitischen Position überprüft werden. Deutschland- und außenpolitische Kontroversen traten daher in der Schlußphase des Wahlkampfes erneut in den Vordergrund. Da Adenauer den Wahlkampf fortsetzte, während der SPD-Kanzlerkandidat und Regierende Bürgermeister von Berlin, Brandt, sich voll den Problemen der geteilten Stadt zuwandte, geriet der CDU-Vorsitzende auch in diesem Punkt zunehmend in die öffentliche Kritik. Es wurde vermerkt, daß Adenauer in dieser Situation nicht von seinen negativen Anspielungen auf Herkunft und Vergangenheit Brandts abließ.

Bei der Wahl am 17. September 1961 verlor die CDU/CSU ihre absolute Mehrheit, blieb jedoch mit 45,3 % der abgegebenen Stimmen stärkste Partei. Die SPD verzeichnete mit 36,2 % einen Stimmenzuwachs von 4,4 % gegenüber 1957. Als sensationell wurde das Anwachsen der FDP auf 12,8 % gewertet.

Alle übrigen Parteien — GDP, DRP und DG — verfehlten das Ziel ebenso eindeutig (0,8 %; 0,8 %; 0,1 %) wie die linke Deutsche Friedensunion/DFU (1,9 %).

Die CDU/CSU verfügte nunmehr noch über 242 Abgeordnete (= 48,5 %; 156 Direktmandate, 86 über Landeslisten), die SPD über 190 (= 38,1 %; 91 Direktmandate, 99 über Landeslisten) und die FDP über 67 (= 13,4 %, alle über Landeslisten).

Der Trend zu den großen Parteien hatte sich weiterhin fortgesetzt. Die FDP hatte ihr Doppelziel erreicht, ihre Stellung als „Dritte Kraft" auszubauen und die absolute Mehrheit der CDU/CSU zu verhindern. Zudem war es ihr gelungen, sich als liberale Partei überzeugend darzustellen, so daß der ihr in der Vergangenheit anhaftende Verdacht der Rechtsorientierung gegenstandslos wurde.

Plakate zur Bundestagswahl 1961

Für die SPD hatte der Erfolg zwar den neuen Kurs bestätigt und ihr offenbar neue Wählerschichten erschlossen. Aber die Partei war immer noch weit von der Möglichkeit entfernt, die Regierung zu bilden.

Die CDU/CSU hatte, zahlenmäßig betrachtet, die absolute Mehrheit zwar nur um 7 Mandate verfehlt, aber der Eindruck, verloren zu haben, war doch unverkennbar. Es lag nahe, die Ursachen in der Person Adenauers und den von ihm verursachten Belastungen für die Partei zu suchen. Obwohl sich die Partei nach dem 13. August 1961 stark für die Herausstellung Erhards eingesetzt und auch Erich Mende sich für eine Koalition mit Erhard als Kanzler ausgesprochen hatte, blieb Adenauer bei seinem Führungsanspruch. Wegen ihrer Koalitionsaussage vor der Wahl geriet die FDP in eine schwierige Situation: Adenauer trug ihr unmittelbar nach der Wahl die Regierungsbeteiligung unter seiner Kanzlerschaft an. Die FDP-Gremien lehnten zunächst strikt ab. Die Lage spitzte sich noch mehr zu, als sich auch die CSU für Erhard als Kanzler aussprach.

Adenauer taktierte in dieser Situation auch mit der Erwägung einer Großen Koalition. Die auf diese Weise unversehens in die Möglichkeit zur Mitregierung versetzte SPD reagierte mit dem Vorschlag einer „Allparteienregierung" der „nationalen Konzentration" angesichts der angespannten Situation in Berlin und an der Grenze zur DDR.

Die rechnerisch mögliche Regierungsbildung von SPD und FDP blieb irreal, weil insbesondere der Parteivorsitzende Mende jede Aktivität in dieser Richtung ablehnte. Da Adenauer sich innerhalb von CDU/CSU dadurch zu behaupten vermocht hatte, daß er mit einer Befristung seiner Kanzlerschaft einverstanden war, war die FDP praktisch zum Nachgeben gezwungen. Die Koalitionsbildung dauerte aber nicht nur sehr lange — 65 Tage (1949: 36; 1953: 39; 1957:45) — sie führte auch zu einer folgenschweren Belastung aller beteiligten Persönlichkeiten und Parteien. Der schließlich ausgehandelte „Koalitionsvertrag" war ein kompliziertes Werk von Kompromissen und Absicherungen; der gegenseitige Argwohn kam darin ebenso zum Ausdruck wie das Bemühen beider Seiten, das „Gesicht" zu wahren.

9. Das Ende der Ära Adenauer und der Weg zur Großen Koalition

Das am 14. November 1961 vorgestellte 4. Kabinett Adenauer bestand aus 11 CDU-, 4 CSU- und 5 FDP-Ministern. Der FDP-Vorsitzende Mende hatte aufgrund seiner öffentlichen Festlegung vor der Wahl auf die Koalition mit der CDU/CSU ohne Adenauer auf Ministeramt und Vizekanzlerschaft verzichtet. „Kronprinz" Erhard nahm nunmehr diese Stellung ein. Die FDP hatte erzwungen, daß das Außenressort nicht mehr an den bisherigen Minister v. Brentano (CDU), sondern an Gerhard Schröder (CDU) vergeben wurde, der bis zur Wahl von 1961 Innenminister gewesen war.

In der ersten Phase der neuen Legislaturperiode standen infolge der DDR-Maßnahmen in Berlin und entlang der Zonengrenze außen- und deutschlandpolitische Fragen im Vordergrund. Das Eintreten amerikanischer Politiker für Berlin bedeutete eine wichtige moralische Unterstützung der Berlin-Politik der Bundesregierung. Diese Unterstützung wurde durch amerikanische Sicherheitsgarantien für die Stadt konkretisiert. Dennoch war unverkennbar, daß die Deutschlandpolitik der Bundesregierung einen schweren Schlag erlitten hatte.

Im Vergleich zu diesem Zentralproblem bereiteten die anderen zur Entscheidung anstehenden Fragen weitaus geringere Schwierigkeiten: Die Bundesregierung konzentrierte sich auf eine Intensivierung der europäischen Integration und insbesondere auf die Vertiefung der deutsch-französischen Zusammenarbeit. In beiden Bereichen wurden große Fortschritte erzielt, die als Stabilisierung der Position der Bundesrepublik Deutschland und Westeuropas empfunden wurden.

Probleme der Innen- und Wirtschaftspolitik wurden in der Öffentlichkeit mit dem „Maßhalte-Appell" von Bundeswirtschaftsminister Erhard vom März 1961 bewußt gemacht. Rückläufige Unternehmergewinne und geringeres Steueraufkommen gaben ersten Anlaß zur Besorgnis.

10. Von der Regierungsumbildung 1962 zum Rücktritt Adenauers und zur 1. Regierung Erhard 1963

Am 26./27. Oktober 1962 wurden von der Bundesanwaltschaft aufgrund von Haftbefehlen des Ermittlungsrichters beim Bundesgerichtshof der Herausgeber des Nachrichtenmagazins „Der Spiegel", Rudolf Augstein, in Hamburg und der Militärexperte des Blattes, Conrad Ahlers, in Spanien verhaftet. Ihnen wurde Landesverrat, landesverräterische Fälschung und aktive Bestechung vorgeworfen, begangen durch die Veröffentlichung eines Artikels über das NATO-Manöver „Fallex '62". Im Verlauf der folgenden Untersuchungen konnte der Vorwurf nicht aufrecht erhalten werden. In der Anfangsphase war auch der Bundestag mit der in der Öffentlichkeit erregt diskutierten „Spiegel-Affäre" befaßt. In diesem Zusammenhang wurden heftige Vorwürfe gegen Bundesverteidigungsminister Strauß erhoben, er habe seine Mitwirkung verschleiert. Strauß berief sich auf die Berechtigung der Exekutive, Einzelheiten eines streng geheim laufenden Staatsvorgangs erst zum staatspolitisch richtigen Zeitpunkt dem Parlament und der Öffenlichkeit zu unterbreiten. Um eine Regierungsneubildung zu erzwingen, traten 5 Minister der FDP zurück. Strauß verzichtete auf ein Ministeramt im neuen Kabinett. Das am 13. Dezember 1962 vereidigte 5. Kabinett Adenauer bestand aus 20 Ministern (11 CDU, 4 CSU, 5 FDP); das Verteidigungsressort übernahm Kai-Uwe von Hassel (CDU).

Die Landtagswahlen im Frühjahr 1963 in Berlin und Rheinland-Pfalz brachten Verluste für die CDU (− 8,9 %; − 4 %), die Regierungspartei SPD näherte sich in Berlin mit einem Stimmenzuwachs von 9,3 % der Zweidrittelmehrheit (61,9 %; CDU 28,8 %). Mochte dies als besonderer Vertrauensbeweis für Willy Brandt interpretiert werden, so hatte doch auch in Rheinland-Pfalz die SPD 5,8 % gewonnen und im Gesamtergebnis die 40 %-Grenze überschritten.

Während die CDU/CSU nunmehr auf eine rasche und eindeutige Nominierung von Vizekanzler Erhard zum offiziellen Kanzlerkandidaten drängte, konnte Adenauer bis zuletzt seine Skepsis nicht überwinden. Er wollte eine Verschiebung und die Aufstel-

Bundeskanzler Prof. Dr. Ludwig Erhard im Gespräch mit Altbundeskanzler Dr. Konrad Adenauer.

lung von Gegenkandidaten erreichen. Mit beidem drang er nicht durch. Am 23. April 1963 bestimmte die CDU/CSU-Fraktion mit 159 : 47 Stimmen (19 Enthaltungen) Erhard zum Nachfolger Adenauers. Die Befürworter sahen sich durch den Ausgang der folgenden Landtagswahlen bestätigt. Die „Wahllokomotive" Erhard, der sich in der Öffentlichkeit als der Schöpfer des Wirtschaftswunders und Garant des Wohlstands eines großen Ansehens erfreute, führte die CDU Niedersachsens mit einem Stimmengewinn von 6,9 % zu einem beachtlichen Erfolg; die SPD hatte allerdings ebenfalls 5,4 % gewonnen und nunmehr 44,9 % (CDU 37,7 %) erreicht. Selbst in der traditionellen SPD-Hochburg Bremen (1959: SPD 54,9 %, CDU 14,8 %) stellte sich mit Erhard ein nicht für möglich gehaltener Stimmenzuwachs auf fast das Doppelte ein (1963: SPD 54,7 %; CDU 28,9 %); die Deutsche Partei hatte nicht weniger als 8,1 % Stimmen verloren.

Für die CDU/CSU waren diese Erfolge für ihre innere Stabilität und als Bestätigung ihrer Kanzlerentscheidung zweifellos wichtig. Für die innerdeutsche Atmosphäre in der Bundesrepublik Deutschland bedeutsamer war jedoch, daß nach einer längeren Periode von inner- und zwischenparteilichen Streitfällen, Affären und Krisen in der zweiten Jahreshälfte 1963 Beruhigung eintrat.

220

Adenauer stellte sich in den letzten Monaten seiner Kanzlerschaft wieder als der große deutsche Staatsmann dar: Der Besuch des amerikanischen Präsidenten Kennedy in Bonn und Berlin (23.—26. Juni 1963: „Ich bin ein Berliner!"), der Beginn der im deutsch-französischen Vertrag (16. Mai 1963) vorgesehenen Arbeitsbesuche mit dem Besuch von Staatspräsident de Gaulle in Bonn und anderen Städten (4./5. Juli 1963), die Veröffentlichung von Adenauers Angebot an die Sowjetunion über einen 10jährigen Burgfrieden in der Deutschlandfrage aus dem Jahre 1962 (am 3. Oktober 1963) und schließlich die Abschiedsbesuche in Rom, im Vatikan und in Rambouillet (September 1963) sowie die Verleihung der Ehrenbürgerrechte von Berlin an ihn durch Willy Brandt wurden zu Demonstrationen der Anerkennung für seine einmalige politische Leistung. Die Annahme seiner Rücktrittserklärung durch den Bundespräsidenten erfolgte am 15. Oktober 1963. In einer eindrucksvollen Feierstunde würdigte der Bundestag Adenauers historische Bedeutung und seine Verdienste um die Bundesrepublik Deutschland.

Am Tag danach wurde Ludwig Erhard mit 279 : 180 (24 Enthaltungen) zum neuen Bundeskanzler gewählt. Seinem Kabinett aus 21 Ministern (12 CDU, 4 CSU, 5 FDP) gehörte nunmehr auch der FDP-Vorsitzende Mende als Vizekanzler und Minister für gesamtdeutsche Fragen an.

Die Frage war, ob Erhard aus dem Schatten seines überragenden Vorgängers würde heraustreten können. Niemand hatte an seinen Qualitäten als Wirtschaftsminister gezweifelt, seine Popularität bestätigte dies ebenso wie seine Erfolge bei den Wahlkämpfen. Die Erwartungen an ihn als Bundeskanzler bezogen sich aber auf das Gesamtfeld der Politik. Einerseits waren viele Grundlinien durch die Entscheidungen während der Ära Adenauer festgelegt, andererseits sollten aber auch neue Akzente gesetzt bzw. nicht geklärte oder als unbefriedigend gelöst empfundene Probleme angegangen werden.

Im außenpolitischen Bereich schien dies kaum möglich. So spannungsgeladen und unerträglich sich die Deutsche Frage nach wie vor darstellte, eine Möglichkeit zur Veränderung zeichnete sich nicht ab. Die Weiterführung der europäischen Integrationspolitik, die Stärkung der NATO — einschließlich der deutschen Beteiligung an einer multilateralen Nuklearstreitmacht — und die Förderung weltweiter Friedensbemühungen blieben weiterhin die Kernpunkte.

Ob es im innenpolitischen Raum gelingen würde, neue Entwicklungen anzubahnen, mußte die Zeit zeigen: Erhard warnte in seiner Regierungserklärung vor der materialistischen Grundhaltung vieler Menschen. Übergeordnete Werte und Maßstäbe müßten wieder stärker ins Bewußtsein und zur Geltung gebracht werden; egoistische Interessenvertretungen ließen Verantwortungsgefühl für das Ganze und Gemeinsame vermissen. Die Regierung werde ihrerseits Anstrengungen unternehmen, das Denken in Ressortgrenzen zu überwinden. Ein Bundesbeauftragter für Wirtschaftlichkeit solle die Absicht stützen, die Verwaltungstechnik und -praxis so zu reformieren, daß sie den Anforderungen eines modernen Staatswesens gerecht werde und aufgeschlossenem Bürgersinn entspreche. Es gelte, in allen Bereichen des Bildungswesens aktiv zu werden:

„Ohne Verstärkung der geistigen Investitionen müßte Deutschland gegenüber anderen Kultur- und Industrieländern zurückfallen ... Es muß dem deutschen Volk bewußt sein, daß die Aufgabe von Bildung und Forschung für unser Geschlecht den gleichen Rang besitze wie die soziale Frage für das 19. Jahrhundert."

Fritz Erler antwortete für die Opposition. Mit Aufmerksamkeit wurde registriert, daß er nicht nur das Gesamtkonzept, die neuen Gedanken und die beabsichtigten neuen Methoden guthieß, sondern die Förderung „der guten Vorschläge der Regierung" in Aussicht stellte. Die Opposition müsse als mögliche Regierungspartei verstanden werden, und Erler sprach auch aus, was in der Öffentlichkeit diskutiert wurde: Ob die SPD Regierungspartei werde, „ob das Interim, das wir jetzt begonnen haben, über den nächsten Wahltag hinausdauert, darüber werden die Wähler nach Abschluß der zweiten Halbzeit zu entscheiden haben". Daß das jetzige Kabinett Übergangscharakter habe, ging nach Erler auch daraus hervor, daß bei der nächsten Bundespräsidentenwahl aufgrund der Mehrheitsverhältnisse in den Landtagen 48 % der Abgeordneten der Bundesversammlung der SPD angehörten. Mit einer nachdrücklichen Betonung der gemeinsamen Verantwortung für diesen Staat und des Anteils der Sozialdemokratischen Partei an seiner Entstehung und Gestaltung schloß Erler seine Rede.

Im Deutschlandvertrag von 1955 hatten sich die Westmächte sogenannte Vorbehaltsrechte ausbedungen. In Art. 5 heißt es dazu:

„Die von den Drei Mächten bisher innegehabten oder ausgeübten Rechte in bezug auf den Schutz der Sicherheit von in der Bundesrepublik stationierten Streitkräften, die zeitweilig von den Drei Mächten beibehalten werden, erlöschen, sobald die zuständigen deutschen Behörden entsprechende Vollmachten durch die deutsche Gesetzgebung erhalten haben und dadurch in Stand gesetzt sind, wirksame Maßnahmen zum Schutz der Sicherheit dieser Streitkräfte zu treffen, einschließlich der Fähigkeit, einer ernstlichen Störung der öffentlichen Sicherheit und Ordnung zu begegnen. Soweit diese Rechte weiterhin ausgeübt werden können, werden sie nur nach Konsultation mit der Bundesregierung ausgeübt werden, soweit die militärische Lage eine solche Konsultation nicht ausschließt, und wenn die Bundesregierung darin übereinstimmt, daß die Umstände die Ausübung derartiger Rechte erfordern. Im übrigen bestimmt sich der Schutz der Sicherheit dieser Streitkräfte nach den Vorschriften des Truppenvertrages oder den Vorschriften des Vertrags, welcher den Truppenvertrag ersetzt, und nach deutschem Recht, soweit nicht in einem anderen anwendbaren Vertrag etwas anderes bestimmt ist."

Durch den Erlaß entsprechender deutscher Gesetze sollten diese alliierten Vorbehalte abgelöst werden. 1960 hatte Bundesinnenminister Schröder einen ersten Gesetzentwurf vorgelegt, der jedoch im Bundestag scheiterte. Schröder hatte für den Notstandsfall von der „Stunde der Exekutive" gesprochen. Mit der Übertragung der meisten Aufgaben des Parlaments auf die Regierung waren jedoch weder Bundestag noch Bundesrat einverstanden.

Ein neues Konzept legte Bundesinnenminister Höcherl am 24. Januar 1963 vor; darin war zwischen äußeren Gefahren, inneren Gefahren und Katastrophenzuständen unterschieden. Im Rechtsausschuß des Bundestages wurde zwei Jahre darüber verhandelt, die zweite Lesung im Bundestag fand 1965 statt: Bei der 3. Lesung scheiterte die Vorlage am Widerstand der SPD. Die Vielschichtigkeit der Problematik wurde zu diesem

Zeitpunkt auch einer breiteren Öffentlichkeit bewußt. Kernprobleme waren zum Beispiel die Fragen,

— wer den Notstand erklären und damit das Inkrafttreten der Notstandsregelungen feststellen solle;

— wer im Notstandsfall Befugnisse in welchem Umfang erhalten solle;

— welche Kontrollen gegenüber den Entscheidungsbefugten im Notstandsfall festgelegt werden sollten;

— welche Folgen sich aus den vorgesehenen Einschränkungen von Grundrechten ergeben könnten;

— wie ein Mißbrauch durch die im Notstandsfall durch die Exekutive zu erlassenden Notverordnungen ausgeschlossen werden könnte;

— wie die Kosten für Luftschutz, Bunkerbau und andere Maßnahmen verteilt bzw. aufgebracht werden könnten (1964 schätzte man einen Jahresaufwand von mehr als 8 Mrd. DM).

Die Ablehnung des Höcherl-Entwurfs erfolgte während des Wahlkampfs für die Bundestagswahl 1965. Die Notstandsproblematik trug nicht wenig dazu bei, die Konfrontation zwischen Regierung und Opposition wieder zu verschärfen. Zur innenpolitischen Krise entwickelte sich die Auseinandersetzung um die Notstandsgesetze zwar erst drei Jahre später, aber bereits jetzt war deutlich, daß die Kontroverse den Rahmen der offiziell befaßten Gremien weit überschritt.

Die Auseinandersetzung um die Verlängerung der Verjährungsfrist für die Verfolgung von Verbrechen während der nationalsozialistischen Zeit hatte zwar — wie erwähnt — am 25. März 1965 ihren parlamentarischen Abschluß gefunden, aber gleichzeitig bot der FDP-Bundesjustizminister Bucher seinen Rücktritt an. Die Neubesetzung mit einem CDU-Mitglied ergab sich aus der Weigerung der FDP, einen Nachfolger zu benennen. Aufgrund einiger Ereignisse blieb das Thema „Vergangenheitsbewältigung" weiterhin in der öffentlichen Diskussion.

Am 19. August 1965 endete nach 20monatiger Verhandlungsdauer vor dem Schwurgericht des Landgerichts Frankfurt der sogenannte Auschwitz-Prozeß mit der Urteilsverkündung. In der Berichterstattung waren der Öffentlichkeit Tatbestände bekannt geworden, die die einen wegen ihrer unfaßlichen Brutalität zutiefst erschütterten und bestürzten, in anderen jedoch den Widerwillen gegen die Fortführung der Prozesse über Verbrechen aus der Nazi-Ära steigerte. Die differenzierten Urteile — von lebenslänglich bis Freispruch — waren heftig umstritten: Die Meinungsskala reichte von „viel zu mild im Verhältnis zu den ermittelten Straftatbeständen" bis zu „unwürdige Fortsetzung der Nestbeschmutzung durch Deutsche". Das lebhafte Echo und die rasche Verbreitung von Fälschungen und Legenden über zeitgeschichtliche Vorgänge bewiesen noch einmal, was schon bei den Ereignissen an der Jahreswende 1959/60 vermutet werden konnte: daß unter der Oberfläche zahlreiche Klein-Organisationen und Gruppen mit relativ auflagestarken Kommunikationsorganen (der sogenannten „Grauen Literatur") an der „Mohrenwäsche" für Hitler und den Nationalsozialismus tätig waren. Zersplitterung hatte sie bisher freilich gehindert, sich auch politisch zur Geltung zu bringen. Dies änderte sich, als die Nationaldemokratische Partei Deutschlands/NPD am 28. November 1964 in Hannover gegründet wurde. Sie fand sofort Zulauf und erregte durch ihre nationalistische Ideologie im In- und Ausland heftige Reaktionen. Durch das Schwinden der Anhängerschaft der Rechtsparteien bei den letzten Wahlen war der Eindruck entstanden, als existiere das Problem des Rechtsradikalismus nur noch in Untergrundgruppen. Bestürzt reagierte deshalb die Öffentlichkeit, als sich zeigte, daß die Anhängerschaft einer rechtsextremen politischen Richtung verhältnismäßig groß zu sein schien.

11. Die Bundestagswahl 1965 und das Ende der Regierung Erhard

Von der Wahlstatistik her betrachtet waren die im Bundestag vertretenen Parteien in einer durch diese innenpolitischen Vorgänge kaum berührten stabilen Lage. Die Landtagswahlen hatten den Zug zum Zweiparteiensystem verstärkt, obschon sich die FDP als „Dritte Kraft" zu behaupten vermochte.

Auch die Wahlziele waren klar: CDU und CSU wollten die Alleinregierung wiedergewinnen, zumindest aber die Regierungsführung behalten; die SPD erstrebte eine Regierungsbeteiligung in einer Allparteien- oder in einer Großen Koalition. Die FDP wollte eine Alleinregierung der CDU/CSU verhindern und die Koalition unter Bundeskanzler Erhard fortsetzen. Personell war der Wahlkampf der CDU/CSU auf den „Volkskanzler" Erhard und die bekannten Persönlichkeiten der Führungsspitze abgestellt, wozu seit 1964 auch der Nachfolger des bisherigen Fraktionsvorsitzenden v. Brentano, Rainer Barzel, gehörte. Die Slogans bezogen sich im wesentlichen auf die in der Vergangenheit bewährten Akzente, vor allem „Sicherheit" und „Wirtschaftswunder".

In der SPD hatte nach dem Tod von Erich Ollenhauer (am 14. Dezember 1963) Willy Brandt am 16. Februar 1964 den Parteivorsitz übernommen. Brandt war auch für die Bundestagswahl 1965 Kanzlerkandidat. Der Schwerpunkt der Wählerwerbung lag auf dem Nachweis der Regierungsbefähigung. Aufgrund der wachsenden Probleme der Regierung Erhard rechnete man auf alle Fälle mit einem Zuwachs gegenüber 1961, wenn nicht gar mit der absoluten Mehrheit.

Die FDP mußte auch diesmal bereits im Wahlkampf eine Koalitionsaussage treffen. Die Entscheidung für Erhard und die CDU/CSU fiel dabei relativ leicht, weil die Koalition seit 1963 funktioniert hatte. Das Regierungsbündnis wollte man allerdings nur dann fortsetzen, wenn die CDU/CSU nicht die absolute Mehrheit gewann.

Bei der Wahl am 19. September 1965 erhielt die CDU/CSU 47,6 % der Stimmen und 245 (154 Direktmandate) der insgesamt 496 Sitze; die SPD erreichte 39,3 % und 202 Mandate (94 direkt), die FDP fiel auf 9,5 % und 49 Abgeordnetensitze (kein Direktmandat) zurück.

Die Splitterparteien erreichten zwar auch nur insgesamt 3,6 % der abgegebenen Stimmen, auf die erst seit 10 Monaten bestehende NPD aber waren immerhin allein 2 %

entfallen (664 193 Stimmen); ihre höchsten Erfolge mit ca. 6 % erreichte sie in Nordbayern und mit ca. 4 % in Oldenburg, Celle, Wetzlar, Worms, Frankenthal und Kaiserslautern.

Obwohl das Wahlergebnis die Fortsetzung der CDU/CSU-FDP-Koalition deutlich vorzeichnete, vergingen vier Wochen bis zur Kabinettsbildung. Die Ursachen lagen in Auseinandersetzungen um die Besetzung des Außenressorts durch Gerhard Schröder und um die Wiederberufung des CSU-Vorsitzenden Strauß in ein Ministeramt. Im einen Fall spielten innerparteiliche Meinungsverschiedenheiten eine Rolle, im anderen handelte es sich um einen Machtkampf zwischen CDU/CSU und FDP. Schließlich verzichtete Strauß, aber die CSU erhielt 5 Ministerien, die FDP nur 4.

Im unmittelbaren Anschluß an diese schwierige Regierungsbildung kam es in der CDU zu einer neuen Kontroverse um den Parteivorsitz für den im März 1966 abtretenden Konrad Adenauer. Erhard hatte zunächst gezögert, das Amt zu übernehmen, entschied sich aber dann doch dafür, so daß sich der andere Bewerber, Rainer Barzel, mit dem Posten des 1. Stellvertreters zufrieden geben mußte.

Schon kurze Zeit später kam es innerhalb der CDU zu weiteren Auseinandersetzungen. Die Partei hatte bei der Landtagswahl in Nordrhein-Westfalen nicht nur 3,6 % der Stimmen verloren, sondern — was folgenschwerer war — die SPD an sich vorbei zu einem 49,5 %-Wahlsieg und damit zu 99 von 200 Mandaten im Parlament ziehen lassen müssen. Erhard, so lautete eine verbreitete Meinung, habe als Wahllokomotive versagt; dies war ein Vorwurf, der umso schwerer wog, als seine Stellung in der Partei seit je entscheidend von seinem Erfolg bei den Wählern abhing.

Im Sommer 1966 kam die Bundeswehr erneut in die öffentliche Diskussion. Dabei war die sogenannte Starfighter-Krise derjenige Bereich, der das stärkste Aufsehen erregte. 1965 waren bereits 26 Maschinen abgestürzt und dabei 15 Piloten ums Leben gekommen; 1966 setzte sich die Unfallserie unvermindert fort. Die Auseinandersetzung um die Frage, ob die Gründe im technischen, organisatorischen oder im Führungsbereich zu suchen seien, beschäftigte wiederholt auch den Bundestag. Weitere Kontroversen bezogen sich auf das Presse- und Informationswesen des Bundesverteidigungsministeriums und auf den Umfang und die Form der gewerkschaftlichen Betätigung der Soldaten. Diese im Prinzip ressortinternen Fragen konnten deshalb als „Krise" interpretiert werden, weil zum einen in der Öffentlichkeit nach wie vor Ereignisse der Bundeswehr stets relativ rasch unter prinzipiellen Gesichtspunkten bzw. unter einem gewissen Argwohn betrachtet wurden und zum anderen in der innenpolitischen Situation der zweiten Jahreshälfte 1966 jede Schwierigkeit oder Kontroverse zur grundsätzlichen Belastung für die Regierung werden mußte.

Die schwerwiegendste Folge für die Regierung ergab sich schließlich bei der vor dem Hintergrund des anhaltenden konjunkturellen Abschwungs ablaufenden Haushaltsdebatte: Nachdem zunächst versichert worden war, ein Ausgleich des Haushalts 1967 sei ohne Steuererhöhungen möglich, wurden sie wenig später von der CDU/CSU doch als unvermeidlich bezeichnet. FDP-Finanzminister Dahlgrün verlangte demgegenüber Ausgabensenkungen zu Lasten des Verteidigungshaushalts. Die Haushaltsfrage wurde so zum entscheidenden „Prüfstein für die Regierungskoalition" (Mende). Als die FDP

Plakate zur Bundestagswahl 1965

sich wenig später zu einem Kompromiß mit Steuererhöhungen bereit erklärte, wurde ihr dies in der Öffentlichkeit zum Vorwurf gemacht. Angesichts ihrer letzten Wahlergebnisse riskierte die Partei deshalb die Regierungskrise. Ihre Minister traten zurück, Erhard verblieb an der Spitze eines Minderheitskabinetts. Im Kontext seiner besonderen Situation innerhalb der eigenen Partei, der Wahlniederlage in Nordrhein-Westfalen und der innen- und wirtschaftspolitischen Gesamtlage mit ihren zahlreichen kritischen Momenten war vorherzusehen, daß die Kritik gegen ihn rasch zunehmen würde.

Bei der Hessischen Landtagswahl am 6. November 1966 erreichte die NPD einen Aufsehen erregenden Wahlerfolg: Mit 7,9 % überwanden die Rechtsradikalen die 5 %-Klausel und zogen mit 8 von 100 Abgeordneten ins Landesparlament ein. Die demokratischen Kräfte im In- und Ausland reagierten mit Bestürzung: Der Anfang vom Ende der zweiten deutschen Demokratie in Parallele zur Weimarer Republik zeichne sich ab, so wurde zum Teil vorschnell geurteilt. Die Rückwirkung auf Bonn war die Aufforderung von SPD und FDP an Erhard, die Vertrauensfrage zu stellen. Einen Mißtrauensantrag wollten und konnten die beiden Parteien nicht stellen. Ein SPD/FDP-Regierungsbündnis wäre sachlich schwierig, vor allem aber aufgrund der Mehrheitsverhältnisse relativ instabil gewesen, so daß beide Seiten zögerten. Erhard widersetzte sich dem Ansinnen, doch lief die Entwicklung in wenigen Tagen an ihm vorbei.

CDU bzw. CDU/CSU stellten Nachfolgekandidaten auf (Barzel, Gerstenmaier, Kiesinger, Schröder). Am 10. November 1966 wurde Kurt Georg Kiesinger nominiert. Wenige Tage später gelang bei der Landtagswahl in Bayern (20. November 1966) der NDP ein weiterer Durchbruch: Mit 7,4 % der Stimmen (in Mittelfranken 11,2 %) gewann sie 15 der 204 Abgeordnetensitze. Dieses Ergebnis beschleunigte in Bonn die Entscheidung: Die SPD erklärte ihre Koalitionsgespräche mit der FDP für gescheitert. Der Großen Koalition wurde von der CDU-Bundestagsfraktion am 1. Dezember zugestimmt — allerdings gegen eine beachtliche innerparteiliche Opposition (von 187 anwesenden Fraktionsmitgliedern stimmten 126 für, 53 gegen die Koalition mit der SPD; 8 enthielten sich der Stimme). Nachfolger des am 30. November 1966 zurückgetretenen Bundeskanzlers Erhard wurde der bisherige baden-württembergische Ministerpräsident Kurt Georg Kiesinger. Er stellte noch am 1. Dezember 1966 sein Kabinett vor, in dem Willy Brandt Vizekanzler und Außenminister und Franz Josef Strauß Finanzminister war (7 CDU-, 3 CSU-, 9 SPD-Minister).

Die äußeren Umstände des Koalitionswechsels und die allgemeine innenpolitische Situation ließen die Auffassung, es habe sich um den Vorgang einer normalen demokratischen Regierungsumbildung gehandelt, nicht sehr überzeugend erscheinen. Von „Staatskrise" zu sprechen, mußte ebenso als falsch gelten. Alles hing davon ab, wie rasch und mit welchem Erfolg es der Großen Koalition gelingen würde, der drängenden außen-, innen- und wirtschaftspolitischen Probleme Herr zu werden. Aber auch die Frage war nicht unberechtigt, ob nicht gerade durch den energischen Einsatz der großen Parlamentsmehrheit viele Bürger, vor allem der jungen Generation, sich frustriert fühlen könnten, weil die parlamentarische Opposition aufgrund der Mehrheitsverhältnisse im Bundestag kaum noch Durchsetzungschancen zu haben schien.

IV. DIE ENTWICKLUNG DER WIRTSCHAFTS- UND SOZIALPOLITIK

Sowohl in bezug auf die Ausgestaltung der Wirtschafts- und Sozialordnung als auch in bezug auf die wirtschaftliche und soziale Entwicklung kann man die Jahre 1955 bis 1966 als eine konsequente Fortsetzung der Politik und der Entwicklung in den Jahren 1949 bis 1955 betrachten.

Ordnungspolitisch waren 1949 bis 1955 mit der Währungsreform, der Aufhebung der Bewirtschaftungs- und Preiskontrollen, der schrittweisen Liberalisierung des Außenwirtschaftsverkehrs, der Wiederherstellung der Koalitionsfreiheit und der Tarifautonomie sowie der Einführung der Mitbestimmung in privaten Unternehmen und im öffentlichen Dienst wesentliche Elemente einer freiheitlichen, am Prinzip sozialer Gerechtigkeit orientierten Wirtschafts- und Sozialordnung geschaffen worden. Diese Politik wurde in der Folgeperiode ab 1955 mit einer Reihe wichtiger Gesetze fortgeführt.

1. Wirtschaftspolitische Ordnungsgesetze

Das nach mehrjährigen Beratungen 1957 verabschiedete *Gesetz gegen Wettbewerbsbeschränkungen* enthielt die entscheidenden Bestimmungen für die Sicherung des freien wirtschaftlichen Wettbewerbs.

— Das Verbot von Kartellen zielte darauf, horizontale Zusammenschlüsse zu begrenzen bzw. auszuschließen, wenn dadurch die Produktions- und Marktverhältnisse zum Nachteil von Verbrauchern und Konkurrenten verändert würden.

— Das Verbot vertikaler Preisbindungen diente dem Zweck, die Weiterverkaufspreise durch den freien Wettbewerb im Handel sich einspielen zu lassen (Ausnahme: Verlagserzeugnisse).

— Marktbeherrschende Unternehmen wurden einer Mißbrauchsaufsicht unterstellt; auch hierfür war der Verbraucher- und Konkurrentenschutz maßgeblicher Gesichtspunkt.

Von seiner Bedeutung her wird dieses Gesetz auch als „Grundgesetz der sozialen Marktwirtschaft" bezeichnet.

Das *Gesetz über die Deutsche Bundesbank* (1957) und das *Gesetz über das Kreditwesen* (1961) sicherten die Geld- und Währungsordnung.

Nach dem Bundesbankgesetz ist es die Hauptaufgabe der Bundesbank, den Geldumlauf und die Kreditversorgung der Wirtschaft zu regeln mit dem Ziel, die Währung zu sichern, das heißt die Kaufkraft der Deutschen Mark im Inland und gegenüber dem Ausland zu erhalten. Darüber hinaus wurde ihr die Verpflichtung auferlegt, für die bankmäßige Abwicklung des Zahlungsverkehrs im Inland und mit dem Ausland zu sorgen. Zur Erfüllung dieser Aufgaben sind ihr zahlreiche währungspolitische Befugnisse eingeräumt. Besonders hervorzuheben sind:

— das Notenausgabemonopol, das ist das ausschließliche Recht, Banknoten auszugeben,

— die Diskont-, Kredit-, Offenmarkt- und Mindestreservepolitik und

— die Beeinflussung der Einlagenpolitik des Bundes und der Länder.

Die Bundesbank ist bei der Ausübung ihrer gesetzlichen Befugnisse von Weisungen der Bundesregierung unabhängig und unterliegt auch keiner parlamentarischen Kontrolle. Bei grundsätzlicher Weisungsungebundenheit ist sie jedoch verpflichtet, unter Wahrung ihrer gesetzlichen Aufgabe die allgemeine Wirtschaftspolitik der Bundesregierung zu unterstützen. Damit hat sie die Aufgabe — unter Beachtung des Zieles der Währungssicherung —, die monetären Voraussetzungen für die Erreichung der wirtschaftspolitischen Ziele der Bundesregierung zu schaffen. Diese Ziele sind:

● ausreichendes Wirtschaftswachstum

● Sicherung der Vollbeschäftigung

● Bekämpfung der konjunkturellen Schwankungen

● Preisniveaustabilität und

● außenwirtschaftliches Gleichgewicht.

Das *Kreditwesengesetz* verfolgt das Ziel, sowohl das Interesse der Einleger an einer möglichst sicheren Verwaltung ihrer Vermögen zu wahren, als auch eine ausreichende Versorgung der Wirtschaft mit Krediten zu fördern. Zur Sicherung dieser Ziele wurde das Bundesaufsichtsamt für das Kreditwesen geschaffen, dem unter anderem folgende Aufgaben zugewiesen wurden:

— die Erteilung der Erlaubnis für das Betreiben von Bankgeschäften und gegebenenfalls die Rücknahme dieser Erlaubnis,

— die Überwachung der Kreditgeschäfte der Kreditinstitute,

— die Beseitigung von Mißständen im Kreditwesen, die die Sicherheit der Einlagen gefährden oder Schäden für die Gesamtwirtschaft verursachen können.

Das *Außenwirtschaftsgesetz* (1961) basiert auf der Überzeugung, daß auch der internationale Wirtschaftsverkehr am besten funktioniert, wenn eine möglichst weitgehende Liberalisierung gewährleistet ist. Einschränkungen sind lediglich dafür vorgesehen, um schädliche Folgen für die deutsche Wirtschaft abzuwehren, die sich aus im Ausland getroffenen wirtschaftspolitischen Maßnahmen ergeben könnten.

Das *Landwirtschaftsgesetz* (1955) trug der Tatsache Rechnung, daß die deutschen Bauern aus historischen und naturgeographischen Gründen im internationalen Wettbewerb benachteiligt waren. Der Hauptzeck des Gesetzes kommt im § 1 zum Ausdruck:

„Um der Landwirtschaft die Teilnahme an der fortschreitenden Entwicklung der westdeutschen Volkswirtschaft und um der Bevölkerung die bestmögliche Versorgung mit Ernährungsgütern zu sichern, ist die Landwirtschaft mit den Mitteln der allgemeinen Wirtschafts- und Agrarpolitik — insbesondere der Handels-, Steuer-, Kredit- und Preispolitik — in den Stand zu setzen, die für sie bestehenden naturbedingten und wirtschaftlichen Nachteile gegenüber anderen Wirtschaftsbereichen auszugleichen und ihre Produktivität zu steigern. Damit soll gleichzeitig die soziale Lage der in der Landwirtschaft tätigen Menschen an die vergleichbarer Berufsgruppen angeglichen werden."

Durch § 5 des Gesetzes wurde die Bundesregierung verpflichtet, jährlich einen *Bericht über die Lage der Landwirtschaft* vorzulegen, in dem sie sich dazu äußert, welche Maßnahmen sie zur Erreichung der wirtschaftlichen und sozialen Ziele gemäß § 1 getroffen hat beziehungsweise noch zu treffen beabsichtigt.

2. Sozialpolitische Gesetze

Die *Reform der gesetzlichen Rentenversicherung* (1957) (Rentenneuregelungsgesetz der Arbeiter und Angestellten und Gesetz zur Neuregelung der knappschaftlichen Rentenversicherung) brachte als zentrales Element die Dynamisierung der Renten.

Diese Dynamisierung bedeutete eine bei den Neurenten automatische, bei den Altrenten regelmäßig durch Gesetz bestimmte Anpassung der Renten an die wirtschaftliche Entwicklung, wie sie sich in der Lohn- und Gehaltsentwicklung widerspiegelt. Mit der Ankoppelung der Rentenentwicklung an die Entwicklung der Löhne und Gehälter sollten die Altersrentenempfänger gegen Geldentwertungen geschützt und am wirtschaftlichen Aufstieg beteiligt werden.

Auch die Alterssicherung des deutschen Handwerks wurde durch das *Handwerkerversicherungsgesetz* von 1960 neu geordnet und in die Rentenversicherung der Arbeiter eingegliedert.

Das *Gesetz über eine Altershilfe für Landwirte* (1957) diente der sozialen Sicherung der älteren Landwirte (über 65 Jahre) bei Übergabe des Hofes an die Erben. Später wurde auch die Versorgung der mitarbeitenden Familienangehörigen einbezogen.

Das *Unfallversicherungs-Neuregelungsgesetz* (1963) paßte die Unfallrenten regelmäßig der Lohn- und Gehaltsentwicklung an und verbesserte den betrieblichen Unfallschutz (Einführung von Sicherheitsbeauftragten in allen Betrieben mit mehr als 20 Arbeitnehmern).

Das *Bundessozialhilfegesetz* (1961) löst das Fürsorgegesetz von 1924 ab und sicherte einen Rechtsanspruch auf Sozialhilfe.

Der Leitgedanke des Gesetzes findet sich in § 1:

„Aufgabe der Sozialhilfe ist es, dem Empfänger der Hilfe die Führung eines Lebens zu ermöglichen, das der Würde des Menschen entspricht."

Diesem Leitgedanken wurde der Grundsatz der Hilfe zur Selbsthilfe an die Seite gestellt:

„Die Hilfe soll ihn so weit wie möglich befähigen, unabhängig von ihr zu leben; hierbei muß er nach seinen Kräften mitwirken."

Dem Bau von Familieneigenheimen dienten vor allem zwei Gesetze: das

● *Zweite Wohnungsbaugesetz* (1956), wonach die Bildung von Eigentum, insbesondere die Bereitstellung von Bauland, die Übernahme von Bürgschaften, Steuer- und

Gebührenvergünstigung und die Gewährung von Prämien für Wohnbausparer gefördert werden konnte, und das

● *Gesetz zur Förderung der Vermögensbildung der Arbeitnehmer* (1961), welches unter anderem Leistungen, die der Arbeitgeber für den Arbeitnehmer erbringt und die der gesetzlich geförderten Bildung von Wohneigentum dienen, als vermögenswirksame Leistungen fördert.

Seit 1953 wurden Jahr für Jahr zwischen 500 000 und 600 000 Wohnungen fertiggestellt, insgesamt waren es von 1949 bis 1966 über 9 Millionen Wohnungen. Damit waren nicht nur die im Krieg zerstörten 3 Millionen Wohnungen ersetzt, sondern auch Wohnraum für die vielen Millionen Vertriebenen und Flüchtlinge sowie für den Bedarf einer durch natürlichen Zuwachs steigenden Bevölkerung geschaffen worden. Schon 1963 gab es 30 Wohnungen pro 100 Einwohner gegenüber 27 im Jahre 1939.

Das schnell gewachsene Wohnungsangebot ermöglichte eine schrittweise Überführung des Wohnungsmarktes in die Soziale Marktwirtschaft. Diesem Zweck diente das *Gesetz über den Abbau der Wohnungszwangswirtschaft und über ein soziales Miet- und Wohnrecht* (1960). Die Zwangswirtschaft wurde zunächst in jenen Gebieten aufgehoben, die durch einen geringen Fehlbestand an Wohnungen gekennzeichnet waren (sogenannte „weiße Kreise").

Der wirtschaftlichen Sicherung angemessenen und familiengerechten Wohnens diente das *Wohngeldgesetz* (1965). Es sah für einkommensschwächere Familien die Gewährung von Wohngeld als Zuschuß zu den Aufwendungen für den Wohnraum vor.

Ein besonderes Anliegen war die gerechtere Verteilung von Eigentum und Vermögen. In der Regierungserklärung von 1961 hieß es zum Beispiel:

„...die...Eigentumsbildung in allen sozialen Schichten und eine breite Streuung des sich neu bildenden Vermögens sind für die Zukunft ein vordringliches Anliegen. Privates Eigentum stärkt die wirtschaftliche Freiheit und Unabhängigkeit des einzelnen und der Familie. Die breite Streuung des privaten Eigentums ist eine Voraussetzung für die Stabilität unserer freiheitlichen Wirtschafts- und Gesellschaftsordnung."

Diesen Zielsetzungen widersprach die Entwicklung der Vermögensverteilung in den Jahren des Wiederaufbaus. Staatliche Maßnahmen wie die Förderung der Kapitalbildung privater Unternehmen durch Steuererleichterungen, Abschreibungsvergünstigungen und ähnliches, die dem Zweck dienten, den Wiederaufbau der deutschen Wirtschaft zu beschleunigen, hatten in diesen Jahren zu einer Konzentration der Vermögen beigetragen. Nach dem sogenannten Föhl-Gutachten entfielen von der Geldvermögensbildung der Jahre 1950 bis 1959 in Höhe von 78 Mrd. DM 12 % auf die Arbeiterhaushalte, 28 % auf die Angestellten- und Beamtenhaushalte, 12 % auf die Rentnerhaushalte, dagegen 48 % auf die Selbständigenhaushalte, die jedoch nur 17 % aller Haushalte ausmachten.

Der Förderung der Vermögensbildung dienten in den Jahren 1955 bis 1966 eine Fülle von Maßnahmen, unter anderem

● die Förderung des Kontensparens nach dem *Sparprämiengesetz* von 1959,

- die *Privatisierung bundeseigener Unternehmen* (Preussag 1959, Volkswagenwerk 1961, Vereinigte Elektrizitäts- und Bergwerks-AG 1965) durch Ausgabe sogenannter Volksaktien,

- die Förderung der Vermögensbildung in Arbeitnehmerhand durch vermögenswirksame Leistungen der Arbeitgeber nach dem *Gesetz zur Förderung der Vermögensbildung der Arbeitnehmer* von 1961,

- die Förderung der Bildung von Wohneigentum unter anderem durch langfristige Darlehen und Steuervergünstigungen auf der Grundlage verschiedener *Wohnungsbaugesetze.*

Diese Maßnahmen haben bewirkt, daß — bei einer nach wie vor sehr ungleichen Verteilung des Produktivvermögens — die Anteile der Arbeitnehmerhaushalte, insbesondere der Arbeiterhaushalte, an der Bildung langlebigen Gebrauchsvermögens (PKW's und Ausstattung mit Haushaltsmaschinen), des bei Sparkassen und Bausparkassen angelegten Geldvermögens, des in freiwilligen (Lebens-) Versicherungen angelegten Vermögens und des Grund- und Hausvermögens anstiegen. Als einen besonderen Erfolg der Vermögenspolitik konnte man es ansehen, daß 1973 40 % aller Arbeiter-, 37 % aller Angestellten-, 41 % aller Beamten- und 67 % aller Selbständigenhaushalte über Haus- und Grundbesitz verfügten.

Der Arbeitszeitschutz als Teilbereich des Arbeitnehmerschutzes wurde Anfang der sechziger Jahre wesentlich weiterentwickelt.

- Das *Gesetz zum Schutz der arbeitenden Jugend* (1960) brachte die Festlegung des Mindestalters für eine Beschäftigung Jugendlicher auf 15 Jahre und damit ein grundsätzliches Verbot der Kinderarbeit. Arbeit Jugendlicher im Akkord und die Beschäftigung am Fließband wurden untersagt.

- Das *Bundesurlaubsgesetz* (1963) brachte eine einheitliche Mindesturlaubsregelung für Arbeiter, Angestellte sowie auszubildende Beschäftigte. Nach dem Gesetz wurde allen Arbeitnehmern in jedem Kalenderjahr ein Anspruch auf mindestens 18 Werktage bezahlten Erholungsurlaubs zugesprochen.

V. WIRTSCHAFTSPROZESS- UND WIRTSCHAFTSSTRUKTURPOLITIK

1. Wirtschaftsprozeßpolitik

Die wirtschaftliche Entwicklung der Bundesrepublik Deutschland war zwischen 1948 und 1955 nachhaltig geprägt worden durch eine außerordentlich starke Nachfrage nach Konsumgütern, durch den Wohnungsbau, durch eine seit 1951 stark steigende Auslandsnachfrage nach Exportgütern und durch schnell wachsende Investitionen. Diese Triebkräfte waren auch im Jahrzehnt zwischen 1955 und 1965 so stark, daß der Wirtschaftsprozeß weder zur Erreichung und Sicherung wirtschaftlichen Wachstums noch zur Sicherung der Vollbeschäftigung durch bedeutendere wirtschaftspolitische Maßnahmen beeinflußt werden mußte. Im Gegenteil: Die Inlandsnachfrage und die Auslandsnachfrage wuchsen stärker als das gesamtwirtschaftliche Angebot, so daß die Stabilität der Preise gefährdet war.

Die Hauptlast der Bekämpfung des durch inländische Übernachfrage, vor allem aber durch die sogenannte „importierte Inflation" ausgelösten Preisauftriebs hatte die Bank deutscher Länder bzw. (ab 1957) die Deutsche Bundesbank zu tragen. Die Aufgabe der Stabilisierung des Geldwertes wurde durch die auf der Grundlage des Abkommens von Bretton Woods bestehenden festen Wechselkurse in Verbindung mit der Freiheit des außenwirtschaftlichen Verkehrs einschließlich der Freiheit des grenzüberschreitenden Geld- und Kapitalverkehrs sehr erschwert und wurde um so schwerer lösbar, je mehr Erfolg die Bundesbank im Kampf um die Geldwertstabilisierung hatte. Das klingt paradox, das Dilemma ist jedoch leicht zu erklären.

Je weniger das Preisniveau in der Bundesrepublik im Vergleich zu den Preisniveaus ausländischer Volkswirtschaften stieg, um so lohnender mußte es für Ausländer sein, die vergleichsweise billigeren deutschen Waren zu kaufen. Dadurch, aber auch durch die Wertschätzung der Qualität deutscher Produkte, entstanden von 1955 bis 1961 — dem Jahr der ersten DM-Aufwertung — jährlich wachsende Überschüsse der Handels- und Dienstleistungsbilanz. Die im Umfang dieser Überschüsse als Gegenleistung für die Exporte einströmenden Devisen aber weiteten die Möglichkeiten der Kreditvergabe der Banken aus und führten so zu einer Erhöhung der Inlandsnachfrage mit der weiteren Folge der Erhöhung des inländischen Preisniveaus. Die Bundesbank versuchte jahrelang, diese sogenannte „importierte Inflation" mit allen ihr zur Verfügung stehenden Mitteln (Veränderung des Diskontsatzes, der Mindestreservesätze und der Rediskontkontingente) zu stoppen, jedoch ohne den erwünschten Erfolg, weil sich entweder die Unternehmen im Ausland verschuldeten — dort waren die Zinsen niedriger — oder weil die Banken wegen der durch die Leistungsüberschüsse bedingten Devisenzuflüsse so liquide waren, daß sie das Kreditvolumen vergrößern konnten, ohne auf eine Refinanzierung bei der Bundesbank angewiesen zu sein.

Bundeswirtschaftsminister Ludwig Erhard trat seit 1956 dafür ein, dieses wirtschaftspolitische Dilemma durch eine Aufwertung der DM zu lösen, das heißt durch die Verteuerung der deutschen Exportgüter und die Verbilligung der Importgüter aufgrund einer Verteuerung der Deutschen Mark. Er und Bundesfinanzminister Etzel konnten sich jedoch gegenüber der ablehnenden Haltung des von führenden Bankenvertretern (unter anderem Pferdmenges und Abs) beratenen Bundeskanzlers Adenauer seinerzeit nicht durchsetzen. Erst eine Zuspitzung der Preisentwicklung und außerordentlich hohe spekulative Devisenzuflüsse führten am 3. März 1961 zu dem Entschluß der Bundesregierung, die Deutsche Mark gegenüber allen ausländischen Währungen um 5 % aufzuwerten.

Die von der Aufwertung erhofften Wirkungen traten bald ein. Ab Mitte des Jahres ließen die spekulativen Kapitalzuflüsse nach. Die Leistungsbilanz schloß erstmals seit 1950 nicht mehr mit Überschüssen ab, weil die Ausfuhren infolge der Verteuerung der

Exportgüter weniger wuchsen als die Importe. Die Wirkungen der Aufwertung hielten bis Ende der sechziger Jahre an.

Die Hauptlast der Stabilisierungspolitik mußte von der Deutschen Notenbank so lange allein getragen werden, bis mit dem Gesetz zur Förderung der Stabilität und des Wachstums der Wirtschaft vom 8. Juni 1967 der Bund, die Länder und die Gemeinden verpflichtet wurden, ihre Wirtschaftspolitik an den gesamtwirtschaftlichen Zielen (Preisniveaustabilität, hoher Beschäftigungsstand, außenwirtschaftliches Gleichgewicht und stetiges sowie angemessenes Wirtschaftswachstum) auszurichten und eine antizyklische Finanzpolitik zu treiben, das heißt mit Hilfe der öffentlichen Ausgaben und Einnahmen dem Konjunkturverlauf systematisch entgegenzusteuern.

2. Wirtschaftsstrukturpolitik

Die Wirtschaftsstrukturpolitik der Bundesregierung war in den Jahren von 1955 bis 1966 darauf gerichtet, den Steinkohlenbergbau und den landwirtschaftlichen Sektor — beides gemessen an ihrem Anteil an der gesamten Produktion schrumpfende Wirtschaftsbereiche — in ihrem Anpassungsprozeß zu unterstützen, dabei jedoch soziale Benachteiligungen als Folgen dieses Prozesses möglichst auszuschließen.

Im Steinkohlenbergbau kam es nach Jahren der Kohlenknappheit Ende der fünfziger Jahre erstmals zu Absatzschwierigkeiten. Obwohl 1958 über drei Millionen Feierschichten eingelegt wurden, erhöhten sich die Haldenbestände innerhalb eines Jahres von ¾ Mill. Tonnen Kohle und Koks auf 13,5 Mill. Tonnen. Bereits zu diesem Zeitpunkt zeichnete sich das Problem der Anpassung des Kohlenbergbaus an längerfristige Strukturänderungen im Gesamtbereich der Energieversorgung ab. Das leichte Heizöl drang in der Wohnungsheizung, das schwere Heizöl als Ersatz für Industriekohle vor. Die abnehmende Bedeutung des Steinkohlenbergbaus für die Energieversorgung schlug sich auch in einem Rückgang der Anzahl der im Bergbau Beschäftigten von 644 000 im Jahre 1955 auf 398 000 im Jahre 1966 nieder.

Nach Ausbruch der Kohlenkrise wurden dem Steinkohlenbergbau zahlreiche Anpassungshilfen (Finanzhilfen, Zölle auf Importkohle, Besteuerung des Heizöls, Stillegungsprämien) gewährt.

Die auf die Landwirtschaft gerichtete Strukturpolitik diente in erster Linie dem Ziel, durch Steigerung der Leistungsfähigkeit der Landwirtschaft deren wirtschaftliche Nachteile gegenüber dem gewerblichen Sektor auszugleichen und die soziale Lage der in ihr tätigen Personen an die vergleichbarer Berufsgruppen anzugleichen. Entsprechend ihrer zentralen gesetzlichen Grundlage, dem Landwirtschaftsgesetz von 1955, konzentrierte sich die Agrarstrukturpolitik auf folgende Aufgabenbereiche:

● Die Verbesserung der Agrarstruktur und der landwirtschaftlichen Arbeits- und Lebensverhältnisse.

Insbesondere durch die Förderung der Flurbereinigung, die Aussiedlung landwirtschaftlicher Betriebe, den Ausbau der Wirtschaftswege, die Verbesserung der elektrischen Strom- und der ländlichen Wasserversorgung sollten die Voraussetzungen der landwirtschaftlichen Erzeugung verbessert, damit die Arbeitsproduktivität erhöht und günstigere Lebens- und Arbeitsbedingungen geschaffen werden. Da agrarstrukturelle Verbesserungen sich in der Regel erst nach Jahren in einer spürbaren Erhöhung der betrieblichen Einnahmen bzw. einer Kostensenkung auswirken, wurde

● die Verbesserung der Einkommenslage der landwirtschaftlichen Bevölkerung durch unmittelbar einkommensteigernd wirkende Maßnahmen angestrebt.

Zu diesen Maßnahmen gehörten Beihilfen zur Verbilligung von Dieselkraftstoff, die Verbilligung des Handelsdüngers, Leistungen zur Qualitätsverbesserung der Milch und die Befreiung landwirtschaftlicher Betriebe von der Umsatzsteuer.

Die agrarpolitischen Maßnahmen blieben nicht ohne Erfolg. Die Wertschöpfung der Landwirtschaft — das heißt ihr Produktionsertrag abzüglich der Sachaufwendungen, Abschreibungen und Betriebssteuern — stieg von 10,9 Mrd. DM im Jahre 1955 auf 15,7 Mrd. DM im Jahre 1966 an. Im gleichen Zeitraum verringerte sich die Anzahl der in landwirtschaftlichen Betrieben eingesetzten Vollarbeitskräfte ungewöhnlich stark, nämlich um weit über eine Million von 3,17 auf 1,85 Mill. Die je Vollarbeitskraft erzielten Betriebserträge stiegen schnell an (von 3439 DM 1955 auf 8487 DM 1966). Die Entwicklung der Betriebserträge ging Hand in Hand mit einer Verbesserung der Betriebsgrößenstruktur: Von 1955 bis 1966 verringerte sich die Zahl der landwirtschaftlichen Betriebe mit 0,5 und mehr ha Nutzfläche von 1 815 930 auf 1 157 200, wobei insbesondere ein Rückgang der kleinsten Betriebe in der Größenordnung von 0,5 bis 10 ha zu verzeichnen war.

VI. GRUNDZÜGE DER WIRTSCHAFTLICHEN UND SOZIALEN ENTWICKLUNG

1. Wachstum und Konjunkturzyklen

Das kräftige wirtschaftliche Wachstum der Nachkriegsjahre setzte sich auch während der Jahre 1955 bis 1966 fort. Das Bruttosozialprodukt (BSP) in jeweiligen Preisen stieg in diesem Zeitraum von 181,4 Mrd. DM auf 490,7 Mrd. DM, also um mehr als das Zweieinhalbfache, real um fast das Doppelte an.

Dieser Anstieg hatte insbesondere folgende Ursachen:

— die Auslandsnachfrage nach deutschen Waren und Dienstleistungen.

Als Gründe für die starke Zunahme der Exporte, die in jedem Jahr der Berichtsperiode größer waren als die Importe, lassen sich unter anderem die verhältnismäßig festen Preise deutscher Waren im Vergleich mit ausländischen Produkten, die Qualität deutscher Waren, eine Unterbewertung der Deutschen Mark gegenüber ausländischen Währungen sowie eine allgemeine Ausdehnung der Weltnachfrage anführen. Der Gesamtumfang des Außenhandels stieg auf mehr als das Dreifache an (Einfuhrwert 1966: 72,7 Mrd. DM, Ausfuhrwert 80,6 Mrd. DM);

— die Investitionsgüternachfrage der Unternehmen und der öffentlichen Haushalte.

Die Anlageinvestitionen, die unter anderem den Bau von Fabrikgebäuden, die Anschaffung von Maschinen und Produktionsanlagen, die Erstellung von Verkehrsanlagen, Krankenhäusern und Schulen umfassen, stiegen von 42,6 Mrd. DM im Jahre 1955 auf 126,3 Mrd. DM im Jahre 1966, das heißt auf etwa das Dreifache an;

— die Konsumgüternachfrage,

— der Wohnungsbau.

Wenngleich es in diesen Jahren niemals zu einem Stillstand im wirtschaftlichen Wachstum kam, so verlief die Entwicklung doch in ungleichmäßigen jährlichen Steigerungsraten. Für die Gesamtperiode sind drei Konjunkturzyklen feststellbar.

Der Mitte 1954 einsetzende Konjunkturaufschwung wurde hauptsächlich von der Export- und der — etwas später einsetzenden — Investitionsgüternachfrage getragen. Die Wirkung dieser Triebkräfte wurde verstärkt durch einen beschleunigten Anstieg der privaten Verbrauchsausgaben (1954: + 6,6 Prozent; 1955: + 12,1 Prozent). Dieser Zyklus erreichte bereits im Jahre 1955 mit einem realen Wachstum von 12,0 Prozent seinen Höhepunkt und klang erst im ersten Halbjahr 1959 aus. Der folgende Zyklus wurde ab Mitte 1959 wiederum durch einen stark wachsenden Auftragseingang aus dem Ausland eingeleitet. Als weitere Triebkräfte kamen später die inländische Investitionstätigkeit, insbesondere ein zunehmender Wohnungsbau (1959 wurden mit 588 700 13,1 Prozent mehr Wohnungen fertiggestellt als im Jahr zuvor) hinzu. Die Kürzung der staatlichen Wohnungsbauförderung im Jahre 1961 sowie Auswirkungen der DM-Aufwertung im gleichen Jahr leiteten einen bis zum Jahre 1963 dauernden konjunkturellen Abschwung ein. Dieser Phase geringeren wirtschaftlichen Wachstums folgte ab Mitte 1963 erneut ein starker Aufschwung, der wieder durch ein beschleunigtes Wachstum der Auslandsnachfrage ausgelöst wurde und in Verbindung mit einem steigenden Staatsverbrauch zu einer schnellen Ausweitung der inländischen Investitionsgüternachfrage führte. Die konjunkturelle Entwicklung hatte 1964 ihren Höhepunkt erreicht. 1965 kam es unter dem Einfluß der nachlassenden Bauinvestitionen zu Abschwächungstendenzen, die 1966/67 in eine Rezession einmündeten.

Betrachtet man die konjunkturelle Entwicklung von 1955 bis 1966 im Überblick, so zeigt sich folgendes „Muster" des konjunkturellen Verlaufs: In allen konjunkturellen Aufschwungphasen wurde die Beschleunigung des Produktionsanstiegs im wesentlichen durch eine starke Ausweitung der Auslandsnachfrage eingeleitet. Die Steigerung der Exportnachfrage wirkte sich ihrerseits verstärkend auf das Wachstum der Investitionsgüternachfrage aus. Der beschleunigten Export- und Investitionsnachfrage folgte dann mit einer bestimmten zeitlichen Verzögerung die Zunahme der verfügbaren Einkommen der privaten Haushalte und damit eine beschleunigte Zunahme der privaten Verbrauchsnachfrage.

2. Die Arbeitsmarktentwicklung

Das Wirtschaftswachstum der fünfziger und sechziger Jahre wurde wesentlich durch die Steigerung der Anzahl der Erwerbspersonen und deren zunehmend produktiveren Einsatz ermöglicht. Das Millionenheer der aus den Ostgebieten geflohenen und vertriebenen Deutschen und die etwa 2,7 Millionen Flüchtlinge, die bis zum Bau der Berliner Mauer 1961 die damalige Sowjetische Besatzungszone bzw. die DDR verließen, trugen zu einer starken Vermehrung der erwerbsfähigen und -willigen Bevölkerung bei. Der gestiegenen Arbeitsnachfrage stand ein schnell wachsendes Angebot an Arbeitsplätzen gegenüber. Während im Jahre 1955 noch 1 074 000 Männer und Frauen ohne Arbeit waren, sank die Zahl der Arbeitslosen trotz einer Zunahme der Erwerbspersonen um 2,6 Millionen bis 1961 auf 181 000 ab, das heißt auf das Vollbeschäftigungsniveau. Auch in den folgenden Jahren bis 1965 lag die Arbeitslosenquote mit jährlich weniger als 200 000 Arbeitslosen unterhalb von 1 %. Die Unterbrechung des Flüchtlingsstromes im Jahre 1961, die Abnahme der tariflichen wöchentlichen Arbeitszeit (allein von 1955 bis 1966 von 47,1 auf 41,8 Stunden) sowie die verlängerte Ausbildungszeit Jugendlicher trugen zu einer zunehmenden Verknappung der Arbeitskräfte bei, der durch die Beschäftigung ausländischer Arbeitnehmer begegnet wurde. Während die Gesamtzahl ausländischer Arbeitnehmer — darunter vor allem Italiener, Griechen, Türken, Spanier und Jugoslawen — 1955 noch 80 000 betrug, stieg diese Zahl über 279 000 im Jahre 1960 auf 1 244 000 im Jahre 1966 an.

3. Die Entwicklung der Lebenslage

Um den wirtschaftlichen Aufschwung nicht durch zu hohe Lohnkosten zu gefährden, hatten die Gewerkschaften in den ersten Nachkriegsjahren lohnpolitische Zurückhaltung geübt, die sie jedoch ab Mitte der fünfziger Jahre mit dem Rückgang der Arbeitslosigkeit nach und nach aufgaben. Tarifvertraglich vereinbarte Lohnsteigerungsraten zwischen 5,2 Prozent (1959) und 11,5 Prozent (1962) erhöhten den durchschnittlichen Bruttostundenverdienst der in der Industrie beschäftigten Arbeiter und Arbeiterinnen von 1,83 DM im Jahre 1955 auf 4,56 DM im Jahre 1966. Im gleichen Zeitraum erhöhten sich die Bruttowochenverdienste in der Industrie beschäftigter Arbeiter von 99,— DM (Arbeiterinnen: 54,— DM) auf 217,— DM (136,— DM). Für die Nettorealverdienste, die sich aus den Bruttolöhnen und -gehältern aller beschäftigten Arbeitnehmer nach Abzug von Steuern, Sozialversicherungsbeiträgen und nach Berücksichtigung der Kaufkraftverringerung ergeben, läßt sich von 1955 bis 1966 eine Steigerung um 66,6 Prozent feststellen.

Die Masseneinkommen, die neben den Nettoeinkommen aus unselbständiger Arbeit die Transferzahlungen (Beamtenpensionen, Sozialrenten und Unterstützungen) umfassen, haben sich in diesem Zeitraum nahezu verdreifacht (1955: 85,2 Mrd. DM, 1966: 242,9 Mrd. DM). Überproportionalen Anteil an dieser Einkommensentwicklung hatten die Sozialrenten und Unterstützungen, die von 15,8 Mrd. DM auf 50,9 Mrd. DM anstiegen.

Während die ersten Nachkriegsjahre durch das Bemühen gekennzeichnet waren, die unter den Kriegs- und Nachkriegsfolgen leidende deutsche Bevölkerung mit dem lebensnotwendigen Grundbedarf an Nahrung, Kleidung und Wohnung zu versorgen, wurden mit Beginn der fünfziger Jahre nicht nur Grundbedarfsmittel, sondern auch langfristige Gebrauchsgüter wie Autos, Radiogeräte, Fernsehapparate und Kühlschränke Gegenstand des Massenkonsums. Die durchschnittlichen Konsumausgaben eines 4-Personen-Arbeitnehmerhaushalts mit mittlerem Einkommen erhöhten sich zwischen 1955 und 1966 von 469,— DM auf 926,— DM. Vergleicht man die Entwicklung der Struktur der jährlichen Verbrauchsausgaben, so fällt insbesondere der gleichmäßige Rückgang des Anteils der Aufwendungen für Nahrungs- und Genußmittel sowie für Kleidung und Schuhe auf. Demgegenüber gewannen die Ausgaben für Miete, Körper- und Gesundheitspflege sowie für Verkehr und Nachrichtenübermittlung zunehmend an Bedeutung.

Die durch reale Lohn- und Einkommensverbesserungen eingetretene Erhöhung des Lebensstandards großer Teile der Bevölkerung wurde besonders am schnell wachsenden Bestand an privat genutzten Personenkraftwagen sichtbar. Während 1955 in der Bundesrepublik lediglich 349 000 Personenkraftwagen von Arbeitnehmern zugelassen waren, erhöhte sich deren Zahl bis 1966 auf 6 606 000. Die Hebung des Lebensstandards breiter Bevölkerungskreise, der unter anderem in der kräftigen Erhöhung des verfügbaren Einkommens der privaten Haushalte erkennbar wird, führte auch zu einem Anstieg der Ersparnisse. Die sogenannte Sparquote, das heißt der Anteil der Ersparnisse am verfügbaren Einkommen, stieg von 6,4 Prozent im Jahre 1955 auf 12,7 Prozent im Jahre 1966. Dementsprechend sank die Konsumquote von 93,6 auf 87,3 Prozent.

Ein bedeutender Beitrag zur Hebung des Lebensstandards verbarg sich hinter dem Anstieg der öffentlichen Ausgaben von 51,2 Mrd. DM im Jahre 1955 auf 146,7 Mrd. DM im Jahre 1966. Diese Entwicklung der öffentlichen Ausgaben war nicht nur auf den Anstieg der Ausgaben für Verteidigung, öffentliche Sicherheit und Rechtsschutz von 8,3 auf 25,2 Mrd. DM zurückzuführen. Vielmehr stiegen auch sehr stark an:

— die Ausgaben für Schulen, Hochschulen und Forschung von 4,4 auf 17,3 Mrd. DM,

— für soziale Sicherheit, Gesundheit und Sport von 15,6 auf 39,2 Mrd. DM,

— für Wohnungswesen, Wirtschaftsförderung und das Verkehrs- und Nachrichtenwesen von 11,1 auf 31,5 Mrd. DM.

Viele öffentliche Ausgaben dienten zu großen Teilen dem Ausbau der sozialen Infrastruktur (Kindergärten, Schulen, Jugendheime, Krankenhäuser, Gesundheits- und Erziehungsberatungsstellen, Straßen und Wege), die für die Lebensqualität von grundlegender Bedeutung ist.

Diese Lebensqualität verbesserte sich in der Bundesrepublik Deutschland zwischen 1955 und 1966 außerordentlich: Aus einem 1955 noch von tiefen Kriegs- und Nachkriegswunden gekennzeichneten Land wurde eine der führenden Industriegesellschaften der Welt geformt — Ergebnis einer außerordentlichen Aufbauleistung politischer

Führungspersönlichkeiten, der politischen Parteien und der Gewerkschaften, der Unternehmer und der arbeitenden Bevölkerung, deren Aufbauwillen, Fleiß, Intelligenz, Erfindungsreichtum, Zuverlässigkeit, Arbeitsqualität und Initiative sich in einer freiheitlichen, unbürokratischen Wirtschaftsordnung frei entfalten konnten.

Die Bundesrepublik Deutschland 1966 — 1974

VORBEMERKUNG

Dem Ende der CDU/CSU-FDP-Koalitionsregierung unter Bundeskanzler Ludwig Erhard und dem Beginn der neuen Regierungskoalition zwischen CDU/CSU und SPD unter Bundeskanzler Kurt Georg Kiesinger und Vizekanzler Willy Brandt wurde bereits von den Zeitgenossen eine besondere Bedeutung zugemessen. Die Betrachtung aus größerer zeitlicher Distanz kann diesen Eindruck nur bestätigen.

● Vordergründig waren die Auseinandersetzungen um den Haushaltsausgleich Anlaß zum Koalitionsstreit zwischen CDU/CSU und FDP. Eigentliche Ursache aber für die Entscheidung zum Koalitionswechsel war die Überlegung, daß die allgemeine wirtschaftliche Rezession eine breitere Übereinstimmung bei der Bewältigung der wirtschaftspolitischen Probleme notwendig mache.

● Die Erfolge der rechtsradikalen NDP und ihr Einrücken in die Landesparlamente von Hessen und Bayern lösten in der Öffentlichkeit einen Schock aus. Das Programm dieser Partei machte es unmöglich, von einer normalen Verschiebung des Parteienspektrums zu sprechen. Auch in diesem Fall schien ein Defizit sichtbar zu werden, dessen Beseitigung eine gemeinsame Anstrengung der großen demokratischen Parteien erforderte.

● Die bereits 1965 ausgebrochene Konfrontation auf parlamentarischer Ebene um die Notstandsgesetze war zwar vertagt, schwelte aber in der Öffentlichkeit weiter. Die Befürchtungen, die Staatsmacht werde zu Lasten der individuellen Bürgerfreiheit erweitert, waren insbesondere unter Jugendlichen groß. Eine überzeugende Lösung dieses Konflikts erforderte ein Übereinkommen aller maßgebenden politischen Kräfte; andernfalls drohte eine tiefreichende Kluft die Bevölkerung zu entzweien.

● Im Zusammenhang mit den konkreten Problemen Wirtschaftsabschwung, NPD-Anstieg und Notstandsdebatte entwickelte sich etwa ab Mitte der 60er Jahre eine besonders unter Studenten verbreitete kritische Einstellung gegenüber dem „CDU-Staat", die sich zur Protestbereitschaft steigerte. Der Sozialistische Deutsche Studentenbund, eine zunächst SPD-nahe Organisation, formulierte die Vorwürfe gegen das angebliche „Versagen" des Staates am schärfsten und mit radikalmarxistischen und antiautoritären Argumenten. Die Partei trennte sich deshalb bereits

241

1961 vom SDS und klärte damit ihre Position. Keinesfalls aber wurde dadurch der studentische Protest beendet.

Aus allen diesen Ursachen erwuchs gegenüber der neuen Regierung der Großen Koalition eine ziemlich hohe Erwartung.

Das Außergewöhnliche des Vorgangs bei der Bildung dieser 8. Nachkriegsregierung verstärkte zusätzlich die Vorstellung, es würde nunmehr eine neue Phase in der Politik der Bundesregierung Deutschland beginnen:

● Die Beteiligung der SPD an der Regierung konnte als Wendepunkt empfunden werden. Der von der SPD mit dem Godesberger Programm 1959 begonnene Weg zur Bejahung der von den Adenauer-Regierungen in der Deutschland-, Europa- und westeuropäisch-atlantischen Sicherheitspolitik getroffenen Entscheidungen war mit der Übernahme von Regierungsmitverantwortung erfolgreich abgeschlossen worden. Die SPD konnte nunmehr über ihren Vorsitzenden Willy Brandt als Vizekanzler und Außenminister und 9 von 19 Ressortministern ihre politischen Vorstellungen in die Regierungsarbeit einbringen.

● Innerhalb einer Wahlperiode hatte es einen Regierungswechsel von derartiger Tragweite in der bisherigen Geschichte der Bundesrepublik noch nicht gegeben. Im Vergleich zu den bisherigen Regierungsneubildungen nach Wahlen oder nach Veränderungen in der Zusammensetzung eines Kabinetts schien der Koalitionswechsel von 1966 zwischen den Wahlterminen den Bürgern als ein markantes Signal für entscheidende Neuansätze. Diese Erwartungshaltung war natürlich nicht einhellig; das Bewußtsein, eine Parlamentsmehrheit von 446 Abgeordneten, der eine nur 50 Abgeordnete starke Opposition gegenüberstand, sei vom demokratischen Standpunkt aus eher problematisch als beruhigend, war ebenso weit verbreitet wie die Skepsis gegenüber dem Argument, die anstehenden Aufgaben seien so schwierig, daß sie nur von einer Großen Koalition bewältigt werden könnten. Die Regierungserklärung des neuen Bundeskanzlers vom 13. 12. 1966 ließ in einigen Passagen erkennen, daß sich auch die führenden Politiker dieser Problematik bewußt waren:

„...Zum ersten mal haben sich die Christlich Demokratische und Christlich Soziale Union und die Sozialdemokratische Partei auf der Ebene des Bundes zur Bildung einer gemeinsamen Regierung entschlossen. Das ist ohne Zweifel ein Markstein in der Geschichte der Bundesrepublik, ein Ereignis, an das sich viele Hoffnungen und Sorgen unseres Volkes knüpfen. Die Hoffnungen richten sich darauf, daß es der Großen Koalition, die über eine so große, zwei Drittel weit übersteigende Mehrheit im Bundestag verfügt, gelingen werde, die ihr gestellten schweren Aufgaben zu lösen, darunter vor allem die Ordnung der öffentlichen Haushalte, eine ökonomische, sparsame Verwaltung, die Sorge für das Wachstum unserer Wirtschaft und die Stabilität der Währung ... Die Sorgen vieler gelten den möglichen Gefahren einer Großen Koalition, der nur eine verhältnismäßig kleine Opposition gegenüber steht ... Die stärkste Absicherung gegen einen möglichen Mißbrauch der Macht ist der feste Wille der Partner der Großen Koalition, diese nur auf Zeit, also bis zum Ende dieser Legislaturperiode fortzuführen ... (Die Regierung ging) aus einer von unserem Volk mit tiefer Sorge verfolgten Krise hervor. Aber gerade diese Tatsache verleiht ihr ihre Kraft: zu entscheiden, was entschieden werden muß, ohne Rücksicht auf ein anderes Interesse als das des allgemeinen Wohls oder, ich sage es, der Nation und des Vaterlandes... "

(Quelle: „Texte zur Deutschlandpolitik", hrsg. vom Bundesministerium für gesamtdeutsche Fragen, Band I, 7 f., Bonn und Berlin 1968.)

Die Große Koalition 1966 – 1969

I. INNENPOLITIK

1. Reformprojekte der Großen Koalition

Die in der Regierungserklärung nachdrücklich betonte Notwendigkeit von Entscheidungen, die unter normalen parlamentarischen Mehrheitsverhältnissen nicht möglich seien, bildete die wichtigste Begründung für den schwerwiegenden Schritt zur Gründung einer Großen Koalition. Gemeint waren im wesentlichen drei Sachkomplexe:

Pläne für ein neues Wahlrecht

Eine *Wahlrechtsneuordnung* sollte für künftige Wahlen nach 1969 klare Mehrheiten ermöglichen. Die Koalitionsverhandlungen sahen ein „mehrheitsbildendes Wahlrecht" vor, das zum Zweiparteiensystem (Wahl aller Abgeordneten in Einer-Wahlkreisen nach dem relativen Mehrheitswahlsystem) und damit zum Ausschluß aller kleineren Parteien führen sollte. Im Hinblick auf die rechtsradikale NPD war dieser Effekt bei allen demokratischen Kräften erwünscht, die mögliche Ausschaltung der FDP hingegen mußte die Anhänger einer „dritten Kraft" alarmieren. Auch wenn die CDU die Koalitionskrisen der Vergangenheit der FDP anlastete und die Rolle des „Züngleins an der Waage" beseitigt wissen wollte, so war doch nicht zu übersehen, daß die FDP wünschenswerte liberale Elemente in die Regierungsarbeit eingebrachte hatte. Das Projekt Wahlrechtsneuordnung wurde in den folgenden Monaten innerhalb der Parteien und in der Öffentlichkeit intensiv diskutiert. Umrechnungen bisheriger Wählerentscheidungen auf vorgeschlagene neue Wahlverfahren führten bei der SPD zu der Einsicht, daß für sie in einem Zweiparteiensystem die Überwindung der Oppositionsrolle sehr schwierig sein würde. Die Partei beschloß, ihre Wahlrechtspolitik erst 1970, also nach der nächsten Bundestagswahl, festzulegen. Bundesinnenminister Lücke (CDU) erklärte daraufhin seinen Rücktritt, weil durch den Beschluß des SPD-Parteitags sein bisheriges Eintreten für die Wahlrechtsreform ohne Erfolg bleiben mußte.

Bewältigung der Wirtschaftsprobleme

Die Wirtschafts- und Haushaltslage war ein weiterer wesentlicher Grund für die Bildung der Großen Koalition gewesen. Deshalb wurde von Regierungsbeginn an ein breit gefächertes Programm für eine *Reform der Finanz- und Stabilitätspolitik* in Angriff genommen. Da man das Fehlen einer mittelfristigen Vorausplanung als Hauptursache für die entstandenen Schwierigkeiten erkannt zu haben glaubte, sollten neue Instrumente zur besseren Steuerung der Haushaltspolitik und des Ablaufs der wirtschaftlichen Prozesse entwickelt werden. Bereits im Februar 1967 begannen die Beratungen über die „Konzertierte Aktion" zwischen Vertretern des Staates, der Tarifpartner und der Wissenschaft.

Vorsorge für Notstände

Obwohl in der Regierungserklärung Kiesingers nicht ausdrücklich genannt, war die *Notstandsverfassung* eines der wichtigsten Gesetzgebungswerke, das die Große Koalition zum Abschluß bringen wollte. Die Hauptabsicht war, durch entsprechende Ergänzungen des Grundgesetzes die Rechtsgrundlage für die Ablösung der alliierten Vorbehaltsrechte von 1954 zu schaffen, denen zufolge die drei Westmächte im Krisenfall immer noch die oberste Gewalt in der Bundesrepublik übernehmen konnten. 1965 hatte der Entwurf für die im Falle eines Krieges oder/und einer inneren Krise notwendigen „Sicherstellungen" keine Zweidrittelmehrheit gefunden. Nach langwierigen Verhandlungen wurde das 17. Gesetz zur Ergänzung des Grundgesetzes am 30. 5. 1968 beschlossen (384 gegen 100 Stimmen: 1 CDU, 53 SDP, 46 FDP) und am 28. 6. 1968 in Kraft gesetzt. Die Änderungen, Einfügungen und Aufhebungen waren die umfangreichsten seit Bestehen der Bundesrepublik und an Bedeutung der mit dem 7. Ergänzungsgesetz eingeführten Wehrverfassung (vom 19. 3. 1956) vergleichbar.

Geregelt wurden die Verfahrensweisen bei folgenden Notstandsfällen: Verteidigungsfall (GG-Art. 115 a—1), Spannungsfall (GG-Art. 80 a, 12 a/5 und 6, 87 a/3), Katastrophenfall (GG-Art. 35/2 und 3, 11/2) und innerer Notstand („Gefahr für die freiheitliche demokratische Grundordnung"; (GG-Art. 10/2, 87 a/4, 91). Die Notstandsverfassung umfaßt im wesentlichen drei Komplexe:

— Das Gesetzgebungsverfahren durch einen Gemeinsamen Ausschuß von Bundestag (2/3) und Bundesrat (1/3), wenn der Bundestag nicht zusammentreten kann oder nicht beschlußfähig ist;

— die Dienstleistungsverpflichtung von Männern in den Streitkräften, im Bundesgrenzschutz, in einem Zivilschutzverband, zu allgemeinen zivilen Arbeitsleistungen oder in einem Ersatzdienst und von Frauen zu zivilen Dienstleistungen, im zivilen Sanitäts- und Heilwesen und in den ortsfesten militärischen Lazarettorganisationen;

— die Einschränkung von verschiedenen Grundrechten (Vereinigungsfreiheit, Post-, Brief- und Fernmeldegeheimnis, Freiheit bei der Wahl des Arbeitsplatzes).

Aufgrund der Notstandsverfassung wurde in den folgenden Monaten noch eine Reihe von Gesetzen zur Sicherstellung der Ernährung, der Wirtschaft, des Verkehrs, des Wassers und der Arbeitsleistung sowie ein Gesetz über die Erweiterung des Katastrophenschutzes erlassen. Gesetze über die Aufstellung eines Zivilschutzkorps und über Schutzbauten für die Zivilbevölkerung wurden bis heute nicht vorgesehen.

2. Unruhe in der jungen Generation

Studentenprotest in den USA

Die seit den späten 50er Jahren aus den USA kommenden Nachrichten über Studentenunruhen wurden in Europa lediglich registriert; die Anlässe waren so spezifisch amerikanisch — Bürgerrechtsbewegung für die Gleichberechtigung der schwarzen Bevölkerung, Krieg gegen Armut und für Frieden, Rebellion gegen die Vietnam-Politik der Regierung — daß ein Übergreifen auf Europa nicht denkbar schien. Die von der Universität Berkeley bei San Francisco/Kalifornien ausgehende studentische Protestbewegung wies aber neben diesen pragmatischen Zielsetzungen auch Züge auf, die eine grundsätzliche Distanzierung von der übrigen Gesellschaft, ihren Lebensformen, Idealen und Zukunftsvorstellungen erkennen ließen.

Die Ablehnung der Wertewelt der Erwachsenen bezog sich auf alle Bereiche, auf private Lebensgestaltung, Erziehungsgrundsätze, Bildungsziele ebenso wie auf die politischen, sozialen und gesellschaftlichen Strukturen im hochindustrialisierten System. Eben diese allgemeine Kritik und die daraus entwickelten Gegenziele — neue Formen des partnerschaftlichen Zusammenlebens, antiautoritäre Erziehung, eine neue Gesellschaftsordnung — waren „exportierbar", weil sie überall dort auf Zustimmung treffen konnten, wo ein vergleichbares Unbehagen gegeben war oder relativ leicht geweckt bzw. bewußt gemacht werden konnte.

Übergreifen auf die Bundesrepublik Deutschland

Dies war in der Bundesrepublik Deutschland aus vielen Gründen der Fall: Die ersten beiden Nachkriegsjahrzehnte waren geprägt gewesen von einem allseitigen Wiederaufbau, der zu einer Faszination durch den materiellen Wohlstand und zu einer immer mehr als selbstverständlich hingenommenen Fortführung traditioneller Werte und politischer, sozialer und gesellschaftlicher Gestaltungsformen geführt hatte.

Zunächst blieben die im Sozialistischen Deutschen Studentenbund (SDS) und im Sozialistischen Hochschulbund (SHB) entwickelten Gegenmodelle der Öffentlichkeit weitgehend unbekannt, und die Propagandisten für die Ablösung des gegenwärtigen „Systems" durch ein radikal neues fanden wenig Anhängerschaft. Immerhin erregten 1965 an der Freien Universität Berlin (FU) die Proteste dieser Studentengruppen gegen Hochschulverwaltung, Rektor und Professorenschaft öffentliches Aufsehen und machten die radikalen Parolen weithin bekannt. „Unter den Talaren der Muff von 1000 Jahren", „Brecht dem Schütz (Regierender Bürgermeister von Berlin) die Gräten, alle Macht den Räten", „ Macht aus Stalinisten gute Sozialisten" und auch „Alle reden vom Wetter, wir reden von Vietnam", „Über Gewalt redet man nicht, man wendet sie an". Bereits in dieser begrenzten Auswahl zeigt sich die Mischung aus vordergründig aktueller Unwillensäußerung und fundamentaler Auflehnung gegen Traditionen und grundgesetzlich-demokratische Prinzipien (z. B. Gewaltanwendung zur Durchsetzung politischer Ziele, Ablösung repräsentativ-demokratischer Institutionen durch Räte und „direkte Demokratie" nach marxistischem Vorbild).

Als nun mit der Gründung der Großen Koalition an der Jahreswende 1966/67 nicht nur in Teilen der jungen Generation, aber dort in besonderem Maße, Zweifel an der demokratischen Ordnung in der Bundesrepublik Deutschland erwuchsen, weil eine innerparlamentarische Opposition wirkungslos zu werden schien, war es für die Wortführer des Protestes nicht mehr allzu schwierig, weitere Anhänger zu gewinnen. Das Spektrum dessen, was man bekämpfte, wurde nun umfassend — es bezog die aus der amerikanischen Protestbewegung stammende Gegnerschaft zum Vietnam-Engagement der US-Regierung und die Verurteilung aller Diktaturen ebenso mit ein wie die Auflehnung gegen Eltern, Lehrer und Professoren als traditionelle Autoritäten, die Forderung nach Umsturz der bestehenden Gesellschaftsstruktur mit ihrem „Oben" und „Unten", ihren „Monopolkapitalisten" und „Unterprivilegierten" gleichermaßen wie die Kritik an den christlichen Moralvorstellungen über Ehe und Familie.

Auf die erste große Demonstration von 2000 Berliner Studenten gegen die amerikanische Vietnam-Politik Anfang Mai 1967 folgten in anderen Universitätsstädten Studentenaktionen gegen die Große Koalition, gegen Amerika-Häuser, gegen die Universitätsstruktur. Die zur Eindämmung eingesetzten Polizisten sahen sich als „Repräsentanten" der etablierten Macht und damit als Inbegriff der verhaßten Staatsordnung der besonderen Wut ausgesetzt. Sie wehrten sich zunächst mit Schlagstöcken. Am 2. Juni 1967 wurde anläßlich des Staatsbesuchs des iranischen Schah Reza Pahlevi auf dem Berliner Opernplatz bei einer Protestdemonstration der Student Benno Ohnesorg von einem Polizisten erschossen. An seiner Beerdigung nahmen 15 000 Menschen teil.

Die Protestwelle erfaßte nunmehr nahezu alle Universitätsorte, die Gewaltanwendung eskalierte: Brandstiftung im Verlagshaus des Springer-Konzerns in Berlin, den man aufgrund seiner Pressemacht als Stütze des „Systems" ansah; Brandstiftung in Kaufhäusern als den Zentren des „kapitalistischen Konsumterrors" (erstmals am 3. 4. 1968 in Frankfurt mit der Begründung, „gegen die Gleichgültigkeit der Gesellschaft gegenüber den Mördern in Vietnam zu protestieren"); „Besetzungen" von Hörsälen oder ganzer Hochschulen, um Vorlesungen zu stören oder zur Diskussion „gesellschaftsrelevanter" Probleme „umzufunktionieren"; „sit-ins" (demonstrative Sitzstreiks) auf Straßen und Plätzen, um Verkehrsstörungen herbeizuführen.

Am 11. 4. 1968 wurde auf den bekanntesten Wortführer der studentischen Protestbewegung, Rudi Dutschke, in Berlin ein Mordanschlag verübt. Weitere mehr oder weniger schwere Zusammenstöße mit der Polizei waren die Folge. Von den Universitäten griff die Revolte auf die Höheren Schulen über; Schulstreiks, Leistungsverweigerung, Auflehnung gegen die „autoritären Typen" waren an der Tagesordnung. Als im Mai 1968 im Bonner Parlament die zweite und dritte Lesung der Notstandsverfasung anstand, erreichte die Demonstrations- und Protestwelle ihren Höhepunkt. 30 000 Menschen unternahmen einen Sternmarsch in die Hauptstadt, im ganzen Land kam es zu gleichgesinnten Aktionen.

Sie dauerten bis 1969 mit unverminderter Heftigkeit an; ihr Charakter veränderte sich aber insofern, als der Mangel an einer alle Beteiligten verbindenden Programmorientierung teilweise zu enttäuschter Abkehr, teilweise zu Gruppenbildung führte und die ver-

Demonstration gegen die Notstandsgesetze 1968, in Form des für die damalige Zeit charakteristischen „sit-in's".

Demonstration gegen den Vietnam-Krieg 1972 in Berlin.

schiedenen Gruppierungen sich nach ideologischer Ausrichtung, politischer Zukunfts-orientierung und taktischem Konzept für das unmittelbare Vorgehen ziemlich unter-schieden.

3. Ideologie der „Neuen Linken"

Aufgrund der Tatsache, daß es im Bereich der „Neuen Linken" lediglich Organisa-tions- und in gewissem Rahmen Koordinierungsversuche gab und es infolge des Selbst-verständnisses der Beteiligten auch keine „Einheitlichkeit" geben konnte, war die Flut von Programmen, Erklärungen und Forderungen unübersehbar groß. Jede Aktions-gruppe entwickelte gewissermaßen ihr eigenes „Strukturmodell" für die „revolutionäre Umgestaltung" des Bestehenden, unabhängig von der spezifischen Ausgangssituation und persönlichen Erfahrung.

Trotz dieses breitgefächerten und schillernden Spektrums ließen sich einige Grundgedanken und typischen Elemente für die Gesamtbewegung erkennen. Sie gehörten zwei Ebenen an, einer pragmatisch-aktuellen und einer ideologisch-grundsätzlichen.

● Beispiele für die erstere wurden bereits genannt; sie zeigten als Kernanliegen den Widerstand gegen die traditionellen Autoritäten des „Establishment", das Unbehagen an den anscheinend allein auf Bedürfnisbefriedigung angelegten Lebensplänen des „Wohlstandsbürgertums", die Kritik an der angeblichen Ausschließung des einzelnen vom politischen Entscheidungsprozeß in der repräsentativen Demokratie, die Auflehnung gegen die als besonders diskriminierend empfundene „Fremdbestimmung" durch andere und gegen die Manipulation durch die überall vermuteten Drahtzieher des angefeindeten „Systems".

● Der ideologische „Überbau" war seinerseits auch kein einheitliches Gedankengefüge. Er beinhaltete existentialistische Elemente, etwa die faszinierende Idee vom souveränen Selbstbestimmungsrecht des einzelnen für seine Daseinsgestaltung; er umfaßte Gedanken der Psychoanalyse und im Zusammenhang damit insbesondere die Aufhebung traditioneller Tabus, die Einsicht in die Triebhaftigkeit des Menschen und ihre Rechtfertigung sowie die Ablehnung der durch Konventionen und Repressionen vorgenommenen „Zähmung" („Domestizierung") des Menschen zu einem reibungslos funktionierenden Nutzteil im gesellschaftlichen, wirtschaftlichen und politischen Prozeß; wesentlich waren — wie in jeder Jugendbewegung — romantisierende Vorstellungen von einer nichttechnisierten, nichtverwalteten, nichtorganisierten Welt, in der sich die einzelnen in freigewählter Gemeinschaft und im Bekenntnis zur Schlichtheit, wenn nicht Primitivität, vor allem aber zu menschlicher Gerechtigkeit und sozialer Sensibilität zusammenfinden konnten.

Zentrale Gedanken entstammten der marxistischen Ideenwelt in ihren idealistischen Ausprägungen, woraus sich die vehemente Abkehr von den stalinistischen „Verzerrungen" und „Verformungen" ebenso ergab wie die Glorifizierung der „reinen Lehre" von permanenter Revolution, Aufhebung aller Klassengegensätze und Ausbeutungsmechanismen in einer idealen Gesellschaft für menschliches Zusammenleben in bisher noch nicht dagewesenen Formen. Die Frühschriften von Karl Marx erhielten große Bedeutung. Typisch war nicht nur die Vielfalt der Denkansätze, sondern auch die Vielzahl von Kombinationen der einzelnen Denkelemente.

Einfluß der „Frankfurter Schule"

Entscheidenden Einfluß auf die Ideologie der „Neuen Linken" hatten die Vertreter der „Frankfurter Schule", die um 1930 am Institut für Sozialforschung der Universität Frankfurt von Max Horkheimer, Herbert Marcuse, Theodor W. Adorno u. a. begründet und nach der Rückkehr dieser Wissenschaftler aus der Emigration fortgeführt worden war. Kernbereich war die „Kritische Theorie", die Gesellschaftslehre der Frankfurter Schule, die im Rahmen der marxistischen Theorie der gesellschaftlichen Entwicklung Deutungsversuche für die Situation der Gegenwart unternahm.

Ihre Kritik an der kapitalistischen Überflußgesellschaft war vernichtend: Luxus und Krieg seien zwangsläufig die Folgen des raschen Kreislaufs von Güterherstellung, Werbung, Verbrauch, weil die Überproduktion nicht mehr „normal" konsumiert werden könne. Die Verherrlichung dieses Systems durch seine Machthaber täusche dem Menschen „Wohlstand" und „Freiheit" vor; sein im Ablauf der Zeit in dieser Lebensweise entstandenes „falsches Bewußtsein" hindere ihn daran, seine Unterdrückung, Beherrschung und Erniedrigung zu erkennen. Um zu einer Wiederentdeckung eines glücklichen Lebens mit individueller Autonomie, Arbeitsbeschränkung und Freizeitvermehrung, Auslebenkönnen der „eigentlichen" menschlichen Bedürfnisse und insgesamt zu einer „menschlichen Welt" zu kommen, müsse das Bestehende, da es irreparabel verdorben sei, beseitigt werden.

„Unsere Opposition ist nicht gegen einige kleine Fehler des Systems, sie ist vielmehr eine totale, die sich gegen die ganze bisherige Lebensweise des autoritären Staates richtet... Durch systematische, kontrollierte und limitierte Konfrontation mit der Staatsgewalt" soll „die repräsentative Demokratie" gezwungen werden, „offen ihren Klassencharakter, ihren Herrschaftscharakter zu zeigen" und „sich als Diktatur der Gewalt zu entlarven". (Dutschke)

4. Die Reaktion der Regierung

Die Eskalation der Auflehnung zur Gewalt gegen Sachen und Menschen wurde zwar nicht offen propagiert, aber sie ergab sich mit einer gewissen Zwangsläufigkeit, weil das Ungestüm bestimmter Gruppen die Geduld zur gewaltfreien Veränderung nicht aufbrachte.

Die Protestwelle erwies sich als so stark und die einzelnen Aktionen waren so spektakulär, daß sich die für Sicherheit und Ordnung Verantwortlichen nicht damit begnügen konnten, mit Polizeieinsätzen das Schlimmste zu verhüten und die Demonstrationen zu kanalisieren bzw. zu zerstreuen. Die Ausschreitungen hatten im Frühjahr 1968 Ausmaße angenommen, die eine prinzipielle Reaktion notwendig machten. Bundesinnenminister Benda (CDU) als zuständiger Ressortchef legte in der Sondersitzung des Bundestages am 30. 4. 1968 die Grundlinie für die Antwort der Regierung auf die Herausforderung dar:

Entschiedene Bekämpfung aller grundgesetzwidrigen antiparlamentarischen Aktionen gegen Staat, Eigentum und Bürger, aber volle Bereitschaft zur Diskussion über wünschenswerte oder notwendige Reformen auf der Grundlage der verfassungsmäßigen Ordnung. Auch andere Politiker betonten, revolutionäre Gewalttätigkeiten werde man zu verhindern wissen, einer Entwicklung nach realistischen, nicht utopischen Vorstellungen stehe niemand im Wege.

Im Ablauf der parlamentarischen Behandlung der Notstandsgesetze ließ sich die Regierung nicht beirren, obschon der von der Neuen Linken ausgehende öffentliche Protestdruck sich besonders dagegen wandte. Das Argument, es gehe nur vordergründig um die Ablösung der alliierten Vorbehaltsrechte, in Wirklichkeit dienten die Grundgesetzänderungen einer weiteren Reduzierung von Demokratie und Bürgerfreiheit, insbesondere zur Verfolgung der Führer und Mitglieder der Jugendprotestbewegung, war nicht wenigen eingängig; die von seiten der Regierung in öffentlichen Hearings und in den Parlamentsdebatten gegebenen Begründungen und Erklärungen wurden nicht akzeptiert.

5. Weitere innenpolitische Ereignisse

Tod Adenauers

Am 19. 4. 1967 starb im 92. Lebensjahr Altbundeskanzler Konrad Adenauer, der maßgebliche Politiker bei der Gründung der Bundesrepublik Deutschland und die prägende Persönlichkeit während anderthalb Jahrzehnten. Daß am Begräbnis des seit 1963 nicht mehr im Amt Stehenden Delegationen aus 54 Staaten, von 14 internationalen und 4 kirchlichen Organisationen, u. a. Präsident Johnson, Staatspräsident de Gaulle, Premierminister Wilson, Ministerpräsident Moro, der israelische Alt-Ministerpräsident

Abschied von Adenauer, Pontifikal-Requiem im Kölner Dom.

Ben Gurion teilnahmen, demonstrierte noch einmal die Bedeutung Adenauers für die Gestaltung Europas in der Nachkriegszeit. In den Würdigungen seines Lebenswerkes konnte es natürlich bei der ihn kennzeichnenden Souveränität und Eigenwilligkeit nicht an kritischen Äußerungen fehlen, aber seine Leistungen und seine Verdienste um die Entwicklung und Stabilität der zweiten deutschen Demokratie wurden dadurch nicht geschmälert, sie wurden allseits anerkannt.

Anwachsen der NPD

Am 1. 10. 1967 erhielt die NPD bei den Bremer Bürgerschaftswahlen mit 8,8 % ihren bislang bei Landtagswahlen höchsten Stimmenanteil. Damit war die rechtsradikale Partei bereits im 6. Landesparlament vertreten:

Hessen (6. 11. 1966): 7,9 %
Bayern (20. 11. 1966): 7,4 %
Rheinland-Pfalz (23. 4. 1967): 6,9 %
Schleswig-Holstein (23. 4. 1967): 5,9 %
Niedersachsen (4. 6. 1967): 7,0 %.

Am 28. 4. 1968 übertraf sie in Baden-Württemberg mit 9,8 % noch das Bremer Ergebnis. Die NPD hatte damit offensichtlich nicht nur ihre Krise bei der Bundestagswahl von 1965 überwunden, sondern auch nachdrücklich vom Anwachsen des Linksradikalismus profitiert. Es konnte nicht ausbleiben, daß Erinnerungen an das Überhandnehmen der extremen, demokratiefeindlichen Kräfte in der Endphase der Weimarer Republik wach wurden.

Neugründung DKP

Am 27. 10. 1968 wurde die Deutsche Kommunistische Partei (DKP) gegründet. Nach dem 1956 erfolgten Verbot der KPD gab es damit wieder eine „offizielle" Linkspartei. Die DKP gab sich als „Neugründung" aus und vermied im Programm und in den Verlautbarungen alles, was damals zum Verbot der KPD geführt hatte, und behauptete, eine „sozialistische Gesellschafts- und Staatsordnung im Rahmen des Grundgesetzes" verwirklichen zu wollen. Die „Notwendigkeit" einer kommunistischen Partei wurde mit der „bedrohlichen Rechtsentwicklung" in der Bundesrepublik begründet. Sicher hatte aber auch eine Rolle gespielt, daß die „Neue Linke" große Erfolge, insbesondere unter den Jugendlichen, zu haben schien. Mit der DKP sollte der moskauorientierte Kommunismus wieder stärker propagiert werden. Bei der ersten Bundestagswahl, an der sich die DKP beteiligte (19. 11. 1972), konnte die Partei aber lediglich 0,3 % der Stimmen gewinnen.

Weiterverfolgung nationalsozialistischer Gewaltverbrechen

Am 26. 6. 1969 verabschiedete der Bundestag mit den Stimmen von CDU und SPD (gegen CSU und FDP) das 9. Strafrechtsänderungsgesetz, demzufolge die Strafverfolgung von Verbrechen des Völkermords unverjährbar wurde und die Strafverfolgung von Verbrechen, die mit lebenslanger Freiheitsstrafe bedroht sind, erst nach 30 Jahren verjährte. Diese sogenannte Verjährungsdebatte, die in der Öffentlichkeit und in den politischen Gremien jahrelang geführt worden war, fand damit ihren vorläufigen Abschluß, weil nunmehr die Gewaltverbrechen während der nationalsozialistischen Epoche bis 1979 verfolgt werden konnten.

6. Wahlen 1969: Bundespräsident und Bundestag

Das Anwachsen der „außerparlamentarischen Opposition" und die Folgen, die daraus entstanden waren, hatten in der Öffentlichkeit eine Bewußtseinsänderung bewirkt. Auch den politisch Verantwortlichen war klar, daß das Fehlen einer effektiven Opposition im Bundestag eine wesentliche Ursache für die Unruhe im Lande war.

Innerhalb der FDP vollzog sich in der „Ohnmachtsphase" ein Wandel. Der vom Bundesvorsitzenden Mende gehaltene Kurs geriet unter innerparteiliche Kritik. In der Ostpolitik plädierte der linke Parteiflügel für eine Anerkennung der Oder-Neiße-Linie und der DDR, die Kritik an der Notstandsverfassung fiel im Vergleich zur Zeit der Koalitionsbeteiligung schroff aus. Auf dem Freiburger Parteitag im Januar 1968 wurde als neuer Vorsitzender Walter Scheel gewählt, der für einen „Ruck nach vorn" plädierte.

Heinemann — SPD-Kandidat bei der Präsidentenwahl

Bei der Diskussion um den Nachfolger für Bundespräsident Lübke wiederholte die SPD ihren bereits 1966 geltend gemachten Anspruch, aufgrund der SPD-Mehrheit in der Bundesversammlung einen eigenen Kandidaten aufzustellen. Nach dem Beweis der Regierungsfähigkeit durch Bildung der Großen Koalition sollte die Übernahme des höchsten Staatsamtes durch einen SPD-Abgeordneten der endgültige Durchbruch zum Image der staatstragenden Partei sein. Mit Gustav Heinemann präsentierte die SPD einen Kandidaten, der aufgrund seiner bei der Wiederbewaffnungsdebatte bewiesenen unabhängigen Haltung mit der Zustimmung durch FDP-Abgeordnete rechnen konnte. Er war 1950 aus Protest gegen Bundeskanzler Adenauer als Innenminister zurückgetreten, hatte anschließend eine eigene Partei (GVP) gegründet und sich nach deren Scheitern der SPD angeschlossen.

Aber auch der CDU/CSU-Kandidat Gerhard Schröder, Verteidigungsminister in der Großen Koalition, genoß in der FDP Ansehen. Daß die FDP sich schließlich für die Unterstützung Heinemanns entschied, war auf die Überlegung zurückzuführen, die Partei könnte ihre Selbständigkeit und ihren neuen Kurs am eindrucksvollsten durch eine Distanzierung zum früheren Koalitionspartner und eine Hinwendung zur SPD demonstrieren.

Heinemann erhielt am 5. 3. 1969 512 von 1023 Stimmen, allerdings erst im dritten Wahlgang (auf Schröder entfielen 506 Stimmen, 5 Abgeordnete hatten sich der Stimme enthalten), und trat am 1. Juli 1969 sein Amt an.

Wahlkampf 1969

Die Abstimmungsgemeinschaft von SPD und FDP bei der Bundespräsidentenwahl hatte beim Wahlkampf für die Bundestagswahl am 28. 9. 1969 beträchtliche Auswirkungen. Sowohl SPD als auch FDP erklärten die Unionsparteien zu ihrem Gegner, für

Plakate zur Bundestagswahl 1969

Wir schaffen das moderne Deutschland.

SPD

Wir haben die richtigen Männer.

CDU

Auf den Kanzler kommt es an

F.D.P.

Wir schaffen die alten Zöpfe ab!

Sie entscheiden

wer Bundeskanzler wird: Kiesinger oder Brandt? Brandt kann Deutschland nicht führen.

Darum: Bundeskanzler Kiesinger Am 28. September:

CSU

die großen Parteien war der Kampf gegeneinander ohnehin selbstverständlich, da absprachegemäß die Große Koalition nicht fortgesetzt werden sollte. Die FDP wollte abermals ihre Fortschrittlichkeit beweisen („Wir schneiden die alten Zöpfe ab!") und wandte sich aus diesem Grund gegen die traditionelle Regierungspartei CDU/CSU. Der Werbeslogan der SPD — „Wir schaffen das moderne Deutschland" — zielte gleichfalls auf das Image von Fortschrittlichkeit, Wandel und „Regierungsmannschaft"; sie versuchte auf diese Weise, die CDU/CSU und ihren auf die Persönlichkeit von Bundeskanzler Kiesinger konzentrierten Wahlkampf als konservativ erscheinen zu lassen.

Die Unionsparteien begegneten diesem Konzept mit einer Abwertung des „notorischen Verlierers" Brandt, der nach zwei Niederlagen gegen die Unionskanzlerkandidaten Adenauer (1961) und Erhard (1965) gegen Kiesinger keine Chance habe, weil dieser die Kontinuität der seit 20 Jahren von Adenauer geprägten politischen Erfolgslinie repräsentiere. Da Fragen der Geldwertstabilität in den Mittelpunkt des Wahlkampfes rückten, konnte auch Bundesfinanzminister Strauß als Garant finanzpolitischer Solidität profiliert und gegen die Befürworter einer Änderung des DM-Wechselkurses herausgestellt werden. Damit war die während der Großen Koalition sehr erfolgreiche Zusammenarbeit zwischen Strauß und Wirtschaftsminister Schiller beendet und die Kontroverse zwischen SPD und CDU/CSU verschärft.

Im Vergleich zu diesen wirtschaftspolitischen Themen blieben andere Bereiche — Außenpolitik, Deutschlandpolitik, Gefahr des Radikalismus von links durch die Neue Linke und von rechts durch die NPD — nachrangig.

Lediglich die Frage der künftigen Koalition blieb während der gesamten Wahlphase aktuell. Da die FDP eine eindeutige Aussage vermied und das Abschneiden der NPD ungewiß blieb, mußten alle Überlegungen Spekulation bleiben.

Die in der Wahlnacht von den Bürgern und den Politikern mit höchster Spannung verfolgte Entwicklung der Hochrechnungen stabilisierte sich schließlich zu Lasten der NPD und zugunsten der FDP, so daß die SPD-Führung sich zur Initiative entschloß und der FDP Koalitionsgespräche anbot. Sie führten nach wenigen Tagen zum Erfolg: Die FDP reagierte damit auf die entsprechenden Erwartungen der ihr treu gebliebenen Wähler, der SPD-Vorsitzende Brandt sah in der relativ knappen Mehrheit von 12 Mandaten kein Hindernis für einen „Machtwechsel" im echten Sinn. „Koalition der Verlierer" lautete der Vorwurf der CDU/CSU, mit der Verhandlungen gar nicht ernsthaft aufgenommen wurden und die sich in eine völlig ungewohnte Lage versetzt sah.

Hatten 1966 bei der Gründung der Großen Koalition in der Öffentlichkeit, trotz mancher Bedenken, allgemein die Hoffnungen auf eine neue Entwicklung überwogen, so war für die Situation 1969 eine Meinungsverschiedenheit charakteristisch: Die Befürworter des nach ihrer Auffassung längst fälligen Machtwechsels erwarteten nicht weniger als einen Kursänderung in vielen Bereichen. Die von der künftigen Regierungsverantwortung Ausgeschlossenen zeichneten ein düsteres Zukunftsbild, weil sie auf allen Gebieten eine Preisgabe bisheriger Positionen glaubten vorhersagen zu können.

Am 21. 10. 1969 wählte der 8. Deutsche Bundestag den SPD-Vorsitzenden Willy Brandt mit 251 gegen 235 Stimmen (5 Enthaltungen, 4 ungültige Stimmen) zum vierten Kanzler der Bundesrepublik Deutschland. In dem am folgenden Tag vorgestellten Kabinett nahm der FDP-Vorsitzende Walter Scheel die Position des Vizekanzlers und Außenministers ein, 11 Minister gehörten der SPD an, außer Scheel 2 weitere Minister der FDP; ein Minister war parteilos.

II. AUSSENPOLITIK

1. Neue Akzente in der Ostpolitik

Die Regierungserklärung von Bundeskanzler Kiesinger vom 13. 12. 1966 stellte neben die als selbstverständlich angesehene Fortführung der Friedens-, Sicherheits- und westeuropäisch-atlantischen Bündnispolitik jene Ziele besonders heraus, die sich auf die neuen Akzente in der Ostpolitik bezogen:

● Die Bundesrepublik wolle die für Deutschland traditionelle Brückenfunktion zwischen Ost- und Westeuropa erfüllen und strebe deshalb auf allen Gebieten des wirtschaftlichen, kulturellen und politischen Lebens Verbesserungen in den Beziehungen zu den östlichen Nachbarn an.

● An die Adresse der Sowjetunion gewandt, sagte Kiesinger, das deutsche Volk wolle mit den Völkern der Sowjetunion in guter, friedlicher Nachbarschaft leben; die neue Bundesregierung wiederhole das Angebot der letzten Bundesregierung vom März 1966 zum Austausch von Gewaltverzichtserklärungen.

● Die Aussöhnung mit Polen und die Verständigung mit der Tschechoslowakei wurden als ausdrückliche Ziele der neuen Bundesregierung bezeichnet, wobei im einen Fall Verständnis für den Wunsch des polnischen Volkes bekundet wurde, in einem Staatsgebiet mit gesicherten Grenzen leben zu können, und im anderen Fall die Ungültigkeit des Münchner Abkommens über die Abtretung des Sudetengebietes ausdrücklich betont wurde.

Damit setzte die Große Koalition grundsätzlich die seit 1961 verfolgte Linie einer flexibleren Haltung gegenüber den Staaten des kommunistischen Ostblocks fort, leitete aber insofern eine neue Entwicklung ein, als man stärkere Aktivität zeigen und auch bislang nicht begangene Wege einschlagen wollte. Die wichtigsten Ziele dieser Außenpolitik waren die Leistung eines Beitrags zur Auflockerung der erstarrten Ost-West-Konfrontation und, damit eng verbunden, die Ingangsetzung einer deutschlandpolitischen Initiative zur Überwindung oder zumindest zur Milderung der Spaltung Deutschlands.

2. Problem „Hallstein-Doktrin"

Vor welchen Komplikationen man bei diesen Bemühungen stand, zeigte sich erstmals bereits im Februar 1967, als beim Besuch des rumänischen Außenministers Manescu die Aufnahme diplomatischer Beziehungen vereinbart, aber gleichzeitig in einer Verbalnote an alle Regierungen betont wurde, dieser Schritt bedeute keine Abkehr vom deutschen Rechtsstandpunkt, demzufolge die Regierung der Bundesrepublik Deutschland allein berechtigt und verpflichtet sei, für das ganze deutsche Volk zu sprechen. Daß die Grundlinie — bessere Beziehungen zu den osteuropäischen Staaten anzubahnen, die DDR jedoch keinesfalls als Staat anzuerkennen — nur sehr schwer würde einzuhalten sein, wurde im Mai/Juni 1969 besonders deutlich, als Kambodscha, der Irak und der Sudan zur DDR offizielle diplomatische Beziehungen aufnahmen. Die Bundesregierung reagierte mit einer Modifizierung der sogenannten Hallstein-Doktrin (Außenpolitischer Grundsatz seit 1956, keine diplomatischen Beziehungen zu Staaten aufzunehmen bzw. diese abzubrechen, wenn diese Staaten die DDR durch Aufnahme diplomatischer Beziehungen anerkannten). Nunmehr wollte sie „ihre Haltung und ihre Maßnahmen gemäß den Interessen des ganzen deutschen Volkes von den gegebenen Umständen abhängig machen".

Es schien so, als arbeite die Zeit für die DDR und als könne die Bundesregierung das Lavieren nicht mehr unbegrenzt fortsetzen. Die Situation im Nahen Osten war durch den israelisch-arabischen Konflikt, der im Juni 1967 mit dem 6-Tage-Krieg einen Höhepunkt erreicht hatte, zusätzlich größten Spannungen ausgesetzt. Für die Bundesrepublik ergab sich daraus das schwierige Problem, die Kontakte sowohl zu Israel als auch zu den arabischen Staaten einigermaßen ausgewogen aufrechtzuerhalten. Mit Jordanien waren die diplomatischen Beziehungen im Februar 1967 wiederaufgenommen worden, desgleichen zu Jugoslawien im Januar 1968 und zum Jemen im Juli 1969.

Der ostpolitische Annäherungsprozeß stagnierte 1968 infolge der gewaltsamen Besetzung der Tschechoslowakei durch Truppen des Warschauer Pakts. Die Brutalität des Vorgehens bei der Niederschlagung des als „Prager Frühling" bezeichneten Reformkurses von Parteichef Dubcek löste im Westen Entsetzen und Resignation aus. Alle, die einen Interessenausgleich mit Moskau bzw. mit den kommunistischen Staaten stets als Illusion bezeichnet hatten, sahen sich bestätigt.

3. Problem Oder-Neiße-Linie

Um welche grundsätzlichen Probleme es bei der Konkretisierung der Annäherung zwischen der Bundesrepublik Deutschland und Polen gehen würde, kam im Mai 1969 in Äußerungen von Spitzenpolitikern beider Staaten zum Ausdruck: Der polnische Parteichef Gomulka hatte, wie erwartet, die endgültige Anerkennung der Oder-Neiße-Linie als polnische Westgrenze als conditio sine qua non (unabdingbare Voraussetzung) genannt; er wiederholte damit die von allen Ostblockstaaten 1967 in Karlsbad für die Normalisierung der Verhältnisse zur Bundesrepublik vereinbarten Bedingungen, signalisierte aber Gesprächsbereitschaft. Außenminister Brandt ging unmittelbar darauf ein und erklärte nach Darlegung des deutschen Rechtsstandpunkts: „Darüber hinaus haben wir verschiedentlich betont, daß uns nichts daran hindern soll, schon vorher, also vor einem Friedensvertrag, eine beide Seiten befriedigende Lösung mit Polen gemeinsam zu erörtern und vorzubereiten ... Ich bin nach wie vor der Auffassung, daß die Aussöhnung mit Polen eine Aufgabe von geschichtlichem Rang ist wie die Aussöhnung mit Frankreich. Sie wird nicht weniger schwierig und nicht weniger zeitraubend sein. Dazu darf man keine Vorbedingungen stellen." Über derartige Absichtserklärungen gelangte man zunächst nicht hinaus.

4. Bekenntnis zum Gewaltverzicht

Die Bundesregierung verfolgte noch andere Möglichkeiten eines aktiven Beitrags zur Entspannung in Europa. Sie versuchte, die zwischen den USA und der UdSSR zur Diskussion stehende Politik der Begrenzung der Atomwaffen in der Weise zu fördern, daß sie sich bereit erklärte, mit anderen Nicht-Nuklear-Staaten einen freiwilligen Verzicht auf Kernwaffen zu erklären. Nach Kontakten mit den USA legte die Bundesrepublik im März 1968 der in Genf tagenden Abrüstungskonferenz ein Memorandum vor, das die Nichtverbreitung von Atomwaffen vorschlug. Sie erklärte sich ferner dazu bereit, mit der Sowjetunion und den östlichen Nachbarn, ausdrücklich auch mit der DDR, Gewaltverzichtsabkommen abzuschließen. Auch in diesen Fällen blieb es aber zunächst bei Bekundungen und Notenwechseln, weil die Sowjetunion gegenüber der Bundesrepublik an ihrem angeblich durch die Feindstaatenklausel der UN-Charta festgelegten Interventionsrecht festhielt (Art. 53 und 107 erlaubten Maßnahmen gegen ehemalige Feindstaaten ohne Einschaltung des Sicherheitsrats), und die DDR als Vorbedingung für ein Abkommen die Anerkennung als selbständiger Staat nach Maßgabe des Völkerrechts forderte.

5. Bekenntnis zum westlichen Bündnis

Während dieser insgesamt enttäuschend verlaufenden ostpolitischen Kontaktversuche pflegte die Regierung der Großen Koalition die Beziehungen zu den westlichen Bündnispartnern weiterhin mit Sorgfalt. Dadurch sollte zum einen jeder Zweifel an der konsequenten Fortsetzung des bisherigen Kurses ausgeräumt, zum anderen eine Unterstützung für die Aktivitäten in der Ostpolitik erlangt werden. Staatspräsident de Gaulle und Bundeskanzler Kiesinger einigten sich beim ersten Arbeitstreffen in Paris im Juli 1967 auf ein „Zusammenwirken der beiden Regierungen auf dem weiten Feld einer europäischen Ostpolitik". Dies hinderte de Gaulle allerdings nicht, bei seinem Warschau-Besuch (September 1967) die Oder-Neiße-Linie als Westgrenze Polens anzuerkennen. De Gaulle war es auch, der sich dem von Außenminister Brandt befürworteten Ausbau der Europäischen Gemeinschaft durch Aufnahme Großbritanniens widersetzte.

Innerhalb der EWG konnte mit dem Inkrafttreten des gemeinsamen Zolltarifs (ab 1. 7. 1968) ein wesentlicher Fortschritt erzielt werden.

III. DEUTSCHLANDPOLITIK

1. Schwierigkeiten bei der Anbahnung von Kontakten

Die programmatischen Sätze zur Deutschlandpolitik in der Regierungserklärung der Großen Koalition vom 13. 12. 1966 waren zunächst ohne Echo geblieben. Der DDR-Staatssekretär für westdeutsche Fragen hatte in einer Presseerklärung am 3. 2. 1967 den wesentlichen Grund für die abweisende Haltung genannt: „Ohne die Anerkennung des sozialistischen deutschen Friedensstaates ist kein durch normale Beziehungen gesichertes friedliches Neben- und Miteinander der beiden deutschen Staaten möglich." Am 20. 2. 1967 erließ die Ostberliner Regierung demonstrativ ein „Gesetz über die Staatsbürgerschaft der DDR", mit dem vollendete Tatsachen über die Aufhebung der von der Bundesregierung verfochtenen einheitlichen deutschen Staatsbürgerschaft geschaffen werden sollten.

Bundeskanzler Kiesinger nannte in einer Regierungserklärung am 12. 4. 1967 Beispiele für wünschenswerte Vereinbarungen:

— verbesserte Reisemöglichkeiten vor allem für Verwandte, mit dem Ziel der Entwicklung eines normalen Reiseverkehrs;
— Passierscheinregelungen in Berlin und zwischen den Nachbargebieten beider Teile Deutschlands;
— Erleichterung des Empfangs von Medikamenten und Geschenksendungen;
— Ermöglichung der Familienzusammenführung, insbesondere der Kinderrückführung;
— Ausweitung und Erleichterung des innerdeutschen Handels;
— gemeinsamer Ausbau oder Herstellung neuer Verkehrsverbindungen;
— verbesserte Post- und Telefonverbindungen, insbesondere Wiederherstellung des Telefonverkehrs in ganz Berlin;
— schrittweise Freigabe des ungehinderten Bezugs von Büchern, Zeitschriften und Zeitungen;
— Besuche von Jugendgruppen und Schulklassen, freier innerdeutscher Sportverkehr.

2. Briefdiplomatie

Kontroverse um „Anerkennung" und „Alleinvertretung"

Am 10. 5. 1967 schrieb der DDR-Ministerratsvorsitzende Stoph einen Brief an Bundeskanzler Kiesinger. Er schlug darin die Aufnahme direkter Verhandlungen vor und nannte als Voraussetzungen abermals die Anerkennung der DDR und die Aufgabe des Alleinvertretungsanspruchs. Der Brief schloß mit einer Einladung „in den Amtssitz der Regierung der Deutschen Demokratischen Republik". „Ich wäre auch bereit, mich mit Ihnen in Ihrem Amtssitz in Bonn zu treffen." Am 26. 4. erhielt der Bundespostminister, am 11. 5. der Bundesverkehrsminister jeweils ein Schreiben des entsprechenden DDR-Ressortchefs. Der Bundeskanzler beantwortete den Brief Stophs am 13. 6. 1967.

In knapper Form wies er den „Alles-oder-nichts-Standpunkt" zurück und schlug vor, Beauftragte der beiden Regierungen sollten ohne politische Vorbedingungen Gespräche über praktische Fragen des Zusammenlebens der Deutschen aufnehmen. Die Reaktion war alles andere als ermutigend. In einem Interview mit dem „Neuen Deutschland" vom 21. 6. 1967 verschärfte Stoph seine bekannten Vorwürfe, z. B. daß die Herrschaft der westdeutschen Monopole, der Hitlergenerale und Neonazis auf die DDR und andere Staaten gewaltsam ausgedehnt werden solle.

Stoph schrieb am 18. 9. 1967 einen weiteren Brief an Kiesinger, der sowohl die Vorschläge vom 10. 5. als auch die stereotypen Klischees wiederholte. In der Anlage war ein „Entwurf eines Vertrages über die Herstellung und Pflege normaler Beziehungen zwischen der Deutschen Demokratischen Republik und der Bundesrepublik Deutschland" beigefügt, der freilich — diesmal in den Formulierungen eines offiziellen Abkommens — nichts anderes enthielt als die bekannten DDR-Auffassungen. In seiner Antwort ging der Bundeskanzler auf diesen Vertragsentwurf überhaupt nicht ein, forderte lediglich, Ostberlin solle seine Briefe der Bevölkerung der DDR bekannt machen und erklärte, der Staatssekretär im Bundeskanzleramt stehe jederzeit zur Verfügung, um die von Stoph auf dieser Ebene vorgeschlagenen Verhandlungen zur technischen Vorbereitung des Treffens der Regierungschefs zu beginnen. Dazu kam es allerdings nicht.

Erste Kontakte auf Ministerebene

Mit Antworten des Bundespostministers und des Bundesverkehrsministers vom 17./18. 11. 1967 auf die entsprechenden Briefe aus Ostberlin und mit Vorschlägen für Expertengespräche über einen Kostenausgleich für den innerdeutschen Brief-, Paket- und Fernsprechverkehr (im Oktober 1969 wurden ohne weitere Verhandlungen 16,9 Mio. DM überwiesen) sowie über Verbesserungen der postalischen Dienste, des Eisenbahn-, Straßen- und Binnenschiffsverkehrs endeten zunächst die Aktivitäten.

Stoph versuchte lediglich noch, mit einem Brief an Kiesinger (14. 5. 1968) in die Schlußberatung der Notstandsgesetzgebung mit der Forderung nach Absetzung von der Tagesordnung des Bundestags einzugreifen. Die in Aussicht genommenen persönlichen Kontakte auf Staatssekretärsebene wurden ebensowenig weiterverfolgt wie das Gespräch zwischen Bundeswirtschaftsminister Schiller und DDR-Außenhandelsminister Sölle. Alle Appelle von seiten führender Politiker der Bundesrepublik, sachlich miteinander zu reden und zu verhandeln, scheiterten an der fortgesetzten Polemik der anderen Seite. Die DDR provozierte sogar eine erneute Verschlechterung der Atmosphäre durch einseitig vorgenommene Erschwernisse im Berlin-Verkehr.

3. DDR-Schikanen im Berlin-Verkehr

Die DDR-Regierung strafte mit einer Reihe einschränkender Maßnahmen im Transitverkehr zwischen der Bundesrepublik und Westberlin ihre Bereitschaft zu Verhandlungen Lügen. Im April 1968 begann mit einer Anordnung des DDR-Innenministeriums, daß Bundesminister und Beamte der Bundesregierung die Zufahrtswege nach

Berlin nicht mehr benützen dürften, eine neue Welle von Schikanen. Im Juni folgten DDR-Regierungsbeschlüsse über die Einführung des Paß- und Visumzwangs auch im Transitverkehr, über eine sogenannte „Steuerausgleichsabgabe" für Beförderungen auf Straßen der DDR sowie über einen Mindestgeldumtausch von 10.— DM pro Tag und Person beim Aufenthalt in der DDR und von 5.— DM beim Aufenthalt in Ostberlin im Wechselkursverhältnis von 1:1. Begründet wurden die Maßnahmen mit der Annahme der Notstandsgesetze durch den Bundestag; begleitet wurden sie in üblicher Manier mit Vorschlägen für den Abschluß von völkerrechtlich gültigen Verträgen zwischen den beiden deutschen Staaten.

Um den Berlin-Verkehr nicht an finanziellen Hemmnissen scheitern zu lassen, beschloß das Bundeskabinett, den Reisenden die Visagebühren und den Transportunternehmern die Steuerausgleichsabgabe zu erstatten. Die Westmächte reagierten auf die DDR-Maßnahmen mit Protesten, und der NATO-Rat konterte mit Gebührenforderungen an DDR-Funktionäre bei Reisen in NATO-Länder. Die Bundesregierung sperrte am 1. 7. 1968 den Transitverkehr für DDR-Schiffe auf den Binnenwasserstraßen der Bundesrepublik.

Im Februar 1969 erließ die DDR ein Durchreiseverbot für die Mitglieder der Bundesversammlung, für Bundeswehrangehörige und für Mitglieder des Verteidigungsausschusses. Proteste der Bundesregierung und der drei Westmächte sowie die Anprangerung der Maßnahmen als völkerrechtswidrige Verletzung der geltenden Vier-Mächte-Vereinbarung über Berlin vermochten die Stagnation nicht zu überwinden.

Der am 5. 11. 1968 als Nachfolger von Lyndon B. Johnson zum amerikanischen Präsidenten gewählte Republikaner Richard M. Nixon besuchte im Rahmen seiner Europareise am 26./27. 2. 1969 auch Berlin, bekräftigte in einer Rede vor Siemens-Arbeitern nachdrücklich das amerikanische Engagement und ließ es auch an Warnungen gegenüber dem Osten nicht fehlen: „Keine einseitige Maßnahme, keine illegale Aktion, kein wie immer gearteter Druck aus irgendeiner Richtung wird an der Entschlossenheit der Westmächte rütteln, ihren rechtmäßigen Status als Beschützer der Menschen des freien Berlin zu verteidigen."

IV. WIRTSCHAFTSPOLITIK

1. Krisenprogramm der Großen Koalition

Im Hinblick darauf, daß sowohl die Krise der Regierung Erhard als auch die Gründung der Großen Koalition in der Hauptsache auf die wirtschaftliche Rezession zurückgeführt wurden, mußte natürlich der Maßnahmenkatalog zur Überwindung dieser Krise eine zentrale Bedeutung im Regierungsprogramm einnehmen. Die Beseitigung der Deckungslücke in Höhe von 3,3 Mrd. DM im Haushalt von 1967 und der für die folgenden Jahre zu gewärtigenden Haushaltsdefizite war auch mit der eben geschaffenen erweiterten Gesetzesgrundlage (Finanzplanungsgesetz und Steueränderungsgesetz von 1966, Ergänzungshaushaltsgesetz von 1967) nicht mehr zu bewältigen. Selbstkritisch wurden die Hauptgründe für die Abwärtsentwicklung genannt: Es habe an der mittelfristigen Vorausschau gefehlt; Einnahmeverzichte und Ausgabenerhöhungen hätten zu der großen Finanzierungslücke geführt; die Furcht vor der Ungunst der Wähler habe die notwendigen Korrekturen verhindert. Jetzt seien deshalb mutige Entscheidungen und die Einsicht aller Mitverantwortlichen notwendig, um über die Gesundung der Bundesfinanzen den wirtschaftlichen Genesungsprozeß in Gang zu bringen. Die wichtigsten Ziele seien Wirtschaftswachstum, Erhöhung der Produktivität, Sicherung der Vollbeschäftigung. Die notwendigen Einschränkungen und Belastungen müßten auf alle Gruppen und Schichten möglichst gleichmäßig verteilt werden.

Die Bundesregierung bekenne sich zu der vom Sachverständigenrat (bestehend aus fünf namhaften Wirtschaftswissenschaftlern) festgelegten wirtschaftspolitischen Zielsetzung, „im Rahmen der marktwirtschaftlichen Ordnung gleichzeitig zur Stabilität des Preisniveaus, zu einem hohen Beschäftigungsgrad und außenwirtschaftlichem Gleichgewicht bei stetigem und angemessenem Wirtschaftswachstum" beizutragen (§ 1 des Gesetzes zur Förderung der Stabilität des Wachstums und der Wirtschaft v. 8. 6. 1967). „Kontrollierte Expansion" und eine „neue Politik der Globalsteuerung" als Absicherung gegen jeden „Einzeldirigismus" als Prinzipien sowie ein umfassendes „Gesetz zur Förderung der Stabilität und des Wachstums der Wirtschaft" als reale Basis für eine längerfristige Planung sollten unverzüglich verwirklicht werden.

2. Maßnahmen

„Konzertierte Aktion"

Mit Bundeswirtschaftsminister Prof. Schiller (SPD) und Bundesfinanzminister Strauß (CSU) waren zwei Ressortchefs von hohem Sachverstand und großer Dynamik gefunden. Die Harmonie ihrer Zusammenarbeit in den auf die Regierungsneubildung folgenden Monaten wurde allgemein gerühmt und fand in dem populären Bild von „Plüsch und Plum" ihren Ausdruck. Die Fraktionsvorsitzenden der Koalitionsparteien, Rainer Barzel (CDU) und Helmut Schmidt (SPD), unterstützten die Aktivitäten spannungslos. Bereits am 14. 2. 1967 wurde das erste Gespräch der „konzertierten Aktion" zwischen Vertretern des Staates, der Tarifpartner und der Wirtschaft mit dem Ziel des gemeinsamen und abgestimmten Handelns durchgeführt.

Diese wirtschaftspolitische Linie war in starkem Maße dem sog. Keynesianismus verpflichtet (nach John M. Keynes, englischer Nationalökonom, 1883 – 1946). Das Grundprinzip ist folgendes: Nach einer Sachverständigenuntersuchung über die wahrscheinliche Entwicklung von Angebotsmengen und -preisen wird die Zuwachsrate des Sozialprodukts prognostiziert. Von seiten der Regierung wird entsprechend dieser Höhe die Nachfrage gesteuert, indem die am Wirtschaftsprozeß beteiligten Hauptgruppen (Konsumenten, Investoren, Staat, Ausland) beeinflußt werden. In einem freien Wirtschaftssystem sind die staatlichen Eingreifmöglichkeiten dabei auf Steuersenkung/Steuererhöhung, Investitionsförderung/Investitionsdrosselung, Forcierung/Reduzierung öffentlicher Aufträge, Gehaltserhöhungen/Konjunkturabschläge, Beachtung des Außenhandelsgleichgewichts und ähnliches beschränkt. Mit den anderen Entscheidungsträgern muß ein freiwilliger Konsens erreicht werden (zum Beispiel Begrenzung von Lohnerhöhungen durch Absprache der Tarifpartner, gleichsinnige zins-/kreditpolitische Maßnahmen sowie Auf-/Abwertung der nationalen Währung).

Stabilitätsgesetz

Das für die Wirtschaftspolitik grundlegende sogenannte „Stabilitätsgesetz" wurde mit großer Mehrheit vom Bundestag verabschiedet. Mit diesem am 14. 6. 1967 in Kraft getretenen Gesetz war erstmals ein systematisch ausgebautes Instrumentarium für die konjunkturpolitisch notwendigen Maßnahmen geschaffen: Über Steuersenkungen und Investitionshilfen konnten nunmehr ein Aufschwung eingeleitet, andererseits „Überhitzungen" vermieden werden. Das Gesetz verpflichtete zudem die Bundesregierung zur jährlichen Abgabe eines Wirtschaftsberichts, in dem alle aktuellen Zielsetzungen und die entsprechenden Realisierungsmaßnahmen dargelegt werden mußten.

Mittelfristige Finanzplanung

Am 6. 7. 1967 folgt der Bundestagsbeschluß über die sogenannte „Mittelfristige Finanzplanung" für 1967 bis 1971 und über das zweite Investitionsprogramm mit einem Volumen von 5,3 Mrd. DM. Zur Steigerung der Einnahmen wurde der Mehrwertsteuersatz von 10 auf 11 % erhöht und eine Ergänzungsabgabe in Höhe von 3 % der Einkommens- und Körperschaftssteuerschuld verfügt; gleichzeitig brachte das Finanzänderungsgesetz eine Ausgabensenkung von 2,5 Mrd. DM für 1968.

Der nächste Akt zur Verwirklichung des Regierungsprogramms erfolgte mit der Konstituierung des Finanzplanungsrats, der Empfehlungen für eine Koordinierung der Finanzplanung von Bund, Ländern und Gemeinden aussprechen sollte.

Finanzverfassung

Den Schlußstein bildeten dann die Grundgesetzänderungen, die eine Finanzverfassungsreform bedeuteten:

— Als Abschnitt VIII a („Gemeinschaftsaufgaben") wurden im Grundgesetz die Art. 91 a („Mitwirkungsbereiche des Bundes bei Länderaufgaben") und 91 b („Bildungsplanung und Forschung") eingefügt.

Für drei Gemeinschaftsaufgaben — Ausbau und Neubau von Hochschulen einschließlich der Hochschulkliniken, Verbesserung der regionalen Wirtschaftsstruktur, Verbesserung des Küstenschutzes — die an sich in die ausschließliche Landeszuständigkeit fielen, wurde ein Mitwirkungsrecht des Bundes festgesetzt, „wenn diese Aufgaben für die Gesamtheit bedeutsam sind und die Mitwirkung des Bundes zur Verbesserung der Lebensverhältnisse erforderlich ist". Der Bund sollte bei den ersten beiden Gemeinschaftsaufgaben die Hälfte der Ausgaben, bei den beiden anderen mindestens die Hälfte tragen.

— Im Abschnitt X („Finanzwesen") wurde an erster Stelle der Art. 104 a („Ausgaben von Bund und Ländern") eingefügt, der für die Finanzverfassung grundsätzliche Regelungen enthielt: Die Ausgabenverantwortung von Bund und Ländern richtet sich nach der Verwaltungs-, nicht nach der Gesetzgebungszuständigkeit. Soweit Länder Gesetze im Auftrag des Bundes ausführen, trägt dieser die sich daraus ergebenden Sachaufwendungen. Bundesgesetze, die Geldleistungen gewähren, werden von den Ländern in Auftragsverwaltung ausgeführt, wenn der Bund mehr als die Hälfte der Ausgaben trägt. Will ein Bundesgesetz den Ländern mehr als ein Viertel der Ausgaben auferlegen, ist die Bundesratszustimmung erforderlich. Finanzhilfen für besonders bedeutsame Investitionen der Länder und Gemeinden kann der Bund gewähren, wenn sie „zur Abwehr einer Störung des gesamtwirtschaftlichen Gleichgewichts oder zum Ausgleich unterschiedlicher Wirtschaftskraft im Bundesgebiet oder zur Förderung des wirtschaftlichen Wachstums erforderlich sind".

Diese Maßnahmen, die natürlich erst in den folgenden Jahren wirksam werden konnten, stellten eine einschneidende Veränderung gegenüber der bisherigen Situation dar: Die Kompetenz des Bundes bei der Gesetzgebung und bei der Mitwirkung im Rahmen bedeutsamer Aufgaben wurden ausgeweitet und die Haushaltsgrundsätze an die veränderten politischen, wirtschaftlichen und sozialen Verhältnisse angepaßt.

3. Wirkungen

Entwicklung der Arbeitslosigkeit

1966	Juli	101 476
	August	105 743
	September	112 726
	Oktober	145 804
	November	216 382
	Dezember	371 623
1967	Januar	621 156
	Februar	673 572
	März	576 047
	April	501 303
	Mai	458 461
	Juni	400 773
1968		323 000
1969		179 000
1970		149 000

An der Entwicklung der Zahl der Arbeitslosen ist abzulesen, daß die konjunkturpolitischen Maßnahmen der Großen Koalition relativ bald Erfolge zeigten. Das Krisenmanagement vermochte auch die Preisrelation rasch zu korrigieren. Die Etikettierung des Jahres 1968 als das der „Gewinnexplosion" bezog sich nicht nur auf die Unternehmen. Auch für den einzelnen Arbeitnehmer ergab sich ein stärkerer Anstieg des Lohnes im Vergleich zu dem der Preise für die Lebenshaltung.

Steigerung der Investitionen

Die Anlageinvestitionen, die in der Rezession 1966/67 auf —8,4 % (im Vergleich zum Vorjahr) gesunken waren, verzeichneten 1968/69 ein Plus von 12,1 % und erreichten den höchsten Wert seit 1955. Die Auftragseingänge bei der Industrie stiegen infolge einer wiederbelebten Inlandsnachfrage, nicht zuletzt jedoch aufgrund der Erfolge im Außenhandel. Beim Bruttosozialprodukt, das 1966/67 erstmals in der Geschichte der Bundesrepublik keinen Zuwachs zu verzeichnen gehabt hatte (— 0,2 %), ergab sich 1968 ein Anstieg von 7,3 %, 1969 auf 8,5 %. Mit Recht konnte von einem neuen Boom gesprochen werden.

Neue Probleme

Zwei Umstände waren es, die für die wirtschaftliche Entwicklung neue Probleme entstehen ließen:

— Nachdem der Rezessionsschock bei der Bevölkerung nach relativ kurzer Zeit in ausgeprägte Wachstumserwartung umgeschlagen war, vertraten die Arbeitnehmer mit großem Nachdruck Forderungen gegenüber dem Staat und den Arbeitgebern. Sie standen in engem Zusammenhang mit der innen- und gesellschaftspolitischen Lage in der zweiten Hälfte der 60er Jahre, die durch ein betont kritisches Bewußtsein gekennzeichnet war. Mochten die Wortführer der Linken auch keine Massenanhängerschaft gewonnen haben, so hatten ihre Parolen doch dazu geführt, daß beim einzelnen der Eindruck des Zu-kurz-Kommens beim Aufschwung entstand, und er die Anrechte einzuklagen begann. Die Forderungen an Betrieb und Staat nach höheren Löhnen und Leistungen aller Art konnten nicht ohne Folgen auf die Preisstabilität bzw. auf den wirtschaftlichen Gesamtmechanismus bleiben.

— Die über die rege Exporttätigkeit der deutschen Wirtschaft größer werdende Bedeutung der internationalen Währungssituation wurde in dem Moment zum Problem, in dem es nicht mehr gelang, den unterschiedlichen Wert der verschiedenen Währungen durch Auf- bzw. Abwertungen auszugleichen. Die Unruhewelle 1968 in Frankreich brachte so umfangreiche Produktionsausfälle, daß der Franc in kurzer Zeit stark an Wert verlor. Die DM wurde daraufhin zum Spekulationsobjekt, weil allgemein eine Aufwertung erwartet wurde. Im November 1968 fand unter Leitung von Bundeswirtschaftsminister Schiller in Bonn eine Tagung der 10 führenden westlichen Industrieländer statt. Die Beschlüsse reichten nur zu einem kurzfristigen Ausgleich der Währungswertunterschiede aus. Das Bundeskabinett zerfiel in Befürworter und Ablehner einer DM-Aufwertung, die schon sprichwörtlich gewordene Harmonie zwischen Wirtschafts- und Finanzminister ging zu Ende. Im Wahlkampf 1969 spielte das Thema eine wichtige Rolle, Strauß widersetzte sich einer Aufwertung so heftig wie Schiller sie jetzt befürwortete, nachdem der Franc abgewertet worden war. Am 25. 9. 1969 wurden die Devisenbörsen vorübergehend geschlossen, um dem spekulativen Devisenzustrom im Zusammenhang mit der erwarteten DM-Aufwertung zuvorzukommen. Fünf Tage später — zwei Tage nach der Bundestagswahl und einen Tag nach der Absichtserklärung von Willy Brandt, eine SPD/FDP-Koalitionsregierung bilden zu wollen — erfolgte die Freigabe des DM-

Wechselkurses, der Dollarwert sank am 30. 9. von bisher DM 4,— auf DM 3,84. Da Fragen der Währungsstabilität in Deutschland nach den Erfahrungen zweier vermögensvernichtender Inflationen stets höchste Aufmerksamkeit erregten, erlitt im Zusammenhang mit dieser Auseinandersetzung die optimistische Einstellung zur Wirtschaftsentwicklung wieder einen Rückschlag.

V. SOZIAL- UND GESELLSCHAFTSPOLITIK

1. Programm

Es war leicht verständlich, daß die Regierungserklärung von Bundeskanzler Kiesinger unter dem Eindruck der wirtschaftlichen Probleme auf dem Gebiet der Sozial- und Gesellschaftspolitik nur vorsichtig Perspektiven aufzeigen konnte. Versprechungen nach dem Gießkannenprinzip wären allzu leicht als wirklichkeitsfremd und unglaubwürdig zu erkennen gewesen. Vordringlich war die Wiedergewinnung von Wirtschafts- und Geldwertstabilität. Erst wenn auf dieser Grundlage die Staatseinnahmen wieder gesichert waren, konnte eine Fortsetzung der bisherigen aktiven Sozial- und Gesellschaftspolitik erfolgen. Kiesinger erläuterte diesen Zusammenhang und scheute sich nicht, offen auszusprechen, daß sowohl die Höhe der jährlichen Zuwachsraten der Sozialleistungen als auch die Lage der Empfänger künftig sehr genau kontrolliert werden würden. Die Bundesrepublik wende von ihrem Bruttosozialprodukt für den sozialen Bereich so viel auf wie kein anderes Land; aber man müsse bedenken, daß diese Sozialpolitik den Boden unter den Füßen verlieren würde, wenn sie Leistungen weiterhin ausdehnen wolle, ohne auf die wirtschaftliche Gesamtentwicklung Rücksicht zu nehmen.

2. Maßnahmen

Die begrenzten Möglichkeiten zwangen einerseits zu Einsparungen, andererseits zu einer Konzentration auf wirklich dringliche Sozialleistungen:

● So schränkte z. B. das *Steueränderungsgesetz* vom 23. 12. 1969 die Möglichkeiten einer gleichzeitigen Inanspruchnahme der Wohnungsbauprämie und Sparförderung ein.

● Im *Gesetz zur Verwirklichung der mehrjährigen Finanzplanung* des Bundes wurden die Rentner mit 2 % ihrer Renten an den Aufwendungen der Rentenversicherungsträger für die Rentner-Krankenversicherung beteiligt (bis 1. 1. 1970, dann Rückzahlung der einbehaltenen Beträge).

● Das gleiche Gesetz verfügte die *Rentenversicherungspflicht* aller Angestellten, ohne Rücksicht auf berufliche Stellung und Einkommen sowie die Krankenversicherungspflicht für alle Rentner. Der Rentenbeitragssatz wurde von 14 % auf 15 % angehoben und die Beitragserstattung an heiratende weibliche Versicherte abgeschafft.

● Von besonderer Bedeutung war das *Gesetz über die Finanzierung der Rentenversicherung* vom 28. 7. 1969, mit dem ein Finanzierungsverbund zwischen der Arbeiter- und der Angestelltenversicherung sowie ein Liquiditätsausgleich beschlossen wurde. Zusammen mit den Anhebungen des Beitragssatzes (1. 1. 1969: 16 %; 1. 1. 1970: 17 %; 1. 1. 1973: 18 %) sollte damit die 1957 eingeführte dynamische Rente mit ihren alljährlichen Rentenanpassungen weiterhin sichergestellt werden.

Gegen Ende der für die Große Koalition verkürzten Legislaturperiode bei wieder verbesserter Haushaltslage folgten noch einige andere Gesetze von großer sozialer Tragweite:

● Mit dem Gesetz vom 28. 7. 1969 erhielten die Arbeiter einen Rechtsanspruch auf Fortzahlung des Arbeitsentgelts für die Zeit der Arbeitsunfähigkeit wegen Krankheit bis zur Dauer von 6 Wochen; sie waren damit den Angestellten gleichgestellt.

● Das *Arbeitsförderungsgesetz* vom 25. 6. 1969 hatte die Vollbeschäftigung, die Sicherung optimaler Berufschancen durch Verbesserung der beruflichen Bildung und Anpassung, den Schutz vor sozialem Abstieg infolge Arbeitslosigkeit und Kurzarbeit sowie die produktive Winterbauförderung zum Ziel. Für Behinderte wurde ein Rechtsanspruch auf geeignete Maßnahmen zur Arbeits- und Berufsförderung verordnet.

● Das erste *Gesetz über individuelle Förderung der Ausbildung* vom 19. 9. 1969 stellte für die schulische Ausbildung eine Parallele zur beruflichen Ausbildungsförderung dar.

● Für Bezieher niedriger und mittlerer Einkommen sowie für kinderreiche Familien sah das *Steueränderungsgesetz* eine verstärkte Sparförderung (Erhöhung der Wohnungsbau- und Sparprämien) und eine einkommensabhängige Zusatzprämie vor.

● Weitere soziale Maßnahmen betrafen Verbesserungen im Rahmen des *Bundessozialhilfegesetzes, des Lastenausgleichsgesetzes, der Kriegsgefangenen- und Kriegerwitwenfürsorge sowie des Unfallschutzes am Arbeitsplatz.*

Eine wichtige Einführung war die Aufstellung und Vorlage des Sozialbudgets: Der mittelfristigen Finanzplanung des Bundeshaushalts sollte damit eine Vorausschätzung aller öffentlichen Sozialleistungen gegenübergestellt werden, um Möglichkeiten und Grenzen der staatlichen Sozialpolitik deutlich zu machen. Der ab 1970 gleichzeitig abgegebene Sozialbericht hatte die Aufgabe, die Maßnahmen nach Qualität und Quantität zu beschreiben.

Die sozial-liberale Koalition 1968 – 1974

Hatte die Öffentlichkeit schon auf den Beginn der Großen Koalition mit hochgespannten Erwartungen reagiert, die neue Regierungskoalition löste noch größere Hoffnungen aus. Zwei Gründe waren dafür maßgeblich:

● Da die Große Koalition nur einen Teil ihres Programms hatte erfüllen können, verlagerte sich nunmehr das Vertrauen auf die neue Parteienkonstellation.

● Die 20jährige Regierungszeit von CDU/CSU als stärkster Partei in Koalitionen mit zeitweise weit unterlegenen „Juniorpartnern" hatte bereits das Wort vom „Adenauer-Staat" entstehen lassen. In weiten Kreisen der Bevölkerung war nunmehr die Überzeugung verbreitet, es würde durch die Regierungsübernahme durch Spitzenpolitiker der SPD so etwas wie eine neue Ära in der Entwicklung der Bundesrepublik anbrechen und die Ausstrahlung könnte auch die politische Landschaft in Europa verändern. Bezeichnend war, daß die positiven Perspektiven nicht auf einen bestimmten Sektor begrenzt waren — etwa den der Deutschland- und Ostpolitik — sondern sich grundsätzlich auf alle Bereiche richteten.

Vor allem in der Altersgruppe der 15-40jährigen erwarteten viele einen regelrechten Umbruch sowohl in der Außen- als auch in der Innenpolitik, in der Wirtschafts- und Sozialpolitik ebenso wie in der Gesellschafts- und Kulturpolitik. Nachdem sich der von der „außerparlamentarischen Opposition" („APO") entfachte Sturm und die revolutionäre Vehemenz an der Stabilität der traditionellen Staatsmacht und an der Besonnenheit der Bevölkerung gebrochen hatten, schienen durch die neue Regierung Innovationen (Neuerungen) möglich, die aus den festgefahrenen Gleisen der äußeren Politik ebenso heraus führen würden, wie es im weitgespannten Bereich der inneren Politik zu einem erweiterten Verständnis von Demokratie kommen könne. Die neuen Männer und die sie tragenden Kräfte würden im internationalen Bereich Impulse geben und damit eine Wandlung der gegebenen Lage bewirken. Im Innern würde eine „Epoche des Politischen" in dem Sinne beginnen, daß die gerade von den Jüngeren begehrte Teilhabe an den Entscheidungen durch eine Ausweitung des demokratischen Prinzips auf alle Lebensgebiete realisiert würde. Es hätte nicht mehr wie bisher mit der Wahlbeteiligung zu Landtag und Bundestag sein Bewenden, sondern es würde „mehr Demokratie gewagt" und mit dem Grundsatz der „Mitbestimmung" überall Ernst gemacht werden, wo über den einzelnen und sein Leben entschieden wird, im Betrieb, in der Schule, in der Gemeinde.

So erfreulich es für die SPD/FDP-Regierung sein mußte, eine in der Bundesrepublik kaum für möglich gehaltene Aktivierung von politischem Beteiligungswillen auszulösen, so stand sie natürlich andererseits vor der Frage, ob man dieser hoch- und weitgespannten Erwartungshaltung würde gerecht werden können. Würde sie, zum Erfolg und zur Erfüllung von Hoffnungen gleichsam verurteilt, nicht in eine Reformhektik verfallen, mit vielen Ansätzen und wenigen Ergebnissen? Müßte sie nicht über kurz oder lang zwangsläufig Enttäuschung auslösen? Würde man nicht schon nach relativ kurzer Zeit „Grenzen des Machbaren" erfahren müssen?

Bei der Darstellung dieses Zeitabschnitts erscheint es besonders problematisch, die einzelnen Sachbereiche des politischen Geschehens nacheinander und somit zumindest voneinander getrennt darzustellen — eben deshalb, weil die Regierungsparteien, getrieben vom eigenen, gleichsam aufgestauten Reformwillen auf allen Gebieten initiativ wurden. Die deutschland- und außenpolitische Aktivität führte sicher zur wichtigen Neuorientierung in der Politik gegenüber Moskau, Warschau und Ost-Berlin. Aber es darf nicht übersehen werden, daß gleichzeitig auch in der Innen-, Wirtschafts-, Sozial-, Kultur- und Gesellschaftspolitik neue Akzente gesetzt und Entwicklungsprozesse eingeleitet wurden.

I. INNENPOLITIK

1. „Mehr Demokratie wagen"

Stand das Gesamtprogramm der sozial-liberalen Regierungskoalition unter dem Motto „Kontinuität und Erneuerung", so war die Parole „Mehr Demokratie wagen" eine spezielle innenpolitische Absicht. In der Regierungserklärung sagte der neue Bundeskanzler:

„In den letzten Jahren haben manche in diesem Land befürchtet, die zweite deutsche Demokratie werde den Weg der ersten gehen. Ich habe dies nie geglaubt. Ich glaube es heute weniger denn je. Nein: Wir stehen nicht am Ende unserer Demokratie, wir fangen erst richtig an".

Brandt definierte an anderer Stelle Demokratie bzw. Demokratisierung als ein Prinzip, das alles gesellschaftliche Sein des Menschen beeinflussen und durchdringen müsse, um die Überwindung des Untertanengeistes zu erzielen.

„Wir wollen eine Gesellschaft, die mehr Freiheit bietet und mehr Mitverantwortung fordert... (Wir) brauchen alle aktiven Kräfte unserer Gesellschaft... Die Regierung kann in der Demokratie nur erfolgreich wirken, wenn sie getragen wird vom demokratischen Engagement der Bürger. Wir haben so wenig Bedarf an blinder Zustimmung wie unser Volk Bedarf hat an gespreizter Würde und hoheitsvoller Distanz. Wir suchen keine Bewunderer; wir brauchen Menschen, die kritisch mitdenken, mitentscheiden und mitverantworten. Das Selbstbewußtsein dieser Regierung wird sich als Toleranz zu erkennen geben. Sie wird daher auch jene Solidarität zu schätzen wissen, die sich in Kritik äußert. Wir sind keine Erwählten; wir sind Gewählte. Deshalb suchen wir das Gespräch mit allen, die sich um diese Demokratie mühen... Damit werden das Parlament und die Öffentlichkeit im ersten der siebziger Jahre ein umfassendes Bild der Reformpolitik der Regierung gewinnen können".

Das Kabinett der sozial-liberalen Koalition wird von Bundespräsident Heinemann empfangen.

Wahlalter 18

Es war symptomatisch für die Gesamtsituation, daß man die Verstärkung der politischen Teilhabe dort begann, wo einerseits die größte Frustration über das Ausgeschlossensein vom Entscheidungsprozeß, andererseits die stärkste Bereitschaft zum Engagement gegeben zu sein schien. Die seit 1965 diskutierte Herabsetzung des aktiven Wahlalters auf 18 und des passiven Wahlalters auf 21 Jahre wurde nunmehr bundesweit Gesetz (1. 8. 1970).

Die Mehrheit der Politiker war der Auffassung, daß sich ein doppelter positiver Effekt einstellen werde:

„Die Politik wird die Probleme der jungen Leute mehr beachten, wenn die Jungen selbst anzusprechende und zu gewinnende Wähler sind... Lassen Sie uns als eine Antwort auf die Unruhe der Jungen gegenüber den Erstarrungen in unserer politischen Welt den Schritt tun, der auf diese Jugend zugeht, und ihr Mitwirkungsmöglichkeit, aber gleichzeitig auch mehr Mitverantwortung anbieten". (Abgeordneter Westphal/SPD)

Amnestie für Demonstrationstäter

Um die in den Jahren 1968/69 entstandene Spannung zu entschärfen, legten SPD und FDP im Februar 1970 einen Gesetzentwurf vor, der Straffreiheit für Gesetzesverstöße im Zusammenhang mit den Demonstrationen vorsah. Das Hauptargument war, die mit der Strafjustiz in Konflikt geratenen jungen Menschen seien in aller Regel nicht einer kriminellen, sondern einer achtenswerten Gesinnung gefolgt, sie hätten sich in einer Ausnahmesituation zu Ausnahmehandlungen für berechtigt gehalten. Natürlich sollte die Amnestie begrenzt sein und schwere Vergehen und Verbrechen nicht umfassen.

Die Opposition erhob gegen dieses Straffreiheitsgesetz erhebliche Bedenken; die einseitige Begünstigung von Demonstrationstätern müsse das Vertrauen in die Strafrechtspflege und in die Ordnungsfunktion des freiheitlich-demokratischen Staates erschüttern und bei den radikalen Kräften den Eindruck der Schwäche des Staates hervorrufen; die von diesen Gruppen ausgehenden Drohungen bewiesen, daß keine wirkliche Befriedigungswirkung erreicht werde; Gewalt als Mittel der politischen Auseinandersetzung werde durch das Gesetz eher provoziert als unterbunden.

Protestkundgebung der Bürgerinitiative Grundschulnotstand in Nordrhein-Westfalen.

Trotz dieser Einwände wurde das Gesetz im Mai 1970 erlassen, um einen Schlußstrich zu ziehen, die Aussöhnung in die Wege zu leiten und die Gutwilligen unter den Jugendlichen und ihr im Moralischen begründetes Engagement wieder zurückzugewinnen.

Bürgerinitiativen

Die Demonstrationen und Studentenunruhen hatten auch neue, in der Bundesrepublik bislang unbekannte Formen der politischen Aktivität und Entscheidungsbeeinflussung bewirkt. Die Sammelbezeichnung „Bürgerinitiativen", die für diese außerparlamentarischen Willensäußerungen üblich wurde, umfaßte eine Reihe verschiedenartiger Ziele und Methoden. Gemeinsam war den Bürgerinitiativen der vehemente Wille der Aktiven und der mit ihnen Sympathisierenden, nicht nur am politischen Geschehen teilzunehmen, sondern auch steuernd darauf einzuwirken. Diese Gruppen wollten grundsätzlich nicht bloß einen Wunsch oder Antrag gegenüber den Legislativ- und Exekutivorganen äußern, um dann geduldig auf die Ausführung zu warten. Ihnen ging es darum, durch Druck auf die Entscheidungsträger einen nach ihrer Überzeugung bestehenden Mißstand umgehend abzustellen oder ein als vernünftig und wünschenswert angesehenes Ziel auf möglichst kurzem Wege zu verwirklichen.

In der überwiegenden Zahl handelte es sich um lose organisierte Gruppen, die eine bestimmte und begrenzte Absicht verfolgten. Bürgerinitiativen richteten sich gegen Straßenplanungen, Bauprojekte, militärische Anlagen, setzten sich für Spielstraßen und -plätze, schulische Interessen, Erholungseinrichtungen ein. Die am weitesten bekannt gewordenen und am längsten aktiven Bürgerinitiativen waren jene, die sich gegen den Bau oder Betrieb von Kernkraftwerken wandten.

Für die politischen Parteien und die Exekutivorgane kam diese Freisetzung von politischer Teilnahmebereitschaft ziemlich überraschend. Man hatte aus der Tatsache, daß die Bürger die seit je angebotenen Diskussions- und Mitwirkungsmöglichkeiten wie Bürgerversammlungen, Bürgerforen, Partei- und Verbandsmitgliedschaften nur in relativ geringem Maße und mit begrenztem Engagement nützten, den Schluß gezogen, mehr sei an Aktivität nicht zu erreichen, und man könne im übrigen aufgrund dieses mäßigen Interesses nach eigenem Gutdünken entscheiden und handeln. Die Bürgerinitiativen und der gezeigte Durchsetzungswille belehrten eines anderen. Parteipolitiker setzten sich nunmehr nicht selten an die Spitze von Bürgerinitiativen, um die „Bürgernähe" der eigenen Politik zu demonstrieren. Wiederholt versuchten auch Anhänger der „Neuen Linken", Bürgerinitiativen in der Weise umzufunktionieren, daß sie deren Kritik an einem einzelnen Mißstand zu einem Angriff auf das „System als solches" nutzten.

Die Erfolge, die verschiedene Bürgerinitiativen erzielten, brachten es mit sich, daß ab den 70er Jahren diese Form der politischen Teilhabe zum festen Bestand der demokratischen Mitwirkung bei Entscheidungsprozessen wurde. Da es sich vielfach um die Verfolgung von einseitigen Interessen handelte, konnten ihre Ziele von übergeordneten Standpunkten aus nicht immer akzeptiert werden.

271

Mitbestimmung

„Wir wollen die demokratische Gesellschaft, zu der alle mit ihren Gedanken zu einer erweiterten Mitverantwortung und Mitbestimmung beitragen sollen." Mit dieser Absichtserklärung griff Bundeskanzler Brandt ein Thema auf, das in der vorhergegangenen Legislaturperiode bereits diskutiert worden war, nämlich auf welche Weise eine Ausweitung der bereits gesetzlich verankerten Mitbestimmung in Betrieben und Behörden erreicht werden könne. Gegenüber dem paritätischen Mitbestimmungsmodell für die Betriebe der Montanindustrie von 1951 (präzisiert durch ein Ergänzungsgesetz von 1956 und ein Sicherungsgesetz von 1967) wurden nämlich das Betriebsverfassungsgesetz von 1952 für die übrige gewerbliche Wirtschaft und das Personalvertretungsgesetz von 1955 für das Personal im öffentlichen Dienst von seiten der Gewerkschaften als unzureichend angesehen. Im Aufsichtsrat verfügten die Arbeitnehmer z. B. nur über ⅓ der Sitze, die Personalräte in den Behörden hatten noch weniger Einflußmöglichkeiten als die Betriebsräte der Wirtschaft.

Nach dem Grundprinzip der sozial-liberalen Koalition sollte die Forderung nach „mehr Demokratie" natürlich besonders in der Arbeitswelt konkretisiert werden. Da die beiden Regierungsparteien aber von ihrem Programm und von ihrem Wählerpotential her unterschiedliche Absichten verfolgten, brachte das nach überaus langwierigen Verhandlungen auf allen Ebenen und in vielen Interessenkreisen im November 1971 verabschiedete neue Betriebsverfassungsgesetz einen Kompromiß: Die Befugnisse des Betriebsrats im personellen, sozialen und wirtschaftlichen Bereich wurden ausgeweitet und die Stellung des einzelnen durch das Recht auf Unterrichtung, Anhörung und Erörterung von betrieblichen Angelegenheiten gefestigt, aber in der Zusammensetzung der Aufsichtsräte änderte sich nichts. Die Folge mußte sein, daß das Thema Mitbestimmung weiter erörtert wurde. Parteien, Gewerkschaften, Interessenverbände und einzelne Persönlichkeiten entwickelten neue Modelle (insgesamt 7).

Prinzipiell blieb die Kontroverse zwischen paritätischer und einfacher Mitbestimmung bestehen, erhielt allerdings durch die von FDP-Seite erhobene Forderung nach einer gebührenden Berücksichtigung der „leitenden Angestellten" im Aufsichtsrat eine zusätzliche Dimension.

2. Raumplanung und Gebietsreform

Bundesraumordnungsprogramm

Am 3. 7. 1969 beschloß der Bundestag einstimmig, die Bundesregierung zu ersuchen, „auf der Grundlage einer konkreten räumlichen Zielvorstellung für die Entwicklung des Bundesgebietes die regionale Verteilung der raumwirksamen Bundesmittel in einem Bundesraumordnungsprogramm festzulegen". Dieses Programm sollte auf der Grundlage des Raumordnungsgesetzes vom 8. 4. 1965 basieren. Dort war der Auftrag formuliert worden, in allen Gebieten der Bundesrepublik Deutschland gesunde Lebens- und Arbeitsbedingungen sowie ausgewogene wirtschaftliche, soziale und kulturelle Lebensverhältnisse zu schaffen, zu sichern und weiterzuentwickeln. Überall sollte ein Mindestmaß an Lebensqualität gewährleistet sein. Darunter verstand man ein ausreichendes Angebot an Wohnungen, Erwerbsmöglichkeiten und öffentlichen Infrastruktureinrichtungen in zumutbarer Entfernung und eine menschenwürdige Umwelt. Die Notwendigkeit einer vorausschauenden Raumplanung ergab sich aus der Tatsache, daß „in einigen Verdichtungsräumen sich die Umweltbedingungen einer kritischen Belastungsgrenze näherten, weil durch den starken Zustrom von Menschen die Einrichtungen der Infrastruktur und die natürlichen Lebensgrundlagen" zum Teil bereits überlastet waren und andererseits in Teilen des ländlichen Raumes funktionsfähige Siedlungsstrukturen fehlten, die Infrastruktur ungenügend ausgestaltet war und die Erwerbsmöglichkeiten nicht ausreichten. Ab Ende der 60er Jahre entfalteten Bund und Länder in eigenen Ministerien vielfältige Initiativen, um die erkannten Probleme zu meistern. Grundsätzlich ging es um folgende Teilaufgaben:

— Infolge der Gesamtentwicklung wurden die Ansprüche an den nicht mehr vermehrbaren Grund und Boden immer größer: Straßenbau, Wohnungsbau, Industrieansiedlungen, Bau von Schulen und Hochschulen, Erholungsbedürfnisse usw. benötigten Raum. Interessenkollisionen mußten durch eine Vorausplanung vermieden werden.
— Diesem Globalkonzept gliederten sich die Teilaufgaben der Raumordnung ein: u. a. Abgrenzung der Verdichtungsräume und der ländlichen Räume sowie der Gebiete, deren Struktur verbessert werden sollte; Festlegung von Entwicklungszielen für die einzelnen Gebietskategorien, von Entwicklungsachsen innerhalb des Gesamtraums und von Richtzahlen für Bevölkerungs- und Arbeitsplatzentwicklung.
— Bezogen waren alle Planungen auf die Fachbereiche gewerbliche Wirtschaft, Landwirtschaft, Verkehrswesen, Energiewirtschaft, Umweltschutz, Siedlungswesen usw.
— Planungsregionen bildeten den Organisationsrahmen für die einzelnen Untersuchungen und die daraus abgeleiteten Maßnahmen.

Neuordnung der Verwaltungsgliederung

Etwa zur gleichen Zeit, in der der vielfältige Raumbedarf in ein geordnetes Konzept gebracht und dem allgemein in der Öffentlichkeit verbreiteten Bewußtsein von einer sorgsamen Pflege der Umwelt als Lebensraum Rechnung getragen wurde, entstand ein anderes planerisches Großprojekt, die Neuordnung der Verwaltungsgliederung. Eine umfassende Verwaltungsreform sah man besonders in jenen Bundesländern als dringend an, in denen relativ kleine Gemeinden und Kreise bestanden. Bayern stand z. B. mit 143 Landkreisen weitaus an der Spitze vor Baden-Württemberg mit 63, Niedersachsen mit 60 und Nordrhein-Westfalen mit 56. Die Reform zielte auf größere Gebietseinheiten, in denen die kommunale Selbstverwaltung gestärkt, die Verwaltung in ihrer Wirksamkeit, Wirtschaftlichkeit und Bürgernähe gesteigert und, in Verbindung mit der Raumordnung, die Lebensverhältnisse verbessert und das Stadt-Land-Gefälle abgebaut werden sollten. Hier wie bei den vielen anderen Reformvorhaben ging von der Absicht der „Effizienzsteigerung" und von der Überzeugung der „Machbarkeit" eine große Faszination aus. Bestehendes, Überkommenes galt als überholt, unzeitgemäß; „unmodern" war ein Vorwurf, der sofort Aktivität in Richtung „fortschrittlich" auslöste. Auf diese Weise wurden in den folgenden Jahren z. B. Großgemeinden gebildet, in denen zahlreiche bisher selbständige Gemeinden als Ortsteile zusammengefaßt waren. Gleiches geschah auf Kreisebene. Aber obwohl die Organisatoren stets bemüht waren, die Reform in Bürgerversammlungen plausibel zu machen und dem Fortschritt der Neuordnung die Rückständigkeit des Bestehenden gegenüberzustellen, wurde vornehmlich in ländlichen Gemeinden, aber auch in größerem Rahmen relativ früh Kritik an diesen Veränderungen laut.

3. Terrorismus

Bereits während der Studentenunruhen ab 1967/68 war deutlich geworden, daß es neben den Demonstrationen, Diskussionen und anderen gewaltlosen Aktivitäten für eine Reform oder Überwindung des Bestehenden unter den „Systemkritikern" Befürworter von radikaleren Methoden gab. Die Anschläge steigerten sich von Sachbeschädigungen zu Angriffen gegen Personen. Diese militanten Gruppen versuchten nach dem Beispiel der in südamerikanischen Städten operierenden Untergrundkämpfer eine Revolution durch Gewalt und Terror durchzusetzen. Die drei wichtigsten Vereinigungen mit dieser Zielsetzung waren:

— die Rote-Armee-Fraktion (RAF) unter Führung der Journalistin Ulrike Meinhof und des Studenten Andreas Baader;

— die „Bewegung 2. Juni" (am 2. Juni 1967 war der Student Benno Ohnesorg in Berlin seinen Schußverletzungen erlegen) und

— das „Heidelberger Patientenkollektiv".

„RAF" und „2. Juni" entwickelten die größte kriminelle Aktivität.

Gegen die jeweiligen Täter, auf die sich das Amnestiegesetz selbstverständlich nicht bezog, wurden Strafprozesse geführt und Verurteilungen ausgesprochen; so z. B. gegen die im Zusammenhang mit der Brandstiftung in zwei Frankfurter Kaufhäusern (am 2. 4. 1968) festgenommenen Personen Andreas Baader, Gudrun Ensslin, Astrid Proll und Horst Söhnlein. Gegen das am 31. 10. 1968 gefällte Urteil von je drei Jahren Zuchthaus wurde vom Verteidiger, Rechtsanwalt Horst Mahler, Revision beim Bundesgerichtshof eingelegt. Bis zur Entscheidung setzte man die Verurteilten auf freien Fuß. Baader, Ensslin und Proll tauchten unter. Durch Zufall gelang am 4. 4. 1970 die Entdeckung und Verhaftung von Andreas Baader. Aber schon fünf Wochen später befreite ihn ein Kommando der „RAF" gewaltsam aus der Bibliothek des „Zentralinstituts für soziale Fragen" in Berlin-Dahlem.

In der Folgezeit entwickelten die Terroristen vom Untergrund aus ihr Konzept der Gewaltanwendung: Geldmittel beschafften sie sich durch serienweise Banküberfälle. Einbrüche in Ämtern dienten der Erbeutung von Stempeln, Siegeln, Blankoausweisen etc. zur Paß- und Urkundenfälschung. Kraftfahrzeuge wurden mit falschen Papieren und Kennzeichen benutzt. Unter Tarnnamen angemietete Wohnungen waren Stützpunkte und Waffenlager. Die Aktionen der Verfolgungsorgane versuchte man durch das Abhören des Funkverkehrs zu unterlaufen. Trotzdem gelangen der Fahndung Erfolge. Nicht selten kam es bei den Verhaftungen zu Feuergefechten zwischen den

Terroristen und der Polizei. Polizisten wurden, nach einer Äußerung von Ulrike Meinhof, nicht als Menschen, sondern als Schweine angesehen; mit Uniformierten würde nicht geredet, sie müßten mit Gewalt ausgeschaltet werden. Trotz der Verhaftung einer großen Zahl führender Köpfe gelang den terroristischen Vereinigungen immer wieder die Rekrutierung von Gleichgesinnten, die den „Kampf" verschärft fortsetzten. Bombenanschläge im Frühsommer 1972 z. B. auf das amerikanische Hauptquartier in Frankfurt, auf das Augsburger Polizeipräsidium, das Landeskriminalamt in München, auf das Springer-Hochhaus in Hamburg, auf das Hauptquartier der US-Armee in Heidelberg, auf Hamburger Kaufhäuser forderten Todesopfer und Schwerverletzte. Sie zeigten auch in typischer Weise, wogegen die Strategie der Terroristen sich richtete.

Die Öffentlichkeit reagierte auf diese Terrorhandlungen verständlicherweise mit steigender Beunruhigung. Entsetzen breitete sich im September 1972 aus: Während der mit großem Aufwand vorbereiteten und mit hochgesteckten Erwartungen begleiteten „heiteren Spiele" der XX. Olympischen Sommerspiele unternahm die arabische Terroristenorganisation „Schwarzer September" auf die israelische Mannschaft einen Anschlag, der mit einer Geiselnahme begann und beim erpreßten Abflug von Geiseln und Tätern auf dem Flughafen Fürstenfeldbruck in einem Blutbad mit 17 Toten endete.

Bombenanschlag auf das amerikanische Hauptquartier in Heidelberg am 24. Mai 1972.

Gegenmaßnahmen des Staates

Die Erhöhung der Personal- und Sachausgaben zum wirksameren Schutz der inneren Sicherheit war die eine staatliche Maßnahme; Entwicklung neuer Fahndungs- und Verfolgungsmethoden gegenüber den bislang unbekannten Kampfmaßnahmen dieser politisch motivierten Kriminellen die andere. 1972 wurde ein elektronisches Datenverbundsystem für die Personenfahndung in Betrieb genommen, um die Verbrecherbekämpfung zu intensivieren. Der Fanatismus der Baader-Meinhof-Leute war freilich zu weit entwickelt, als daß sie selbst ihr Denken und Handeln noch als Verirrung oder kriminelle Tat hätten erkennen können. Ihre Isolierung und Verfemung bestärkte sie, die Brutalität ihres Vorgehens zu steigern. Dies konnte nur bedeuten, daß Geiselnahme, Erpressung und Mord an Repräsentanten des „Systems", das heißt an Politikern, hohen Beamten und Wirtschaftsführern zu gewärtigen waren.

Aufwendungen für die innere Sicherheit

Jahr	Bundeskriminalamt		Verfassungsschutz	
	Stellen	Mittel (in Mio)	Stellen	Mittel
1965	818	13,3	822	18,4
1967	843	16,6	949	22,7
1969	933	22,4	1016	29,9
1971	1529	54,7	1186	37,3
1973	2062	122,0	1459	62,1
1975	2237	130,9	1585	70,9

Den für die innere Sicherheit Verantwortlichen stellte sich die Frage nach der angemessenen Reaktion. Die Guerillataktik der Terroristen legte den Gedanken nahe, sie bereits im Vorfeld der geplanten Tat zu entdecken und an der Ausführung zu hindern. Dies konnte nur bedeuten, daß die Befugnisse über Beobachtung und Verfolgung erweitert werden sollten. Gerade damit konnte andererseits aber der Freiheitsspielraum eines jeden mit eingeengt werden, gleichsam als Preis für die Gewährleistung von Sicherheit und Ordnung. Für die Regierung, die ja angetreten war mit der Absicht, dem demokratischen Bewußtsein freiere Bahn zu schaffen, konnte es nicht leicht fallen, diese Einschränkungen zu verfügen. Sie zögerte aber doch nicht, das Notwendige zu tun. Am 28. 7. 1972 traten Grundgesetzänderungen in Kraft, die den Exekutivorganen von Bund und Ländern mehr Möglichkeiten verschafften, gegen Gewaltanwendung und entsprechende Vorbereitungshandlungen koordiniert vorzugehen. Damit schien die Basis gelegt, um dieser neuen Form des Verbrechens begegnen zu können. Die größten Belastungsproben sollten freilich erst auf die Bundesrepublik zukommen.

„Marsch durch die Institutionen"

War die Entscheidung, gegen die Gewaltkriminalität der Terroristen vorzugehen, noch relativ leicht zu treffen, weil über Verwerflichkeit und Strafwürdigkeit dieser Handlungen Einigkeit bestand, so kam es zu größeren Kontroversen über die Frage, wie mit

„Sympathisanten" zu verfahren sei. Rudi Dutschke hatte bereits 1968 die Parole ausgegeben, die Neue Linke müsse sich „auf den langen Marsch durch die Institutionen" begeben. Damit war gemeint, die Anhänger der revolutionären Ideologie sollten ihre extremen Ziele nicht von der Straße aus, sondern als Inhaber offizieller Funktionen verfolgen, zum Beispiel als Lehrer im Klassenzimmer, als Professoren an einer Hochschule, als Juristen im Gerichtssaal.

Bund und Länder reagierten auf diese Strategie am 28. 1. 1972 mit den „Grundsätzen über die Mitgliedschaft von Beamten in extremen Organisationen" und mit der „Gemeinsamen Erklärung" des Bundeskanzlers und der Ministerpräsidenten der Länder. Danach durften Bewerber nur dann in den öffentlichen Dienst eingestellt werden, wenn sie jederzeit die Gewähr boten, für die freiheitliche-demokratische Grundordnung einzutreten. Diese Erklärung setzte kein neues Recht, sondern erinnerte lediglich an bestehende beamtenrechtliche Regelungen. Trotzdem entbrannte in der Folgezeit eine heftige Auseinandersetzung um die Legitimität des „Extremistenbeschlusses".

Der Vorwurf des „Berufsverbots" wurde erhoben und Betroffene gingen vor Gericht, um ihre Einstellung in den Vorbereitungsdienst oder in die Beamtenlaufbahn zu erstreiten. Die Komplikationen bei derartigen Prozessen waren groß, weil die „Beweise" für Verfassungstreue oder Verfassungsfeindlichkeit für die jeweils andere Seite problematisch wirken mußten. Genügte zum Beispiel die Mitgliedschaft in einer Organisation oder die aktive Beteiligung an einer Demonstration als Begründung für den Ausschluß aus der Beamtenlaufbahn? Oder bot — umgekehrt — das formale Bekenntnis zum Grundgesetz allein Gewähr dafür, daß der Amtsinhaber seine Stellung nicht mißbrauchen würde? Da eine objektive Beweisführung in diesem Grenzbereich zwischen Handlung und Gesinnung nicht oder doch nur schwer möglich ist, konnte vorhergesehen werden, daß sich daraus ein innenpolitischer Dauerkonflikt entwickeln würde.

4. CDU/CSU in der Opposition

Für die CDU/CSU, die sich in der Wahlnacht vom 28./29. 9. 1969 anfangs noch Hoffnung auf die absolute Mehrheit gemacht hatte, war das Erwachen auf den Oppositionsbänken ein ebenso unerwarteter wie harter Schlag. Sie fühlte sich gleichsam als die von der „Verlierer-Koalition" verstoßene Regierungspartei und überdies von der FDP brüskiert, die auf das Verhandlungsangebot zur Koalitionsbildung gar nicht erst eingegangen war. Die CDU/CSU wurde in ihrer Überzeugung, die sozialliberale Koalition komme vielleicht gar nicht zustande oder würde sich nur ganz kurze Zeit funktionstüchtig halten können, vor allem durch die geringe Mandatsmehrheit von 12 Sitzen bestärkt. Schon bei Brandts Wahl zum Bundeskanzler hatte die Stimmenzahl nur 3 über der absoluten Mehrheit gelegen (251). Natürlich drängte sich der verführerische Gedanke auf, die Hoffnung darauf zu richten, daß der eine oder andere Koalitionsabgeordnete bei Abstimmungen mit der CDU/CSU stimmen würde. Die Vermutungen orientierten sich auf jene Abgeordneten der FDP, die früher gute Kontakte zur CDU/CSU unterhalten hatten. Die Spekulationen reichten von einem Koalitionswechsel der FDP über den Zerfall der FDP wegen weiterer Niederlagen bei Landtagswahlen bis zum Übertritt einzelner FDP-Abgeordneter.

Diese taktischen Überlegungen rangierten bei CDU/CSU jedenfalls höher als eine Strategie, die einen Rückgewinn der Regierung aus einer vierjährigen Oppositionsarbeit heraus anstrebte. Sie beruhten nicht zuletzt auf der Einsicht, daß die CDU/CSU als echte Volkspartei in ihrer Mitglieder- und Wählerschaft alle Bevölkerungsschichten umfaßte; deren zum Teil gegensätzliche Interessen konnten in der Situation der Regierung relativ leicht berücksichtigt werden. Als Oppositionspartei hatte die Union zunächst kein Instrumentarium, um weiterhin eine breite Integrationswirkung zu erzielen.

Da die FDP als möglicher Helfer für den Wiedergewinn der Regierungsmacht angesehen wurde, konzentrierten sich die Unionspolitiker auf den Frontalangriff gegen die SPD. Von der Antwort auf die Regierungserklärung im November 1969 an zeichnete sich hier eine Konfrontation ab, die sich im weiteren Verlauf der Entwicklung zur Polarisierung auswuchs. Der Vorsitzende der CDU/CSU-Bundestagsfraktion Rainer Barzel und der im November 1969 wiedergewählte CDU-Parteivorsitzende Kurt-Georg Kiesinger waren die führenden Persönlichkeiten bei diesem vehementen Ansturm auf die Regierungsparteien. Die 1970 fälligen Landtagswahlen in Hamburg, Nordrhein-Westfalen, Niedersachsen und im Saarland erhielten in dieser Lage die Bedeutung von „bundespolitischen Zwischenwahlen" (Heino Kaack), bei denen beide Seiten eher ein Votum für ihre Bonner Position im Auge hatten als eine landesbezogene Entscheidung. Für CDU/CSU ging es überdies darum, ihre Mehrheit im Bundesrat (21:20) durch eventuelle Machtverschiebungen bzw. Koalitionsänderungen weiter zu verbessern. Grundsätzlich hofften CDU/CSU, durch Siege bei den Landtagswahlen eine Regierungskrise in Bonn auslösen zu können, SPD/FDP erwarteten andererseits durch Gewinne eine Bestärkung ihrer Gesamtpolitik.

5. Abbröckeln der Regierungsmehrheit bis zum Patt

Die Auswirkung der Landtagswahlen (siehe Anhang) auf die Situation in Bonn konnte nur sein, daß sich SPD und FDP noch enger zusammengeschlossen und CDU/CSU mit gesteigerter Energie auf das Ende der Koalition hinarbeiteten. Der Untergang der FDP schien programmiert. Diese Hoffnungen erwiesen sich freilich als trügerisch, weil der FDP auf ihrem Parteitag eine Woche nach der Drei-Länder-Wahl eine gewisse innerparteiliche Stabilisierung gelang: Der konservative Flügel, für den der frühere Vorsitzende Erich Mende repräsentativ war, verlor an Einfluß, die Jungdemokraten verhielten sich zurückhaltend, und da Hans-Dietrich Genscher auf eine Kandidatur verzichtete, konnte Walter Scheel die Partei in einer außerordentlich schwierigen Phase festigen.

CDU/CSU mußten folglich die Richtung auf ein Umschwenken einzelner FDP-Abgeordneter des konservativen Flügels disponieren. Die Aussichten hierfür waren um so günstiger, als sich eben gerade diese Abgeordneten der in voller Realisierung begriffenen Ostpolitik der Regierung widersetzten. Nachdem drei FDP-Abgeordnete zur CDU übergetreten waren, verfügte die Koalition nur noch über eine Mehrheit von 6 Abgeordneten (251:245). Die Konfrontationspolitik von CDU/CSU war nahe an Überlegungen über ein konstruktives Mißtrauensvotum gegen Bundeskanzler Brandt herangeführt worden. Die SPD sah hinter dieser Entwicklung den „großangelegten Versuch einer rechten außerparlamentarischen Opposition ... das Rad der Entwicklung zurückzudrehen, die Entspannungspolitik zu stören und in die Konjunkturpolitik so einzugreifen, daß die Bemühungen um mehr Stabilität zunichte gemacht werden."

Bei den folgenden Landtagswahlen waren die Unionsparteien trotz des Gewinns der absoluten Mehrheit in Bayern (56,4 %), Rheinland-Pfalz (50,0 %) und Schleswig-Holstein (51,9 %) ihrem eigentlichen bundespolitischen Ziel nicht nähergekommen. Auf dem Saarbrücker CDU-Parteitag (4./5. 10. 1971) konnte sich Rainer Barzel gegen Helmut Kohl bei der Wahl zum Parteivorsitzenden durchsetzen. Barzel war damit auch Kanzlerkandidat. Die bayerische CSU erkannte ihn wenig später in dieser Funktion an. Die Oppositionsstrategie blieb auf vorzeitige Ablösung der SPD/FDP-Koalition gerichtet, obschon auch die Programmdiskussion zunehmend an Bedeutung gewann. Beides ließ sich in der Auseinandersetzung um die Entscheidung über die Verträge von Moskau und Warschau verbinden. Nach der 1. Lesung der Ostverträge (23.—25. 2. 1972) trat der SPD-Abgeordnete und Sprecher der Landsmannschaft Schlesien, Herbert Hupka, zur CDU über, weil er die Ostpolitik nicht mehr weiter mitverantworten wollte. Einige Zeit später äußerten sich drei FDP-Abgeordnete kritisch zu den Verträgen. Rainer Barzel begann mit der Vorbereitung zur Aufstellung einer Regierungsmannschaft, in der Franz Josef Strauß als Finanzminister genannt wurde. Ganz offen wurden die beiden scheinbar unmittelbar bevorstehenden Alternativen diskutiert: Parlamentsauflösung und Ausschreibung von Neuwahlen auf Antrag des Bundeskanzlers nach einer abgelehnten Vertrauensfrage (Art. 68 GG) oder konstruktives Mißtrauensvotum und Neuwahl eines Bundeskanzlers durch die oppositionelle Parlamentsmehrheit (Art. 67 GG).

6. Das gescheiterte Mißtrauensvotum

Noch ehe die bundespolitischen Auswirkungen des Ergebnisses der Landtagswahlen in Baden-Württemberg am 23. 4. 1972 diskutiert werden konnten, wurde der Übertritt eines weiteren FDP-Bundestagsabgeordneten zur CDU bekannt. Die CDU/CSU-Bundestagsfraktion reagierte sofort. Am 24. 4. 1972 faßte sie folgenden Beschluß:

„Nach vielen anderen Landtagswahlen seit 1969 hat die gestrige Wahl in Baden-Württemberg nunmehr endgültig bewiesen, daß die Bundesregierung keine Mehrheit in unserem Lande hat. Die von der Bundesregierung eingebrachten Ostverträge haben in der jetzigen Form nach unserer Überzeugung im Deutschen Bundestag keine Mehrheit. In zweieinhalb Jahren hat die Bundesregierung gesunde Staatsfinanzen zerrüttet... Die soziale Marktwirtschaft... ist in ernste Gefahr geraten. Aus diesen Gründen hat die CDU/CSU-Bundestagsfraktion einstimmig beschlossen, folgenden Antrag im Deutschen Bundestag einzubringen: Der Bundestag wolle beschließen: Der Bundestag spricht Bundeskanzler Willy Brandt das Mißtrauen aus und wählt als seinen Nachfolger den Abgeordneten Dr. Rainer Barzel zum Bundeskanzler der Bundesrepublik Deutschland. Der Bundespräsident wird ersucht, Bundeskanzler Willy Brandt zu entlassen."

Die Opposition war sich ihrer Sache deshalb sicher, weil sie jetzt bereits über 247 Abgeordnete verfügte und mit den Stimmen von zwei FDP-Abgeordneten und eines SPD-Abgeordneten glaubte rechnen zu können. Barzel schienen damit die notwendigen 249 Stimmen zuzufallen. Am 27. 4. 1972 brachte Kiesinger den Antrag ein, die spannendste Stimmenauszählung in der Geschichte des Bundestages begann. Sie ergab nur 247 Stimmen für Barzel.

Die Sensation war perfekt. Es konnte nicht ausbleiben, daß Spekulationen über „Abtrünnige" angestellt wurden. Als ein Jahr später ein CDU-Abgeordneter behauptete, er sei am Nachmittag des 27. 4. 1972 mit 50 000 DM bestochen worden, begann eine Serie von Untersuchungen und Gerichtsverfahren. Eine Aufklärung des Falles gelang nicht, und sie hätte an der längst abgelaufenen Entwicklung ohnehin nichts mehr zu ändern vermocht.

Am folgenden Tag erlitt nämlich bei der Beratung des Kanzlerhaushalts die Regierung ihrerseits eine Niederlage: Mit 247:247 Stimmen wurde der Antrag abgelehnt (2 Enthaltungen). Für den 3./4. 5. 1972 war die zweite Lesung der Ostverträge angesetzt. Um die Patt-Situation zu überwinden und um für die Verträge eine breitere parlamentarische Mehrheit zu gewinnen, verfaßten interfraktionelle Arbeitsgruppen eine „Gemeinsame Entschließung" der Fraktionen des Deutschen Bundestages zu den Ostverträgen. Die Opposition erstrebte eine Vertagung der zweiten Lesung, um umstrittene Formulierungen klären zu können, scheiterte aber bei diesem Antrag mit 259:259 Stimmen (Die Berliner Abgeordneten waren in diesem Fall stimmberechtigt). Die Ostverträge wurden schließlich am 17. 5. 1972 mit 248 Ja-Stimmen angenommen.

Trotz dieses Erfolgs erkannte die Regierung die Unerträglichkeit der Lage, und der Plan zu Neuwahlen lag nahe. Da nach dem Grundgesetz (Art. 68) der Weg dazu nur über eine Auflösung des Bundestags nach dem Scheitern der Vertrauensfrage möglich ist, stellte Bundeskanzler Brandt in der ersten Bundestagssitzung nach der Sommerpause am 20. 9. 1972 den allgemein erwarteten Antrag; am 22. 9. 1972 wurde darüber abgestimmt. Von 482 abgegebenen Stimmen votierten 233 mit Ja, 248 mit Nein (eine Enthaltung). Bundespräsident Heinemann löste den Bundestag auf Antrag des Bundeskanzlers noch am gleichen Tag auf und setzte die Neuwahlen auf den 19. November fest.

7. Die Bundestagswahl 1972

War schon die Entwicklung während der Regierungszeit der sozialliberalen Koalition als „Polarisierung" zu charakterisieren, so kam es während des kurzen Wahlkampfs zu einer weiteren Steigerung der Gegnerschaft. Die FDP hatte erstmals auf ihre bisherige Taktik verzichtet und sich bereits vor der Wahl eindeutig für die Fortsetzung der Koalition mit der SPD ausgesprochen.

Daß es den Politikern aller Parteien gelungen war, die Wähler zu aktivieren — freilich nicht immer nur mit rationalen Argumenten — zeigte sich an der Höhe der Wahlbeteiligung, die alle bisherigen Bundestagswahlen seit 1949 übertraf: 91,1 %. Die Wähler hatten der Koalition überraschend eindeutig ihr Vertrauen ausgesprochen, sie verfügte jetzt über eine Mehrheit von 46 Mandaten (271:225). Für die abermals und sogar mit

Plakate zur Bundestagswahl 1972

dem Verlust der relativen Mehrheit (225) in die Opposition verwiesenen Unionsparteien waren damit die 1969 noch als realistisch anzusehenden Spekulationen auf ein konstruktives Mißtrauensvotum ausgeschlossen. Man mußte sich auf vier Jahre Opposition einrichten, um 1976 auf dem Weg über ein überzeugendes politisches Sachprogramm die Regierungsposition zurückgewinnen zu können. Der erfolglose Kandidat Rainer Barzel wurde schon nach kurzer Zeit abgelöst. Er trat als Fraktionsvorsitzender zurück. Nachfolger wurde Karl Carstens. Wenig später verzichtete er auf die Kandidatur für den Parteivorsitz. Am 12. 6. 1973 wählte der Parteitag Helmut Kohl zum neuen Parteivorsitzenden, Generalsekretär wurde Kurt Biedenkopf. Der Führungswechsel sollte die neue Linie der Opposition deutlich machen.

Die Regierungsparteien konnten ihrerseits davon ausgehen, daß die Wählermehrheit die Fortsetzung der seit 1969 angebahnten außen-, deutschland- und innenpolitischen Linie wünschte. Der wiedergewählte Bundeskanzler Brandt (er hatte am 13. 12. 1972 269 von 493 Stimmen erhalten; eine Stimme war ungültig) und sein aus 17 (12 SPD und 5 FDP) Ministern bestehendes Kabinett gerieten allerdings unter einen zunehmenden Druck der Jungsozialisten („Jusos"), die nunmehr verstärkt eine Verwirklichung der inneren Reformen forderten.

Das Programm für die neue Legislaturperiode konnte nur bescheidener ausfallen als nach 1969, weil in der Außen- und Deutschlandpolitik die Weichenstellung abgeschlossen war und die Kleinarbeit keine Sensationen bringen konnte. Die innenpolitische Reformarbeit andererseits, die ja ursprünglich das zweite Kernstück der sozialliberalen Koalition sein sollte, aber angesichts der Ost- und Deutschlandpolitik etwas in den Schatten gerückt war, versprach auch nicht mehr allzu Spektakuläres. Die Geldmittel für die großen Vorhaben flossen angesichts der wirtschaftlichen Probleme langsamer, der Schwung der Anfangsphase schien etwas abgeschwächt.

8. Der Rücktritt Willy Brandts aufgrund der Guilleaume-Affäre

Die Öffentlichkeit wußte nicht, daß bereits ab Mai 1973 ein überaus brisanter Vorgang die Person von Bundeskanzler Brandt betraf. Erst ein Jahr später, am 7. Mai 1974, erfuhr sie, Willy Brandt habe am Vortag dem Bundespräsidenten seinen Rücktritt mit der Begründung erklärt, er übernehme die politische Verantwortung für Fahrlässigkeiten im Zusammenhang mit der Agentenaffäre Guilleaume. Eine Wochenzeitung kommentierte am 10. 5. 1974: „Es gibt geschichtliche Augenblicke, da den Völkern der Atem stockt." Nach und nach wurden die Details bekannt: Verfassungsschutzbeamte hatten den zum engsten Mitarbeiterstab Brandts gehörenden DDR-Spion enttarnt; er war weiter observiert worden, behielt aber in dieser Zeit noch Zugang zu Geheimpapieren. Brandt erklärte später, er habe an die Verrätertätigkeit Guilleaumes zunächst nicht geglaubt, weil er nicht daran glauben wollte. Als die Beweislast eindeutig und Guilleaume Ende April verhaftet war, zog er die Konsequenz.

Daß der Rücktritt des Kanzlers, den das Kabinett mitvollzog, keine Regierungskrise auslöste, lag zum einen an der raschen Regierungsneubildung (16. 5. 1974), zum anderen an der Person des neuen Bundeskanzlers, Helmut Schmidt, zuletzt Finanzminister, im ersten Kabinett Brandt Verteidigungsminister. Der bereits im ersten Wahlgang mit

Das erste Kabinett Schmidt—Genscher.

267 (von 492) Stimmen Gewählte war als ebenso energische wie selbstbewußte und entscheidungsfreudige Persönlichkeit bekannt. Ihm traute man zu, den Weg der sozialliberalen Koalition bruchlos fortsetzen zu können. Schmidts Kabinett wies einige neue Namen auf: Das Außenministerium übernahm anstelle des am 15. Mai 1974 zum Bundespräsidenten gewählten Walter Scheel (530 von 1028 Stimmen) der bisherige FDP-Innenminister Hans-Dietrich Genscher; Hans-Jochen Vogel (Justiz); Hans Apel (Finanzen); Hans Matthöfer (Forschung und Technologie); Helmut Rohde (Bildung und Wissenschaft).

Daß der erste sozialdemokratische Bundeskanzler unter solchen Umständen sein Amt hatte verlassen müssen, war für einige Zeit sicher eine Belastung für die eigene Partei und für die Koalition. Sie konnte durch Helmut Schmidt gemeistert werden. In der Mitte der Legislaturperiode und unter derartigen Bedingungen die Regierungsverantwortung übernehmen zu müssen, war natürlich nicht leicht, bedeutete aber für eine Persönlichkeit wie Helmut Schmidt eine Herausforderung, der er sich stellte, und eine Chance, die er nützen würde.

II. AUSSENPOLITIK

1. Das Programm: Friedenssicherung — Versöhnung — Gewaltverzicht

Nach der Stagnation der ostpolitischen Aktivitäten im Verlauf der Regierungszeit der Großen Koalition war es für die sozialliberale Regierung selbstverständlich, hier erneut Initiativen zu entfalten. Die Ansätze der zurückliegenden Jahre sollten wieder aufgegriffen und zu einer Neugestaltung des Ost-West-Verhältnisses sowie, darin eingebettet, zu einer neuen Konzeption in der Deutschlandpolitik weiterentwickelt werden. Das Grundprinzip aller dieser Bemühungen war, den Frieden in der Welt, in Europa und insbesondere in Deutschland sicherer zu machen. „Nur auf der Grundlage der Sicherheit kann der Friede sich ausbreiten", sagte Bundeskanzler Brandt in seiner Regierungserklärung und erläuterte dies durch eine Auflistung der Kooperationsbereiche, in denen die Bundesrepublik mit anderen Staaten der Welt konstruktiv zusammenarbeiten wolle:

- Verstärkung der Entwicklungshilfe, um den Kontakt zu den Staaten der Dritten Welt zu verbessern;

- Mitarbeit in den mit dem Welthandel befaßten Organisationen;

- intensive Mitwirkung in den Vereinten Nationen und anderen internationalen Organisationen, vor allem zur Unterstützung der Bemühungen um Abrüstung und Rüstungsbegrenzung, wie sie gerade die in Vorbereitung befindliche Konferenz für die europäische Sicherheit in Helsinki anstrebte;

- überzeugende Fortführung der defensiv gemeinten militärischen Bündnispolitik der atlantischen Gemeinschaft;

- Erweiterung der Europäischen Gemeinschaft und Entwicklung einer engeren politischen Zusammenarbeit in Europa.

Während die Bundesrepublik im Verhältnis zum wichtigsten westlichen Partnerstaat USA eine „selbständigere deutsche Politik in einer aktiven Partnerschaft" anstrebte, sollte gegenüber den osteuropäischen Staaten das „Werk der Versöhnung" vorangebracht werden.

„Das deutsche Volk braucht den Frieden im vollen Sinn dieses Wortes auch mit den Völkern der Sowjetunion und allen Völkern des europäischen Ostens. Zu einem ehrlichen Versuch der Verständigung sind wir bereit ... Aber unsere Gesprächspartner müssen auch dies wissen: Das Recht auf Selbstbestimmung, wie es in der Charta der Vereinten Nationen niedergelegt ist, gilt auch für das deutsche Volk. Dieses Recht und dieser Wille, es zu behaupten, können kein Verhandlungsgegenstand sein ... Die Politik des Gewaltverzichts, die die territoriale Integrität des jeweiligen Partners berücksichtigt, ist nach der festen Überzeugung der Bundesregierung ein entscheidender Beitrag zu einer Entspannung in Europa ... "

Es war von Anfang an klar, daß die Verwirklichung dieser Absichten äußerst schwierig werden würde, weil es sich zum einen um ein kompliziertes Geflecht von Interessen im westlichen und östlichen Bereich handelte und zum anderen sehr viel von terminologischen Nuancen abhing. Günstig war, daß die Blockführungsmächte ebenfalls an der Entspannung interessiert waren: Die Sowjetunion hatte sich seit der Stabilisierung ihres Machtbereichs durch die Intervention in der Tschechoslowakei 1968 gegenüber dem Westen weniger aggressiv geäußert; die USA wollten nach der Beendigung des Vietnamkriegs ihre Beziehungen zur Sowjetunion und zu China verbessern bzw. normalisieren.

2. Die Durchführung in Moskau und Warschau

Die sogenannte neue Ostpolitik der sozialliberalen Koalition war im Rahmen der Gesamtabsichten Friedenssicherung, Entspannung und Gewaltverzicht auf folgende Schwerpunkte konzentriert:

● In den Verhandlungen mit der Sowjetunion sollte um der Sicherung Berlins willen durch Anerkennung des Gewaltverzichts eine Formel für die Status-quo-Situation der Grenzen gesucht werden.

● Dem Bedürfnis Polens, in gesicherten Grenzen zu leben, sollte in einem Abkommen, das den Charakter der Oder-Neiße-Grenze definierte, Rechnung getragen werden.

● Bei den Gesprächen mit der tschechoslowakischen Regierung ging es um die Frage, von welchem Zeitpunkt an das Münchener Abkommen von 1938 als ungültig anzusehen sei.

● Bei den beabsichtigten Verhandlungen mit der Ost-Berliner Regierung stand das Problem der Anerkennung der DDR im Vordergrund; darüber hinaus sollte der „Wandel durch Annäherung" durch möglichst viele Kontakte auf den verschiedensten Ebenen — von Einzelreisen bis zu offiziellen Abkommen — realisiert werden.

Der Verhandlungsspielraum war relativ eng begrenzt, da an folgenden Prinzipien festgehalten werden sollte:

● Die Verantwortung der Vier Mächte für Deutschland als Ganzes, die sich aus dem Potsdamer Abkommen herleitet und die bis zum Abschluß eines Friedensvertrages bestehen bleiben soll, ist unantastbar.

● Das Recht auf Selbstbestimmung, in der Präambel des Grundgesetzes als unabdingbares Postulat festgeschrieben, verbietet die Hinnahme des Status-quo als endgültig.

● Das Festhalten am Grundsatz der „einen Nation" setzt der „Anerkennung der DDR" jene Grenze, die sie zum Ausland wie irgendeinen Staat machen würde.

Am 28. 11. 1969 unterzeichnete die Bundesrepublik den Vertrag über die Nichtverbreitung von Kernwaffen und erbrachte damit eine Vorleistung für die gleichzeitig anlaufenden Kontakte mit der Sowjetunion und Polen. Die Außenminister der NATO signalisierten auf der Ratstagung am 4./5. 12. 1969 ihre Unterstützung für die neue Ostpolitik.

Unterzeichnung des Moskauer Vertrages am 12. August 1970 im Katharinensaal des Kreml.

Gespräche in Moskau und Warschau

Nachdem die Bundesregierung am 15. 11. 1969 Moskau Gewaltverzichtsverhandlungen vorgeschlagen hatte, begann am 8. 12. 1969 der deutsche Botschafter in Moskau, Allardt, versehen mit Instruktionen für die erste Phase, die Gespräche mit dem sowjetischen Außenminister Gromyko. Dem Verhandlungsvorschlag an die Warschauer Regierung vom 24. 11. 1969 stimmte die polnische Führung zu; am 4. 2. 1970 begannen die Gespräche; deutscher Delegationsleiter war Staatssekretär Duckwitz. Ab Ende Januar 1970 führte Staatssekretär Bahr, der enge Vertraute Willy Brandts seit seiner Regierungszeit als Regierender Bürgermeister in Berlin, die Moskauer Verhandlungen. Mit der Warschauer Regierung gab es zunächst fünf Verhandlungsrunden, mit der Regierung in Moskau drei. Im Juli/August 1970 arbeiteten die Außenminister Scheel und Gromyko auf der Grundlage des Bahr-Gromyko-Entwurfs (veröffentlicht als sogenanntes Bahr-Papier) an der Endfassung des Textes; fünf Tage später fand in Moskau die Unterzeichnung durch die Regierungschefs und Außenminister beider Staaten statt (12. 8. 1970) (siehe Kasten S. 288).

War der im Art. 2 festgelegte Verzicht auf Gewaltanwendung und Gewaltandrohung relativ leicht zu erreichen gewesen, so hatten sich die Auseinandersetzungen über Art. 3 um so komplizierter gestaltet. Ob „unerschütterlich" oder „unverletzlich" war ebenso heftig diskutiert wie „Anerkennung" oder „Unantastbarkeit". Im endgültigen Text wurde der Gewaltverzicht mit der Unantastbarkeit der Grenzen verknüpft, wodurch klargestellt war, daß der territoriale Status quo nur im Hinblick auf eine gewaltsame Grenzänderung als festgelegt galt und eine friedliche Revision nicht ausgeschlossen war.

Der Vertrag mit Warschau

Die Verhandlungen mit Warschau wurden in einer weiteren Runde (5.—7. 10. 1970) fortgeführt; sie waren nunmehr aber bereits durch den Moskauer Vertrag präjudiziert. Im November (3.—8. 11. 1970) legten die Außenminister den Text fest, der in einer Konferenz der Regierungschefs (6.—8. 12. 1970) unterzeichnet wurde (siehe Kasten S. 288).

Auch hier war die Grenze an Oder und Neiße als unverletzlich, aber nicht als „endgültig" bezeichnet.

Der „Brief zur deutschen Einheit"

Die Vertragspartner hatten in der Präambel zum Moskauer Vertrag durch den Rückverweis auf das Abkommen vom 13. 9. 1955 und damit auf den Briefwechsel Adenauer-Bulganin zwar indirekt, aber doch ausdrücklich das „nationale Hauptproblem des deutschen Volkes — (die) Wiederherstellung der Einheit eines deutschen demokratischen Staates" angesprochen. In den Artikeln 4 beider Verträge waren „die früher geschlossenen oder die betreffenden zweiseitigen oder mehrseitigen internationalen Vereinbarungen" deutlich als „nicht berührt" bezeichnet worden. Trotzdem hielt es die Bundesregierung zur unmißverständlichen Klarstellung ihrer Position für notwendig, zwei Initiativen zu ergreifen:

Im Zusammenhang mit dem Moskauer Vertrag schrieb Außenminister Scheel an den sowjetischen Außenminister Gromyko einen Brief, der die Wiedervereinigung auch in Zukunft als ein legitimes Ziel sichern sollte (siehe Kasten S. 289).

Die Sowjetunion nahm diesen „Brief zur deutschen Einheit" „widerspruchslos entgegen", was nach völkerrechtlichen Gepflogenheiten bedeutete, daß sie den Inhalt des Briefes als nicht vertragswidrig interpretierte.

Notenwechsel mit den Westmächten

Im Zusammenhang mit beiden Verträgen legte die Bundesregierung in einem Notenwechsel mit den drei Westmächten Wert auf die Feststellung, daß die Vertragspartner darin übereinstimmten, die Vier-Mächte-Verantwortung in bezug auf Deutschland als Ganzes und Berlin sei „nicht berührt" worden. Der in der deutschen Note verwendeten Formulierung „Da eine friedensvertragliche Regelung noch aussteht . . ." stimmte die sowjetische Regierung nicht zu. Die Westmächte bekräftigten in ihrer Antwortnote, daß auch sie der Auffassung seien, die Verträge hätten die Rechte und Verantwortlich-

Der Moskauer Vertrag

Artikel 1

Die Bundesrepublik Deutschland und die Union der Sozialistischen Sowjetrepubliken betrachten es als wichtiges Ziel ihrer Politik, den internationalen Frieden aufrechtzuerhalten und die Entspannung zu erreichen.

Sie bekunden ihr Bestreben, die Normalisierung der Lage in Europa und die Entwicklung friedlicher Beziehungen zwischen allen europäischen Staaten zu fördern und gehen dabei von der in diesem Raum bestehenden wirklichen Lage aus.

Artikel 2

Die Bundesrepublik Deutschland und die Union der Sozialistischen Sowjetrepubliken werden sich in ihren gegenseitigen Beziehungen sowie in Fragen der Gewährleistung der europäischen und der internationalen Sicherheit von den Zielen und Grundsätzen, die in der Charta der Vereinten Nationen niedergelegt sind, leiten lassen. Demgemäß werden sie ihre Streitfragen ausschließlich mit friedlichen Mitteln lösen und übernehmen die Verpflichtung, sich in Fragen, die die Sicherheit in Europa und die internationale Sicherheit berühren, sowie in ihren gegenseitigen Beziehungen gemäß Artikel 2 der Charta der Vereinten Nationen der Drohung mit Gewalt oder der Anwendung von Gewalt zu enthalten.

Artikel 3

In Übereinstimmung mit den vorstehenden Zielen und Prinzipien stimmen die Bundesrepublik Deutschland und die Union der Sozialistischen Sowjetrepubliken in der Erkenntnis überein, daß der Friede in Europa nur erhalten werden kann, wenn niemand die gegenwärtigen Grenzen antastet.

— Sie verpflichtet sich, die territoriale Integrität aller Staaten in Europa in ihren heutigen Grenzen uneingeschränkt zu achten;

— sie erklären, daß sie keine Gebietsansprüche gegen irgend jemand haben und solche in Zukunft auch nicht erheben werden;

— sie betrachten heute und künftig die Grenzen aller Staaten in Europa als unverletzlich, wie sie am Tage der Unterzeichnung dieses Vertrages verlaufen, einschließlich der Oder-Neiße-Linie, die die Westgrenze der Volksrepublik Polen bildet, und der Grenze zwischen der Bundesrepublik Deutschland und der Deutschen Demokratischen Republik.

Artikel 4

Dieser Vertrag zwischen der Bundesrepublik Deutschland und der Union der Sozialistischen Sowjetrepubliken berührt nicht die von ihnen früher abgeschlossenen zweiseitigen und mehrseitigen Verträge und Vereinbarungen.

Der Warschauer Vertrag

Artikel I

(1) Die Bundesrepublik Deutschland und die Volksrepublik Polen stellen übereinstimmend fest, daß die bestehende Grenzlinie, deren Verlauf im Kapitel IX der Beschlüsse der Potsdamer Konferenz vom 2. August 1945 von der Ostsee unmittelbar westlich von Swinemünde und von dort die Oder entlang bis zur Einmündung der Lausitzer Neiße und die Lausitzer Neiße entlang bis zur Grenze mit der Tschechoslowakei festgelegt worden ist, die westliche Staatsgrenze der Volksrepublik Polen bildet.

(2) Sie bekräftigen die Unverletzlichkeit ihrer bestehenden Grenzen jetzt und in der Zukunft und verpflichten sich gegenseitig zur uneinge-

288

schränkten Achtung ihrer territorialen Integrität.

(3) Sie erklären, daß sie gegeneinander keinerlei Gebietsansprüche haben und solche auch in Zukunft nicht erheben werden.

Artikel II

(1) Die Bundesrepublik Deutschland und die Volksrepublik Polen werden sich in ihren gegenseitigen Beziehungen sowie in Fragen der Gewährleistung der Sicherheit in Europa und in der Welt von den Zielen und Grundsätzen, die in der Charta der Vereinten Nationen niedergelegt sind, leiten lassen.

(2) Demgemäß werden sie entsprechend den Artikeln 1 und 2 der Charta der Vereinten Nationen alle ihre Streitfragen ausschließlich mit friedlichen Mitteln lösen und sich in Fragen, die die europäische und internationale Sicherheit berühren, sowie in ihren gegenseitigen Beziehungen der Drohung mit Gewalt oder der Anwendung von Gewalt enthalten.

Artikel III

(1) Die Bundesrepublik Deutschland und die Volksrepublik Polen werden weitere Schritte zur vollen Normalisierung und umfassenden Entwicklung ihrer gegenseitigen Beziehungen unternehmen, deren feste Grundlage dieser Vertrag bildet.

(2) Sie stimmen darin überein, daß eine Erweiterung ihrer Zusammenarbeit im Bereich der wirtschaftlichen, wissenschaftlichen, wissenschaftlich-technischen, kulturellen und sonstigen Beziehungen in ihrem beiderseitigen Interesse liegt.

Artikel IV

Dieser Vertrag berührt nicht die von den Parteien früher geschlossenen oder sie betreffenden zweiseitigen oder mehrseitigen internationalen Vereinbarungen.

Der „Brief zur deutschen Einheit"

Sehr geehrter Herr Minister,

im Zusammenhang mit der heutigen Unterzeichnung des Vertrages zwischen der Bundesrepublik Deutschland und der Union der Sozialistischen Sowjetrepubliken beehrt sich die Regierung der Bundesrepublik Deutschland festzustellen, daß dieser Vertrag nicht im Widerspruch zu dem politischen Ziel der Bundesrepublik Deutschland steht, auf einen Zustand des Friedens in Europa hinzuwirken, in dem das deutsche Volk in freier Selbstbestimmung seine Einheit wiedererlangt.
Genehmigen Sie, Herr Minister, die Versicherung meiner ausgezeichneten Hochachtung.

Walter Scheel

keiten der Vier Mächte, „wie sie in den bekannten Verträgen und Vereinbarungen ihren Niederschlag gefunden haben", nicht berührt und nicht berühren können.

Erleichterung der Umsiedlung aus Polen

Die polnische Regierung übermittelte im Zusammenhang mit dem Vertragsabschluß eine „Information über Maßnahmen zur Lösung humanitärer Probleme", die unter anderem besagte, daß „Personen, die auf Grund ihrer unbestreitbaren deutschen Volkszugehörigkeit in einen der beiden deutschen Staaten auszureisen wünschen, dies unter Beachtung der in Polen geltenden Gesetze und Rechtsvorschriften tun können".

3. Berliner Vier-Mächte-Verhandlungen — Verhandlungen mit Prag

Die Verhandlungsstrategie der Bundesregierung zielte darauf, während der Gespräche in Moskau und Warschau den Kontakt zur Ost-Berliner Regierung herzustellen und in Richtung auf konkrete Absprachen zu entwickeln. Es war allerdings von Anfang an klar, daß Ergebnisse hier erst nach Abschluß der Moskauer Verhandlungen erwartet werden konnten. Die inzwischen anlaufenden Aktivitäten dienten der wichtigen Absicht, die Phase des Briefwechsels und der Erklärungen zu beenden und mit Gesprächen, wenn irgendmöglich auf höchster Ebene, zu beginnen. Gleichzeitig mußten aber auch die Vier Mächte Verhandlungen über Berlin führen und eine Regelung erzielen, die die westlichen Positionen sicherte. Im selben Zeitraum mußten mit anderen Ostblockstaaten im Sinne der Entspannungspolitik Verbindungen geknüpft werden. Vor allem im Verhältnis zur Tschechoslowakei war die Kontroverse um das Münchener Abkommen zu bereinigen.

Den Berlin-Verhandlungen kam insofern eine zentrale Bedeutung zu, als ohne befriedigende Berlin-Regelung weder eine Ratifizierung der Verträge von Moskau und Warschau noch Abkommen zwischen den beiden deutschen Regierungen möglich waren. So sehr die Bundesregierung an einem Vier-Mächte-Abkommen über Berlin interessiert sein mußte, so wenig konnte es der DDR-Regierung gelegen kommen, da das Ergebnis in jedem Fall eine Schwächung ihrer Position mit sich bringen mußte. Von seiten der Bundesregierung, der Westmächte und des Berliner Senats ging es um drei Ziele:

● Sicherung der Zugangswege, um sie von den fortlaufenden Willkürakten der DDR-Behörden zu befreien;

● Anerkennung der Bindungen zwischen der Bundesrepublik und Berlin;

● Berechtigung der Bundesregierung zur Vertretung Berlins in allen Belangen.

Diese Interessen waren weitgehend identisch mit denen der Westmächte. Der Sowjetunion ihrerseits war an einem Abkommen gelegen, weil der Zusammenhang mit der begrüßten neuen Ostpolitik Bonns klar gesehen wurde. Die Verhandlungen zwischen den vier Botschaftern gestalteten sich ungemein schwierig. Man benötigte nicht weniger als 33 Gesprächstermine, bis ein Vertragsentwurf vorgelegt werden konnte. Die Überwindung des Problems gelang, weil man bezüglich des Gültigkeitsbereichs des Abkommens auf den Ausweg verfiel, weder von „Groß-Berlin" — wie die Westmächte wollten — noch von „West-Berlin" — wie die Sowjetunion es wünschte — sprach, sondern sich auf die Formulierung „betreffendes Gebiet" einigte. Zudem war die Moskauer Regierung an einem Abschluß durchaus interessiert, weil die Wendung in der amerikanischen Chinapolitik eine Entspannung in Europa geraten erscheinen ließ.

Das Berlin-Abkommen

Das am 3. 9. 1971 unterzeichnete Berlin-Abkommen umfaßte außer der Präambel zwei Teile („Allgemeine Bestimmungen" mit Bekenntnissen zur Entspannung, zum Gewaltverzicht und zur gegenseitigen Beachtung von Rechten; „Bestimmungen, die die Westsektoren Berlins betreffen" mit Absprachen über Transitverkehr, die Bindungen zwischen dem Land Berlin und der Bundesrepublik, die Beziehungen zwischen Berlin und den angrenzenden Gebieten sowie die Interessenvertretung Berlins im Ausland) und vier Anlagen (zu den Bestimmungen über Berlin).

Die Bundesregierung bezeichnete in einer Erklärung das Berlin-Abkommen als eine „tragfähige Grundlage einer befriedigenden Berlin-Regelung". Hervorgehoben wurde, daß der Rechtsstatus Berlins und die Rechtsstellung der verantwortlichen Vier Mächte nicht geändert worden sei, der Transitverkehr vereinfacht und erleichtert werde, die Bewegungsfreiheit der Bewohner West-Berlins vergrößert wurde und vor allem, daß die Bindungen West-Berlins zur Bundesrepublik bekräftigt worden seien. Andererseits wertete es die DDR-Regierung als einen Erfolg, daß festgestellt wurde, die West-Sektoren seien „wie bisher kein Bestandteil (konstitutiver Teil) der Bundesrepublik Deutschland".

Deutsch-deutsche Berlin-Absprachen

Den deutschen Stellen war die Detailausführung der Bestimmungen übertragen worden. Die seit März 1971 laufenden Gespräche zwischen Vertretern des Berliner Senats und der DDR endeten am 20. 12. 1971 mit der Unterzeichnung der Reise- und Besucherregelung sowie der Vereinbarung über den Gebietsaustausch am Stadtrand von West-Berlin. Bereits am 30. 9. 1971 hatten die Postminister Verbesserungen für den Funk- und Fernmeldeverkehr nach Berlin abgesprochen. Das bedeutsamste Dokument war das sogenannte Transitabkommen, das von den Delegationen unter Leitung von Egon Bahr und Michael Kohl erarbeitet und am 17. 12. 1971 abgeschlossen wurde. Es enthielt die Ausführungsbestimmungen für die von den Vier Mächten bereits festgelegten Grundsätze über den Transitverkehr (Übereinkunft, daß der Verkehr nicht behindert, sondern erleichtert wird, „damit er in der einfachsten Weise vor sich geht" und Begünstigungen erfährt; Erlaubnis der Verplombung der Gütertransporte; Beschränkung der Reisenden-Kontrolle auf Identitätsfeststellung, Verzicht auf individuelle Gebühren).

Die Praxis brachte zwar insgesamt einen Fortschritt gegenüber der bisherigen Situation, weil immerhin jetzt eine Vertragsgrundlage vorhanden war und die Verbesserungen von jedem Berlin-Reisenden erlebt werden konnten. Die Zahl der West-Berliner Besucher in Ost-Berlin und in der DDR stieg (von 1972 bis 1977: über 17 Millionen). Auch der Transitverkehr nahm stark zu (1969: 10,17 Mio; 1976: 18,83 Mio; aus der Bundesrepublik und aus West-Berlin wurden z. B. 1976 täglich 17 000 Telefongespräche geführt; die Gesamtmenge des Güterverkehrs hielt sich etwa auf gleicher Höhe (1971: 15 Mio t; 1976: 14,5 Mio t).

Das Abkommen änderte andererseits nichts an der Absperrungspraxis der DDR außerhalb der Transitstrecken und der Besucherdurchlässe an der Berliner Mauer. Nach wie vor wurden Fluchtversuche mit brutaler Härte bekämpft. Der von der Opposition von Anfang an gerügte Mangel an Eindeutigkeit in manchen Formulierungen führte in der Folgezeit wiederholt zu völlig unterschiedlichen Textinterpretationen mit dementsprechenden Handlungen: Während die Sowjets das Abkommen als Vereinbarung über

West-Berlin ansehen, legen die Westalliierten Wert auf den Viermächtestatus von Groß-Berlin; während die DDR die „Bindungen" als Verkehrsverbindungen deuten will, sieht die Bundesrepublik darin eine Sicherung der Bundespräsenz in Berlin. Über diese und vergleichbare Differenzen kam es nach 1972 immer wieder zu Protesten, insgesamt aber ist die Stabilität der Lage im Vergleich zur vorherigen Situation beträchtlich größer.

Verhandlungen mit Prag

Gespräche mit der tschechoslowakischen Regierung kamen nur stockend voran. Die Vorgespräche zogen sich fast zwei Jahre hin. Angelpunkt der Differenzen war die Frage, ob das der Tschechoslowakei am 28./29. 9. 1938 in München von Deutschland, Italien, Großbritannien und Frankreich aufgezwungene Abkommen über die Abtretung der Siedlungsgebiete der Sudentendeutschen „ex tunc" (d. h. von Anfang an) oder „ex nunc" (d. h. von einem späteren Zeitpunkt an, z. B. seit 1945 oder 1949) als ungültig bezeichnet werden sollte. Die Regierungen der Bundesrepublik hatten stets erklärt, daß sie das Abkommen als nicht mehr gültig betrachteten und demzufolge auch keinerlei Gebietsansprüche erheben würden, aber sie wehrten sich gegen eine ex-tunc-Ungültigkeit, weil sich daraus unübersehbare Komplikationen staats- und privatrechtlicher Art hätten ergeben können. Alle Akte deutscher Behörden und Gerichte zwischen 1938 und 1945 wären bezüglich ihrer Wirksamkeit fraglich geworden. Die Prager Regierung sah umgekehrt alle ex-nunc-Ungültigkeitserklärungen als unzureichend an.

Im Mai 1973 wurden die Verhandlungen aufgenommen und führten nach vierwöchiger Dauer zum Abschluß des Vertrages über die gegenseitigen Beziehungen. Im Kernpunkt konnte der deutsche Standpunkt durchgesetzt werden: Das Münchener Abkommen wurde „als nichtig" bezeichnet, der Vertrag berühre nicht die Wirkungen des vom 30. 9. 1938 bis zum 9. 5. 1945 geltenden Rechts. Die Formulierungen über Gewaltverzicht und Unverletzbarkeit der Grenzen entsprachen denen des Warschauer Pakts. Nach längeren Verhandlungen und nach einer von Außenminister Scheel in Moskau getroffenen Absprache wurde schließlich auch ausdrücklich für die ständigen Bewohner West-Berlins festgestellt, daß sie ebensowenig wie andere deutsche Staatsangehörige durch die Auswirkung der Annullierung des Münchener Abkommens in ihren Rechten beeinträchtigt werden.

Diplomatische Beziehungen zu Bulgarien und Ungarn

Am 21. 12. 1973, also 10 Tage nach der Vertragsunterzeichnung in Prag, wurde in Bonn, Sofia und Budapest in gleichlautenden Kommuniqués bekanntgegeben, daß beschlossen worden sei, diplomatische Beziehungen aufzunehmen und Botschaften zu errichten. Dies geschah durch Umwandlung der bereits bestehenden Handelsmissionen.

Bundeskanzler Brandt vor dem Denkmal der Gefallenen des Ghetto-Aufstandes in Warschau.

4. Die neue Ostpolitik im innenpolitischen Meinungsstreit

Während des gesamten Verhandlungszeitraums der Ostverträge stand die Bundesregierung in ständigem Kontakt mit den westlichen Verbündeten, um sich deren Unterstützung für die neue Ostpolitik zu sichern. Frankreich und Großbritannien äußerten sich ebenso zustimmend und bekräftigend wie der amerikanische Präsident Nixon. Eine Abstützung im übrigen Ausland versuchte man durch Information zu erreichen.

Diese diplomatische Aktivität diente über ihren konkreten Zweck hinaus auch als gewichtiges Argument gegenüber der von Anfang an ablehnenden Opposition. Von der Aussprache über die Regierungserklärung von Bundeskanzler Brandt am 15./16. 1. 1970 an nützten CDU und CSU jede Gelegenheit, um vor den Folgen sowohl bezüglich der Ostpolitik als auch im Hinblick auf die Sicherheit der Bundesrepublik Deutschland zu warnen. In Aussprachen, Debatten, Großen und Kleinen Anfragen, Resolutionen, Stellungnahmen, Anträgen und Überlegungen zur verfassungsrechtlichen Voraussetzung für Gewaltverzichtsverhandlungen wurden bereits vor Beginn der offiziellen Konferenzen alle Gründe dargelegt, die die Opposition gegen den von der Bundestagsmehrheit getragenen und von der Bundesregierung begangenen Weg der Ostpolitik vorzubringen hatte.

Während der Verhandlungen in Moskau herrschte der von Kurt Georg Kiesinger am 24. 7. 1970 angebotene Burgfriede, aber nach der Vertragsparaphierung setzte im Zusammenhang mit den Warschauer Verhandlungen die Auseinandersetzung in vollem Umfang wieder ein.

Als Willy Brandt bei seinem Warschau-Aufenthalt anläßlich der Vertragsunterzeichnung vor dem Denkmal der Gefallenen des Ghetto-Aufstandes (19. 4. — 16. 5. 1943) niederkniete, folgte eine erregte öffentliche Diskussion. Was die einen als ebenso erschütternde wie demütige Geste der Versöhnungsbereitschaft deuteten, werteten die anderen als unangebrachte Erniedrigung.

Zwischen der Paraphierung des Warschauer Vertrages (18. 11. 1970) und dem Abschluß des Berlin-Abkommens (3. 9. 1971) wurden bei verschiedenen Gelegenheiten Grundsatzerklärungen abgegeben, die die gegensätzlichen Standpunkte herausarbeiteten.

In diesen Tagen fällte der zuständige norwegische Parlamentsausschuß eine weltweites Aufsehen erregende Entscheidung: Er verlieh den Friedensnobelpreis 1971 an Bundeskanzler Willy Brandt für seine ost- und deutschlandpolitischen Aktivitäten und die damit geförderte Entspannung in Europa und zwischen den Machtblöcken. Diese angesehene Auszeichnung erhielt Brandt als vierter Deutscher in der Geschichte der Nobelpreisverleihung, nach Gustav Stresemann (1926, zusammen mit A. Briand/ Frankreich), Ludwig Quidde (1927, zusammen mit F. Buisson/Frankreich) und Carl von Ossietzky (1935; ihm wurde die Annahme des Preises von den Nationalsozialisten verboten).

Kernpunkte der Kontroverse

Am 9. 2. 1972 verabschiedete die CDU/CSU-Mehrheit im Bundesrat einen Antrag, der in 12 Punkten die politischen und rechtlichen Bedenken der Opposition gegenüber den Ostverträgen zusammenfaßte. Wenige Tage später nahm die Bundesregierung dazu Stellung.

Der Bundesrat sah die Gefahr einer sowjetischen Einmischung in die deutsche Innenpolitik aufgrund der Mehrdeutigkeiten in den Verträgen; die Wiedervereinigung in Freiheit sei gefährdet, da die Staatlichkeit der DDR bestätigt und die Demarkationslinie als Grenze anerkannt werde; die Verträge könnten eine völkerrechtliche Anerkennung der DDR nach sich ziehen; da ein ausdrücklicher Friedensvertragsvorbehalt fehle, sei auch eine endgültige Anerkennung der Oder-Neiße-Linie zu befürchten, die noch jenseits davon lebenden Deutschen könnten ihre Staatsangehörigkeit verlieren; die defacto-Entlassung der Vier Mächte aus der Verantwortung für Deutschland als Ganzes höhle auch die Verpflichtung der Westmächte zur Herbeiführung der Wiedervereinigung aus; es sei zweifelhaft, ob die Ergänzungen zum Berliner Vier-Mächte-Abkommen befriedigend seien; unklar sei, ob die Sowjetunion verbindlich auf ihr Interventionsrecht gegenüber der Bundesrepublik verzichtet habe; unter Berufung auf den Moskauer Vertrag könnte die politische Fortentwicklung der Europäischen Gemeinschaft verhindert werden; die Legitimation der Bundesrepublik zur Legalisierung der Grenzen in Ost- und Südosteuropa sei nicht ersichtlich, ebensowenig der Fortschritt bezüglich der Freizügigkeit der Menschen, Informationen und Ideen; die Verträge ließen eine Stärkung der isolationistischen Tendenzen in den USA befürchten.

Die Bundesregierung betonte die Eindeutigkeit der Verträge in allen entscheidenden Punkten; das Selbstbestimmungsrecht und damit das Streben nach Einheit seien ausdrücklich gewahrt; es sei keine Anerkennung der DDR erfolgt; Rechte und Verantwortlichkeit der Vier Mächte blieben völlig unberührt, friedensvertragliche Regelungen seien nicht vorweggenommen und Individualrechte nicht Vertragsgegenstand; auch die CDU/CSU habe die Berlin-Regelung bereits als befriedigende Grundlage bezeichnet; die Sowjetunion sei uneingeschränkt zum Gewaltverzicht verpflichtet, eine Störung der Europapolitik sei ausgeschlossen; Gewaltverzicht legalisiere keine Grenzen; Verbesserungen der Lage in Deutschland könnten erst nach Vertragsabschluß erwartet werden; der amerikanische Präsident persönlich habe die Verpflichtungen in Europa als unverändert gültig bezeichnet.

5. Ratifizierung der Ostverträge im Bundestag

Die dreitägige erste Beratung der Ostverträge im Bundestag (23.—25. 2. 1972) brachte die erwartete Generaldebatte. 9 Regierungsmitglieder, 8 Abgeordnete der Regierungsparteien und 15 Oppositionssprecher machten die Unvereinbarkeit der Standpunkte deutlich.

Das Abbröckeln der Regierungsmehrheit und der höchst erregende Versuch der Opposition, die sozial-liberale Koalitionsregierung zu stürzen, schienen die Chancen für die Ratifizierung der Verträge in der vorliegenden Form auf den Nullpunkt sinken zu lassen. Die Landesverbände der aus den deutsche Ostgebieten Vertriebenen und Geflüchteten wiederholten in dieser Phase noch einmal vehement ihre Gegenvorstellungen, um den Oppositionsstandpunkt zu stärken. Die sowjetische und die polnische Regierung griffen mit Stellungnahmen ein, die einerseits natürlich das Positive der Verträge hervorhoben, andererseits es aber auch an unterschwelligen Drohungen für den Fall der Verzögerung oder der Nichtratifizierung nicht fehlen ließen.

Das Scheitern des konstruktiven Mißtrauensvotums und das Patt bei der Haushaltsdebatte machten deutlich, daß im Bundestag keine Seite über eine Mehrheit verfügte. Für die Bundesregierung mußte es jetzt zum zentralen Anliegen werden, die im Grundsätzlichen bzw. in Ansätzen durchaus vorhandenen Gemeinsamkeiten in der Ostpolitik herauszuarbeiten. Sie konnte damit rechnen, auf gleiches Interesse bei der Opposition zu stoßen, wenn es gelang, die hauptsächlichen Bedenken auszuräumen. Als Brücke auf dem Weg zu einer breiteren parlamentarischen Zustimmung zu den Verträgen wurde eine von verschiedenen interfraktionellen Arbeitsgruppen erarbeitete „Gemeinsame Entschließung" angesehen. Das Bekenntnis zum Frieden in Europa, zur Sicherheit für die Bundesrepublik, zu Gewaltverzicht, Entspannung und friedlicher Nachbarschaft war ebenso problemlos wie der fortdauernde Anspruch auf Selbstbestimmungsrecht, das Streben nach nationaler Einheit, der Hinweis auf die bestehenden Verträge mit den Westmächten, auf die Vier-Mächte-Verantwortung für Deutschland als Ganzes, auf die Bedeutung des eben beschlossenen Berlin-Abkommens und auf die westliche Bündnistreue.

Die Formulierung in Ziff. 1, die Ostverträge seien wichtige Elemente des modus vivendi, den die Bundesrepublik Deutschland mit ihren östlichen Nachbarn herstellen will, erwies sich allerdings als ebenso problematisch wie der Wortlaut von Ziff. 2:

„Die Verpflichtung, die die Bundesrepublik Deutschland in den Verträgen eingegangen ist, hat sie im eigenen Namen auf sich genommen. Dabei gehen die Verträge von den heute tatsächlich bestehenden Grenzen aus, deren einseitige Änderung sie ausschließen. Die Verträge nehmen eine friedensvertragliche Regelung für Deutschland nicht vorweg und schaffen keine Rechtsgrundlage für die heute bestehenden Grenzen."

Rückfragen der sowjetischen Regierung über diese Art von Vertragsinterpretation waren die Folge. Immerhin plädierte Oppositionsführer Barzel nun eher für eine Zustimmung zu den Verträgen, da die „Gemeinsame Entschließung" eine Reihe von Punkten, die der CDU/CSU wichtig waren, enthielt; andere Oppositionspolitiker setzten sich für eine Aufhebung des Fraktionszwangs ein, um dem einzelnen Abgeordneten eine freie Gewissensentscheidung zu ermöglichen. Ausschlaggebend wurde schließlich die Meinung des CSU-Politikers Strauß und des früheren Außenministers Schröder. Die „Gemeinsame Entschließung" sei bezüglich ihrer völkerrechtlichen Verbindlichkeit umstritten, und die Einwände gegenüber den Verträgen seien nicht ausgeräumt. Sie setzten sich für eine geschlossene Ablehnung ein, stimmten dann aber der Kompromißlösung zu, daß sich der Stimme enthalten solle, wer nicht mit „Nein" stimmen wolle.

Abstimmungsergebnis

	Vertrag mit der UdSSR	Vertrag mit Polen	Gemeinsame Erklärung
abgegebene Stimmen	496	496	496
Ja	248	248	491
Nein	10	17	—
Enthaltungen	238	231	5

28 CDU/CSU-Abgeordnete gaben eine schriftliche Erklärung ab, in der sie verfassungsrechtliche Bedenken äußerten. Die vielen CDU/CSU-Abgeordneten wichtige Feststellung, daß der Vertrag mit Polen nicht die Vertreibung Deutscher aus ihrer Heimat legitimiere, wurde in Form eines Antrags an die Ausschüsse verwiesen. Der Bundesrat stimmte am 19. 5. 1972 mit den Stimmen der SPD-regierten Länder bei Stimmenenthaltung der CDU/CSU-regierten Länder den Ratifizierungsgesetzen zu. Die Vertragspartner ratifizierten die Verträge wenige Tage später. In Erklärungen wurde mit Nachdruck darauf hingewiesen, daß nur der Vertragstext selbst für die Auslegung maßgeblich sei, die Grenzfeststellung eine „endgültige völkerrechtliche Anerkennung" darstelle und die „in der einseitigen Bundestagsresolution enthaltenen Vorbehalte" keine bindende Kraft besäßen.

In den folgenden Monaten zeigte sich das Erwartete:

● Im praktisch-politischen Bereich verbesserte sich die Zusammenarbeit. Die Wirtschaftskontake wurden entwickelt, die Ausreise übersiedlungswilliger Deutscher aus Polen zumindest eingeleitet, die kulturellen Beziehungen ausgebaut, Kommissionen gebildet, die Absprachen über die Anbahnung eines besseren gegenseitigen

Verständnisses treffen sollten. Insoweit wirkten die Verträge tatsächlich im beabsichtigten Sinn entspannend und dem friedlichen Zusammenleben förderlich.

● Auf der anderen Seite blieben die gegen die Verträge vorgebrachten Argumente bestehen. Es wurde in einigem zeitlichen Abstand zum Vertragsabschluß deutlich, daß die innenpolitische Kontroverse keineswegs beendet war. Während die Vertragsbefürworter den Vertragstext selbst in den Mittelpunkt jeder Betrachtung rückten, betonten andere die in den begleitenden Dokumenten und in den Erklärungen geäußerten Vorbehalte und jene Vertragsinterpretationen, die die Endgültigkeit der Oder-Neiße-Linie als Grenze Polens im Westen ablehnten und die rechtliche Fortexistenz des Deutschen Reiches in den Grenzen von 1937 unterstrichen. (Aufgrund von Verfassungsbeschwerden erhielten sie durch das Urteil des Bundesverfassungsgerichts vom 7. 7. 1975 insofern recht, als der Erste Senat feststellte, durch die Ostverträge seien die Gebiete östlich von Oder und Neiße nicht aus der rechtlichen Zugehörigkeit Deutschlands entlassen worden; die Bundesregierung sei beim Abschluß der Verträge in einer für die Vertragspartner erkennbaren Weise davon ausgegangen, daß sie nicht befugt gewesen sei, eine Verfügung über den rechtlichen Status Deutschlands im Sinne einer friedensvertraglichen Regelung zu treffen; die Vier-Mächte-Verantwortung für Deutschland als Ganzes bestehe fort; bei den Grenzregelungen handle es sich um eine Einigung über einen territorial konkretisierten Gewaltverzicht.)

III. DEUTSCHLANDPOLITIK

1. Die Treffen der Regierungschefs in Erfurt und Kassel

Die sozialliberale Regierung bekundete in ihren ersten deutschlandpolitischen Erklärungen die Entschlossenheit, die Einheit der Nation zu wahren und über praktische Möglichkeiten zu verhandeln. Eine völkerrechtliche Anerkennung der DDR durch die Bundesregierung könnte nicht in Betracht kommen. Auch wenn zwei Staaten in Deutschland existierten, seien sie doch füreinander nicht Ausland; ihre Beziehungen zueinander könnten nur von besonderer Art sein. Der Staatsratsvorsitzende Ulbricht wies das Verhandlungsangebot in der Regierungserklärung von Willy Brandt zurück.

Es war für die Absichten der Bundesregierung günstig, daß die Kontakte mit Moskau und Warschau bereits funktionierten und sich die DDR-Regierung mit ihren fortdauernden Angriffen auf die Bundesrepublik selbst im eigenen Lager ins Abseits manövrierte. Im Januar/Februar 1970 kam es in einem Briefwechsel zwischen Bundeskanzler Brandt und dem Ministerratsvorsitzenden der DDR, Stoph, zur Vereinbarung eines Gipfeltreffens. „Es erscheint mir an der Zeit, den Versuch zu unternehmen, das Trennende zurückzustellen und das Verbindende zu suchen. Wenn dies gelingt, dann sollte es auch möglich sein, zu vertraglichen Absprachen zu gelangen." (Brief Brandts an

Stoph vom 18. 2. 1970). Die Verhandlungen über die technische Vorbereitung verliefen zögernd, weil die DDR-Vertreter bei allen Absprachen die „wechselseitige Anerkennung als souveräne Völkerrechtssubjekte" als selbstverständlich voraussetzten. Genau dies war der Punkt, den die Bundesregierung prinzipiell stets als indiskutabel bezeichnet hatte. Selbst die Verhandlungen über die Begleiter der Regierungschefs sowie über die Konferenzorte waren kompliziert und symptomatisch: Stoph sollte vom Außenminister begleitet werden; ebenso demonstrativ wählte Brandt den Minister für innerdeutsche Beziehungen. Da der Bundeskanzler keinesfalls in Ost-Berlin verhandeln wollte ohne West-Berlin aufzusuchen, dies aber von seiten der DDR-Regierung nicht akzeptiert worden wäre, kam es schließlich zur Vereinbarung, das Treffen Brandt—Stoph solle am 19. März 1970 in Erfurt stattfinden; ein Gegenbesuch war am 21. 5. 1970 in Kassel vorgesehen.

Seit der vom bayerischen Ministerpräsidenten Ehard 1947 organisierten Konferenz der Regierungschefs aller deutschen Länder in München hatte es keine unmittelbare offizielle Begegnung führender deutscher Politiker aus West und Ost mehr gegeben. Es war deshalb nicht verwunderlich, daß an das Treffen höchste Erwartungen geknüpft wurden. Selbst die Skeptiker in der Bundesrepublik mußten das Außergewöhnliche dieses Ereignisses eingestehen, für die Befürworter war dieser Schritt ohnehin ein Zeichen des Durchbruchs. Noch höher lagen die von seiten der DDR-Bürger an die Zusammenkunft geknüpften Hoffnungen. Das wurde bei jeder Gelegenheit deutlich, in der Brandt in der Öffentlichkeit auftrat oder durch ausdauernde Sprechchöre „Willy! Willy!" dazu veranlaßt wurde, sich am Fenster des Konferenzgebäudes zu zeigen. Brandts beschwichtigende Geste war kennzeichnend für die Situation: So eindeutig und eindrucksvoll diese vehemente Demonstration des Zusammengehörigkeitsgefühls war, so behutsam mußte ihr begegnet werden, um nicht eine Verunsicherung der ohnehin überempfindlichen DDR-Regierung und damit eine neue Verhärtung zu riskieren.

Zwischen Erfurt und Kassel kamen in Äußerungen und Kommentaren die Prioritären beider Seiten zum Ausdruck: Die DDR hob vor allem die Notwendigkeit der vollen völkerrechtlichen Anerkennung hervor, von seiten der Bundesregierung wurde als entscheidend bezeichnet, daß „wir uns gegenseitig nicht als Ausland betrachten ... Beide Staaten haben ihre Verpflichtung zur Wahrung der Einheit der deutschen Nation".

Auf dem Kasseler Treffen schlug Bundeskanzler Brandt den Austausch von Bevollmächtigten (nicht von Botschaftern) vor. Der DDR wurde Gleichberechtigung zuerkannt und der Zusammenarbeit und der Mitgliedschaft in internationalen Organisationen zugestimmt. Da jedoch Stoph alles von der Herstellung diplomatischer Beziehungen abhängig machte, endete das Treffen mit Ernüchterung. Die Störaktionen von Demonstranten taten das ihre, um erkennen zu lassen, daß die hochfliegenden Erwartungen von Erfurt realitätsfern gewesen waren. Einen Tag nach der frostigen Begegnung in Kassel hatten Bahr und Gromyko in Moskau ihr Basispapier fertiggestellt, das in mehreren Punkten die Verbesserung bzw. Entwicklung der Beziehungen der Bundesrepublik Deutschland und der DDR ausdrücklich erwähnte. Die DDR-Regierung konnte angesichts dieser Lage nicht auf der harten Linie beharren, eine Wiederaufnahme der Gespräche zwischen Bonn und Ost-Berlin auf Staatssekretärsebene wurde vereinbart.

2. Die Gespräche der Staatssekretäre Bahr und Kohl

Vier Wochen später begannen Egon Bahr und Michael Kohl ihren „Meinungsaustausch", der in der Folgezeit abwechselnd in Ost-Berlin und Bonn stattfand. Zu den ungemein komplizierten Sachproblemen kamen bei diesen deutsch-deutschen Gesprächen „atmosphärische" Belastungen infolge der beiderseitigen „Empfindlichkeiten" und die Störungen durch die provokante Haltung der DDR-Behörden im Verkehr nach Berlin sowie durch die demonstrative Härte an der Grenze. Bis zum Abschluß des Vier-Mächte-Abkommens über Berlin konnten konkrete Ergebnisse nicht erzielt werden, dann aber begannen Bahr und Kohl im Auftrag der Alliierten mit den Verhandlungen für den Transitverkehr, gleichzeitig mit den Verhandlungen des Berliner Senats mit der DDR.

Transitverkehr und Verkehr West-Berlins mit dem Umland waren jene zwischen den deutsch-deutschen Verhandlungspartnern ausgehandelten Vertragsbereiche, die unmittelbar mit dem Berlin-Abkommen der Vier Mächte zusammenhingen. Bahr und Kohl verhandelten im weiteren Verlauf ihrer Gespräche über die übrigen Verkehrsfragen und schließlich über alle weiteren die beiden Staaten betreffenden Probleme. Die Verhandlungen führten zum Verkehrsvertrag und zum Grundlagenvertrag.

Die Verhandlungsdelegationen in Erfurt. Links: Außenminister Otto Winzer, Ministerratsvorsitzender Willi Stoph, Staatssekretär Michael Kohl, Abteilungsleiter im Außenministerium Hans Vossl (alle DDR); rechts die Delegation der Bundesrepublik: Ministerialdirigent Ulrich Sahm, Staatssekretär Conrad Ahlers, Bundeskanzler Willy Brandt, Bundesminister für innerdeutsche Beziehungen Egon Franke.

3. Der „Vertrag über Fragen des Verkehrs" vom 17. 10. 1972

Das Transitabkommen und die Regelung des Berlinverkehrs waren Verträge, die die beiden deutschen Regierungen zur Ausfüllung des alliierten Berlin-Abkommens vom 3. 9. 1971 ausgearbeitet hatten. Der Verkehrsvertrag hatte hingegen einen völlig anderen Charakter: Es war ein Vertrag zwischen den beiden Staaten in Deutschland, der erste dieser Art überhaupt. Das heikelste Problem dabei war, die entschiedene Absicht der DDR-Regierung zu unterlaufen, aus diesem Staatsvertrag die völkerrechtliche Anerkennung durch die Bundesrepublik abzuleiten. Die Kniffligkeit der Verhandlungen läßt sich daran erkennen, daß der Wegfall eines Kommas im ersten Satz der Präambel den gewünschten Effekt bewirkte. „In dem Bestreben, einen Beitrag zur Entspannung in Europa zu leisten und normale gutnachbarliche Beziehungen beider Staaten zueinander zu entwickeln ...". „Normale, gutnachbarliche Beziehungen" hätte besagt, es seien normale, d. h. völkerrechtliche *und* gutnachbarliche Beziehungen hergestellt worden; „normale gutnachbarliche Beziehungen" bedeutete, daß es sich lediglich um die für gute Nachbarschaft normalen Beziehungen handelte. Genau dies entsprach auch dem Inhalt des Vertragswerks, das auf die Regelung der praktisch-technischen Verkehrsfragen ausgerichtet war:

Der Vertrag bezog sich auf Verkehr auf den Land- und Wasserwegen. Ausgenommen war der Transitverkehr zwischen der Bundesrepublik und West-Berlin sowie der Luftverkehr; beide Bereiche gehörten in die Verantwortung der Alliierten.

„Die Vertragsstaaten verpflichteten sich, den Verkehr in und durch ihre Hoheitsgebiete entsprechend der üblichen internationalen Praxis auf der Grundlage der Gegenseitigkeit und Nichtdiskriminierung in größtmöglichem Umfang zu gewähren, zu erleichtern und möglichst zweckmäßig zu gestalten." Diese Generalbestimmung überwölbt die Detailbestimmungen in 33 Artikeln über Allgemeines, Eisenbahn-, Binnenschiffs-, Kraft- und Seeverkehr sowie über die gemischte Kommission zur Klärung von Meinungsverschiedenheiten. Zu einzelnen Artikeln wurden Protokollvermerke vereinbart, die zusätzliche Absprachen enthielten. Außerdem gehören zwei Briefwechsel dazu, die „Reiseerleichterungen im Verkehr zwischen den beiden Staaten über das bisher übliche Maß" in Aussicht stellten. (Erlaubnis von jährlich mehrmaliger Einreise — von insgesamt höchstens 30tägiger Dauer — von Bundesbürgern in die DDR nach Einladung durch DDR-Bürger zum Besuch von Verwandten, aber auch zu anderen, ausdrücklich auch zu touristischen Zwecken und mit dem eigenen PKW; Erlaubnis der Reisen von DDR-Bürgern in die Bundesrepublik bei dringenden Familienangelegenheiten.) In „mündlichen Erklärungen" wurde übereinstimmend geäußert, daß der Verkehrsvertrag sinngemäß auf West-Berlin anzuwenden sei.

Aus dem Verkehrsvertrag ergaben sich die für den einzelnen Bürger am direktesten positiv spürbaren Folgen: Die Zahl der Reisen von Bürgern der Bundesrepublik Deutschland in die DDR stieg sprunghaft an: 1971 1 267 355; 1972 1 540 381; 1973 2 278 989.

In umgekehrter Richtung hatte der bisher allein erlaubte Besuchsverkehr von DDR-Bürgern im Rentenalter von 1966 bis 1972 bei etwa 1,04 Millionen gelegen; er stieg von 1 068 340 (1972) auf 1 257 866 (1973) und pendelte sich dann auf ca. 1,3 Millionen ein.

Die Zahl der jüngeren DDR-Besucher lag 1973 bei ca. 52 000. (Zum Vergleich: Insgesamt reisten z. B. 1973 11,8 Millionen DDR-Bürger ins Ausland, davon 10,2 in sozialistische und 0,9 Millionen in westliche Länder.)

4. Der „Grundlagenvertrag"

In einer mündlichen Erklärung der Staatssekretäre Bahr und Kohl am Schluß der Verhandlungen über den Verkehrsvertrag wurde vereinbart, die Gespräche fortzusetzen, um einen Grundlagenvertrag zwischen beiden Staaten zu erörtern bzw. vorzubereiten. Durch ihn sollten, unbeschadet unterschiedlicher Auffassung zu grundsätzlichen Fragen, Grundlagen für die Beziehungen zwischen den beiden Staaten in Deutschland geschaffen werden.

Der *Vertrag über die Grundlagen der Beziehungen zwischen der Bundesrepublik Deutschland und der Deutschen Demokratischen Republik* besteht aus insgesamt drei Komplexen (1. Vertrag mit Protokollen, Briefen und Erklärungen; 2. Beitritt zu internationalen Organisationen; 3. Briefe, Erklärungen und Erläuterungen zur Verwirklichung von Erleichterungen).

Er enthält Bekenntnisse zur Unverletzlichkeit der Grenzen, zur Achtung der territorialen Integrität, zum Gewaltverzicht und zur Förderung von Abrüstung und Sicherheit in Europa. In zwei Formulierungen wurde der DDR ausdrücklich Gleichberechtigung und Unabhängigkeit zugeschrieben, der seit 1949 erhobene Alleinvertretungsanspruch der Bundesrepublik also aufgegeben: „Die Bundesrepublik Deutschland und die Deutsche Demokratische Republik gehen davon aus, daß keiner der beiden Staaten den anderen international vertreten oder in seinem Namen handeln kann" (Art. 4). „Sie respektieren die Unabhängigkeit und Selbständigkeit jedes der beiden Staaten in seinen inneren und äußeren Angelegenheiten" (Art. 6).

Die Intentionen der Bundesrepublik waren in folgenden Passagen berücksichtigt: „. . . ausgehend von den historischen Gegebenheiten und unbeschadet der unterschiedlichen Auffassungen . . . zu grundsätzlichen Fragen, darunter zur nationalen Frage . . ." (Präambel). „Die Bundesrepublik Deutschland und die Deutsche Demokratische Republik werden ständige Vertretungen austauschen . . .". Damit war immerhin festgehalten, daß es eine nationale Frage weiterhin gab und diese grundsätzlicher Natur war, auch wenn es darüber unterschiedliche Auffassungen gab. Die DDR zog aus ihrer Auffassung von der nationalen Frage in der Verfassung von 1974 die Folgerung und tilgte alle Erwähnungen einer einheitlichen Nation. Dies konnte die Bundesrepublik nicht hindern, konsequent an ihrem Standpunkt festzuhalten. Bedeutsamer als die Erwähnung der nationalen Frage war die Tatsache, daß die wechselseitigen Vertretungen nicht den Rang von Botschaften erhielten. Damit waren die „besonderen Beziehungen" am augenfälligsten dokumentiert. Überdies war im Art. 9 die aus den Ostverträgen bekannte „Nichtberührungsfeststellung" früherer Verträge aufgenommen.

Angeschlossene Dokumente

Wie schon beim Moskauer und beim Warschauer Vertrag wurde der „Brief zur deutschen Einheit" (siehe S. 289) auch beim Grundlagenvertrag übergeben. In einer Protokollerklärung brachte die Bundesregierung zum Ausdruck, daß Staatsangehörigkeitsfragen durch den Vertrag nicht geregelt wurden, auch dies eine Formel für das Festhalten der Bundesrepublik an der bisherigen Überzeugung von der einen Staatsangehörigkeit für alle Deutschen. Weitere Zusatzdokumente betrafen die Detailgestaltung der in Art. 7 abgesprochenen „Normalisierung ihrer Beziehung" in „praktischen und humanitären Fragen" (gemeint waren Handelsbeziehungen, wirtschaftliche und verkehrstechnische Vereinbarungen, Zusammenarbeit auf den Gebieten Wissenschaft und Technik, des Rechtsverkehrs, des Post- und Fernmeldewesens, des Gesundheitswesens, der Kultur, des Sports, des Umweltschutzes, des Austausches von Publikationen und Funk- und Fernsehproduktionen sowie des Zahlungsverkehrs). In Briefwechseln wurde abgesprochen, die Probleme der Familienzusammenführung zu lösen, Reiseerleichterungen herbeizuführen (Tagesaufenthalte von Bundesbürgern im grenznahen Bereich für Bewohner dieser Gebiete), den nichtkommerziellen Warenverkehr (Geschenke) zu fördern und die Arbeitsmöglichkeiten für Journalisten zu verbessern. Für die mit der Detailfestlegung des Grenzverlaufs zwischen der Bundesrepublik Deutschland und der DDR zusammenhängenden Fragen wurde die Einrichtung einer Grenzkommission abgesprochen. Ein weiterer Briefwechsel betraf die Anträge beider Seiten zur Aufnahme in die Vereinten Nationen. Besondere Bedeutung kam dem Briefwechsel zu, der die Note der Bundesrepublik Deutschland an die Drei Westmächte und die Note der DDR an die Sowjetunion betraf. Diese Noten hatten folgenden Wortlaut:

Notenwechsel mit den Vier Mächten

Die Bundesrepublik Deutschland und die Deutsche Demokratische Republik stellen unter Bezugnahme auf Artikel 9 des Vertrages über die Grundlagen der Beziehungen vom 21. Dezember 1972 fest, daß die Rechte und Verantwortlichkeiten der Vier Mächte und die diesbezüglichen vierseitigen Vereinbarungen, Beschlüsse und Praktiken durch diesen Vertrag nicht berührt werden.

Die Vier Mächte antworteten in einer Erklärung, daß sie die Anträge auf Mitgliedschaft in den Vereinten Nationen unterstützen würden und daß diese Mitgliedschaft ihre Rechte und Verantwortlichkeiten „in keiner Weise berührt".

Einvernehmen über West-Berlin

Bei der Vertragsunterzeichnung gaben beide Seiten die Erklärung ab, es bestehe Einvernehmen darüber, die Ausdehnung von künftigen Abkommen und Regelungen auf Berlin (West) im jeweiligen Fall zu vereinbaren; die ständige Vertretung der Bundesrepublik in der DDR werde die Interessenvertretung von Berlin (West) wahrnehmen.

Termindruck bei der Inkraftsetzung

Durch einen Notenwechsel zwischen Bonn und Ost-Berlin wurde der Grundlagenvertrag am 21. 6. 1973 in Kraft gesetzt. Über den von Bayern am 28. 5. 1973 beim Bundesverfassungsgericht gestellten Antrag, das Vertragsgesetz als mit dem Grundgesetz unvereinbar und demzufolge als nichtig zu erklären, war zu diesem Zeitpunkt noch nicht entschieden. Die Inkraftsetzung stand unter Termindruck: Für den 21. 6. 1973 war im Sicherheitsrat der Vereinten Nationen die Beratung und Verabschiedung der Aufnahmeanträge beider Staaten vorgesehen; wenige Tage später sollte in Helsinki die „Konferenz über Sicherheit und Zusammenarbeit in Europa" (KSZE) beginnen, eine Konferenz von 30 Außenministern der NATO- und der Warschauer-Pakt-Staaten, bei der die beiden deutschen Außenminister erstmals offiziell zusammentreffen würden. Es war der Bundesregierung dringend darum zu tun, bis zur Entscheidung in New York und zur Begegnung in Helsinki vertraglich gültig klargestellt zu haben, daß die beiden deutschen Staaten „besondere Beziehungen" zueinander hätten, nicht zwei füreinander als Ausland geltende, völkerrechtlich unabhängige und souveräne Staaten seien. Implizit wollte man damit die Rechtsfigur „Deutschland als Ganzes", die Vier-Mächte-Verantwortung dafür und die im Grundgesetz vorgeschriebene Wiedervereinigungspolitik als weiterhin legitime Zielsetzung festgelegt wissen.

Daß die DDR andere, teilweise entgegengesetzte Vorstellungen damit verband, war klar. Deshalb hatten Egon Bahr und Michael Kohl erneut alle Formulierungskunst aufbieten müssen, um einerseits den Standpunkt ihrer jeweiligen Regierung zu wahren und andererseits doch einen von beiden Regierungen bzw. Gesetzgebungsorganen akzeptablen Vertragsentwurf zustandezubringen.

Urteil des Bundesverfassungsgerichts

Das Bundesverfassungsgericht traf am 31. 7. 1973 einstimmig die Entscheidung über den Antrag Bayerns: „Das Gesetz zu dem Vertrag vom 21. Dezember 1972 ... über die Grundlagen der Beziehungen zwischen der Bundesrepublik Deutschland und der Deutschen Demokratischen Republik vom 6. Juni 1973 (Bundesgesetzblatt Teil II, S. 421) ist in der sich aus den Gründen ergebenden Auslegung mit dem Grundgesetz vereinbar." Die umfangreiche und detaillierte Begründung des Urteils enthielt Aussagen

● über *den Rechtsstatus Deutschlands*
(„Das Grundgesetz — nicht nur eine These der Völkerrechtslehre und der Staatsrechtslehre — geht davon aus, daß das Deutsche Reich den Zusammenbruch 1945 überdauert hat ... Mit der Errichtung der Bundesrepublik Deutschland wurde nicht ein neuer westdeutscher Staat gegründet, sondern ein Teil Deutschlands neu organisiert.");

● über *Wiedervereinigungsgebot und Selbstbestimmung*
(„Die Wiedervereinigung ist ein verfassungsrechtliches Gebot ... Kein Verfassungsorgan ... darf die Wiederherstellung der staatlichen Einheit als politisches Ziel aufgeben, alle Verfassungsorgane sind verpflichtet, in ihrer Politik auf die Erreichung dieses Ziels hinzuwirken — das schließt die Forderung ein, den Wieder-

vereinigungsanspruch im Innern wachzuhalten und nach außen beharrlich zu vertreten — und alles zu unterlassen, was die Wiedervereinigung vereiteln würde.");

- über *die Qualifizierung von Grenzen*
  („Es gibt Grenzen verschiedener Qualität: Verwaltungsgrenzen, Demarkationsgrenzen, Grenzen von Interessensphären, eine Grenze des Geltungsbereichs des Grundgesetzes, die Grenzen des Deutschen Reiches nach dem Stand vom 31. Dezember 1937, staatsrechtliche Grenzen und hier wiederum solche, die den Gesamtstaat einschließen und solche, die innerhalb eines Gesamtstaates Gliedstaaten voneinander trennen ... Für die Frage, ob die Anerkennung der Grenze zwischen den beiden Staaten als Staatsgrenze mit dem Grundgesetz vereinbar ist, ist entscheidend die Qualifizierung als staatsrechtliche Grenze zwischen zwei Staaten, deren ‚Besonderheit' es ist, daß sie auf dem Fundament des noch existierenden Staates ‚Deutschland als Ganzes' existieren, daß es sich also um eine staatsrechtliche Grenze handelt ähnlich denen, die zwischen den Ländern der Bundesrepublik Deutschland verlaufen.");

- über *die Rechtslage Berlins*
  („Der Vertrag ändert nichts an der Rechtslage Berlins, wie sie seit je von Bundestag, Bundesrat und Bundesregierung, den Ländern der Bundesrepublik und dem Bundesverfassungsgericht verteidigt worden ist.");

- über die *derzeitigen Gegebenheiten an der innerdeutschen Grenze*
  („Schließlich muß es klar sein, daß mit dem Vertrag schlechthin unvereinbar ist die gegenwärtige Praxis an der Grenze zwischen der Bundesrepublik Deutschland und der Deutschen Demokratischen Republik, also Mauer, Stacheldraht, Todesstreifen und Schießbefehl. Insoweit gibt der Vertrag eine zusätzliche Rechtsgrundlage dafür ab, daß die Bundesregierung in Wahrnehmung ihrer grundgesetzlichen Pflicht alles ihr Mögliche tut, um diese unmenschlichen Verhältnisse zu ändern und abzubauen.");

- über die *„nationale Frage"*
  („Die Vertragsschließenden sind sich einig, daß sie über die ‚nationale Frage' nicht einig sind ... Es entspricht also den besonderen Regeln über die Auslegung von Verträgen, wenn das Urteil aus diesem Dissens für die Auslegung des Vertrages alle Konsequenzen zieht, die die Bundesrepublik Deutschland als Vertragspartner nach dem Recht des Grundgesetzes für sich in Anspruch nehmen muß.");

- über die *deutsche Staatsangehörigkeit*
  (Art. 16 Grundgesetz geht davon aus, daß die ‚deutsche Staatsangehörigkeit' zugleich die Staatsangehörigkeit der Bundesrepublik Deutschland ist. Deutscher Staatsangehöriger ist also nicht nur der Bürger der Bundesrepublik Deutschland ... Der Vertrag bedarf daher, um verfassungskonform zu sein, der Auslegung, daß die Deutsche Demokratische Republik auch in dieser Beziehung nach dem Inkrafttreten des Vertrages für die Bundesrepublik Deutschland nicht Ausland geworden ist.").

Das Bundesverfassungsgericht sagte wegen der außerordentlichen Bedeutsamkeit des Vertrages ausdrücklich: „Alle Ausführungen der Urteilsbegründung, auch die, die sich nicht ausschließlich auf den Inhalt des Vertrages selbst beziehen, sind nötig, also im Sinne der Rechtsprechung des Bundesverfassungsgerichts Teil der die Entscheidungen tragenden Gründe."

5. Ergebnis der neuen Ostpolitik

Der Vertrag und die rechtsverbindliche Interpretation des Bundesverfassungsgerichts bildeten künftig eine Sacheinheit. Insofern ergaben sich außen- und innenpolitische Kontroversen, weil von einer Seite nur der Vertragstext selbst als relevant betrachtet wurde, von anderen mit Nachdruck auf die angeschlossenen Dokumente und insbesondere darauf verwiesen wurde, daß der Vertrag ausschließlich in der vom Bundesverfassungsgericht vorgeschriebenen Auslegung grundgesetzkonform sei. Die Moskauer Regierung zum Beispiel interpretierte das Urteil als Abkehr von der Entspannungspolitik. Die Kritiker der Deutschland- und Ostpolitik der Bundesregierung begrüßten das Urteil, weil damit die Ostverträge lediglich als Regelungen des modus vivendi charakterisiert worden seien und ihnen keine Vorwegnahme eines Friedensvertrages bzw. keine Preisgabe bislang beanspruchter Rechtspositionen zugemessen werden könnten.

Oppositionsführer Barzel zog Jahre später die Bilanz, die Ostpolitik habe die Friedenssicherung nicht besser gemacht; es sei zwar nicht alles falsch gewesen, aber man habe „zu schnell" gehandelt und zu wenig Gegenleistungen erhalten: „Im Vertrag stand, was Moskau wollte; was wir wollten, steht in Erklärungen daneben."

Der ehemalige Bundeskanzler Brandt meinte, die neue Ostpolitik sei notwendig gewesen, aber etwas zu spät gekommen; es seien viele humane Erleichterungen erreicht worden, vor allem sei die Bundesrepublik in die großen Gespräche um die europäische Friedenssicherung einbezogen worden. Einem neuen Realitätssinn in Deutschland habe man den Weg ebnen können.

Der damalige amerikanische Außenminister Henry Kissinger urteilte, die „neue Ostpolitik" sei in Erkenntnis der Realität betrieben worden; sie habe eine mutige Entscheidung erfordert; erst in der nächsten Phase sei ihre Problematik zu bewältigen.

Der sowjetische Botschafter in der Bundesrepublik, Falin, sagte, die neue Ostpolitik sei wegen ihrer Friedenswirkung in Mitteleuropa begrüßenswert gewesen; sie habe das aus der Kriegszeit stammende Mißtrauen gegenüber Deutschland zwar nicht beseitigen können, aber eine Verbesserung sei spürbar geworden.

Ostpolitik kontrovers

Boris Meissner: Erfolg der Sowjetdiplomatie

Insgesamt stellt der Vertrag, wenn man die deutschen Vorleistungen bedenkt, zu denen auch die Unterzeichnung des Vertrages über die Nichtverbreitung von Kernwaffen am 2. November 1969 gehört, einen bemerkenswerten Erfolg der Sowjetdiplomatie dar. Mit den Grenzbestimmungen des Vertrages ist der Besitzstand der Sowjetunion, der 1955 von Adenauer nicht anerkannt worden war, besser abgesichert und der Status quo in Europa verfestigt worden. In den Nebenabreden ist den Vorstellungen der sowjetischen Außenpolitik, soweit sie Osteuropa, die DDR und die Europäische Sicherheitskonferenz betrafen, weit entgegengekommen worden. Außerdem ist durch das Vertragswerk die Ausgangslage der Sowjetunion für eine schrittweise Ausdehnung ihres Einflusses in Westeuropa wesentlich verbessert worden.

Auf der anderen Seite ist nicht zu übersehen, daß der Moskauer Vertrag aufgrund seiner Gewaltverzichtsbestimmungen und der Unberührtheitsklausel des Artikels 4 in Verbindung mit dem Brief zur deutschen Einheit den Charakter eines modus-vivendi-Vertrages aufweist, der der deutschen Seite die Möglichkeit gibt, ihn in erster Linie als einen Gewaltverzichtsvertrag auszulegen. Dies hat aufgrund der Gemeinsamen Bundestagsentschließung vom 17. Mai 1972 nach einer heftigen Auseinandersetzung über die Ostverträge die Ratifizierung des Moskauer Vertrages unter weitgehender Stimmenenthaltung der Opposition ermöglicht. Die Gemeinsame Entschließung ist zusammen mit Bemerkungen der Bundesregierung der Sowjetregierung notifiziert worden. Ihr kommt damit völkerrechtlich der Charakter eines Interpretationsvorbehalts zu.

Westdeutsche Ostpolitik: Die deutsch-sowjetischen Beziehungen, in Hans-Peter Schwarz, Handbuch der deutschen Außenpolitik, Piper-Verlag, München 1975, S. 291.

Richard Löwenthal: Befreiende Wendung

Es war unvermeidlich, daß eine Politik, die im Effekt mit einer zwanzigjährigen Tradition der ostpolitischen Fiktionen brach, die Öffentlichkeit der Bundesrepublik tief aufwühlte. Nach innen gesehen handelte es sich um nicht weniger als um das Bewußtwerden einer Verschiebung der Legitimationsgrundlage der Bundesrepublik, die sich freilich im stillen seit langem vorbereitet hatte — um die Akzeptierung des „Provisoriums" in seinen tatsächlichen Grenzen als bleibender Staat der freien Deutschen. Nun schieden sich an dieser Frage die Geister, zum Teil auch die Generationen: Für viele der Älteren, die noch ein vorhitlerisches Deutsches Reich gekannt hatten, bis in die Reihen der Sozialdemokratie hinein war der Entschluß schwer, am bittersten für die Vertriebenen unter ihnen. Doch großen Teilen der mittleren und jüngeren Generation, bis weit in die Kreise der bisherigen CDU-Wähler hinein, erschien er als eine Befreiung von überlebtem Ballast — und für jene Gruppen, die noch nahe Verwandte und enge Freunde im anderen Teil Deutschlands hatten, denen die deutsche Frage nicht Gegenstand nationaler Ansprüche, sondern menschlicher Sorge war, als ein Hoffnungsschimmer. Die Auseinandersetzung wurde noch dadurch verschärft, daß ein Teil der Sprecher und Presseorgane der Opposition die neue Politik weit radikaler verdammten, als der Einschätzung der realen Möglichkeiten durch ihre Führung entsprach: Zur wachsenden Besorgnis dieser Führung legten sie die Opposition in der Öffentlichkeit auf eine totale Verneinung der Verhandlungsergebnisse fest, ohne eine Alternative zeigen zu können.

Drei Jahre nach dem Beginn ihrer entscheidenden Phase war die neue Politik nicht mehr von Hoffnungen beflügelt, durch ihren Beitrag zur allgemeinen Entspannung einen Wandel in den kommunistischen Systemen Osteuropas in naher Zukunft herbeizuführen. Ein solcher Wandel, so wurde es nun gesehen, mochte eines Tages kommen und neue Möglichkeiten für eine gesamteuropäische Friedensordnung schaffen — aber seine Herbeiführung hing nicht entscheidend von der Politik des Westens im allgemeinen oder der Bundesrepublik im besonderen ab. Erst recht stand hinter der neuen Politik in keinem Augenblick der Wunsch nach der Entwicklung deutscher Sonderbeziehungen zu den Sowjets: Nur auf der Grundlage der sicheren politischen, militärischen und wirtschaftlichen Verankerung der Bundesrepublik im Westen hatte der Ausgleich mit dem Osten gelingen können. Nicht um die Herstellung von Sonderbeziehungen, sondern um die Befreiung von einem jahrzehntealten Sonderkonflikt mit dem Osten war es gegangen, und sie war nun im großen und ganzen gelungen. Gewiß, keine Diplomatie konnte die Fakten der Geographie und Geschichte beseitigen: Die Lage Berlins und die gemeinsame Herkunft der Deutschen in Ost und West würden auch in Zukunft Probleme schaffen. Doch im Rahmen der neuen Ost-West-Entspannung in der Weltpolitik und in Mitteleuropa würden diese Probleme einen begrenzteren Charakter haben und leichter friedlich zu lösen sein.

Auch für die allgemeine Stellung der Bundesrepublik in der Welt hat diese Wendung befreiend gewirkt. Sie hat an Bewegungsfreiheit außerhalb des Ostens, auch gegenüber ihren Verbündeten, und damit an weltpolitischem Gewicht und Ansehen wesentlich gewonnen: Daß ein Vierteljahrhundert nach dem Ende des Dritten Reiches ein deutscher Kanzler den Nobelpreis für Verdienste um den Frieden erhielt, ist ein sichtbarer Ausdruck dafür. Sie ist zugleich durch die neue Politik in der Lage, auch an der gemeinsamen Ostpolitik des Westens ganz anders als vorher als gestaltender Faktor mitzuwirken, was sich schon heute in der Konferenz für Sicherheit und Zusammenarbeit in Europa und in den Vorbereitungen der Konferenz für beiderseitige Truppenreduktion zeigt. Und sie hat diese Wendung zwar um den Preis bitterer innerpolitischer Auseinandersetzungen, aber ohne Staatskrise vollziehen können.

Vom Kalten Krieg zur Ostpolitik, in: Die zweite Republik. 25 Jahre Bundesrepublik Deutschland — eine Bilanz, hrsg. von Richard Löwenthal und Hans-Peter Schwarz, Stuttgart, 1974, S. 691 f.

Karl Kaiser: Überparteilicher Konsensus

Die Frage, ob die Ostpolitik in der Periode bis 1972 übereilt war, und ob alle Verhandlungsmöglichkeiten auch wirklich ausgeschöpft wurden, ist zweifellos legitim. Doch hält dieser Vorwurf den Tatsachen stand? Zunächst sei daran erinnert, daß die meisten wichtigen Fragen schon lange vor den Beschlüssen über die neue Ostpolitik im Auswärtigen Amt gründlich geprüft worden waren, und zwar seit der Amtszeit von Außenminister Schröder, d. h. sogar schon vor der Großen Koalition.

Zweitens bestand ein objektiver und nicht selbst auferlegter Zeitdruck, da zentrale Bestandteile der deutschen Position im Ausland, insbesondere in den Ländern des Westens, zusehends auf Widerspruch stießen. Es bestand die reale Gefahr eines einseitigen Vorgehens der Westmächte, was zu einer unwiderruflichen Zerstörung von Verhandlungspositionen geführt hätte, die zur Sicherung grundlegender Interessen Bonns erforderlich waren. In einigen Ländern, vor allem in Großbritannien, den Niederlanden und Schweden, nahmen die Forderungen nach Anerkennung der DDR in der Öffentlichkeit deutlich zu.

Der letzte Vorwurf, die neue Ostpolitik habe einseitige Zugeständnisse gemacht, muß im größeren Zusammenhang der Gemeinsamkeit der beiden großen Parteien gesehen werden,

d. h. mit dem, was im angelsächsischen Bereich „Bipartisanship" genannt wird.

Die großen innenpolitischen Auseinandersetzungen der frühen siebziger Jahre über die Ostpolitik sind vorüber, und seitdem haben sich Elemente eines überparteilichen Konsensus in diesem Bereich gezeigt, die über ein „pacta sunt servanda" hinausgehen. Doch Meinungsverschiedenheiten und Polemik bestehen fort, wobei bei allen derzeitigen Auseinandersetzungen über die Vergangenheit der Vorwurf der Verzichtpolitik und der gegenseitigen und unnötigen Zugeständnisse wohl der brisanteste ist, da er sich mißbrauchen und zu einer Legende ausweiten läßt, um einen stabilitätsgefährdenden Revisionismus in der deutschen und europäischen Politik zu nähren.

Für diejenigen, die das gesamte Verdienst an der neuen Ostpolitik für die SPD und FDP beanspruchen möchten, aber auch für diejenigen, die der SPD-FDP-Koalition die Schuld an allen angeblichen Gefahren dieser Politik anlasten möchten, mag es nützlich sein, sich daran zu erinnern, daß wesentliche Elemente der neuen Ostpolitik einen überparteilichen Ursprung haben.

Die neue Ostpolitik in: Wolfram F. Hanrieder/Hans Rühle (Hrsg.), Im Spannungsfeld der Weltpolitik: 30 Jahre deutsche Außenpolitik (1949—1979), Verlag Bonn aktuell, Stuttgart 1981.

Wolfgang Marienfeld: Ungerechtfertigter Zeitdruck

Die schwerwiegende Vertragslücke ist ursächlich darauf zurückzuführen, daß die Bundesregierung sich unter einen rein sachlich nicht gerechtfertigten Zeitdruck gestellt hat. Das gilt sowohl für den Moskauer Vertrag — der damalige Botschafter in Moskau spricht von einem „Husarenritt" — wie auch für den Grundlagenvertrag, der unter dem Gesichtspunkt seiner politischen Wirksamkeit für den Wahlkampf unter erheblichem Zeitdruck verhandelt und abgeschlossen wurde (Paraphierung 8. 11. 1972, Bundestagswahl 19. 11.). Nicht nur die erhoffte innenpolitische Wirkung bestimmte das Verhandlungstempo, sondern auch die heute kaum noch nachvollziehbare euphorische Grundstimmung, mit der die Deutschlandpolitik auf einen neuen Kurs gebracht wurde.

Eine Politik, die auf Wandel durch Annäherung setzt, Veränderungen der Herrschaftsordnung von innen heraus anstrebt, um damit neue politische Handlungsbedingungen zu erreichen, wird gegenüber spontanen gesellschaftlichen Bewegungen eher unsicher oder gar unwillig reagieren, weil der Prozeß der Annäherung — also der Kooperation mit den Regierungen — und des damit erhofften Wandels als gefährdet erscheint. Die Neigung muß sich einstellen oder aufdrängen, daß man Vorleistungen glaubt erbringen zu müssen, um damit positive Prozesse in die Zukunft hinein auszulösen, und daß Vertragsverletzungen oder gar -brüche hingenommen werden, um nicht mit scharfen Reaktionen Eskalationen hervorzurufen, die das Ganze des erhofften Prozesses in Frage stellen. Eine solche Politik befindet sich immer in der Gefahr, daß ihr guter Wille (um der zu erhoffenden Fernwirkung willen) bis zum letzten ausgebeutet und sie dann desavouiert wird. Es ist ein Kampf mit ungleichen Waffen und in unterschiedlichen Stilarten. Aber dieses zuletzt Gesagte gilt unabhängig von den derzeitigen Trägern der Regierungsverantwortung und der Opposition, vielmehr prinzipiell für jede Politik, die die Voraussetzungen für die Verwirklichung ihrer Ziele erst durch Verwandlung des Verhandlungspartners schaffen muß. Wird es — wenn dieses Ziel einmal erreicht sein sollte — noch ein deutsches Volk geben, das eine Nation sein will?

Das Deutschlandproblem in seiner geschichtlichen Entwicklung, in: Die Deutsche Frage. Materialien zur politischen Bildung, hrsg. von der Niedersächsischen Landeszentrale für politische Bildung. Hannover 1982, S. 57 ff.

Andreas Hillgruber: „Teilungsverträge"

Auch für die Beziehungen zwischen den beiden deutschen Staaten und vor allem für die Menschen im geteilten Deutschland läßt sich bislang keine eindeutige Bilanz der seit 1973 in Kraft befindlichen Verträge und Abkommen ziehen. Politisch kann der von der Regierung Brandt-Scheel erhoffte „Prozeß" zunehmender Kooperation auf dem Wege von einem „geregelten" Nebeneinander zu einem Miteinander als ausgeblieben bezeichnet werden. Unter Schwankungen im einzelnen hat sich insgesamt die Tendenz der DDR zur politischen und ideologischen „Abgrenzung" statt der von der Bundesregierung angestrebten Annäherung durchgesetzt. Der „dosierte" Druck auf Berlin, um eine restriktive Auslegung des Viermächteabkommens zu erreichen, hält mit wechselnder Intensität an. Der Auffassung, daß es sich bei allen genannten Verträgen um „Teilungsverträge" handelt, wird von der Bundesregierung nur gelegentlich widersprochen; die Auffassung der DDR (und des hinter ihr stehenden Ostblocks) setzt sich de facto immer mehr durch. Von einer Aufhebung des Schießbefehls und einer Beseitigung der Berliner Mauer wird gar nicht mehr gesprochen. Andererseits sind Erleichterungen für Familienzusammenführungen und ein ganz erheblich verstärkter und bequemerer Reiseverkehr von der Bundesrepublik und West-Berlin nach Ost-Berlin und in die DDR als positive Ergebnisse der Vertragspolitik durchaus nicht gering zu veranschlagen. Es bleibt allerdings eine offene Frage, ob die Millionen von Deutschen aus der Bundesrepublik möglich gewordene Begegnung mit Verwandten und Freunden in der DDR das immer deutlicher erkennbare bewußtseinsmäßige Auseinanderleben zwischen den Deutschen in der Bundesrepublik und in der DDR aufzuhalten vermag, wenn der Zustand der Teilung in zwei so grundlegend verschieden orientierte Staats- und Gesellschaftsordnungen anhält und die ältere Generation, die noch von gesamtdeutschen Erfahrungen und Gemeinsamkeiten mit der gleichen Generation im anderen deutschen Staat ausgehen kann, nicht mehr als Bindeglied wirkt.

Deutsche Geschichte 1945—1975. Die deutsche Frage in der Weltpolitik, DG 9, Ullstein TB 3851, Ullstein Verlag, Frankfurt 1980, S. 178 f.

IV. WIRTSCHAFTSPOLITIK

1. Lage und Programm zu Beginn der Regierung Brandt/Scheel

Der zentrale Auftrag der von der Großen Koalition geschaffenen Wirtschaftsgesetzgebung war auf die Gleichzeitigkeit von Stabilität und Wachstum gerichtet. Die sozialliberale Koalition ging davon aus, daß mit der Verbesserung des DM-Wechselkurses (Aufwertung) ein entscheidender Schritt getan worden sei, um das entstandene Ungleichgewicht in der Außenhandelsbilanz abzubauen und im binnenwirtschaftlichen Bereich den Preisauftrieb zu dämpfen. Aber schon die Regierungserklärung von Bundeskanzler Brandt vom 28. 10. 1969 verwies darauf, es seien weitere Entscheidungen für die Geld- und Kreditpolitik und im Bereich der Europäischen Gemeinschaft, hier wiederum vor allem im Sektor Landwirtschaft, notwendig, um Schwierigkeiten zu vermeiden. Das Bekenntnis zum wirksamen Wettbewerb und zur Stützung von Mittel-und Kleinbetrieben sowie die Absage gegenüber protektionistischen Neigungen und monopolistischen Fusionen ließ darauf schließen, daß mit dieser Aktivierung von marktwirtschaftlichen Prinzipien und mittelstandspolitischen Bestrebungen die gesetzlichen Ziele erreicht und Stagnation oder gar neue Rezession vermieden werden sollten. Alex Möller war als Nachfolger von Finanzminister Strauß jetzt Partner von Wirtschaftsminister Schiller.

2. Die Entwicklung

Bereits 1970 zeigte sich, daß die Stabilisierungspolitik nicht im erwarteten Maß funktionierte. Die Wachstumsrate fiel von 1969 bis 1971 von 8,2 % über 5,9 % auf 2,7 % zurück. Gleichzeitig kam es zu einem Anstieg der Lebenshaltungskosten, von Jahr zu Jahr in immer größeren Schüben: 1969 + 2,8 %; 1970 + 3,7 %; 1971 + 5,4 %. Die Arbeitslosenquote, die 1969 auf 0,8 % abgesunken war, blieb etwa auf diesem Niveau. Die Tatsache, daß die Wachstumsrate 1971 nur halb so hoch war wie die Inflationsrate, überraschte Wirtschaftspolitiker und -theoretiker. Da die angenommene Parallelentwicklung von Wachstum und Inflation nicht eintrat, konnte auch dem Auftrag der „Gleichzeitigkeit" von Stabilität und Wachstum nicht entsprochen werden. Die Diskussion über die Ursachen dieser den traditionellen marktwirtschaftlichen Überzeugungen widersprechenden Entwicklung und vor allem die Auseinandersetzung über die in dieser Lage angemessenen konjunkturpolitischen Entscheidungen nahm ihren Anfang. Für die neue Situation war zwar rasch ein Begriff gefunden worden — „Stagflation", d. h. Inflation bei Stagnation bzw. Preisanstieg trotz Konjunkturrückgang —, aber über die zu ergreifenden Maßnahmen einen Konsens zu erreichen, war ungleich schwieriger. Die Arbeitslosigkeit blieb relativ hoch und drohte noch zu steigen. Andererseits nahm seit Anfang der 60er Jahre der Anteil ausländischer Arbeitskräfte ständig zu: 1960: 330 000; 1965: 1,1 Mio; 1970: 1,8 Mio; 1971: 2,1 Mio; 1972: 3,2 Mio (Türken 612 000, Jugoslawen 475 000, Italiener 426 000, Griechen 270 000, Spanier 184 000).

Die alternativen Vorschläge blieben im Rahmen der traditionellen Steuerungsmechanismen, wiesen aber sämtlich Nachteile auf, die irgendeiner der gesellschaftlichen Gruppen nicht hinzunehmen bereit war. Es entstanden verschiedene Zielkonflikte: Das Wachstum zum Beispiel über Zinssenkung und Investitionen zu fördern, würde zwar dem Arbeitsmarkt nützen, aber die Inflationsrate weiter erhöhen. Die Bekämpfung der Inflation über Nachfragedämpfung würde den Abschwung beschleunigen und die Arbeitslosigkeit steigen lassen. Überdies würde eine derartige Entwicklung auch die Staatseinnahmen senken und damit die zahlreichen Reformpläne der sozialliberalen Koalition gefährden.

Unter diesen schwierigen Bedingungen konnten Rivalitäten zwischen den Verantwortlichen nicht ausbleiben. Finanzminister Alex Möller trat im Mai 1971 zurück, weil er die Konjunkturpolitik nicht weiter verantworten wollte. Professor Schiller übernahm das Ressort und hatte nun als „Superminister" die Möglichkeiten, seine „Globalsteuerungspolitik" durchzusetzen.

Daß die Instrumente nicht griffen, erklärte Schiller einige Jahre später so:

„Das lag zuerst nicht daran, daß zuviel des Guten getan worden war, sondern daran, daß die berühmte außenwirtschaftliche Absicherung — also eine Veränderung des Wechselkurses der Mark — zu spät kam. Dies und nicht etwa ein Mißbrauch keynesianischer Politik war der erste Grund. Das zu lange Festhalten an festen Wechselkursen oder an einer — was damals identisch war — unterbewerteten Mark führte im Inland zur Anpassungsinflation und zu den Übersteigerungen des anschließenden Booms Ende der sechziger, Anfang der siebziger Jahre. Das Ganze wurde dann zweitens durch das anschwellende Zahlungsbilanzdefizit der Vereinigten Staaten von Amerika gewaltig verschlimmert, was eine unerhört starke Ausweitung der Weltliquidität und große Liquiditätszuflüsse bei uns verursachte."

1972 kam es zu großen Haushaltsdefiziten, denen gegenüber Schiller eine starke Drosselung der Ausgaben und Steuererhöhungen zum Haushaltsausgleich forderte. Die sozial-liberale Regierung geriet in beträchtliche Schwierigkeiten, weil Schiller spektakulär seinen Rücktritt als Doppelminister, kurze Zeit später auch seinen Austritt aus der SPD erklärte — in eben der Phase, in der die Regierung Brandt nach dem Überstehen des Mißtrauensvotums Neuwahlen ansetzte.

Begrenzte Stabilisierung

Finanz- und Wirtschaftsministerium wurden wieder getrennt besetzt. Mit Helmut Schmidt (SPD) und Hans Friderichs (FDP) schickten die Koalitionpartner Persönlichkeiten ins Feld, die im Ruf von Kompetenz- und Entscheidungskraft standen. Der Spielraum war natürlich auch für sie sehr eingeengt: Abwehr einer weiteren Steigerung der Arbeitslosigkeit und des öffentlichen Ausgabenzuwachses auf 10,5 % sollte Priorität haben; einen mäßigen Preisanstieg glaubte man im Griff behalten zu können. Die anhaltende Abschwächung des Dollar — allein am 1. 3. 1973 mußten Dollars im Gegenwert von 8 Milliarden DM aufgenommen werden — führte zur Entscheidung, das feste Wechselkurssystem mit dem Dollar als Leitwährung aufzugeben und zum sogenannten Floating-System (Marktpreisbildung auf den Devisenmärkten) überzugehen. Damit war die deutsche Wirtschaft vom schwer inflationsgeschwächten Dollar abgekoppelt, und man konnte dem Preisauftrieb mit internen Mitteln begegnen. Die Stabilität der Währung und der Preise erhielt Vorrang. Stabilitätsprogramme zielten darauf, Abgaben zu fordern (Stabilitätsabgabe und Ergänzungsabgabe), Investitionssteuern zu erheben und Geldmittel (Stabilitätsanleihe) bei der Bundesbank zu binden. Die Maßnahmen zeigten bezüglich der Geldwertsicherung und der Preisentwicklung positive Wirkungen: Im Vergleich mit anderen Ländern blieb die Inflationsrate erträglich, wenn sie auch insgesamt steigende Tendenz aufwies (1973/74: 7 %). Die Arbeitslosenziffer erhöhte sich im Zusammenhang mit diesen Stabilitätsprogrammen ebenfalls: 1970: 149 000; 1971: 185 000; 1972: 246 000; 1973: 273 000. Die Wachstumsrate des Bruttosozialprodukts war von 3,0 % (1971) über 3,4 % (1972) 1973 wieder fast auf den Wert von 1970 geklettert: 5,1 % (5,8 %). Die erstaunlichste Entwicklung zeigte sich bei den Außenhandelsüberschüssen: Nach der Einführung des freien Wechselkurses stiegen sie von 15,67 Mrd (1970) über 15,89 (1971) und 20,27 (1972) auf nicht weniger als 32,79 Mrd (1973).

In einer Regierungserklärung zog Bundeskanzler Brandt folgende Zwischenbilanz:

„Die Wirtschaft unserer Bundesrepublik ist gegenwärtig in einer erfreulichen Aufwärtsentwicklung. Wir haben Vollbeschäftigung, das soziale Klima ist stabil, die Zahlungsbilanz ist ausgeglichen, die Einkommen der Arbeitnehmer und Rentner, der Selbständigen — nun auch die der Landwirte — sind nicht unerheblich gestiegen. Das sind alles keine Selbstverständlichkeiten — wie ein Blick über unsere Grenzen zeigt."

3. Die erste Ölkrise und ihre wirtschaftlichen Folgen

Diese konjunkturelle Wachstumsphase — man konnte sogar von einem Boom sprechen, der allerdings einen weniger hohen Aufschwung aufwies und durch Inflations- und Arbeitslosenrate auch besorgniserregende Komponenten hatte — wurde jäh unterbrochen durch die von den arabischen Staaten verfügte Erhöhung der Rohölpreise.

Diese Maßnahme war politisch begründet: Die erdölexportierenden Staaten setzten im Zusammenhang mit dem Jom-Kippur-Krieg (Oktober/November 1973) erstmals den Ölpreis als politische Waffe gegen die Israel unterstützenden westlichen Industriestaaten ein. Die Steigerung der Preise und Drosselung der Förderung sollten zweierlei bewirken: Den im höchsten Maße ölimportabhängigen Staaten Westeuropas wollte man eine Änderung ihrer proisraelischen Politik abpressen und über die erhöhten Einnahmen aus dem Erdölexport sollte die Bezahlung der im Preis stark gestiegenen Güter aus den Industriestaaten finanziert werden.

Die erdölexportierden Staaten des Mittleren Ostens und Venezuela hatten sich bereits 1960 zu einer Organisation zusammengeschlossen (OPEC), der später auch afrikanische Staaten beitraten. Sie hatten bisher das Rohöl zu Bedingungen geliefert, die dieses moderne Heizmaterial und entscheidende Betriebsmittel für den Motorisierungsboom wohlfeil erscheinen ließ, so daß der Verbrauch enorm gestiegen war.

Mineralölverbrauch in Mio t Steinkohleneinheiten

1950	6,3	1965	108,0
1955	15,5	1970	178,9
1960	44,4	1975	181,0

Um so unmittelbarer und härter traf nunmehr die Verteuerung und Verknappung sowohl die Volkswirtschaften insgesamt als auch den einzelnen Bürger. Die Wirkungen wurden mit ganz geringer Zeitverzögerung spürbar. Daß das Ereignis schockartig wirkte, war aus den Reaktionen ablesbar: Die Bundesregierung verfügte Sonntagsfahrverbote für den privaten Verkehr, die Einführung von Geschwindigkeitsbegrenzungen wurden erwogen (in anderen Staaten tatsächlich angeordnet), die Verbraucher kauften Zusatzbehälter für eine größere Vorratshaltung und die Diskussion über Einsparmaßnahmen war allgemein. Gerade weil man vorher wieder eine gewisse Wachstums- und Fortschrittseuphorie entwickelt hatte, fielen jetzt die Perspektivbetrachtungen um so düsterer aus.

Der Titel des vom „Club of Rome", einem internationalen Expertengremium, 1972 herausgegebenen Berichts, „Die Grenzen des Wachstums", wurde zum Schlagwort. Vergleiche mit dem Boom vor 1929 und der jäh hereingebrochenen Katastrophe in der Weltwirtschaftskrise lagen nahe. Und einige Anzeichen wiesen auch tatsächlich auf einen deutlichen Abschwung: 1974 sank die Wachstumsrate des Bruttosozialprodukts auf 0,5 % und wies 1975 sogar einen Rückgang auf − 3,2 % auf. Die Zahl der Arbeitslosen schnellte von 1973 auf 1974 um mehr als das Doppelte auf 582 000 hoch. Zusammen mit der ohnehin hohen Teuerungsquote von 7 % war dies alles sicherlich besorgniserregend.

Aber andere Daten schienen einen gewissen Ausgleich zu signalisieren, die für den einzelnen wie für die Gesamtentwicklung wieder positive Aspekte eröffneten: Die Löhne, die 1973 um durchschnittlich 12,6 % gestiegen waren, konnten auch 1974 noch einmal um 9,4 % angehoben werden; infolge der Preissteigerung lag das reale Plus natürlich weit niedriger, aber die Gesamtbilanz war doch immerhin positiv (s. Tabelle S. 314).

Daß das Krisenbewußtsein nicht besonders ausgeprägt war, zeigte sich auch an den hohen Forderungen der Gewerkschaft Öffentliche Dienste, Transport und Verkehr, die 1974 eine überdurchschnittlich hohe Lohnsteigerung (11 %) erkämpfte, obschon Zurückhaltung eher geboten gewesen wäre. Die Mahnung von Bundeskanzler Brandt vom 18. 1. 1973 schien vergessen, man müsse im Zuwachs des persönlichen Verbrauchs auch einmal langsam treten. Reformgerede, unter dem sich nur Gehaltsforderungen tarnten, tauge wenig.

Der Außenhandelsüberschuß blieb trotz der stark gestiegenen Rohölpreise (Ausgaben 1973: 9,083 Mrd DM; 1974: 22,956 Mrd DM) hoch.

Außenhandelsüberschuß in Mrd. DM:

	Einfuhr	Ausfuhr	Saldo
1971	120,1	136,0	+ 15,9
1972	128,7	149,0	+ 20,3
1973	145,4	178,4	+ 33,0
1974	179,7	230,6	+ 50,8
1975	184,3	221,6	+ 37,3

Aus diesen günstigen Entwicklungen glaubte man folgern zu können, daß die „Ölkrise" bzw. der „Ölschock" eigentlich rasch überwunden war; Löhne, Preise und Kosten schienen sich auf einem höheren Niveau eingependelt zu haben. Erst aus dem späteren Rückblick ergab sich, daß es sich lediglich um eine Scheinblüte gehandelt hatte. Unter der wieder freundlicher erscheinenden Oberfläche liefen Entwicklungen weiter, die eine bald eintretende neue Krise für Wachstum und Konjunktur heraufführen konnten, wenn nicht die entsprechenden Entscheidungen gefällt wurden.

Für Helmut Schmidt als Kanzlernachfolger war dies aufgrund seiner als Wirtschaftsminister gewonnenen Einsichten deutlich. Er betonte in seiner Regierungserklärung vom 15. 5. 1974, daß im internationalen Vergleich die gesamtwirtschaftliche Lage der Bundesrepublik positiv zu bewerten sei und auf dem Weg zu einer größeren Verteilungsgerechtigkeit zwischen Arbeitnehmern und Unternehmern Fortschritte erzielt worden seien. Andererseits müsse man auch die Grenze sehen, denn angemessene Erträge seien Voraussetzungen für die notwendigen Investitionen in der Wirtschaft. Ohne Investitionen gebe es kein Wachstum, ohne Investitionen keine Arbeitsplatzsicherung, keine höheren Löhne und auch keinen sozialen Fortschritt.

Die Finanz- und Wirtschaftspolitik der Regierung war in der Folgezeit eben darauf gerichtet, Investitionsanreize zu bieten und selbst Investitionen zu tätigen. So wurden beispielsweise im Konjunkturprogramm von 1974 1,13 Mrd DM für Baumaßnahmen im Bereich der Energieversorgung, des Fernstraßenbaus, des Hochbaus, bei der Bundesbahn und beim Bundesgrenzschutz bereitgestellt; weitere 0,6 Mrd standen für arbeitsmarktpolitische Maßnahmen zur Verfügung (Zuschüsse für die Einstellung von Arbeitslosen). Die Mittel stammten aus den aufgrund der Stabilisierungsprogramme stillgelegten 6 Milliarden.

Aber auch diesmal griffen die konjunkturpolitischen Instrumente nicht im theoretisch „richtigen" Maß — wiederum zur Überraschung der Experten: Die Arbeitslosenquote stieg von 1974 auf 1975 noch einmal fast auf das Doppelte, auf über eine Million (1,074) um 7,6 %. Jugendliche waren seit 1973 überproportional stark davon betroffen (1975: 11,5 %); der Grund lag zum einen in den starken Geburtenjahrgängen 1955 bis 1956 und in der Tatsache, daß die Unternehmen Neueinstellungen nur zögernd vornahmen. Die Industrieproduktion sank 1975. Die Investitionsquote, die 1971 noch 26,40 % (Bruttosozialprodukt: 756 Mrd) betragen hatte, war über 24,50 % (1973) auf 21,92 % (1974) gesunken und ab 1975 auf einer Höhe von ca. 20,7 % stagnierend.

Insgesamt waren die Aussichten für die wirtschaftliche Entwicklung zwar nicht so düster, wie die Opposition prophezeite, aber auch keineswegs so optimistisch, wie die Koalitionspartner glauben machen wollten. Außer Frage stand, daß Regierende wie Regierte sich auf eine neue Entwicklung einstellen mußten. Je eher der Prozeß des Umdenkens bewußt in Gang gesetzt wurde, desto besser würde die veränderte wirtschaftliche Situation akzeptiert werden.

Arbeitnehmerverdienste 1966 — 1976

	von 1966 bis 1971	von 1971 bis 1976
Anstieg der Brutto-Arbeitnehmerverdienste	10 014 auf 15 392	15 392 auf 24 037
= Lohn-Plus in DM brutto	5 378	8 645
davon zehrten auf:		
höhere Abgaben:	1 892	3 406
höhere Preise	1 408	4 225
= verbleibendes Plus an Kaufkraft:	2 078	1 014

V. SOZIAL- UND GESELLSCHAFTSPOLITIK

1. Bildungsreform

„Chancengleichheit"

„Es gilt insbesondere, das immer noch bestehende Bildungsgefälle zwischen Stadt und Land abzubauen. Ich bin sicher, daß wir auf diese Weise beträchtliche Leistungsreserven unserer Gesellschaft mobilisieren und die Chancen jedes einzelnen verbessern können."

(Regierungserklärung 28. 10. 1969)

Der Rahmen für die Reformen auf dem Gebiet von Bildung und Ausbildung war damit abgesteckt. Konkret wurde dreierlei angestrebt: Herstellung von Chancengleichheit, um jedem Kind die seinen Fähigkeiten entsprechende Persönlichkeitsentfaltung zu ermöglichen, ohne Rücksicht auf seine soziale Herkunft und seinen Wohnort; Herstellung von Gleichwertigkeit zwischen allgemeiner und beruflicher Bildung; Vermehrung des Bildungsangebots, um alle Begabungsreserven ausschöpfen und alle Begabungsrichtungen in optimaler Weise fördern zu können.

Bildungsgesamtplan

Aufgrund des Art. 91 b des Grundgesetzes hatte die Bundesregierung eine verfassungsrechtliche Grundlage für die Bildungsplanung gemeinsam mit den Ländern erhalten. Auf dieser Basis wurde eine Bund-Länder-Kommission für Bildungsplanung gegründet, die in den folgenden Jahren einen Bildungsgesamtplan ausarbeitete und 1973 vorlegte. Er erfüllte den in der Regierungserklärung gegebenen Auftrag, eine langfristige Bildungsplanung für die nächsten 15 bis 20 Jahre und ein Bildungsbudget für einen Zeitraum von 5 bis 15 Jahren aufzustellen.

„Das Ziel ist die Erziehung eines kritischen, urteilsfähigen Bürgers, der imstande ist, durch einen permanenten Lernprozeß die Bedingungen seiner sozialen Existenz zu erkennen und sich ihnen entsprechend zu verhalten. Die Schule der Nation ist die Schule. Wir brauchen das 10. Schuljahr, und wir brauchen einen möglichst hohen Anteil von Menschen in unserer Gesellschaft, der eine differenzierte Schulausbildung bis zum 18. Lebensjahr erhält. Die finanziellen Mittel für die Bildungspolitik müssen in den nächsten Jahren entsprechend gesteigert werden. Die Bundesregierung wird sich von der Erkenntnis leiten lassen, daß der zentrale Auftrag des Grundgesetzes, allen Bürgern gleiche Chancen zu geben, noch nicht annähernd erfüllt wurde. Die Bildungsplanung muß entscheidend dazu beitragen, die soziale Demokratie zu verwirklichen."

Was in den folgenden Jahren in diesem Sinn in die Wege geleitet wurde, kann mit dem Begriff „Aufbruch" am besten beschrieben werden. Von der Elementarstufe (3—4jährige) über die Grundstufe (6jährige), die Sekundarstufen I und II und den Hochschulbereich bis zum Sektor Weiterbildung im Sinne eines „lebenslangen Lernens" wurden organisatorische, quantitative und qualitative Reformen in Angriff genommen. Eigene Institute zur Entwicklung von Lehrplänen, zur Ermittlung bestmöglicher Strukturen, für Innovationen der verschiedensten Art usw. entstanden und versuchten, mit hohem Aufwand an Ideen, Personal und Kosten, den umfassenden Auftrag zu realisieren.

Als Kernpunkte können genannt werden:

- Den sogenannten *kompensatorischen Maßnahmen* wurde besonderes Augenmerk zugewendet: Darunter war der Ausgleich aller aus sozialen Gründen entstandenen Defizite zu verstehen. Um schon vor Beginn der eigentlichen Schulzeit Benachteiligungen zu beseitigen, sollten das Angebot an Kindergartenplätzen stark erhöht (1980 für 70 % aller Drei- und Vierjährigen statt 27 % 1970!) und durch geeignete Verfahrensweisen der Frühpädagogik z. B. die sprachliche Kommunikationsfähigkeit, das soziale Lernen und die individuellen Fähigkeiten und Fertigkeiten gefördert werden.

- Bis 1985 sollten für alle 5—6jährigen Einrichtungen geschaffen werden, die einen gleitenden Übergang von der *Elementarstufe* zur Grundschule ermöglichen sollten.

- Im *Primarbereich* (1.—4. Klasse) sollte es künftig darauf ankommen, das Lernangebot der Grundschule zu erneuern. „Entdeckendes Lernen", selbständiges und gemeinschaftliches Arbeiten und Einübung im Problemlösen waren als neue Maßnahmen vorgesehen. Schon in dieser Altersstufe sollte ein differenziertes „Fächerangebot" bestehen und die Auflockerung des Klassenverbandes angestrebt werden, um die Lernveranlagung, die Erfahrungswelt und die Lerngeschichte des einzelnen Kindes bestmöglich berücksichtigen zu können.

- Die ersten beiden Jahre der *Sekundarstufe I* (5.—10. Schuljahr) sollten als sogenannte *Orientierungsstufe* (5./6. Schuljahr) der Erkennung des künftigen, für den einzelnen optimalen Bildungsweges dienen. Die Dauer der Schulpflicht wurde auf das 10. Schuljahr ausgedehnt, wobei zunächst offen blieb, ob das 10. Schuljahr an der Hauptschule oder an beruflichen Schulen (z. B. als Berufsgrundschuljahr mit Vollzeitbesuch) absolviert werden sollte.

- Der *Sekundarbereich II* umfaßte nach dem Bildungsgesamtplan studien- und berufsbezogene Bildungsgänge. Für die gymnasiale Oberstufe vereinbarte die Kultusministerkonferenz eine Reform, deren besonderes Kennzeichen in der Möglichkeit zur Spezialisierung auf bestimmte Leistungsfächer bei gleichzeitiger Beibehaltung einer breiten Allgemeinbildung durch Grundkurse lag. Die im Rahmen bestimmter Bindungen gegebene Wahlfreiheit sollte die Schüler („Kollegiaten") zur verantwortungsbewußten Entscheidung führen. Insgesamt zielte das System auf eine verbesserte Studierfähigkeit, da die Hochschulen über die den gestiegenen Anforderungen nicht mehr gewachsenen Abiturienten geklagt hatten. Für die berufsqualifizierenden Bildungsgänge war das duale System (Ausbildung in Schule und Betrieb) neben einer berufsbildenden Vollzeitschule vorgesehen.

- Das *Sonderschulwesen* wurde ausgebaut, um den lernbehinderten und geistig oder körperlich behinderten Kindern ebenfalls eine ihrer Bildungsfähigkeit gemäße schulische Betreuung zu eröffnen. Eine möglichst enge Verzahnung mit dem allgemeinen Schulwesen sollte die Sonderstellung der behinderten Kinder auf das geringste Maß reduzieren.

- Da der „Unterbau" auf eine weitestgehende *Ausschöpfung der Begabungen* hin konzipiert war — mit dem entsprechenden Neubau von weiterführenden Schulen in allen zentralen Orten und einem eigenen Schulbussystem, das den Schulbesuch von den gegebenen öffentlichen Verkehrsmitteln und den finanziellen Möglichkeiten der Eltern unabhängig machte — mußte in wenigen Jahren mit einer entsprechend größeren Zahl von Abiturienten gerechnet werden (1970 waren es etwa 9 %; 1980/81 etwa 18 %).

- Hochschulen und Fachschulen sollten als *tertiärer Bereich* eine entsprechende Kapazitätsausweitung erfahren. Wie im Sekundarbereich sollte auch hier ein regional ausgeglichenes Angebot an Studienplätzen geschaffen werden mit dem Ziel, auch im Hochschulsektor der Bevölkerung in allen Regionen gleiche Bildungschancen zu geben. Der seit 1969 auch zu den Gemeinschaftsaufgaben zählende Hochschulbau steigerte bis 1973 die Zahl der Studienplätze um 80 000. Die Zahl der neugeschaffenen Plätze war erstmals 1972 größer als die Zahl der Studienanfänger, aber zu diesem Zeitpunkt hatte der Andrang der Studienanwärter bereits zu einem „Studentenberg" geführt, der Zulassungsbeschränkungen notwendig machte.

- Eine *Studienreform* sollte Studiengänge und -ziele ebenso überprüfen und neu bestimmen, wie das in den Lehrplankommissionen der verschiedenen Schularten und -stufen der Fall war.

- Von großer Bedeutung war die Änderung der *Hochschulverfassungen,* die zur Ablösung der traditionellen Rektoratsverfassung durch eine als demokratiegemäßer empfundene Fachbereichs- und Kollegialstruktur führte, wobei die verschiedenen Gruppen (Professoren, akademischer Mittelbau, Studenten, Verwaltungspersonal) an Entscheidungen beteiligt wurden (Gruppenuniversität). Die Detailregelungen dafür waren in den einzelnen Bundesländern verschieden.

- Schließlich sollten die *Weiterbildungsmöglichkeiten* wesentlich verbessert werden (Kostenansatz 1970: 179 Mio DM), um den Menschen, die bereits im Beruf stehen, eine Chance zu eröffnen, sich den wachsenden und immer rascher wechselnden gesellschaftlichen und beruflichen Anforderungen anzupassen.

Differenzen zwischen A- und B-Ländern

Alles dies wurde ab 1970 mit einem eindrucksvollen Engagement der Beteiligten und enormen finanziellen Mitteln zunächst in Modellversuchen, schließlich in der gesamten Breite des Bildungswesens auf den Weg gebracht. Differenzen zwischen den sozialdemokratisch regierten (A-Länder) und den unionsregierten (B-Länder) Bundesländern entstanden in folgenden Teilbereichen:

- Sollte die *Orientierungsstufe* an einer der bestehenden Formen des dreigegliederten Schulwesens (schulformabhängig) besucht und der Übergang von einer Schulart zur anderen durch weitgehende Gleichheit der Lehrpläne problemlos ermöglicht werden? Oder sollte mit der 5. Klasse bereits die „Gesamtschule" eingeführt werden, die alle Schüler gleichermaßen besuchen und bei der die unterschiedlichen Interessen und Fähigkeiten durch eine Binnendifferenzierung berücksichtigt werden?

● Sollte das dreigegliederte Schulwesen bisheriger Art möglichst rasch durch das die Chancengleichheit angeblich besser realisierende *Gesamtschulsystem* abgelöst werden? Oder sollte die Gesamtschule erst in Modellversuchen beweisen, daß die behaupteten Vorzüge (Wegfall der sozialen Diskriminierung der Nicht-Gymnasiasten, bessere Ermittlung und Förderung der individuellen Fähigkeiten, Steigerung des sozialen Engagements usw.) tatsächlich gleichzeitig mit der Beibehaltung eines hohen Gesamtleistungsniveaus erreicht werden können?

● Sollte die *Lehrerbildung* im Sinne stufenbezogener Lehrbefähigungen reformiert werden (Primarbereich, Sekundarstufen I und II), oder sollte das bisherige schulartbezogene Ausbildungssystem beibehalten werden?

Gesamtschule in Münster/Westfalen.

- Sollte die *Mitbestimmungsregelung an den Hochschulen* beibehalten werden, oder sollte im Hinblick auf die Grundgesetzgarantie der Freiheit von Forschung und Lehre den Professoren ein Vorrecht eingeräumt werden?

Da bei keiner dieser Fragen kurzfristig eine Einigung möglich war, entwickelte sich die Reform in A-Ländern anders als in B-Ländern:

- Orientierungsstufen wurden zum Beispiel in Niedersachsen schulartunabhängig eingerichtet, in verschiedenen B-Ländern hingegen den bisherigen Schularten zugeordnet.

- Integrierte Gesamtschulen wurden in Berlin bereits 1970 als Regelschulen eingeführt, in anderen A-Ländern in relativ großer Zahl als „Angebots"- oder Versuchsschulen (z. B. Hessen, Nordrhein-Westfalen, Hamburg, Niedersachsen). In B-Ländern wurde die Einrichtung von Gesamtschulen auf Versuchsebene vorgenommen und auch dies zum Teil lediglich in additiver (räumliches Nebeneinander der drei Schularten in einem Schulzentrum) oder kooperativer Form (gemeinsame Orientierungsstufe, ab der 7. Klasse schulartspezifische Ausprägungen).

- Die von den Ländern erlassenen Reformgesetze zur Lehrerbildung differenzierten je nach dem Grundkonzept für das Schulsystem.

- Auf eine entsprechende Klage niedersächsischer Hochschullehrer entschied das Bundesverfassungsgericht 1973 im Sinne der Gruppe der Professoren, so daß sie bei Entscheidungen, die Forschung und Lehre betrafen, nicht überstimmt werden konnten.

Alle diese unterschiedlichen Entwicklungen ließen ebenso die Debatte um den Wert des Föderalismus im Bildungsbereich wieder entflammen wie die Kritik an den Reformen an sich. Hinzu kamen nach relativ kurzer Zeit weitere belastende Momente: Die wirtschaftliche Entwicklung wirkte sich ab 1974/75 durch die schwieriger werdende Finanzierung aus. Der überproportionale Anstieg der Jugendarbeitslosigkeit reduzierte die durch eine verbesserte Berufsausbildung beabsichtigte Steigerung der Chancen. Die Kapazitäten der Hochschulen reichten trotz des bundesweiten Gründungs- und Baubooms bei weitem nicht aus, um die aus den Gymnasien herandrängenden Studentenmassen zu fassen. Mit der Einführung des Numerus clausus (Zulassungsbeschränkung) für eine ganze Reihe von Studiengängen — besonders betroffen waren medizinische Fächer — schien ein Gutteil der durch die reformierte Oberstufe beabsichtigten verbesserten Studierfähigkeit sinnlos zu werden. Der in den Anfangsjahren der Reform aufgrund der Ausweitung des Schulwesens und der Reduzierung der Klassenstärken grassierende Lehrermangel wurde in wenigen Jahren abgebaut und die Gefahr eines Lehrerüberschusses zeichnete sich ab, weil allzu viele der Lehrerwerbung gefolgt waren und die Planstellenzuwächse bei knapper werdenden Mitteln geringer wurden.

Neben diesen wachsenden Organisationsschwierigkeiten machten sich bald auch inhaltliche Probleme bemerkbar: Was mit „Mündigkeit" und „Emanzipation" zunächst als positives Erziehungsziel gemeint war, entwickelte sich unter dem Einfluß von ideologisch geprägten Kräften zu Widerstandsdenken und prinzipiellen Konflikttendenzen, die zur Konfrontation mit allen traditionellen Autoritäten führen sollten.

Die Veröffentlichung der Hessischen Rahmenrichtlinien für Deutsch und Gesellschaftslehre im Jahre 1972, die nach Überzeugung der Kritiker eine besondere Tendenz in diese Richtung aufwiesen, löste eine überaus heftige und kontroverse Diskussion aus. Die für alle Lehrpläne geltende Lernzielorientierung erwies sich vor allem dort als problematisch, wo sie mit einem stringenten System von Lernzielkontrollen und Leistungsmessung kombiniert war. Dies führte zu einer Überbetonung des kognitiven (verstandesbezogenen) und einer Vernachlässigung des affektiven (Gefühls-)Bereichs, weil hier Lernfortschritte nicht meßbar waren. Das ursprünglich zur Individualisierung des Lernprozesses gedachte komplizierte Differenzierungssystem nach Interessen und Fähigkeiten erwies sich als belastend, weil die Schüler permanent gefordert wurden, um errungene Positionen zu halten oder die jeweils nächsthöheren zu erreichen. In der gymnasialen Oberstufe führten die Wahl- und Entscheidungsfreiheiten der Schüler zu einer immer umfangreicher werdenden Bürokratisierung und im Zusammenhang mit dem Numerus clausus zu einer eher auf Notenspekulation als auf Interesse bezogenen Kursbelegungspraxis.

Trotz all dieser Probleme, die zum Teil reformimmanent, zum Teil aber auch durch Entwicklungen außerhalb des Bildungsbereichs verursacht wurden, war Mitte der 70er Jahre die Gesamtbilanz der Reformen im Bildungswesen überwiegend positiv: Das Angebot an Bildungsstätten und -wegen war stark vergrößert worden und die Diskussionen über inhaltliche Verbesserungen hatten zu sehr intensiven Reflexionen über Sinn und Ziel von Bildung geführt. Wo im ersten Anlauf Einseitigkeiten und Übersteigerungen auftraten, korrigierten die öffentlichen Diskussionen und die an den Versuchsschulen gewonnenen umfangreichen Erfahrungen sie wieder auf praktikable Formen und grundgesetzgemäße Inhalte.

2. Fortsetzung der sozial- und gesellschaftspolitischen Reformen

Das Gesamtziel einer „Erneuerung der Gesellschaft" wurde außer auf dem Weg über eine verbesserte, für alle gleichwertige Bildung und Ausbildung und dem als Resultat erwarteten gesteigerten Selbstbewußtsein natürlich auch durch eine weitere Stabilisierung der materiellen Daseinssicherung angestrebt. Da das soziale Sicherheitsnetz bereits relativ eng geknüpft war, konnten jetzt weitere Verbesserungen verfügt werden. Die Gesetze der sozialliberalen Koalition, die von 1969 bis 1974 erlassen wurden, waren so zahlreich, daß sie in diesem Rahmen nicht im einzelnen aufgeführt werden können.

● Größte Bedeutung für die Herstellung von Chancengleichheit im Bildungsbereich hatte das *Bundesausbildungsförderungsgesetz* (1971), das allen Jugendlichen einen Rechtsanspruch auf staatliche Förderung einer ihrer Neigung, Eignung und Leistung entsprechenden Ausbildung sicherte, falls die für ihren Lebensunterhalt und ihre Ausbildung erforderlichen Mittel anderweitig nicht zur Verfügung stehen. 1974 wurden die Bedarfssätze und Freibeträge um 20 % angehoben, Verbesserungen für einzelne Gruppen eingeführt und die Schüler der 10. Klasse in den Kreis der Anspruchsberechtigten einbezogen.

● Im Sektor der gesetzlichen *Krankenversicherung* wurden Gesetze zur Leistungsverbesserung (1973) und zur wirtschaftlichen Sicherung der Krankenhäuser mit Bundesmitteln (1972) erlassen.

● Die gesetzliche *Unfallversicherung* wurde auf Schüler, Studenten und Kinder in Kindergärten ausgedehnt (1971), und es wurden die Leistungen zur Rehabilitation geregelt (1974).

● Die Weiterentwicklungen bei der gesetzlichen *Rentenversicherung* bezogen sich neben den Anpassungen der Geldleistungen auf die Einführung einer flexiblen Altersgrenze (Inanspruchnahme bereits ab dem 63. Lebensjahr) und auf die Einführung einer Rente nach Mindesteinkommen — Ausgleich für regionale oder branchenbedingte Niedriglöhne und für Lohndiskriminierung bei Frauenarbeit — (1972).

● In Fortführung des 1969 erlassenen *Arbeitsförderungsgesetzes* wurde die Zahlung eines Wintergeldes an Bauarbeiter eingeführt (1972) und eine Lohnfortzahlung für 3 Monate für Arbeitnehmer von Betrieben, die in Konkurs gehen (1974).

● Von zentraler gesellschaftlicher Bedeutung waren die gesetzlichen Maßnahmen im Bereich des *Familienausgleichs.* Kernpunkt war das *Einkommensteuerreformgesetz* von 1974, mit dem ein einheitliches Kindergeld in einer nach Kinderzahl gestaffelten Höhe für Kinder bis zum 18. bzw. für in Ausbildung befindliche Jugendliche bis zum 27. Lebensjahr eingeführt wurde.

● *Mieterschutzgesetze* (1971 und 1974) sicherten den Mieter vor willkürlichen Kündigungen und legten Höchstmietsätze fest.

● Das Zweite *Wohngeldgesetz* (1970) erweiterte den Kreis der Berechtigten durch Erhöhung der Einkommensgrenzen.

● Das Dritte Gesetz zur *Förderung der Vermögensbildung* für Arbeitnehmer (1970) verdoppelte den bislang begünstigten Betrag von DM 312. Die Festsetzung von Einkommensgrenzen für die Sparförderung diente der Bevorzugung der Bezieher von niedrigen und mittleren Einkommen. Mit dem Gesetz waren auch Anreize geschaffen, daß bei Tarifabschlüssen vermögenswirksame Leistungen einbezogen wurden.

Der Erfolg dieser Gesetzeswerke konnte im Zusammenhang mit der allgemeinen wirtschaftlichen Entwicklung nicht ausbleiben. Einkommensteigerungen trotz der Inflationsrate, steuerliche Verbesserungen, Zuschüsse und Fördermittel der verschiedensten Art bewirkten selbstverständlich eine Steigerung des Lebensstandards.

Dies war darauf zurückzuführen, daß die Einkommensschichtung einen deutlichen Trend nach oben aufwies und für den Grundbedarf (Nahrungsmittel, Kleidung, Miete, Licht, Heizung) nur noch etwa die Hälfte des monatlichen Einkommens ausgegeben werden mußte. Innerhalb der Ausgaben für den freien Bedarf (Möbel, Hausrat, Auto, Kosmetika, Reisen, Unterhaltung u. a.) spielten Reisen und Urlaub eine zunehmende Rolle. Die Arbeitszeit sank im Gesamtdurchschnitt aller Arbeitnehmer auf ca. 40 Stunden (1960: 44,3; 1965: 42,6; 1970: 41,3), der Grundurlaub und die bezahlten Feiertage stiegen auf 37 Tage, so daß 1973 25 % der Bevölkerung mehrmals, 50 % einmal jährlich Urlaub machen konnten; bei den Selbständigen waren es 22 % bzw. 49 %, bei den Rentnern 21 bzw. 53 %.

Einkommensschichtung in der Bundesrepublik Deutschland (in %)

Jahr	unter 500	500 — 1000	1000 — 1500	1500 — 2000	2000 — 3000	3000 und mehr	Zahl der Haushalte in 1000
	Monatliches Nettoeinkommen in DM von ... bis unter ...						
	Selbständigen-Haushalte						
1950 [1])	59,8	29,7	6,8	2,1	1,6		2 820
1955 [1])	23,7	45,7	18,2	6,4	6,0		2 840
1960	7,6	31,9	29,9	15,3	9,0	6,3	2 945
1964	2,5	18,0	26,7	21,2	18,2	13,4	2 790
1968	0,5	7,9	17,4	20,3	26,4	27,5	2 570
1970	0,1	3,7	10,4	15,5	28,4	41,9	2 500
	Angestellten-Haushalte						
1950 [1])	74,9	19,8	3,8	1,0	0,5		2 885
1955 [1])	40,6	42,8	10,9	3,2	2,5		3 250
1960	20,0	45,2	21,2	7,6	3,8	2,2	4 020
1964	10,8	37,1	26,9	15,1	7,5	4,6	4 600
1968	4,9	26,7	28,7	17,0	12,5	8,2	5 030
1970	2,2	20,7	27,2	19,4	17,2	13,3	5 285
	Rentner-Haushalte						
1950 [1])	93,5	6,1	0,4	0,0	0,0		4 260
1955 [1])	80,0	16,8	2,7	0,4	0,1		4 570
1960	65,5	24,0	7,7	2,1	0,6	0,1	5 656
1964	53,6	28,5	11,6	4,1	1,8	0,4	6 275
1968	39,5	35,4	14,1	6,5	3,4	1,1	7 350
1970	30,8	39,0	15,3	8,0	4,9	2,0	7 720
	Alle Haushalte						
1950 [1])	80,6	15,9	2,5	0,6	0,4		15 250
1955 [1])	53,3	34,2	8,4	2,4	1,7		16 230
1960	34,6	37,5	17,4	6,0	2,9	1,6	18 905
1964	23,9	33,9	22,1	10,6	6,1	3,4	20 370
1968	17,0	30,9	22,8	13,2	9,7	6,4	21 550
1970	11,9	27,0	22,4	15,1	13,2	10,4	22 400

[1]) Ohne Berlin (West) und Saarland   Quelle: DIW

Probleme der Vermögensverteilung

Entscheidend für eine echte gesellschaftliche Strukturverbesserung waren freilich nicht diese Fortschritte, so erfreulich sie für den Lebensstandard und das Gefühl von Lebensqualität beim einzelnen auch sein mochten. Die Entwicklung der Vermögensverteilung von 1969 bis 1973 (Vermögen: Grund-/Hausbesitz, Wertpapiere, Spargut-haben, Betriebseigentum, Lebensversicherungsguthaben) zeigte zwar bei den Arbeitern den realtiv stärksten Anstieg (+ 91,4 %), aber ihr durchschnittliches Nettovermögen lag noch hinter dem Vermögen der Nichterwerbstätigen an letzter Stelle und betrug nur etwas mehr als die Hälfte des Durchschnittsvermögens aller Haushalte. Die Selbständi-gen hatten nicht nur den zweitstärksten Vermögenszuwachs zu verzeichnen (+ 70,6 %), sie hatten auch mit einem Durchschnittsvermögen weitaus die Spitzenposition inne (2. Stelle: Landwirte).

Der Haus- und Grundbesitz wies 1973 ebenfalls eine breitere Verteilung auf, da die verschiedenen Förderungsmaßnahmen Erfolge zeitigten. 1973 waren von je 1000 Haushalten Haus- und Wohnungseigentümer: Landwirte 963, Selbständige 604, Arbeiter 381, Beamte 341 und Angestellte 313.

Für die Kritiker der Vermögenspolitik war dies freilich längst nicht der Durchbruch zu einer gerechteren Verteilung. Sie verwiesen darauf, daß der Großteil der Bevölkerung lediglich über ein relativ bescheidenes Geldvermögen verfüge. Als entscheidender Fortschritt könne allein eine Umverteilung des Produktivvermögens gewertet werden. Es wurden verschiedene Modelle entwickelt und teilweise auch praktiziert, um den Arbeitnehmern die Chance zu verschaffen, Eigentumsanteile an dem Betrieb, in dem sie beschäftigt waren, zu erwerben.

3. Reformen im Rechtswesen

Die sozialliberale Koalition nützte selbstverständlich auch die Möglichkeiten der Rechtsreform, um ihre gesellschaftspolitischen Ziele zu realisieren. „Es geht um mehr als um die erforderliche Anpassung von Rechtsvorschriften an die sich rapide verändernden wirtschaftlichen, technischen und sozialen Verhältnisse. Die Menschen in unserer Industriegesellschaft erwarten eine soziale und humane Rechts- und Lebensordnung, die allen Bürgern gleiche Chancen und Schutz auch vor dem wirtschaftlich Stärkeren gewährt." Die wichtigsten Bereiche waren Ehe- und Familienrecht, Sexualstrafrecht, Reform des Strafvollzugs und der Rechtspflege. Die Vorhaben wurden von Justizminister Jahn als Diskussionsentwürfe der Öffentlichkeit vorgelegt, um die Bürger zum einen anzuhören und sie zum anderen aufzuklären.

● Die *Reform des Abtreibungsparagraphen 218* war besonders heftig umstritten, weil hier die weltanschaulichen Gegensätze aufeinanderprallten. Regierungsabsicht war es, der bei den Abtreibungen extrem hohen Dunkelziffer illegaler Schwangerschaftsabbrüche durch die Erlaubnis zum legalen Abbruch innerhalb einer Dreimonatsfrist (Fristenregelung) zu begegnen (1974). Da dies vom Bundesverfassungsgericht auf Antrag der Opposition verworfen wurde, kam später (1976) — gegen die Stimmen von CDU/CSU — die sogenannte Indikationsregelung zustande: Ein Schwangerschaftsabbruch ist nach intensiver sozialer Beratung dann erlaubt, wenn nach ärztlichem Gutachten eine medizinische oder eugenische oder soziale Rechtfertigung gegeben ist.

● Die Auseinandersetzung um ein *neues Scheidungsrecht* dauerten noch länger. Die Umstellung vom Verschuldungs- auf das Zerrüttungsprinzip sollte die als unwürdig empfundene öffentliche „Aufrechnung" von alleiniger oder anteiliger Schuld am Scheitern der Ehe ablösen: „Eine Ehe kann geschieden werden, wenn sie gescheitert ist. Die Ehe ist gescheitert, wenn die Lebensgemeinschaft nicht mehr besteht und nicht erwartet werden kann, daß die Ehegatten sie wiederherstellen."

● Die *Reform des Sexualstrafrechts* folgte dem Grundsatz, einerseits Eingriffe in die Privatsphäre des Bürgers zu vermeiden, andererseits die ungestörte Entwicklung von Kindern und Jugendlichen zu schützen. Homosexualität wurde zum Beispiel als reiner Jugendschutztatbestand formuliert.

- Andere Rechtsänderungen betrafen die Aufhebung des Unterschiedes von Zuchthaus, Gefängnis und Haft. Seit 1969 gibt es für Erwachsene nur noch eine *einheitliche Haftstrafe*. Haftstrafen unter einem halben Jahr sollen in der Regel durch eine Geldstrafe ersetzt werden; die Tagessätze sind an den wirtschaftlichen Verhältnissen des Täters zu orientieren (2 000 bis 10 000 DM). Andere Änderungen betrafen die Verbesserung der Resozialisierung.

4. Die „Neue soziale Frage"

Eine Beurteilung von Erfolg oder Scheitern der sozial- und gesellschaftspolitischen Reformmaßnahmen zum Zeitpunkt Mitte der 70er Jahre war kaum möglich, weil die Dinge im Fluß blieben. Trotzdem konnten einige Feststellungen getroffen werden:

Die im Rahmen der gegebenen Möglichkeiten durchgeführten sozialpolitischen Reformen lagen auf der „klassischen" Linie, die darauf zielte, das Netz der sozialen Sicherheiten immer dichter zu knüpfen. Fortschritt wurde verstanden als finanzielle Steigerung der verschiedenen Sozialleistungen.

Aber noch während man mit berechtigtem Stolz auf den Anstieg des Sozialbudgets verwies, die Tatsache hervorhob, es könne kaum jemand durch alle Maschen des sozialen Netzes fallen, und die enormen Anstrengungen herausstellte, die zur Finanzierung all dieser Leistungen nötig waren, wurde auf eine „neue soziale Frage" aufmerksam gemacht. Führende Politiker der Union verwiesen darauf:

„Zu dem Konflikt zwischen Arbeit und Kapital sind Konflikte zwischen organisierten und nicht organisierten Interessen, zwischen Minder- und Mehrheiten, zwischen Stadt und Land und zwischen den Machtausübenden und Machtunterworfenen innerhalb der organisierten gesellschaftlichen Gruppen getreten." Eine Weiterentwicklung der Sozialpolitik könne deshalb nicht mit einer quantitativen Ausdehnung der Mittel gleichgesetzt werden. Man verwies darauf, daß Armut unvermindert bestehe, da 5,8 Mio Menschen in 2,2 Mio Haushalten nur über ein Einkommen verfügten, das unter dem Sozialhilfeniveau liege. „Es handelt sich dabei nicht um Gammler, Penner oder Tippelbrüder, sondern um 1,1 Mio Rentnerhaushalte (= 14,5 % aller Rentnerhaushalte) mit 2,3 Mio Personen, um 600 000 Arbeiterfamilien mit 2,2 Mio Personen und 300 000 Angestelltenhaushalte mit 1,2 Mio Personen." Bei Arbeitern und Angestellten sei weniger die Statuszugehörigkeit der ausschlaggebende Faktor für die Armutssituation, sondern vor allem die Zahl der zu versorgenden Kinder. „Kein Bürger der Bundesrepublik ist heute deshalb arm, nur weil er Arbeiter ist, sondern er ist zum Beispiel arm, wenn er Arbeiter ist und Kinder hat oder alt geworden ist oder unter die Leichtlohngruppen fällt."

(Zitiert nach Groser, Manfred, Die Neue Soziale Frage, in: Beilage zur Wochenzeitung Das Parlament B 10, 11. 3. 1978, S. 8).

Das Augenmerk solle stärker auf den Familienlastenausgleich gelenkt werden: „Die Lasten für das Aufbringen der jungen Generation, ohne die kein Volk und keine Kultur ihre Werte erhalten und tradieren können, müssen gerecht verteilt werden, so daß das Volk nicht durch eine falsche Verteilung dieser Lasten seinen Bestand gefährdet." Diese schon in den fünfziger Jahren geäußerte Mahnung gewann zu Beginn der 70er Jahre hohe Aktualität, weil die Geburtenrate seit 1966 in immer rascheren Schüben schrumpfte und 1974 (518 103) bereits auf die Hälfte von 1964 (1 034 580) gesunken war.

Als Hauptursachen glaubte man zu erkennen: Die Emanzipation der Frau, das Wohlstandsdenken und veränderte Werthaltungen. Kinder wurden zunehmend als Belastung für den Lebensstandard angesehen, aber auch andere Gründe nichtwirtschaftlicher Art spielten eine Rolle. Sie resultierten zumeist aus einer gewandelten Einstellung zu den Fragen der Daseinsgestaltung, der Sinnerfüllung im Leben, zwischenmenschlichen Beziehungen usw. Nicht zuletzt in diesen prinzipiellen Einstellungsveränderungen zeigten sich Folgen der „Aufklärung" der 68er-Bewegung über die wahre Natur der Gesellschaft, ihren „kapitalistischen" Charakter, die angeblich zwangsläufig in ihr bestehende und nicht überwindbare materielle Ungleichheit. Das Problem war, ob es gelingen würde, eine andere Perspektive zu gewinnen.

Die Bundesrepublik Deutschland 1974— 1983

Die Regierung Schmidt/Genscher
bis zur Bundestagswahl 1976

VORBEMERKUNG

Der Rücktritt von Bundeskanzler Willy Brandt (SPD) am 6. Mai 1974 nach Bekanntwerden der Spionagetätigkeit seines Referenten Guilleaume für die DDR löste zwar eine begrenzte Zeit öffentliche Erregung, jedoch keine innenpolitische Krise aus.

Die Kontinuität bezog sich allerdings nur auf den äußeren Rahmen der Regierungskoalition. Das Bedingungsgeflecht für das politische Handeln war hingegen deutlich anders gefügt als noch vor einem Jahrfünft, als die erste sozial-liberale Regierung Brandt/Scheel ihre Tätigkeit aufnahm. Auf diese Veränderungen hatten bereits seit 1972/73 Signale hingewiesen: Dazu gehörte die sogenannte erste Ölkrise ebenso wie die Brutalität terroristischer Gruppen, das Bewußtsein der ökologischen Probleme ebenso wie die Angst vor konkreten Gefahren und vor unwägbaren künftigen Entwicklungen. Die westlichen Industriegesellschaften ahnten erstmals die Grenzen des Wachstums und der Sicherheit, die Anfälligkeiten ihres Wohlstands und des Friedens.

Die Hoffnungen und Erwartungen der frühen siebziger Jahre, vor allem verknüpft mit der so erfolgreich erscheinenden Entspannungspolitik zwischen West und Ost sowie zwischen den beiden Staaten in Deutschland, aber auch charakterisiert durch eine weitverbreitete, von Optimismus geprägte Aufbruchstimmung, erwiesen sich als wenig stabil. Das „Stimmungshoch" wurde abgelöst von einer eher pessimistischen Haltung, die sich zum einen auf alle Lebensbereiche ausdehnte und sich zum anderen in der Tendenz allmählich verstärkte.

Der mit allem Nachdruck vorgebrachte Hinweis auf die unbestreitbare Tatsache, daß alle Krisenerscheinungen weltweit festzustellen seien, die Bundesrepublik Deutschland

327

im Vergleich sogar relativ gut abschneide, womit bewiesen sei, daß die von der Regierung angewendeten Verfahren in der gegebenen Situation das Bestmögliche seien — allmählich verlor diese Argumentation an Überzeugungskraft. Gleichzeitig wuchs die Bereitschaft, dem Versprechen der Opposition, eine entscheidende Wende herbeizuführen zu können, Glauben zu schenken.

I. INNENPOLITIK

1. Parteien und Wahlen

Die Regierungsparteien

Für seine am 17. Mai 1974 in der 100. Sitzung des Bundestages abgegebene Regierungserklärung hatte der am Vortag mit 267 von 492 Stimmen gewählte Bundeskanzler Helmut Schmidt das Motto „Kontinuität und Konzentration" gewählt. „Der Wechsel im Amt ändert nichts an der fortgeltenden Richtigkeit und Notwendigkeit sozialliberaler Politik in unserem Lande." Der Dank an den Vorgänger war in Worte gefaßt, die programmatischen Charakter hatten: „Wir wissen, daß wir weiterhin seinen Rat brauchen und daß wir auf seinen Rat zählen können." Die Ausführungen Schmidts machten deutlich, daß man den bisherigen Kurs, angepaßt an die vor allem wirtschaftlich und finanziell schwierigeren Gegebenheiten, fortsetzen wollte und Brandt auch künftig, nach entsprechender Klärung der Affäre Guillaume und nach der innerparteilichen Konsolidierung, in der SPD eine führende Rolle behalten würde. Die Partei machte alle Anstrengungen, um Kontinuität nicht nur zu verkünden, sondern durch die „erneuerte Mannschaft" zu beweisen, vor allem die von seiten der CDU/CSU behauptete innerparteiliche Spaltungsgefahr zwischen der sozialdemokratischen Mehrheit und dem sozialistischen Flügel zu widerlegen. Die bewährte Integrationskraft, die vom Charisma des Parteivorsitzenden Willy Brandt ausging, war dafür zweifellos notwendig.

Dem 1975 in Mannheim als Langzeitprogramm verabschiedeten „ökonomisch-politischen Orientierungsrahmen für die Jahre 1975—1985" kam bei diesen Anstrengungen eine besondere Bedeutung zu. Auf der Grundlage des Godesberger Programms von 1959 wurden die Grundwerte des demokratischen Sozialismus präzisiert und konkretisiert, die eingetretenen und zu erwartenden gesellschaftlichen Entwicklungen analysiert und aufgezeigt, wie durch Reformen die Gesellschaftsordnung der Bundesrepublik Deutschland in Richtung auf mehr Freiheit, mehr Gerechtigkeit und mehr Solidarität verändert werden könne. Die marktwirtschaftliche Grundstruktur der Bundesrepublik Deutschland wurde weiterhin akzeptiert. Daß die SPD dennoch keine „Partei des Kapitals" geworden war, vielmehr der Idee des Sozialismus unter den veränderten Bedingungen verpflichtet blieb, belegte sie sowohl durch die Grundwerte und Grundforderungen als auch durch die längerfristigen Handlungsziele in den verschiedenen Politikbereichen. Die Grundwerte Freiheit, Gerechtigkeit und Solidarität erfuhren eine Interpretation, in der Elemente der Parteitradition mit gegenwärtigen Erfordernissen verbunden waren. Die Aussagen zu grundsätzlichen Fragen waren von dem Bemühen geprägt, die Denkanstöße der 60er Jahre aufzunehmen, die kritische Generation der außerparlamentarischen Opposition zu integrieren und Perspektiven für die späten siebziger und für die achtziger Jahre aufzuzeigen.

Der Koalitionspartner FDP, der seit der Regierungsbeteiligung 1969 ein neues Verständnis von Liberalismus entwickelt hatte, war mit der SPD durch wichtige Übereinstimmungspunkte verbunden: Streben nach Demokratisierung gesellschaftlicher Teilbereiche, Bildungsreform, Fortführung der neuorientierten Deutschland- und Ostpolitik. Der Wandel in den Parteiprogrammen seit 1969 brachte natürlich auch eine Änderung in der Zusammensetzung der Wähler- und Mitgliederschaft mit sich: Neben dem alten Mittelstand (Selbständige, Freiberufliche) gewannen die Gruppierungen des neu-

Die Bundesversammlung wählte am 15. Mai 1974 in Bonn Walter Scheel zum Bundespräsidenten.

en Mittelstandes (Beamte, leitende Angestellte, einkommensstarke Facharbeiter) größere Bedeutung. Diese Verschiebung barg allerdings auch Risiken in sich: Da man auf der „rechten" Seite Anhängerschaft verloren hatte, konnte die Eigenständigkeit gegenüber der SPD nur durch verstärkte Abwehr gegen „sozialistische Experimente", durch die Kombination „Ermöglichung von Gewinnstreben" und „Abwehr sozialschädlicher Folgen", durch Abbau von „Überprivilegien" zugunsten von Schwächeren und anderem bewiesen werden — ein um so schwierigeres Unterfangen, als der Orientierungsrahmen '85 der SPD vergleichbare Ziele setzte. Der Eigenanspruch, weder „kleine Volkspartei" noch Interessenvertretung von Privilegierten, sondern Partei der mündigen, aufgeklärten, emanzipierten, rational geprägten Bürger zu sein, war innerhalb der Partei konsensfähig. Komplizierter war die Übereinstimmung im wirtschaftspolitischen Kurs in der sich abzeichnenden Rezession. Daß die rheinland-pfälzische FDP eine Koalitionsaussage zugunsten der CDU (für die Landtagswahl am 9. März 1975) machte und die Saar-FDP das CDU-Minderheitenkabinett Röder tolerierte, konnte landesspezifisch, aber auch als erstes Anzeichen einer neuerlichen Hinwendung zu konservativen Auffassungen interpretiert werden.

Die Oppositionsparteien CDU/CSU

CDU/CSU mußten weiterhin in der Oppositionsrolle versuchen, sich innerparteilich zu festigen und Wege zu erschließen, die einen Wählerzustrom von mehr als 50 Prozent ermöglichten. Bezüglich der politischen Grundsätze gab es zwischen CDU und CSU keinen Dissens. Auch die aktuelle Situation wurde gleichermaßen bewertet: Seit 1973 glaubte man eine „Tendenzwende" in der geistig-politischen Auseinandersetzung erkennen zu können; Brandts Rücktritt wertete man als Beweis dafür, daß die „Verheißung großer Reformen an der Realität" gescheitert war. Der Kanzlerwechsel Brandt/Schmidt und die trotz der Erschütterung durch den Terrorismus aufrechterhaltene innere Stabilität machten es jedoch für die Opposition schwierig, der Regierung Handlungsunfähigkeit bzw. Versagen vorzuwerfen.

Innerhalb von CDU/CSU kam es zu Auseinandersetzungen um die Oppositionsrolle in der gegebenen Krisensituation und um die Wahltaktik für die Bundestagswahl 1976.

2. Das Problem des Terrorismus

Mit der Doppelstrategie „Gewalt gegen Sachen und Personen" und „Marsch durch die Institutionen" hatten die Radikalen unter den Anhängern der „Neuen Linken" bereits seit Mitte der sechziger Jahre ihre „systemverändernden Ziele" durchzusetzen versucht. Der durch das Grundgesetz (Art. 9, 18 und 21) als „streitbare Demokratie" begründete Staat — „Keine Freiheit den Feinden der Freiheit!" — reagierte auf diese Herausforderungen mit verschärften Strafbestimmungen gegen Gewalttätigkeiten und die entsprechenden Vorbereitungshandlungen (1972) sowie mit dem Bund-Länder-Beschluß über die Unvereinbarkeit verfassungsfeindlicher Handlungen mit der Zugehörigkeit zum öffentlichen Dienst (1972). Die Fahndungserfolge des personell und sachlich verstärkten Bundeskriminalamtes und der Verfassungsschutzbehörden führten zur Inhaftierung des Führungskaders der „Roten Armee Fraktion", der radikalsten Gruppierung unter den Linksextremisten, die sich nichts Geringeres als die „Entfesselung des Volkskrieges" vorgenommen hatte (Andreas Baader, Gudrun Ensslin, Ulrike Meinhof, Holger Meins, Jan-Carl Raspe).

Doch neue Anhänger setzten diese Aktivitäten fort. Über Mittelsmänner erteilten die Inhaftierten Anweisungen für neue Gewalttaten und für die Nutzung des Hungerstreiks als Druckmittel. Ab September 1974 verweigerten Meinhof in Berlin-Moabit, Baader, Ensslin und Carmen Roll in Stuttgart-Stammheim und Meins in Trier-Wittlich die Nahrungsaufnahme. Nach 56 Tagen starb Meins trotz Zwangsernährung. Einen Tag später erschoß eine Tätergruppe den Präsidenten des Berliner Kammergerichts, Günter Drenkmann, in seinem Charlottenburger Haus. Die „Rote Armee Fraktion/Aufbauorganisation" bekannte sich zu diesem Attentat und kündigte weitere Anschläge in einer Reihe von Großstädten sowie die Befreiung der Inhaftierten an. Eine neue Terrorwelle mußte befürchtet werden, die Sicherheitsvorkehrungen für den Personen- und Objektschutz wurden sofort verstärkt und eine Einengung der Anwaltsrechte zur Vermeidung des konspirativen Zusammenwirkens verfügt (18. Dezember 1974).

Einen Schock löste die Entführung des Berliner CDU-Vorsitzenden Peter Lorenz am 27. Februar 1975 aus, wenige Tage vor der Wahl zum Abgeordnetenhaus, durch drei Unbekannte aus einer Gruppe „Bewegung 2. Juni" (Anspielung auf den Tod des Studenten Benno Ohnesorg am 2. Juni 1967). Die Kidnapper forderten ultimativ die Freilassung inhaftierter Gesinnungsgenossen und deren Flug ins Ausland.

Am Wahlsonntag (3. März 1975) fiel im Krisenstab, dem führende Politiker angehörten, die Entscheidung zum Nachgeben: Fünf Strafgefangene wurden zusammen mit Pfarrer Albertz, dem früheren Regierenden Bürgermeister von Berlin, als Begleiter in den Süd-Jemen ausgeflogen. Lorenz war zwei Tage später frei. Um ein Menschenleben zu rettten, habe man sich zur Aussetzung rechtsstaatlicher Prinzipien entschlossen. Die Demütigung, daß über Tage mit politischen Gangstern hatte öffentlich verhandelt werden müssen, blieb nicht ohne nachhaltige Wirkung auf unmittelbar Beteiligte und Bürger. Die einmütige Haltung der Parteien in der Krisensituation konnte den heftigen Streit in der Folgezeit nicht verhindern; ganz zu schweigen von der von starken Emotionen geprägten öffentlichen Erregung, die die Forderung nach dem „starken Mann", nach Wiedereinführung der Todesstrafe, ja nach Blutrache gegenüber den noch Inhaftierten laut werden ließ. Die Disziplin der Politiker ließ aber keinen Zweifel, daß man selbst in dieser Situation und in der begründeten Furcht vor Wiederholung der Herausforderung von 40 bis 50 zu jeder Tat fähigen Fanatikern und 400 bis 500 Sympathisanten nicht den Rechtsstaat außer Kraft setzen dürfe. Der Notstand im strafrechtlichen Sinn nach § 34 StGB habe die Freilassung gerechtfertigt. Zum Schutz des konkreten Lebens habe die Beeinträchtigung des staatlichen Anspruchs auf Strafverfolgung und Strafvollstreckung in Kauf genommen werden dürfen.

Mit neuen Anschlägen rechneten die Verantwortlichen noch vor der Landtagswahl in Nordrhein-Westfalen im Mai 1975. Sie behielten trotz der proklamierten Härte und der bei der Täterfahndung praktizierten Entschlossenheit in furchtbarer Weise recht: Am 24. April 1975 besetzte ein fünfköpfiges „Kommando Holger Meins" die deutsche Botschaft in Stockholm, nahm 12 Botschaftsangehörige als Geiseln, forderte die Freilassung von 26 Angehörigen der Baader-Meinhof-Gruppe, ermordete den Militärattaché und sprengte nach der Ablehnung ihrer Forderungen aus Bonn das Botschaftsgebäude; dabei kamen ein weiterer Botschaftsangehöriger und ein Terrorist ums Leben.

Daß mit der Verhaftung der anderen Beteiligten nichts gewonnen war, zeigte sich in der Folgezeit: Sprengungen mit Personen- und Sachschäden, Banküberfälle, Schußwechsel mit der Polizei mit Toten auf beiden Seiten demonstrierten die ungebrochene Aktionsfähigkeit der Extremisten. Außerdem verdeutlichte sich die internationale Verflechtung immer mehr, am spektakulärsten bei der Aktion gegen die in Wien tagenden Minister der OPEC-Staaten im Dezember 1975.

Nicht selten wirkten in den Gruppen Mitglieder aus verschiedenen Ländern; eine führende Rolle spielten Palästinenser (PLO-Lager im Nahen Osten waren terroristische Ausbildungsstätten) und zeitweise der Venezolaner Sanchez, genannt „Carlos", der unter anderem den Überfall in Wien organisiert hatte, an dem auch deutsche Terroristen beteiligt waren. Die Entführung einer Air-France-Maschine im Juni 1976 war gleichfalls die Tat einer international zusammengesetzten Terroristengruppe. Bei der Befreiung der 103 Geiseln durch ein isrealisches Spezialkommando auf dem Flughafen Entebbe in Uganda wurden zwei deutsche Terroristen erschossen.

Ulrike Meinhofs Selbstmord am 9. Mai 1976 in Stammheim — interne Spannungen zwischen den Inhaftierten über das „Kampfkonzept" kamen als Ursache in Betracht — löste eine neue Welle von Brand- und Sprengstoffanschlägen mit großen Sachschäden aus.

Die ausgeschaltete Rationalität und der selbstzerstörerische Rigorismus der Terroristen stellten die Bekämpfung vor neuartige Probleme. Die Gründung der Abteilung T („Terrorismus") im Bundeskriminalamt (1975), die Verbesserung der Verfolgung durch die sogenannte Rasterfahndung — dabei werden jeweils alle Personen, auf die bestimmte, für den Täterkreis charakteristische Merkmale zutreffen, überprüft — das Strafrechtsänderungsgesetz vom April 1976 (verfassungsfeindliche Befürwortung von Gewalt, Verbreitung und Bezug von Straftaten befürwortenden oder dazu anleitenden Schriften wurden unter Strafe gestellt), das sogenannte Anti-Terrorismus-Gesetz (August 1976; gegen die „Bildung terroristischer Vereinigungen"; auch ohne Verdacht auf Flucht- oder Verdunkelungsgefahr konnte Untersuchungshaft angeordnet werden; die Überwachung des Schriftverkehrs zwischen Inhaftierten und Anwalt war gestattet), die Befugnisausdehnung für Polizei- und Verfassungsschutzorgane usw. verdichteten zwar das Netz der Verfolgung, aber es mußte von vornherein zweifelhaft sein, ob damit diesen durchweg intellektuellen Überzeugungstätern beizukommen war.

3. Neue Protestformen

Die Terroristen waren die in die Isolierung abgewanderte Extremgruppe jener Bewegung, die Mitte der sechziger Jahre als Außerparlamentarische Opposition (APO) entstanden war. Verständlicherweise beschäftigten ihre brutalen Aktivitäten Verantwortliche und Öffentlichkeit in hohem Maße. Daß daneben auch andere Formen des Protests auftraten, drang erst allmählich ins Bewußtsein. Die Bürgerinitiativen waren Ausdruck der „Aufgeklärtheit", die seinerzeit bewirkt worden war: Es sei nicht mit einem regelmäßigen Gang zur Wahlurne getan, die Politik dürfe nicht den Berufspolitikern überlassen bleiben, man müsse die Lösung der erkannten Probleme selbst in die Hand nehmen. Diese Überzeugung verbreitete sich vor allem bei Teilen der jungen Generation sehr rasch.

Die zahlreiche Anhängerschaft war allerdings weit weniger ideologisch fixiert als die Gründer der APO und die ins Abseits geratenen Terroristen; ihr ging es eher um pragmatische Forderungen, wenn auch die Kritik an der gesellschaftlichen Gesamtsituation einbezogen war. Die Proteste in Wort und Tat richteten sich in erster Linie gegen jene Sachverhalte, die als Symbole von „Unterdrückung", „Ausbeutung", „Materialismus" usw. angesehen wurden. Gewaltanwendung war dabei im Unterschied zu den Terroristen keinesfalls Selbstzweck; daß sie bei verschiedenen Aktionen dennoch vorkam, lag zum einen daran, daß Teilgruppen sie nicht prinzipiell ablehnten und zum anderen bei Konfrontationen mit der Polizei die emotional aufgeladene Stimmung zu Ausschreitungen führte. Die Ziele des Protests waren von Anfang an breit gefächert: Es ging um Auflehnung gegen vermeintlich übertriebene bürokratische Einengungen in Schule, Betrieb und Öffentlichkeit ebenso wie um Streben nach einer nichtmaterialistischen Sinngebung des individuellen und gemeinschaftlichen Lebens, gleichermaßen um Jugendheime, die eigene Geselligkeitsformen ermöglichten, und um so existenzielle Fragen wie Umweltrettung und Friedenssicherung.

Andererseits war ganz unbestritten ein „neues Bewußtsein" im Entstehen; es war gekennzeichnet durch kritische Einstellung, emanzipatorisches Verhalten, demonstrative Provokation, veränderte Formen der Lebensgestaltung, Suche nach neuen Wertorientierungen. Das Spektrum, in dem sich die Kritik manifestierte, war zwar weitgespannt, aber es ließen sich doch Kristallisationskerne ausmachen:

Hausbesetzungen

Der Besetzung leerstehender Häuser in Großstädten — zunächst in Frankfurt, Köln, Hamburg, Berlin usw. — lag eine für die gesamte Protest- bzw. Initiativbewegung typische Motivkombination zugrunde: Man wollte damit auf den akuten Mangel an erschwinglichen Wohnungen in bestimmten Ballungszentren aufmerksam machen, von dem Studenten besonders betroffen waren. Ferner sollten in den besetzten Häusern (und auch in aufgelassenen Fabrikgebäuden) Freiräume entstehen, in denen die Jugendlichen „selbstbestimmt" ihre Vorstellungen von den neuen Formen des Zusammenlebens und der Lebensgestaltung realisieren konnten. Diese „Wohngemeinschaften" waren Fortführungen der „Kommune-Bewegung" der späten sechziger Jahre. Schließlich verband sich mit den Aktionen aber auch eine prinzipielle Kritik am „kapitalistischen" Wohnungswesen, das den Eigentümern des Mangelgutes Wohnraum Spekulationen zur eigenen Bereicherung eröffne, indem man Altbauten verfallen ließ, um Abbruchgenehmigungen und dann die Möglichkeit zu gewinnträchtigeren Neubauten zu erzwingen. (Die Zahl der leerstehenden Wohnungen wurde auf einige hunderttausend geschätzt.) Da die Besetzungen Rechtsbrüche darstellten, war der Staat auf einen entsprechenden Antrag des Eigentümers zum Eingreifen, das heißt zur zwangsweisen Räumung verpflichtet. Die „Besetzer" verhielten sich je nach ihren Motiven

In den Großstädten werden leerstehende, zum Abbruch bestimmte Häuser besetzt. Die Besetzer nahmen idealistische Motive für sich in Anspruch.

unterschiedlich: Wenn es um eigenen Wohnraum, um die Gründung eines „Jugendzentrums", um die Verwirklichung einer erwachsenenfernen Wohn- und Lebensgemeinschaft gegangen war, reagierten sie in der Regel „gewaltfrei"; wenn es um den grundsätzlichen „Kampf gegen die Herrschenden" und das „System" ging, leisteten sie Widerstand. Nicht selten eskalierten deshalb in der Folgezeit Räumungen zum Häuserkampf und zu Straßenschlachten. Die öffentliche Diskussion war von dem Zwiespalt geprägt, daß die Argumente der Besetzer wie der Behörden positive Aspekte enthielten.

Wachsendes Umweltbewußtsein

Die größte Resonanz in der Öffentlichkeit fanden fraglos die Initiativen, die sich mit ökologischen Problemen beschäftigten. Das durch immer neue Meldungen über Belastungen, Mißstände und Katastrophen hellwach gewordene Umweltbewußtsein führte zu Bürgeraktivitäten, die selbst unmittelbar Abhilfe zu schaffen versuchten und überdies politische Entscheidungen forderten. Der Präsident des neugeschaffenen Bundesumweltamtes sprach seinerseits von einer „Sisyphusarbeit": „Haben wir einen Schadstoff unter Kontrolle, ist der andere zum Problem geworden." Die Kritiker machten die massiven Interessen der „Verursacher" für die relative Erfolglosigkeit verantwortlich. Es war unschwer abzusehen, daß von allen außerparlamentarischen Initiativen die Umweltbewegung die größte Aufmerksamkeit und die meiste Anhängerschaft bekommen würde.

Auch für die Ökologiebewegung war von Anfang an charakteristisch, daß ihre Anhängerschaft unterschiedlichen Motiven folgte: Den Pragmatikern ging es um Beseitigung konkreter Beeinträchtigungen der natürlichen Regelkreise oder um vorbeugenden Protest gegen gefahrenträchtige Maßnahmen. Die Ideologen zielten über den unmittelbaren „Schadensfall" hinaus auf den technischen und industriellen Standard überhaupt und plädierten für „alternative" Lebens- und Wirtschaftsformen in einem „einfachen Leben" auf dem Lande.

II. WIRTSCHAFTSPOLITIK

1. Krisenerscheinungen

Für Experten waren die etwas günstigeren Wirtschaftsdaten des Jahres 1974/75, die eine Überwindung der „Ölkrise" beziehungsweise des „Ölschocks" von 1973 zu signalisieren schienen, nicht beweiskräftig. Für sie lautete die Frage nur noch, wie schwer die sich ankündigende Depression ausfallen werde. Als bestimmende Faktoren wurden angesehen:

● das Konsumverhalten, insbesondere bei den aufwendigen Gütern (den Schlüsselindustrien Bauwirtschaft, Fahrzeugbau und Textilherstellung);

● die Auswirkungen der Preissteigerungen bei Rohöl auf die Energiekosten und damit auf den Zuwachs bei den Produktionskosten;

● Die Entwicklung von Zinssätzen und Wechselkursen und die entsprechenden Konsequenzen für den Güterexport.

Im 1. Halbjahr 1974 verzeichnete die Autoindustrie gegenüber dem 1. Halbjahr 1973 einen Produktionsrückgang von 18 Prozent, das Baugewerbe von 16 Prozent und die Textil- und Bekleidungsbranche von 11 Prozent. 8,5 Millionen Beschäftigte (= 32 Prozent aller Erwerbstätigen) waren davon betroffen. Da sich der Ölpreis als politische Waffe im Sinne der OPEC-Staaten „bewährt" hatte, mußte man mit der Fortsetzung ihres Einsatzes rechnen und sogar damit, daß das Beispiel Schule machen könnte — für die extrem rohstoffimportabhängige Bundesrepublik Deutschland eine düstere Perspektive.

1974 war immerhin der Export noch einmal gestiegen: Deutsche Produkte im Wert von 230 Milliarden DM hatten verkauft und ein Handelsbilanzplus von 50 Milliarden DM hatte erzielt werden können. Die gestiegenen Rohstoffpreise konnten somit verkraftet werden. 1975 begann jedoch auch beim Export ein deutlicher Abwärtstrend. Zuwächse gab es lediglich im Geschäft mit dem Ostblock und mit den zu Reichtum gelangten Ölländern.

Auch der Export von Maschinen und kompletten Anlagen funktionierte noch, der hohe Auslandsmarktanteil (zwischen 25 und 60 Prozent) barg jedoch das Risiko, daß der Rückschlag bei einem Absinken der Investitionstätigkeit der ausländischen Abnehmer um so schwerer ausfallen mußte.

Bundeskanzler Schmidt verfocht eben deshalb in der Wirtschaftspolitik die These, daß aufgrund des allgemeinen weltwirtschaftlichen Abwärtstrends nationale Sanierungsprogramme nur begrenzt wirken könnten.

Als Folge der Ölkrise wurde am 25. November 1973 das erste Sonntagsfahrverbot verhängt. Die sonst vielbefahrene Nord-Süd-Autobahn am Frankfurter Kreuz bot am Sonntagvormittag ein ganz ungewohntes Bild.

2. Die Konjunkturprogramme

Ende 1974 nahmen die Vorschläge für ein erstes Konjunkturprogramm konkrete Formen an. Maßgeblich war unter anderem das Gutachten der unabhängigen Sachverständigen, das als Hauptursache des Wirtschaftsabschwungs die ungünstige Einkommenslage der Unternehmen nannte. Mit maßvollen Lohnabschlüssen zwischen den Tarifpartnern, einer Lockerung der Bundesbank-Geldpolitik, einer Einkommenssteuerreform und insbesondere Begünstigungen für die Betriebe würden sich die Investitionsneigung und die Nachfrage wieder beleben. Die FDP konnte sich mit einem derartigen Konzept wohl identifizieren, die SPD wollte die öffentlichen Investitionen verstärkt wissen, die für Baumaßnahmen verschiedenster Art verwendet werden sollten.

Im Dezember 1974 wurde ein 10-Milliarden-Programm zur Förderung von Auftrags-, Beschäftigungs- und Investitionsbereitschaft verabschiedet. Zur Finanzierung sollten unter anderem die aus dem Stabilitätszuschlag angesammelten Mittel aufgelöst werden. Die Maßnahmen — zu denen auch die Reform der Einkommensteuer mit Entlastungen für untere und mittlere Einkommen gehörte — brachten keinen nennenswerten Erfolg. Die Prognosen mußten nach unten korrigiert werden. Die Erwartung, die Verbraucher würden ihre Zurückhaltung aufgeben und ihre Nachfrage könne zum Schrittmacher des Aufschwungs werden, erfüllte sich nicht. Die für die erste Jahreshälfte 1975 erhoffte wirtschaftliche Erholung war nicht eingetreten.

Bereits im Sommer setzten sich alle Bundestagsparteien für ein neues Konjunkturprogramm ein. Es umfaßte 5,75 Milliarden DM und sollte die kurzfristigen Beschäftigungsrisiken in der Bauwirtschaft vermindern und gleichzeitig in der Gesamtwirtschaft die Voraussetzungen für höhere Produktion und den Abbau von Arbeitslosigkeit verbessern.

Wachsende Schulden und Sparmaßnahmen

Gleichzeitig wurde aufgrund von Steuerausfällen, Steuerreformfolgen, erhöhten Leistungen für die Arbeitslosen usw. ein Nachtragshaushalt in Höhe von 15,15 Milliarden DM notwendig. Die CDU/CSU-Opposition erklärte, der Maßnahmenkatalog bringe keine Neuorientierung der Wirtschafts- und Finanzpolitik, das Programm erhöhe lediglich den Schuldenberg von 40 Milliarden DM.

Wenig später beschloß die Bundesregierung umfangreiche Sparmaßnahmen zur Sanierung des Haushalts: Erhöhung des Beitragssatzes in der Arbeitslosenversicherung; Erhöhung der Mehrwertsteuer, Einstellungs- und Beförderungsstopp sowie Personalreduzierung im öffentlichen Dienst, Einsparungen bei der Ausbildungs-, Arbeits- und Sparförderung, Abbau von Steuervergünstigungen und Subventionen, Ausgabenkürzungen bei Gemeinschaftsaufgaben usw. Am Jahresende mußte jedoch abermals festgestellt werden, daß die eingesetzten zirka 30 Milliarden DM die Wirtschaft nicht aus der Rezession herausgeführt, sondern allenfalls zu Ansätzen einer Belebung geführt hatten.

Auch noch in der zweiten Jahreshälfte 1976, also vor der Bundestagswahl, konstatierten die Verantwortlichen, daß sich alle Prognosen als zu optimistisch, alle Maßnahmen als nicht wirksam genug gezeigt hatten. Die Politiker verwiesen auf die fehlende Investitionsbereitschaft der Wirtschaft, die Manager auf die gesunkenen Gewinne und die stagnierende Aufnahmefähigkeit des Marktes.

Die Daten zeigten nach wie vor auf eine weitere Abschwächung der Konjunktur, auf maßvolleren Konsum und ein Sinken des Exports. Lediglich zwei Ausnahmen waren zu verzeichnen: Der Automobilbau brachte eine Rekordzahl von Neuzulassungen, die noch über der von 1973 (2,2 Millionen) lag, und der Eigenheimbau florierte ebenfalls und folglich auch die Ausbaubranchen.

Internationaler Vergleich

Im internationalen Vergleich schnitt die Bundesrepublik Deutschland relativ gut ab: Das real verfügbare Einkommen hatte 1975 stärker zugenommen (+ 4,4 Prozent, USA 1,4 Prozent, Frankreich 3,0 Prozent, Japan 2,9 Prozent, Großbritannien 0,2 Prozent), die Verbraucherpreise hatten sich langsamer nach oben bewegt (5,4 Prozent, USA 6,3 Prozent, Frankreich 9,6 Prozent, Japan 10,3 Prozent, Großbritannien 4,4 Prozent).

Arbeitslose:		Außenhandelsüberschuß:	
1973:	273 000	1973:	+ 33 %
1974:	582 000	1974:	+ 50,8 %
1975:	1 074 000	1975:	+ 37,3 %
1976:	1 060 000	1976:	+ 34,5 %

Es konnte nicht ausbleiben, daß nach einer nun schon über vier Jahre andauernden Krise Grundsatzdiskussionen über die „richtige" Methode eines endlich wirksamen Verfahrens geführt wurden und selbstverständlich fehlte es nicht an Ratschlägen:

● Anhänger der klassisch-liberalen Theorie plädierten für Anregung des privaten Konsums (Abbau der Sparförderung, Propagierung der Konsumkredite und staatliche Bürgschaften bei Arbeitslosigkeit) durch „Aufklärung" sowie für die Herstellung eines freundlichen Konsumklimas durch „Konsumpädagogik".

● Andere bezeichneten dieses Konzept als überholt, da die Rahmenbedingungen in den siebziger Jahren völlig andere seien. Es gebe keine voneinander abgeschlossenen Volkswirtschaften mehr, sondern eng miteinander verflochtene Wirtschaftssysteme. Eine antizyklische Konjunktursteuerung sei folglich nur erfolgreich, wenn sie international gleichgerichtet betrieben werde — eben dies sei bislang nicht einmal in Ansätzen der Fall. Da der Lebensstandard und die Versorgung mit höherwertigen Gütern allgemein ein sehr hohes Niveau erreicht habe, würden Geldreserven eher gespart als ausgegeben. Die heutigen Wirtschaftsstrukturen seien ungleich komplexer als früher, deshalb Problemerkennungen, Prognosen und richtig dosierte Maßnahmen schwieriger.

III. SOZIAL- UND GESELLSCHAFTS-POLITIK

1. Entwicklung der Einkommensverhältnisse

Vor dem Hintergrund der seit 1973/74 anhaltenden Rezession mit ihren Wirtschafts- und Beschäftigungseinbrüchen mußten für die Grundgesetzmaßgabe der Sozialstaatlichkeit (Art. 20) neue Möglichkeiten der Verwirklichung bedacht werden. Das in den anderthalb Jahrzehnten dichtgeflochtene Netz der Sozialleistungen erforderte 1974 einen Aufwand von 250 Milliarden DM, 1976 bereits 357 Milliarden DM. 1962 hatten die Ausgaben für Verteidigung und für soziale Sicherheit noch etwa gleiche Höhe aufgewiesen (31,2 bzw. 31,9 Prozent der Bundesausgaben), 1977 erreichten die Sozialausgaben einen Anteil von 38,4 Prozent, die Verteidigungslasten lagen bei 20 Prozent. Die größten Einzelposten betrafen die Rentenversicherung und die Krankenversicherung.

In Zeiten hoher wirtschaftlicher Wachstumsraten waren sowohl die Erhöhungen zu verkraften als auch der weitere Ausbau der Leistungen und zahlreicher Vergünstigungen durchführbar gewesen. Nunmehr zeichneten sich Schwierigkeiten ab: Würde man die von den zirka 27 Millionen Lohn- und Einkommenssteuerpflichtigen aufgebrachten Milliarden steigern können, nachdem die durchschnittliche „Grenzbelastung" eine Höhe von zirka 25 Pfennig je verdienter Mark erreicht hatte?

2. Staatliche Maßnahmen

Logischerweise zielten die Entscheidungen darauf, in erster Linie den von der Rezession hauptsächlich Betroffenen zu helfen:

— Im Dezember 1974 wurde das Arbeitslosengeld auf 68 Prozent (vorher 55 Prozent) und die Arbeitslosenhilfe auf 58 Prozent des letzten Nettoeinkommens erhöht.

— Die Sozialrenten stiegen 1974 um 11,21 Prozent, 1976 um 11 Prozent, die Leistungen aus der Unfallversicherung um 7 Prozent.

— Die Steuerreform vom 1. Januar 1975 entlastete die kleinen und mittleren Einkommen.

— Die Wohngeld-, Kindergeld- und Ausbildungsgeldzahlungen paßte man der Entwicklung an.

— Das Wohnraumkündigungsgesetz vom 1. Januar 1975 verstärkte den Schutz der Mieter.

— Die betrieblichen Rentenansprüche wurden auch im Fall eines Arbeitsplatzwechsels gesichert. Diese Maßnahme sollte prinzipiell der Freizügigkeit nützen, aktuell die angesichts der angespannten Arbeitsmarktlage notwendige Anpassungsfähigkeit zu fördern.

— Auch die Einführung der flexiblen Altersgrenze diente diesem Doppelzweck: Begünstigung der individuellen Entscheidungsfreiheit und Freimachung von Arbeitsplätzen.

Zur Deckung der Steuerausfälle und der erhöhten Aufwendungen hob man 1975 den Spitzensteuersatz von 53 Prozent auf 56 Prozent an. Auch der Beitragssatz für die Arbeitslosenversicherung stieg von 2 Prozent auf 3 Prozent. Besonders umstritten war die vom Bundestag beschlossene Erhöhung der Mehrwertsteuer von 11 Prozent auf 13 Prozent von 1976 an. Man war sich allseits darüber im klaren, daß es vom Greifen der konjunkturpolitischen Maßnahmen abhing, ob damit eine Stabilisierung erreicht werde. Daß Nervosität und Angst weit verbreitet waren, zeigte sich im Wahlkampf 1976, in dem sozialpolitische Themen, insbesondere die Frage der Rentenversicherung, eine wesentliche Rolle spielten. Auch der vierwöchige Streik im Druckgewerbe (April/Mai 1976) wegen der „Gefährdung von Arbeitsplätzen durch Übergang vom Maschinen- zum Computersatz" war ein Zeichen für die in der Öffentlichkeit beobachtbare Anspannung über die weitere Sicherung des erreichten sozialen Besitzstands.

3. Das Mitbestimmungsgesetz von 1976

Die Teilhabe der Arbeitnehmer an Planungs- und Entscheidungsprozessen im Betrieb war eine grundsätzliche demokratische Forderung, in Zeiten wirtschaftlicher Schwierigkeiten gewann sie neue Aktualität. Die Parteien hatten die Ausweitung der Mitbestimmung über den Montanbereich (verwirklicht seit 1951 in paritätischer Form plus einem neutralen Mitglied), das Betriebsverfassungs- (seit 1952) und das Personalvertretungsgesetz (seit 1955, mit jeweils nur begrenzten Mitwirkungsrechten) hinaus lange diskutiert, ohne zu einer Entscheidung über die ebenso vielfältigen wie kontroversen Vorschläge zu kommen.

Der Grundgedanke war, „den arbeitenden Menschen in unserem Lande mehr als bisher am Geschehen in Betrieben und Unternehmen verantwortlich teilhaben zu lassen". Mit der erweiterten Mitbestimmung sollte ein Beitrag zur Selbstbestimmung des einzelnen und damit zur Humanisierung des Arbeitslebens geleistet sowie ein stabilisierendes Element der Wirtschafts- und Gesellschaftsordnung geschaffen werden. Der langwierige Prozeß bis zur Verabschiedung des Gesetzes erklärte sich zum einen aus den unterschiedlichen Ausgangspositionen der Koalitionspartner, zum anderen aus der prinzipiellen Kontroverse der Tarifpartner, schließlich aus den veränderten Bedingungen der Wirtschaftsentwicklung.

Das neue Gesetz bezog sich auf die 600 bis 650 Unternehmen mit mehr als 2000 Arbeitnehmern. In den Aufsichtsräten saßen zwar je zur Hälfte Arbeitgeber- und Arbeitnehmervertreter, dennoch war dies keine paritätische Zusammensetzung, da der Aufsichtsratsvorsitzende, den die Anteilseigner stellten, im Falle von Stimmengleichheit das Recht zum Stichentscheid besaß. Von den Arbeitnehmervertretern mußten zwei Drittel bzw. drei Viertel dem Betrieb angehören, ein Drittel bzw. ein Viertel konnte von der Gewerkschaft entsandt werden. Eine besondere Vertrauensstellung besaß der von der Arbeitnehmerseite gewählte Arbeitsdirektor, der vor allem mit Personal- und Sozialangelegenheiten befaßt war. Von den Arbeitnehmervertretern mußte einer der Gruppe der leitenden Angestellten angehören; die Vertretung dieses Belegschaftsteils war besonders umstritten gewesen.

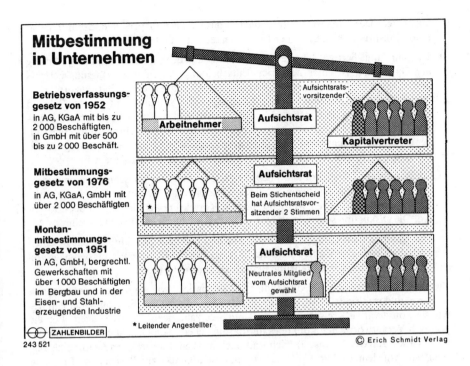

Mitbestimmung in Unternehmen

Betriebsverfassungsgesetz von 1952
in AG, KGaA mit bis zu 2 000 Beschäftigten, in GmbH mit über 500 bis zu 2 000 Beschäft.

Arbeitnehmer — Aufsichtsrat — Aufsichtsratsvorsitzender — Kapitalvertreter

Mitbestimmungsgesetz von 1976
in AG, KGaA, GmbH mit über 2 000 Beschäftigten

Aufsichtsrat — Beim Stichentscheid hat Aufsichtsratsvorsitzender 2 Stimmen

Montanmitbestimmungsgesetz von 1951
in AG, GmbH, bergrechtl. Gewerkschaften mit über 1 000 Beschäftigten im Bergbau und in der Eisen- und Stahlerzeugenden Industrie

Aufsichtsrat — Neutrales Mitglied vom Aufsichtsrat gewählt

ZAHLENBILDER
243 521

* Leitender Angestellter

© Erich Schmidt Verlag

Der Kompromißcharakter des Gesetzes stellte keine Seite voll zufrieden; aber das Zustandekommen war andererseits ein beachtliches Zeichen der Konsensfähigkeit von Parteien und Gewerkschaften.

Die Unternehmer erhoben vor dem Bundesverfassungsgericht gegen das Gesetz Klage; sie wurde 1979 zurückgewiesen. Das Gesetz trat damit für die Großbetriebe in Kraft.

4. Weitere gesellschaftspolitische Maßnahmen

● Am 1. Januar 1975 trat das Gesetz über die Volljährigkeit ab dem 18. Lebensjahr in Kraft. Nach der Festlegung des aktiven Wahlalters auf den gleichen Zeitpunkt (1970) war dies ein weiterer Schritt, um dem gestiegenen Bedürfnis nach Selbstentscheidung der Jugendlichen zu entsprechen, ihnen aber gleichzeitig die damit verbundene Verantwortung zu übertragen.

● Das ab 1. Mai 1976 neugefaßte Jugendarbeitsschutzgesetz sollte die Arbeitsbedingungen der 1,5 Millionen Jugendlichen verbessern und auch hier einen Beitrag zur Humanisierung des Arbeitslebens leisten.

● Das Berufsbildungsgesetz, das bereits 1975 im Bundestag beraten, aber infolge des Widerstands aus Wirtschaftskreisen nicht vorangekommen war, blieb auch 1976 umstritten: Der Bundestag verabschiedete das Gesetz im April 1976, der Bundesrat erhob Einspruch. Im September 1976 unterzeichnete es der Bundespräsident.

● Die jahrelange heftige Debatte um die Neufassung des § 218, die bereits auf Antrag der Opposition zu einer negativen Entscheidung des Bundesverfassungsgerichts gegenüber dem 1974 erlassenen Gesetz („Fristenlösung") geführt hatte, wurde 1976 in der Weise beendet, daß — abermals gegen die Stimmen von CDU/CSU und gegen den Widerstand insbesondere der katholischen Kirche — ein Schwangerschaftsabbruch bei medizinischer, eugenischer oder sozialer Indikation innerhalb der ersten drei Monate und nach intensiver ärztlicher und sozialer Beratung ermöglicht wurde („Indikationenlösung"). Die Diskussion dauerte trotzdem an.

● Gleichfalls ein Dauerproblem blieb die Neuregelung der Ehescheidung nach dem Zerrüttungsprinzip. Die neue Scheidungspraxis ergab vielfältige Schwierigkeiten. Verfassungsbeschwerden wurden erhoben; Korrekturen erwiesen sich als notwendig. Die Diskussion schien auch hier noch lange nicht abgeschlossen zu sein.

● Die Auseinandersetzungen um den § 218 und das neue Scheidungsrecht belebten auch die allgemeine Kontroverse um die trotz des Gleichberechtigungsgesetzes von 1958 nachweisbar fortbestehende Benachteiligung der Frauen.

Zwischen den Extremen — vollständige Emanzipation, wie sie die Frauenbewegung forderte, und traditionelle Aufgabenerfüllung als Hausfrau und Erzieherin der Kinder, wie sie konservative Kreise verlangten — gab es zahlreiche Schattierungen. Für die politisch Verantwortlichen konnte es nur darum gehen, dem Gleichheitsgrundsatz des Grundgesetzes (Art. 3, Abs. 2) nach und nach in allen Teilbereichen Geltung zu verschaffen. Mit dem 1977 in Kraft gesetzten „Ersten Gesetz zur Reform des Ehe- und Familienrechts" stellte der Gesetzgeber es in das Belieben der Partner, wie die Aufgaben in der Familie verteilt werden.

Bei der Schwierigkeit und Subtilität der Thematik konnte es nicht ausbleiben, daß trotz der Neuregelungen der Streit um Einzelheiten — bis zum Bundesverfassungsgericht — fortgesetzt wurde.

IV. AUSSENPOLITIK

1. Die Gründung der KSZE

Die ostpolitische Wende der sozial-liberalen Koalition, die in den Jahren 1970/72 vollzogen worden war, blieb in der innenpolitischen Diskussion umstritten, außenpolitisch brachte sie eine entscheidende Situationsänderung: Da die Sowjetunion und die anderen Warschauer Pakt-Staaten die Verträge als Status-quo-Garantien interpretierten, sahen sie die territoriale Ordnung Mitteleuropas als gesichert an. Damit war der Weg frei für die Einleitung eines gesamteuropäischen Entspannungs- und Normalisierungsprozesses.

Bereits im Mai 1972 (etwa gleichzeitig mit der Ratifizierung der Ostverträge im Bundestag) entschlossen sich die NATO- und Warschauer Pakt-Staaten dazu, eine Konferenz über Sicherheit und Zusammenarbeit in Europa (KSZE) und über eine beiderseitige ausgewogene Truppenreduzierung (MBFR) anzuberaumen. Die KSZE-Verhandlungen begannen unmittelbar nach Inkrafttreten des Grundlagenvertrages zwischen der Bundesrepublik Deutschland und der DDR im Juli 1973 in Helsinki; sie erstreckten sich über zwei Jahre. 1975 erfolgte die Unterzeichnung der Schlußakte. 35 Staaten bekannten sich zu der Absicht, sich an bestimmte politisch-moralische Regeln zu halten und in den Bereichen Sicherheit, Wirtschaft, Wissenschaft, Technik, Umwelt, humanitäre Angelegenheiten usw. zusammenzuarbeiten. Insgesamt sollten die in der Nachkriegszeit entstandenen, zeitweise verschärften Konfrontationen abgebaut und vertrauensbildende Maßnahmen praktiziert werden. Unter den gegebenen Umständen wurde dabei schon der Verzicht auf gegenseitige Bedrohung als Fortschritt angesehen. Der „Geist von Helsinki" sollte unter anderem durch folgendes realisiert werden: Vorankündigung größerer Manöver, Einladung von Manöverbeobachtern, Förderung der Kontakte zwischen den Menschen, den Berufsgruppen und den gesellschaftlichen Schichten, Beachtung der Menschenrechte und Grundfreiheiten. Der KSZE-Schlußakte wurde hohe Bedeutung zugemessen: Nach Auffassung aller Beteiligten handelte es sich um die vertragliche Fixierung eines Friedenszustandes, der zwar seit 1945 trotz des nicht zustandegekommenen Friedensvertrages aufrechterhalten worden, aber doch stets labil geblieben war.

Deutsch-deutsche Begegnung auf dem KSZE-Treffen in Helsinki 1975.

2. Das Abkommen mit Polen

In Helsinki kam es auch erstmals wieder nach der Unterzeichnung der Ostverträge zu Kontakten zwischen Spitzenpolitikern. Bundeskanzler Schmidt und der polnische Parteichef Gierek vereinbarten die Umsiedlung von 120 000 bis 125 000 Deutschen aus Polen in die Bundesrepublik Deutschland in den nächsten vier Jahren. Polen wurde ein Kredit von 1 Milliarde DM zu einem begünstigten Zinssatz von 2,5 Prozent (mit 25jähriger Laufzeit) gewährt und eine pauschale Abgeltung von polnischen Rentenansprüchen aus der Kriegszeit in Höhe von 1,3 Milliarden DM zugestanden. Ein entsprechendes Abkommen unterzeichneten die beiden Außenminister Genscher und Olszowski im Oktober 1975. Im Zusammenhang mit der parlamentarischen Bearbeitung des Abkommens in Bonn erzielte man insofern eine Verbesserung, als die polnische Seite Übersiedlungen auch über die festgelegte Zahl hinaus zugestand (geschätzte Zahl der Ausreisewilligen: 285 000).

Noch während der KSZE-Verhandlungen hatten Bundeskanzler Schmidt und Außenminister Genscher vom 28. bis 30. Oktober 1974 der Sowjetunion einen offiziellen Besuch abgestattet. Da die bisher die Beziehungen vor allem belastenden Probleme durch die Ostverträge beseitigt waren, konnte erstmals von deutscher Seite die wirtschaftliche und politische Position voll genützt werden. Man war in der Lage, einen ganz wesentlichen Beitrag zur Entspannungspolitik zu leisten, indem man regelmäßige Kontakte und eine enge wirtschaftliche Zusammenarbeit vereinbarte. Die Politik der Friedenssicherung sollte dadurch überzeugend fundiert und die Sowjetunion weiterhin konsequent von ihren historisch gewachsenen Vorurteilen gegenüber Deutschland weggeführt werden. Dabei blieb die feste Verankerung der Bundesrepublik Deutschland im westlich-atlantischen Bündnissystem außer Zweifel.

3. Die Europapolitik

Die außenpolitische Festigkeit der westlichen Bündnisse war jedoch nur die eine Seite. Im Inneren war die Europäische Gemeinschaft keineswegs frei von belastenden Krisenelementen. Man stellte fest, daß bei aller grundsätzlichen Übereinstimmung — für die die deutsch-französische Beziehung unter intensiver Förderung durch Schmidt und Giscard d'Estaing den Kern bildete — in Einzelfragen große Schwierigkeiten bestanden. Beklagt wurde insbesondere, daß

— die Gemeinschaft weit davon entfernt sei, in allen außenpolitischen Fragen eine gemeinsame Interessenpolitik zu vertreten;

— ein praktisches Entscheidungszentrum fehle, von dem aus den aktuellen Herausforderungen der Gegenwart dauerhaft, gemeinsam und kompetent begegnet werden könne;

— auch für die Lösung der innergemeinschaftlichen Probleme — Beschäftigungssicherung, Währungsverhältnisse, Energieversorgung, Umweltfragen, Agrarmarkt — keine Basis vorhanden sei;

— die vorhandenen Entscheidungsinstanzen nicht immer zufriedenstellend funktionierten.

Es fehlte weder an Klagen und Protesten gegen diese Situation — so weigerte sich die Bundesrepublik Deutschland im September 1974, die finanzielle Hauptlast für den europäischen Regionalfonds zu zahlen, da die Partner wirksame Reformmaßnahmen vermissen ließen — noch mangelte es an Forderungen und Absichtserklärungen für die Überwindung dieser Defizite. Große Hoffnungen verband man zum Beispiel mit der ersten Direktwahl des Europa-Parlaments, die 1978 durchgeführt werden sollte. Die Politiker erwarteten einen Durchbruch in Richtung auf einen neuen Platz europäischer Legitimität. Die Ablösung des bisher praktizierten Delegationsprinzips (198 Abgeordnete mit starken Bindungen an die nationalen Interessen) sollte bei den Wählern ein größeres Engagement für europäische politische Belange, bei den Parteien die Entwicklung einer europäischen Struktur, bei den Abgeordneten einen verstärkten Einsatz für die Durchsetzung einer handlungsfähigen Europaregierung bewirken.

Fraglos waren die aktuellen Konferenzen zur Bewältigung der Wirtschaftskrise von noch größerer Bedeutung als die Perspektivplanungen bezüglich der politischen Integration und der Erweiterung der Gemeinschaft.

V. DEUTSCHLANDPOLITIK

1. Der Austausch von Ständigen Vertretern

Hauptabsicht der vom Grundlagenvertrag von 1972/73 an praktizierten Deutschlandpolitik war die Entwicklung der Beziehungen zwischen den beiden Staaten in Deutschland auf der Grundlage der Gleichberechtigung. Im Mai 1974 nahmen die Ständigen Vertreter der Bundesrepublik Deutschland und der DDR ihre Arbeit in Bonn und Berlin (Ost) auf. Günter Gaus und Michael Kohl hatten ausdrücklich nicht den Rang von Botschaftern, da keine diplomatischen Beziehungen wie mit ausländischen Partnern hergestellt worden waren. Gaus war deshalb auch dem Kanzleramt unterstellt, Kohl allerdings bezeichnenderweise dem DDR-Außenministerium. In den realen Aufgaben besaßen die Vertretungen alle Funktionen, die den Konsulaten beziehungsweise den Konsularabteilungen von Botschaften oblagen. Der Hilfe und dem Beistand von Personen kam wegen der engen Verflechtung zwischen den Menschen in beiden Staaten große praktische Bedeutung zu. Im ganzen sollten die Ständigen Vertretungen die Normalisierung der Beziehungen auf allen Gebieten fördern.

2. Vereinbarungen und Abkommen

Dem Ausbau dieser Beziehungen dienten in der Folgezeit eine Reihe von Vereinbarungen und Abkommen:

● Zwei Vereinbarungen vom April 1974 bezogen sich auf den nichtkommerziellen Zahlungsverkehr.

● Im Mai 1974 unterzeichneten Vertreter des Deutschen Sportbundes der Bundesrepublik Deutschland und des Deutschen Turn- und Sportbundes der DDR ein Protokoll, in dem die Sportbeziehungen geregelt und Sportveranstaltungen abgesprochen wurden.

Besucher am Kontrollpunkt Friedrichstraße in Ostberlin.

- Der Reiseverkehr von Bürgern der Bundesrepublik Deutschland in die DDR mit dem eigenen Auto war ab Dezember 1974 „in großzügiger Weise ohne Vorliegen besonderer Voraussetzungen" möglich. Die Besucherzahl stieg sprunghaft an:

Reisen (einschließlich der Tagesfahrten im Kleinen Grenzverkehr)

1969: 1 107 077	1973: 2 278 989
1970: 1 254 084	1974: 1 919 141 (Rückgang infolge des erhöhten Min-
1971: 1 267 355	destumtauschbetrages von 13 auf 20 DM)
1972: 1 540 381	1975: 3 123 941 (Senkung der Sätze und erneute Befrei-
	ung der Rentner vom Umtauschzwang)

1975 wurden 1,4 Millionen Tagesaufenthalte von Bürgern der Bundesrepublik Deutschland in Ostberlin registriert; im gleichen Jahr besuchten 2,7 Millionen Bewohner von Berlin (West) den Ostteil der Stadt und die DDR.

1975 kamen 1 1330 389 DDR-Bürger im Rentenalter und 40 442 andere DDR-Bewohner in dringenden Familienangelegenheiten in die Bundesrepublik Deutschland, 1976 wurde vereinbart, daß 6 Millionen Bürger der Bundesrepublik Deutschland im Rahmen des Kleinen Grenzverkehrs Visa zu Tagesfahrten ohne besondere Begründung beantragen können. Der Transitverkehr von und nach Berlin (West) stieg von 10,4 Millionen Personen (1971) auf 18 Millionen (1977).

● Im Dezember 1974 kam eine Vereinbarung über den sogenannten „Swing" im innerdeutschen Handel zustande: Die DDR konnte danach von 1975 bis 1980 einen zinslosen Dauerkredit in Höhe bis zu 850 Millionen DM in Anspruch nehmen. Bereits seit 1970 war der Swing-Betrag laufend erhöht und von der DDR in Anspruch genommen worden.

Gleichermaßen stieg der Warenverkehr aufgrund der intensivierten Handelsbeziehungen (Zusatzvereinbarungen auf den Gebieten Nichteisenmetalle, Eisen, Stahl, Maschinenbau).

● Im Dezember 1975 brachten Vereinbarungen Erleichterungen im Berlinverkehr.

● Der Post- und Telefonverkehr wurde durch mehrere Abkommen (März 1976) verbessert beziehungsweise beschleunigt.

● Die Grenzkommission überprüfte und markierte von 1973 bis 1977 in 31 Tagungen den Verlauf der innerdeutschen Grenze mit Ausnahme des Elbeabschnitts zwischen Lauenburg und Schnackenburg (Streitpunkt: Strommitte/DDR-Ansicht oder Ostufer/Ansicht der Bundesregierung aufgrund einer sowjetisch-britischen Absprache von 1945. Man vereinbarte in einem besonderen Protokollvermerk die Fortsetzung der Arbeiten, ohne jedoch einen Termin festzulegen).

3. Schwierigkeiten und Belastungen

Die Auflistung der Fortschritte und Annäherungen konnte nicht darüber hinwegtäuschen, daß die Absprachen keineswegs reibungslos verliefen und wesentliche Bereiche völlig ausgeklammert blieben.

● Das schwerwiegendste ungelöste Dauerproblem war die fortbestehende Härte der DDR-Behörden an der innerdeutschen Grenze. Von 1961 bis 1976 waren 171 Menschen bei Fluchtversuchen durch Grenzsoldaten oder Selbstauslöse-Schußanlagen getötet worden (101 an der Grenze, 70 an der Berliner Mauer). Seit Inkrafttreten des Grundlagenvertrages bis Mai 1976 waren fünf Menschen ums Leben gekommen. „Die gewalttätige Grenze ist ein Faktor, der die Glaubwürdigkeit der Politik der guten Nachbarschaft immer wieder gefährdet." (Bundesminister Franke) Immerhin war aber trotz allem von 1961 bis 1976 172 094 Personen die Flucht aus der DDR gelungen.

● Trotz des Verkehrsvertrags von 1972 kam es laufend zu Schikanen seitens der DDR, etwa durch die Einführung einer Straßenbenutzungsgebühr in Höhe von 10,— DM, durch ungerechtfertigte Zurückweisung von Transitreisenden an den Grenzübertrittsstellen usw.

● Die von Beginn an unterschiedliche Auslegung des Berliner Viermächte-Abkommens führte stets aufs neue zu Spannungen und Kontroversen, etwa aufgrund der

Proteste gegen die geplante Beteiligung der Bevölkerung von Berlin (West) an den Europa-Direktwahlen.

● Die Enttarnung des DDR-Spions Günter Guillaume belastete selbstverständlich das Verhältnis zwischen der Bundesrepublik Deutschland und der DDR fortdauernd stark.

● Besonders bedrückend war die von der DDR-Regierung forcierte Umdeutung der nationalen Frage. Bereits zu Beginn der siebziger Jahre hatte Honecker das „Gerede von der sogenannten Einheit" verhöhnt und zum Ausdruck gebracht, „über die Frage der Nation (habe) bereits die Geschichte entschieden". Bei der Verfassungsänderung von 1974 wurden dementsprechend die Begriffe „Deutschland" und „deutsch" sowie das Streben nach Vereinigung beider deutscher Staaten eliminiert. Aus dem „sozialistischen Staat deutscher Nation" wurde der „sozialistische Staat der Arbeiter und Bauern".

Die immerhin beibehaltene Staatsbezeichnung interpretierte Honecker so:

„Unser sozialistischer Staat heißt Deutsche Demokratische Republik, weil ihre Staatsbürger der Nationalität nach in der übergroßen Mehrheit Deutsche sind... Staatsbürgerschaft — DDR, Nationalität — deutsch. So liegen die Dinge." Das Problem der Nation wurde zu „einem wichtigen Feld des ideologischen Klassenkampfes" stilisiert: „Die sozialistische Nationalität in der DDR und die kapitalistische Nation in der BRD unterscheiden sich nicht in ihrer ethnischen Charakteristik, ihrer Nationalität nach, sondern ihren sozialen Grundlagen und Inhalten nach, weil es sich um zwei qualitativ verschiedene historische Typen der Nation handelt."

Der „Ausrichtung" der Bevölkerung auf den Kurs des sozialistischen Nationalbewußtseins dienten martialische Selbstdarstellungen durch Militärparaden (zum Beispiel 1. Mai) ebenso wie volksfestartige Feiern zum Gründungsjubiläum (7. Oktober 1974). Wer die behauptete Homogenität störte, verlor seine „DDR-Staatsbürgerschaft" (wie zum Beispiel Wolf Biermann am 16. November 1975) oder die Freiheit (1975: 6 500 politische Gefangene bei 16,7 Millionen Einwohnern; zum Vergleich in der Sowjetunion 10 000 bei zirka 260 Millionen). Der „antifaschistische Grundzug der DDR" verpflichtete sie zu einer bewußt auf allen Gebieten praktizierten „Abgrenzungspolitik" gegenüber der „imperialistischen Bundesrepublik".

4. Innenpolitische Kontroversen um die Deutschlandpolitik

Es konnte nicht ausbleiben, daß infolge dieser zwiespältigen Entwicklung auch in der Bundesrepublik die Deutschlandpolitik der sozial-liberalen Koalition von den Oppositionsparteien CDU/CSU heftig angegriffen wurde. Die von der DDR-Regierung ganz offensichtlich betriebene Abgrenzungspolitik diente als Beweis für die „falschen Lagebeurteilungen und verhängnisvoll falschen Einschätzungen von Charakter und Absichten der anderen Seite". Die Gräben zwischen beiden Teilen Deutschlands seien nicht eingeebnet, sondern an vielen Stellen sogar vertieft worden. Überdies habe die Politik der Bundesregierung die DDR faktisch zu einem Staat erklärt, infolgedessen sei sie dabei, weltweit völkerrechtlich anerkannt zu werden. Die Bundesregierung hob demgegenüber die Fortschritte in Richtung auf die angestrebten normalen gutnachbarlichen

Beziehungen hervor und verwies insbesondere darauf, daß die in Gang gekommene Erweiterung der menschlichen Beziehungen den bis zum Grundlagenvertrag bereits besorgniserregenden Prozeß des Auseinanderlebens der Deutschen in beiden Staaten positiv verändert habe. Einig war man sich in der Verurteilung der Menschenrechtsverletzungen durch die DDR-Instanzen und im Bedauern über die verstärkte, ideologisch begründete Abgrenzung durch die DDR-Regierung.

VI. DIE BUNDESTAGSWAHL 1976

Entsprechend parlamentarischer Gepflogenheit kam es bei der Beratung des Kanzlerhaushalts im Mai 1976 zur letzten „Generalabrechnung" vor der Bundestagswahl im Oktober 1976, die gleichzeitig der Auftakt für die Werbung um die zirka 42 Millionen Wählerstimmen war. Die Regierung machte auf die Erfolge bei der Durchsetzung ihrer Grundsätze „Freiheit — Gerechtigkeit — Solidarität" aufmerksam, die Opposition kritisierte die „Irrwege sozialistischer Zielvorstellungen" sowie außenpolitische Mißerfolge und wirtschafts- und sozialpolitische Planlosigkeit.

Wurden im Parlament immerhin noch jeweils Argumente vorgebracht, so reduzierten sich die Ausführungen im folgenden Wahlkampf auf vereinfachte Formeln: Inflation, Arbeitslosigkeit, Rentensorgen, Gefahren für das soziale Netz, Konkurse, Finanzmisere stellte die Opposition heraus, „Freiheit oder Sozialismus" sei die Alternative, ohne eine „Wachablösung" in Bonn gehe die Bundesrepublik einer Katastrophe entgegen. Die Regierungsparteien verwiesen auf die Tatsache, daß die Bundesrepublik bisher die Rezession im Vergleich zu anderen Staaten am besten überstanden habe, das deutsche Ansehen sei durch Willy Brandt und Helmut Schmidt gefestigt, sie „haben mindestens 100 wichtige Dinge in unserem Leben verbessert", „alles in allem mehr Freiheit gebracht", durch ihre Rohstoff- und Umweltpolitik „mit der Zukunft begonnen".

Beide Seiten konzentrierten sich auf ihre Leitfiguren und profilierten sie entsprechend: die SPD Helmut Schmidt als „Fachmann" und „besseren Mann" schlechthin, die FDP die Liberalität und Leistung Genschers, Friderichs, Maihofers und Ertls, CDU/CSU Kohl und Strauß als Garanten für Sicherheit und Vertrauen, Ordnung und Freiheit.

Der parolen- und formelhafte Propagandastil wurde von Kritikern ebenso gerügt wie die verbale Polarisierung. Alle Parteien verwendeten die positiv aufgeladenen Begriffe wie Ausgleich, Augenmaß, Vernunft, Freiheit, Sicherheit, Geborgenheit usw. und sie bemühten sich andererseits, diese Verwechselbarkeit durch Überspitzungen, Angstvokabeln und durch Diffamierungen „wettzumachen"; da war dann vom „Ende der Freiheit", von „kapitalistischer Ellbogengesellschaft", vom „Sicherheitsrisiko", von „Brandstiftern", von „Marxisten" und „Patentchristen" die Rede. Besondere Erregung verursachte die von der CDU herausgestellte Alternative „Freiheit statt Sozialismus". Damit wurden früher schon vorgenommene Gegenüberstellungen der „zweierlei Wertordnungen" und die Erinnerung an die „Volksfrontvergangenheit" der SPD forciert; diese „revanchierte" sich ihrerseits mit dem Vorwurf des „geistigen Terrorismus" und mit Vergleichen zum Verhalten der Nationalsozialisten gegenüber der SPD.

Seit Jahresbeginn 1976 hatten die demoskopischen Institute die Wählerstimmung beobachtet. Über Monate signalisierten sie ein Kopf-an-Kopf-Rennen mit maximalen

Differenzen von 46:52 für SPD/FDP (Emnid, August 1976) und 52:47 für CDU/CSU (Allensbach, März 1976), aber auch Patt-Ergebnisse 49:49 (Emnid, Mai 1976).

Die Landtagswahlen in Baden-Württemberg im April 1976 spielten wegen der zeitlichen Nähe zur Bundestagswahl eine besondere Rolle. Mit 56,7 Prozent erzielte die von Ministerpräsident Filbinger geführte CDU ihr bestes Wahlergebnis in der Landesgeschichte. Die SPD erlitt, wie schon in den vorhergegangenen Landtagswahlen (mit Ausnahme des Saarlandes), erhebliche Verluste und erreichte nur noch 33,3 Prozent. Die FDP hatte mit nur 7,8 Prozent ihr bisher schlechtestes Ergebnis zu verzeichnen. Der Aufwärtstrend der vorhergehenden Landtagswahlen war jäh abgebrochen; eine innerparteiliche Diskussion um das Problem „Koalitionaussage" kam auf, wurde aber von der Parteiführung nicht weitergeführt.

Nach der Wahl (Ergebnis siehe Anhang) stellte Walter Kaltefleiter in seiner Analyse fest:

„Der Gewinner hat nicht gesiegt." CDU/CSU hatten zwar „das zweitbeste Ergebnis seit dem Triumph Adenauers von 1957" erreicht, aber um sechs Mandate die absolute Mehrheit verfehlt. Auch die SPD hatte ihr zweitbestes Ergebnis erzielt, aber im Hinblick auf die Fortsetzung der Koalition konnte nur von einem „Nochmal-davongekommen-Sein" gesprochen werden, nicht zuletzt weil der Optimismus der FDP auf Stimmenzuwachs sich als irrig erwiesen hatte.

Die Koalitionsmehrheit war von 46 auf zehn Mandate geschrumpft; CDU/CSU hatten ihren Vorsprung aus den zwischen 1972 und 1976 durchgeführten Landtagswahlen (Summe: 51,4 Prozent gegenüber 46,8 Prozent SPD/FDP) nicht auf die Bundestagswahl übertragen können.

„Die sozialliberale Koalition hat den Ansturm der Unionsparteien knapp überstanden. Stabilität verspricht das nicht, vor allem nicht auf vier Jahre. Unsicherheit gibt es auf allen Seiten, auch bei der Opposition. Das zeigte sich in der Wahlnacht eher in den verweigerten Antworten als in den vielen Erklärungen. So wollte Kohl nicht sagen, ob er nach Bonn gehen oder in Mainz bleiben werde und Strauß wich der Frage aus, ob er jetzt wieder seine alten Pläne für eine Vierte Partei verfolgen werde... Bei der FDP ist Anlaß zur Niedergeschlagenheit nicht nur deshalb gegeben, weil die Erwartungen trogen, die Partei könne ihren Stimmenanteil verbessern... Das Wählerpotential der FDP bleibt undefinierbar, der Wählerstamm labil. Trotzdem wird Hans Dietrich Genscher nichts anderes übrigbleiben als Kohls Offerte auszuschlagen und die FDP zunächst in eine Kanzlerwahl mit Helmut Schmidt zu führen. Erst ein Fehlschlag würde ihn aus dieser Eigenverpflichtung befreien... Das Wahlergebnis läßt für die Zukunft vieles offen."

(Hans Reiser, Süddeutsche Zeitung vom 4. Oktober 1976, S. 4)

Die Parteien entschieden sich zügig noch in der Woche nach der Wahl: Genscher schlug Kohls Koalitionsangebot aus und vereinbarte mit Schmidt, zum drittenmal eine sozial-liberale Koalition zu bilden. Das Regierungsprogramm sollte innerhalb kürzester Zeit erstellt werden. Kohl entschloß sich, im neuen Bundestag als Oppositionsführer den Vorsitz der CDU/CSU-Fraktion zu übernehmen, allerdings unter der Bedingung, daß die Fraktionsgemeinschaft wieder auf die volle Legislaturperiode festgeschrieben werde.

Plakate zur Bundestagswahl 1976

Die Regierung Schmidt-Genscher 1976 – 1980

I. INNENPOLITIK

1. Parteien und Wahlen

Regierungsparteien

Am 14. Dezember 1976 nahm der 8. Deutsche Bundestag seine Arbeit auf und wählte mit 345:110 Stimmen (bei 24 Enthaltungen) den CDU-Abgeordneten Karl Carstens zum Präsidenten; ein Gegenkandidat war nicht aufgestellt worden. Einen Tag später wurde Helmut Schmidt mit 250 gegen 243 (bei einer Enthaltung und einer ungültigen Stimme), also mit einer Stimme über der erforderlichen Mehrheit (249), zum Bundeskanzler wiedergewählt. Am 16. Dezember 1976 überreichte Bundespräsident Scheel den 15 Ressortministern ihre Ernennungsurkunden. Der Bundeskanzler stellte seine Regierungserklärung unter die Leitworte Solidarität und Liberalität. Bezeichnend war, daß Schmidt schon nach wenigen Sätzen auf die zwischen den Koalitionspartnern abgesprochene Rentengesetzgebung zu sprechen kam und bereits konkrete Zahlen für weitere Erhöhungen nannte. Er reagierte damit auf die im Wahlkampf in den Vordergrund gerückte Kontroverse und auf das in der Öffentlichkeit aufgekommene Unbehagen bezüglich der „Rentensicherheit":

„Ich nenne noch einmal die Schwerpunkte. Für uns gilt: Erstens: Wir wollen weiter den Frieden sichern — durch Fortsetzung unserer bisherigen Außenpolitik, durch Fortsetzung unserer Politik der guten Nachbarschaft und der Partnerschaft. Zweitens: Wir wollen die Arbeitsplätze sichern und neue Arbeitsplätze schaffen — durch eine vorausschauende Wirtschaftspolitik. Drittens: Wir wollen den sozialen Frieden und unsere innere Sicherheit bewahren — durch sozialen Ausgleich und durch liberale Rechtsstaatlichkeit. Viertens: Wir wollen die soziale Sicherung gewährleisten — durch Festigung unseres sozialen Netzes. Fünftens: Wir wollen unser gutes Gesundheitswesen wirtschaftlicher machen — durch Sparsamkeit und strukturelle Reformen. Sechstens: Wir wollen unserer Jugend Türen öffnen und gute Chancen in Bildung und Beruf bieten. Siebtens: Wir wollen helfen unsere Städte, Gemeinden und Landschaften lebenswert zu erhalten — durch eine Politik einer menschlichen Umwelt."

Die Durchführung dieses Konzepts erwies sich in nahezu allen Punkten als außerordentlich schwierig, in einigen als unmöglich: Die Regierung war im ersten Jahr durch den exzessiven Terrorismus einer ungeahnten Belastung ausgesetzt; die wirtschaftliche Entwicklung verlief trotz aller Konjunkturprogramme und teilweisen Beruhigungen krisenhaft. Die bereits als ausgestanden angesehene Debatte um die Vergangenheitsbewältigung belebte sich erneut (vor allem im Zusammenhang mit der Ausstrahlung des amerikanischen Fernsehfilms „Holocaust").

So schwerwiegende Probleme mußten zu Spannungen sowohl zwischen den Koalitionspartnern — insbesondere bei der Kursfestlegung in der Wirtschaftspolitik — als auch innerhalb einer Massenpartei wie der SPD führen. Wie kritisch die Situation gelegentlich war, zeigte sich erstmals bereits im Sommer 1977, als Wirtschaftsminister Friderichs ausdrücklich betonte, die Koalition halte bis 1980. Kabinettsumbildungen erfolgten im Februar 1978.

Als besonders folgenschwer erwies sich die auf dem SPD-Parteitag im Dezember 1979 beschlossene Zustimmung zum NATO-Doppelbeschluß: Ankündigung der Aufstellung von 572 atomaren Waffensystemen mittlerer Reichweite, falls alle bei den Verhandlungen mit der Sowjetunion unternommenen Anstrengungen um eine Rüstungsbegrenzung scheitern sollten. Da allerdings kein Termin genannt war, zu dem ein positives Verhandlungsergebnis vorliegen müsse und folglich die beabsichtigte Erhöhung des westlichen strategischen Abschreckungspotentials noch nicht aktuell war, gab es um den Doppelbeschluß zunächst nur begrenzte innerparteiliche und öffentliche Diskussionen. Im Verlauf des Jahres gerieten die Koalitionparteien jedoch in dieser Frage unter zunehmenden Druck.

Dasselbe galt für die Kernkraftdiskussion, wo es um den Neubau von Kraftwerken, die Fortführung bestehender Anlagen und um die Schaffung von Entsorgungsanlagen ging. In all diesen Schwierigkeiten bewährte sich die Integrationskraft des Bundeskanzlers partei- und koalitionsintern lange Zeit. Sein weltweites Ansehen, das durch seine Initiativen bei der gemeinsamen Bewältigung der außenpolitischen und wirtschaftlichen Krisen noch gestiegen war, und seine ihm auch vom Großteil der politischen Gegner bescheinigte Sachkompetenz sicherten ihm die unbestrittene Führungsrolle.

Der Koalitionpartner FDP sah sich in der von Terrorismus und Wirtschaftskrise gleichermaßen geprägten Phase besonders herausgefordert.

Die Wahlniederlagen in einer Reihe von Landtagswahlen (siehe Anhang) mußten zwangsläufig innerparteiliche Kursdiskussionen auslösen. Ganz allmählich entstanden Gegenpositionen zum sozial-liberalen Bündnis. Man betonte zwar weiterhin Koalitionstreue, aber Graf Lambsdorff (Wirtschaftsminister ab 7. 10. 1977) bezeichnete bereits Mitte 1978 das Bündnis mit der SPD als „keine gottgegebene Institution".

Oppositionsparteien

Als der Bundestag seine Arbeit am 14. Dezember 1976 aufnahm, lag hinter der CDU/CSU eine stürmische Phase ohnegleichen. Ursache war der sogenannte „Beschluß von Kreuth" gewesen, in dem die CSU im November 1976 im Haus der Hanns-Seidel-Stiftung in Wildbad Kreuth südlich des Tegernsees die Fraktiongemeinschaft mit der CDU aufgekündigt hatte. Die Absicht, im neuen Bundestag eine eigene Fraktion zu bilden und den Status einer eigenständigen Partei zu dokumentieren, wirkte insofern spektakulär, als außerhalb Bayerns die Öffentlichkeit die CSU eher als so etwas wie den „bayerischen Landesverband" der CDU, denn als selbständige Partei gesehen hatte. Nach dramatischen Auseinandersetzungen mit der CDU, aber auch mit der CSU selbst außerhalb des Kreuther Teilnehmerkreises, erneuerte man dann dennoch die Fraktionsgemeinschaft. Aber „Kreuth" blieb ein Stichwort für den bundespolitischen Anspruch der CSU und vor allem ihres Vorsitzenden Strauß.

Im Oktober 1978 beschloß die CDU auf ihrem 26. Bundesparteitag in Ludwigshafen ein Grundsatzprogramm. Die Absicht dafür lag bereits sieben Jahre zurück; in der

Zwischenzeit waren umfangreiche Vorarbeiten geleistet worden. Das Vorhaben zielte darauf, von der Orientierung auf die führenden Persönlichkeiten weg zu einer fundierten Aussage über Werte und Ziele der CDU angesichts der Herausforderung der Zeit zu gelangen.

Als „Dokument geistiger Erneuerung der CDU in der Opposition" (CDU-Generalsekretär Geißler) machte das Programm fundamentale Aussagen zu folgenden Bereichen: Grundwerte als Maßstab und Orientierung, Entfaltung der Person, Soziale Marktwirtschaft, Staat, Deutschland-, Europa-, Sicherheits- und Ostpolitik, weltweite Verantwortung. Die Partei verstand ihr Programm nicht als Maßgabe für den nächsten Bundestagswahlkampf, sondern als Darstellung ihrer politischen Grundprinzipien und als Erläuterung ihrer Ziele zu den wichtigsten Politik- und Problemfeldern. Aber es war klar, daß das in Millionenauflage verbreitete Dokument auch dazu dienen sollte, den Wählern eine Beurteilungsgrundlage für die Wahlentscheidung zu liefern. Sie hatte damit eine Parallele zum „Orientierungsrahmen '85" der SPD und zu den Freiburger bzw. Kieler Thesen der FDP geschaffen.

Noch während das Programm der Öffentlichkeit vorgestellt wurde, kam es freilich zu einer Überlagerung der angestrebten Grundwertdiskussion durch die Auseinandersetzung um die Kanzlerkandidatur. Schon im Mai 1977 war das „Kreuther Denkmodell", das heißt die Trennung von CSU und CDU, wieder in Erinnerung gebracht worden. Die CSU-Kritik an Kohl blieb Dauerthema, Einigungsdemonstrationen der beiden Parteiführer konnten die Spannung nur teilweise begrenzen. Bereits zu diesem Zeitpunkt begannen innerparteiliche Überlegungen um eine Kanzlerkandidatur des CSU-Vorsitzenden. Ende Dezember 1977 stellte Strauß fest, die CSU müsse für eine Wende sorgen. Auch nachdem er als Nachfolger von Alfons Goppel im November 1978 zum bayerischen Ministerpräsidenten gewählt worden war und versicherte, vier Jahre dieses Amt wahrzunehmen, blieb er für das Kanzleramt im Gespräch. Im Juli 1979 fiel die innerparteiliche Entscheidung für Strauß als Kanzlerkandidat bei der Bundestagswahl 1980 (gegen den niedersächsischen Ministerpräsident Albrecht).

Die Wahl des Bundespräsidenten 1979

Obschon die Stellung des Bundespräsidenten nach dem Grundgesetz stärker im Repräsentativen als im politischen Machtbereich angesiedelt ist, hatten alle Amtsinhaber — Theodor Heuss (1949—1959), Heinrich Lübke (1959—1969), Gustav Heinemann (1969—1974) und Walter Scheel (1974—1979) — die deutsche Nachkriegspolitik entscheidend mitgestaltet. Dies geschah zum einen in zahlreichen Staatsbesuchen, die nicht zuletzt dazu dienten, das demokratische Deutschland gebührend ins Bewußtsein der Völker zu heben und die Schatten der nationalsozialistischen Zeit allmählich aufzuhellen; zum anderen in dem Bemühen, dem Amt auch im innenpolitischen Bereich Profil zu geben, etwa durch die Geltendmachung einer eigenen politischen Entscheidungsbefugnis bei Gesetzgebungsakten; zum dritten, indem sie die ihnen vom Amtsverständnis her auferlegte Überparteilichkeit dazu nützten, zu den in ihrer Amtszeit jeweils zentralen Fragen und allgemeinen Anliegen aus größerer Distanz Stellung zu nehmen: Heuss, aus seiner bildungsbürgerlichen und liberalen Tradition schöpfend, wollte

Am 23. Mai 1979 wurde Prof. Dr. Karl Carstens in der Bonner Beethovenhalle zum neuen Bundespräsidenten gewählt.

außen wie innenpolitisch „besänftigen", „entkrampfen"; Lübke, geprägt von Redlichkeit und Direktheit, bemühte sich in den „Wirtschaftswunderjahren" und angesichts einer gewissen Orientierungslosigkeit um politische Festigung; der „Bürgerpräsident" Heinemann mochte als „radikaler Demokrat" nur „Dinge mit Knochen und Substanz", sah den Staat weniger philosophisch überhöht als vielmehr als „Notordnung gegen das Chaos" und zog in den Jahren der Fundamentalkritik eine eindeutige Trennungslinie zu allen fanatischen Veränderungsforderungen; Scheel brachte seine insbesondere als Außenminister gesammelten Erfahrungen in das Amt ein, griff aber in seinen offiziellen Reden auch in den Denkprozeß der unruhigen siebziger Jahre ein, etwa mit Mahnungen an die Verantwortung der Wissenschaft vor der Zukunft, an die Grenzen dieser Zukunft, mit Forderungen zu mehr Geschichtsbewußtsein, zu mehr Opferbereitschaft.

Die Art, wie Scheel das Präsidentenamt versehen hatte, hatte ihm im In- und Ausland außerordentliches Prestige eingetragen. Umfragen in der Bevölkerung ergaben ein hohes Maß an Sympathie für ihn; selbst unter CDU-Abgeordneten gab es Befürworter einer zweiten Amtsperiode. In der Bundesversammlung verfügten CDU und CSU über eine Mehrheit von 30 Abgeordneten. Die Unionsparteien entschieden sich deshalb zur Aufstellung eines eigenen Kandidaten, um das höchste Staatsamt für sich zu erringen:

Im November 1978 wurde Bundestagspräsident Prof. Dr. Karl Carstens durch die CDU/CSU-Gremien proklamiert. Im Hinblick auf die Mehrheitsverhältnisse traf Walter Scheel die Entscheidung, sich nicht mehr als Kandidat zur Verfügung zu stellen. Im März 1979 hatten sich die Fraktionen von CDU und CSU in der Bundesversammlung eindeutig für Carstens ausgesprochen.

In der Regierungskoalition löste diese Entwicklung einige Verlegenheit aus. Kurz vor der Wahl trug sie dem Atomphysiker und Philosophen Carl Friedrich von Weizsäcker die Kandidatur an. Nach einigen Tagen Bedenkzeit lehnte Weizsäcker das Angebot ab. Bei der Wahl am 23. Mai 1979 gab es deshalb keinen gemeinsamen Bewerber der beiden Koalitionsparteien. Die SPD entschloß sich, die Vizepräsidentin des Bundestages, Annemarie Renger, als Kandidatin zu nominieren. Die Verstimmung zwischen SPD und FDP über das letztlich gescheiterte Taktieren war beträchtlich. Frau Renger war sich ihrer Niederlage bewußt, bekannte sich aber zu ihrer Nominierung, da es der Bedeutung und der Würde des Amtes des Bundespräsidenten entspreche, daß die Bundesversammlung eine personelle Alternative habe.

528 Wahlmänner (von 530) der Unionsparteien wählten Karl Carstens. Annemarie Renger erhielt 431 (von 435) SPD-Stimmen. Die 66 FDP-Abgeordneten der Bundesversammlung hatten sich ebenso der Stimme enthalten wie sechs weitere Abgeordnete (eine Stimme war ungültig; vier Wahlmänner waren entschuldigt).

Die Landtagswahlen 1978 — 1980

Die Ergebnisse der Landtagswahlen in den 11 Bundesländern während der Bundestagslegislaturperiode 1976 bis 1980 brachten im Vergleich zu denen der vorhergehenden Periode keine einschneidenden Änderungen. Bei CDU/CSU und SPD hielten sie sich in verhältnismäßig engen Grenzen. Allerdings sank der Stimmenanteil der FDP in drei Bundesländern unter die 5-Prozent-Marke.

Nirgendwo hatte es einen „Erdrutsch" gegeben; weder war den Regierungsparteien in Bonn irgendwo ein „Denkzettel" verpaßt worden, noch hatten sie sich im Sinn von „Testwahlen" als Signal für eine Abwanderung der Wähler zur oppositionellen CDU/CSU erwiesen. Das Ergebnis der Hessenwahl (Oktober 1978) nahm die Bonner Koalition mit großer Genugtuung auf, da damit die Fortsetzung der SPD/FDP-Koalition in Wiesbaden gesichert war. Als sensationell konnte allerdings gelten, daß den unter verschiedenen Namen auftretenden „Grünen" in zwei Landtagswahlen auf Anhieb die Überwindung der 5-Prozent-Sperrklausel gelungen war.

Diese Wahlergebnisse hatten entscheidend zum Verschwinden der FDP aus den Landesparlamenten in Hamburg, Niedersachsen und Nordrhein-Westfalen beigetragen.

Die „Grünen"

Bei den Landtagswahlen trat die neue politische Bewegung nicht als einheitlich organisierte Bundespartei auf. Ihr Erscheinungsbild war vielmehr im Wortsinn „bunt": Das dominierende Grün der Ökologiebewegung (die sich ihrerseits in vielfältigen Spezialinteressen artikulierte) war flankiert von Rechtskonservativen (wie zum Beispiel der Aktionsgemeinschaft Unabhängiger Deutscher /AUD; Vorsitzender August Haußleiter) und K-(kommunistischen) Gruppen, die die Schubkraft des Neuen für sich nützen wollten.

Auftreten, Forderungen und nicht zuletzt die Wahlerfolge führten zu zahlreichen Analysen des „Phänomens". Dabei tauchten Begriffe wie Widerspruch, Protest, Kritik, Verdrossenheit am häufigsten auf, weil alle Autoren sich darin einig waren, daß es sich trotz aller inneren Differenzierungen um eine gegen das bestehende Parteien- und Wirtschaftssystem, teilweise auch gegen das politische System gerichtete Bewegung handelte: Vergleiche mit der APO der sechziger Jahre und den Bürgerinitiativen der siebziger Jahre lagen nahe, waren aber in wesentlichen Punkten unzutreffend. Die „Grünen/Bunten" gewannen ihre Mitglieder- und Anhängerschaft vor allem aus folgenden Bevölkerungsgruppen:

● enttäuschte Reformer, die mit den Entscheidungen bzw. dem Nichthandeln der Regierungsparteien SPD und FDP in den Bereichen Kernenergie, Umweltsicherung/Naturschutz, (atomare) Rüstungspolitik, Datenschutz usw. unzufrieden waren;

● „Aussteiger" aus dem System der Wettbewerbs- und Konsumgesellschaft mit der Absicht, sich dem Leistungsdruck zu entziehen, alternative Lebensformen im Zusammenleben und in der wirtschaftlichen „Urproduktion" (Landwirtschaft, Handwerk) zu entwickeln und durch die eigene Verweigerung (unter anderem zum Beispiel beim Wehrdienst) eine Kursänderung zu erzwingen;

● Radikale, die das Protestpotential zu einem neuerlichen Angriff auf das „System" nützen wollten; dabei war für einen Teil dieses Vorhaben Mittel zum Zweck eines politischen Umsturzes; für einen anderen Teil ging es um mehr oder weniger gewaltsame Änderungen zur Durchsetzung der eigenen Vorstellungen von Ökologie (Basis-)Demokratie, Friedenspolitik usw.;

● Verdrossene im allgemeinen, die die „Parteienwirtschaft" der Etablierten durch eine Verstärkung der Alternativen verunsichern beziehungsweise verändern wollten; sie wählten grün/bunt, um Sand in das nach ihrer Meinung allzu geölt laufende Getriebe der Parlamente zu streuen.

Der Anteil der zum Protest geneigten Bürger wurde Ende der siebziger Jahre auf 20 Prozent geschätzt, der harte Kern der „entschiedenen Grünen" auf zirka 2,5 Prozent. Schon die wenigen grünen Abgeordneten in den Landtagen bestätigten bereits einige Erwartungen. Im Landkreis Steinburg, in dem das umstrittene Kernkraftwerk Brokdorf liegt, erhielten die Grünen 6,6 Prozent; im Wahlkreis Lüchow-Dannenberg, in dem die Kernenergie-Entsorgungsanlage Gorleben geplant war, entfielen 17,8 Prozent der Stimmen auf die Grünen. Für die alternativen Gruppierungen lag der Gedanke nahe, sich 1980 an der Bundestagswahl zu beteiligen.

2. Höhepunkt und Bewältigung des Terrorismus

Die Terrorakte steigerten sich zu bislang nicht bekannter und auch für nicht faßbar gehaltener Brutalität. Außer Sprengstoffanschlägen und Entführung wurde geplanter Mord zum Kampfmittel, um den demokratischen Staat in seinen Funktionsträgern zu erschüttern.

Im April 1977 ermordeten die Mitglieder einer neu aufgebauten RAF-Gruppe den Generalbundesanwalt Siegfried Buback und seine beiden Begleiter in Karlsruhe auf offener Straße. Das „Kommando Ulrike Meinhof-Rote Armee Fraktion" rechtfertigte die Tat als „Hinrichtung", weil Buback für die „Ermordung" von Holger Meins, Siegfried Hausner und Ulrike Meinhof verantwortlich gewesen sei. Als Hintermann des Terroraktes wurde der Baader-Verteidiger Siegfried Haag ermittelt. Nach kurzer Zeit gelangen Festnahmen von Verdächtigen. Obwohl einig in der Verurteilung der Tat, brachen doch zwischen den Parteien erneut Meinungsverschiedenheiten über die staatlichen Gegenmaßnahmen aus.

Der Schauplatz der Entführung Hanns Martin Schleyers in Köln. Der mit äußerster Brutalität durchgeführte Anschlag löste in der gesamten Bevölkerung tiefe Erschütterung und Empörung aus.

Die Verurteilung der Terroristen Andreas Baader, Jan-Carl Raspe und Gudrun Ensslin am Ende des Stammheim-Prozesses zu lebenslanger Haft (schuldig an vier Morden, 34 Mordversuchen, sechs Sprengstoffanschlägen) und der vier Stockholm-Angeklagten zu je zweimal lebenslänglich vermochte kaum Beruhigung zu bewirken. Der Rechtsfriede im Lande schien nur punktuell wiederhergestellt.

Im Juni 1977 ermordeten Terroristen den Vorstandsvorsitzenden der Dresdner Bank, Jürgen Ponto, in seinem Haus in Oberursel/Taunus. Nach den Tatumständen sollte Ponto offensichtlich zunächst als Geisel für erpresserische Zwecke entführt werden.

Wenig später konnte in letzter Minute ein Anschlag auf Generalbundesanwalt Kurt Rebmann verhindert werden: Eine Raketen-Schußanlage mit 42 Rohren war nur 100 m von der Bundesanwaltschaft entfernt installiert worden. Das seit langem beabsichtigte, aber wegen der Differenzen nicht zustande gekommene Allparteiengespräch über Fragen der inneren Sicherheit sollte Mitte September stattfinden. Das Bundeskabinett beabsichtigte eine Verstärkung des Bundeskriminalamtes, des Bundesamtes für Verfassungsschutz und des Bundesgrenzschutzes um insgesamt 5000 Beamte und stellte Mittel in Höhe von 950 Millionen Mark zur Verfügung.

Die Entführung Hanns Martin Schleyers

Noch bevor endgültige Beschlüsse gefaßt werden konnten, unter anderem auch über eine verbesserte Koordination der Fahndung, schlugen die Terroristen bereits im September 1977 abermals zu: Fünf Täter entführten in Köln den Arbeitgeberpräsidenten Hanns Martin Schleyer und töteten bei dem Überfall vier Begleiter Schleyers (den Fahrer und drei Sicherheitsbeamte). In einer noch am gleichen Tag ausgestrahlten Fernsehansprache sagte der Bundeskanzler, der Staat müsse mit der notwendigen Härte antworten, die Polizei habe die uneingeschränkte Rückendeckung der Bundesregierung. Da die blutige Provokation sich gegen alle richte, solle die Bevölkerung die Fahndung unterstützen. Die Täter sollten sich trotz des momentanen triumphierenden Machtgefühls nicht täuschen; auf die Dauer hätten sie keine Chance, da der Wille des ganzen Volkes gegen den Terrorismus gerichtet sei.

Die Entführer forderten am Tag darauf in einem Brief die Freilassung von elf Häftlingen aus vier Bundesländern und je 100 000 DM. Im Nervenkrieg folgte ein mehrere Tage dauernder Austausch von Entführer-Ultimaten und Gegenforderungen der Regierung. Die Entscheidungsträger befanden sich in einer furchtbaren Zwangslage: Die Angehörigen Schleyers drängten nachzugeben; der Strafanspruch des Staates rangiere eindeutig nach dem höchsten Rechtsgut im freiheitlichen Staat, dem Leben eines Menschen. Die Entführer sandten nach einer Woche ein weiteres Lebenszeichen Schleyers und bestanden abermals ultimativ auf der Bereitstellung einer aufgetankten Lufthansa-Maschine zum Ausflug der freigepreßten Häftlinge. In den hinhaltenden Widerstand schaltete man auch die Häftlinge ein und Staatsminister Wischnewski sondierte in arabischen Ländern. Die Nervenanspannung der Politiker entlud sich auch in gegenseitigen Vorwürfen; die Vorlage und Verabschiedung neuer Anti-Terror-Gesetze signalisierten mehr Ohnmacht als Entschiedenheit.

Schließlich erfolgte ein weiterer Terrorakt: Auf dem Weg von Mallorca nach Frankfurt entführten vier Luftpiraten die Lufthansa-Maschine „Landshut" mit 86 Passagieren und fünf Besatzungsmitgliedern. Das Verlangen nach Freilassung „aller politischen Häftlinge und die Bekanntgabe, es sei Ziel der Aktion, die Forderungen der Entführer von Hanns Martin Schleyer zu bekräftigen, legten die Zusammenarbeit der Verbrecher offen. Das Ultimatum war auf Sonntag, 16. Oktober 1977, 9.00 Uhr terminiert: Freilassung der elf Häftlinge oder Tod Schleyers und der „Landshut"-Insassen. Der aus Mitgliedern aller Parteien bestehende Große Krisenstab entschied sich gegen jedes Nachgeben. Das Ende des Dramas begann am 17. Oktober 1977 mit einer sensationellen Aktion: Ein Sonder-Einsatzkommando des Bundesgrenzschutzes hatte nach sorgfältigsten Vorbereitungen die nach mehreren Zwischenlandungen auf dem Flughafen Mogadischu (Somalia) parkende Boeing 727 gestürmt und alle Passagiere und drei Besatzungsmitglieder befreit.

Selbstmord der Stammheimhäftlinge

Kaum war diese Sensationsmeldung verbreitet, wurde bekannt, daß nur wenige Stunden nach der Geiselbefreiung drei Stammheim-Häftlinge der RAF (Gudrun Ensslin, Andreas Baader und Jan-Carl Raspe) Selbstmord durch Pistolenschüsse begangen und eine vierte Terroristin einen Selbstmordversuch unternommen hatten. Wegen des zunächst unerklärlichen Sachverhalts, wie die Häftlinge in den Besitz von Waffen gekommen sein konnten, wurde die Genugtuung über den in Mogadischu erzielten Erfolg gedämpft. Bereits am nächsten Tag wurde sie vollends verdrängt durch die niederschmetternde Nachricht, daß man die Leiche Schleyers in einem Autokofferraum in Mülhausen/Elsaß gefunden habe. Nach 44 Tagen hatte die Entführung damit die schrecklichste aller denkbaren Beendigungen gefunden.

Alle diese Aktivitäten vermochten nicht darüber hinwegzutäuschen, daß durch diese Oktobertage 1977 die geistige Verfassung der Bundesrepublik Deutschland eine andere geworden war: Die Wochen des ohnmächtigen Ausgeliefertseins an Verbrecher, der Sieg von Mogadischu, der Bewachungsskandal von Stammheim, die Ermordung Schleyers — alles das mußte bei den Politikern und in der gesamten Bevölkerung ein neues Bewußtsein schaffen.

Bundespräsident Scheel sprach bei der Trauerfeier für Hanns Martin Schleyer von einem Einschnitt in der Geschichte der Bundesrepublik und von der schlimmsten Woche seit ihrer Gründung. Er bat im Namen aller deutschen Bürger die Angehörigen um Vergebung.

Gegenmaßnahmen

Massive Fahndungsaktionen, verschärfte Identitäts-Kontrollen, Personalvermehrungen bei der Polizei, ständige Änderungen der Flugrouten sowie weitere Anti-Terror-Gesetze beherrschten in der Folgezeit das öffentliche Interesse, angeheizt durch die Androhung neuer Terrorakte aus dem Untergrund. Die Verantwortlichen waren sich darüber im klaren, daß parallel zu allen Abwehranstrengungen eine sorgfältige Ursachenforschung betrieben werden müsse, um eine Immunisierung der Gesellschaft, vor allem der als gefährdet beziehungsweise anfällig eingeschätzten Jugendlichen, bewirken zu können.

Nach dem Abklingen des Schocks begann die Auseinandersetzung darüber, ob die Fahndung nach den 42 meistgesuchten Terroristen und ihrer mehrere 100 Personen umfassenden Helfer nicht zu sehr in das alltägliche Leben der Bürger eingreife: Die Material- und Datensammlung über mehr oder weniger Verdächtige, zum Beispiel die Registrierung beim Grenzübertritt, löste gewisse Bedenken aus, obschon die Fahnder in den folgenden Monaten beträchtliche Erfolge gegen den harten Kern der Extremistengruppe melden konnten. Die vom Bundeskriminalamt für notwendig erachtete „beobachtende Fahndung" zog den Vorwurf der Gesinnungsschnüffelei auf sich. Nachweisbare Pannen bei der Terroristenfahndung hielten die Aufregung in der Öffentlichkeit weiterhin aufrecht. Insgesamt war die Bilanz der Fahnder jedoch sehr positiv. Es kam zu zahlreichen Verhaftungen, zur Entdeckung von konspirativen Wohnungen und Waffenlagern, so daß Personal- und Nachschubnot die Aktivitäten zum Erliegen brachten. Prominente Mitglieder des harten Kerns zeigten sich einsichtig und setzten sich von der Terrorszene ab. Zwei der Haupttäter der zweiten Terroristengeneration, Christian Klar und Brigitte Mohnhaupt, konnten erst 1982 gefaßt werden (Prozeßbeginn 1984).

Untersuchung der Ursachen

1977 setzte die Ständige Konferenz der Innenminister, 1978 der Bundesinnenminister Gruppen von Wissenschaftlern zur systematischen Untersuchung der Entstehungsbedingungen des Terrorismus ein. Aus den bearbeiteten Feldern — Ideologie und Strategien, Lebensanalysen, Gruppenprozessen, gesellschaftlichen und politischen Bedingungen, Prozessen und Reaktionen in Staat und Gesellschaft usw. — leitete man verschiedene Erklärungsversuche ab: Der Terrorismus sei nicht als unvermittelte Reaktion auf staatliche und gesellschaftliche Zustände, sondern als Zerfallsprodukt der Studentenbewegung der sechziger Jahre entstanden; von entscheidender Bedeutung sei der Wertewandel innerhalb der modernen Industriegesellschaft im Spannungsfeld von Kultur und Natur sowie Kultur und Zivilisation, im Triumph der Zivilisation über die Kultur gewesen.

Die im Widerspruch zur etablierten Macht Stehenden würden aus eigenem Entschluß oder als Folge ihrer Handlungsweise immer weiter an den Rand der Gesellschaft rücken und dann aufgrund ihrer ohnehin schon erreichten Isolierung auch vor extremster Gewaltanwendung nicht mehr zurückschrecken.

Es blieb allerdings ungeklärt, ob das Ende der terroristischen Aktivitäten nun auf die Fahndungs- beziehungsweise Verhaftungserfolge, sowie auf die Verurteilung und Ausschaltung der Haupttäter, oder auf die Resignation der Extremisten oder auf deren Einsicht in die Ausweglosigkeit beziehungsweise Verfehltheit derartiger Methoden des „Systemwandels" zurückzuführen war. Denkbar war auch die Erklärung, das Aktivitätspotential habe sich in den späten siebziger Jahren auf andere Felder verlagert, zum Beispiel auf die Ökologie-, Antikernkraft- und Friedensbewegung.

3. Umwelt- und Antikernkraftbewegungen

1975 hatte ein Bonner Ministerialbeamter die Ansicht vertreten, in zwei Jahren werde niemand mehr von Bürgerinitiativen sprechen; sie seien lediglich eine Nachhut der außerparlamentarischen Opposition und der Protestbewegungen der sechziger Jahre gewesen. Zum Vorhersagetermin traf genau das Gegenteil zu: 1977 waren allein im „Bundesverband Bürgerinitiativen Umweltschutz" (BBU) 750 Gruppen vereinigt mit mehr Mitgliedern als alle Bundesparteien zusammen (zirka 2 Millionen). Die 1973/74 entstandene Bürgerinitiative gegen den Bau des Kernkraftwerkes Whyl am Oberrhein widerlegte auch die bisherige Charakterisierung: Die Behauptung, es handle sich um ein Großstadtphänomen, bei dem linksradikale Schlägertrupps oder partikularistische Egoisten den Ton angäben, war angesichts dieser in der Provinz entstandenen Initiative mit Beteiligten aller Schichten und verschiedener politischer Auffassungen nicht aufrechtzuerhalten.

Als Stimulanzien für die Ausweitung wirkten eine Reihe von Ereignissen, die latent vorhandene Besorgnisse zu Ängsten steigerten.

Im Juli 1976 entwichen nach einer Kesselexplosion in einem Chemiewerk nahe der oberitalienischen Kleinstadt Seveso zwei Kilo Dioxin, ein Stoff von extremer Giftwirkung. Die Verseuchung einer mehrere Quadratkilometer großen Fläche in der Umgebung führte zu schweren Gesundheitsschäden bei den Bewohnern, zum Vergiftungstod der Tiere und zur Entlaubung der Bäume. 150 Tonnen giftbelastetes Erdreich mußten abgebaggert und in Betonwannen gelagert werden. „Dioxin" und „Seveso" blieben Synonyme für schwerste Umweltschäden durch moderne Chemie und für die Anklage gegen die für die Katastrophe und ihre Folgen Verantwortlichen. Die „Ökologiebewegung" sah sich in ihren Warnungen und Aufforderungen zur Umkehr bestätigt.

So ernsthaft die vielfältigen gesetzgeberischen Maßnahmen auch waren, sie stellten weder ein sofort wirksames Mittel gegen die ununterbrochen neu enthüllten Umweltskandale dar, noch beruhigten sie die engagierten Verfechter unmittelbarer Abhilfemaßnahmen.

Im März 1979 ereignete sich im Kernkraftwerk Three Mile Island bei der Stadt Harrisburg im US-Bundesstaat Pennsylvania der zehnte (seit 1975) und bis dahin folgenschwerste Störfall in einem kommerziell betriebenen Kernkraftwerk der westlichen Welt. Durch Fehlbedienung der Anlage und auch wegen technischer Fehler gelangten radioaktive Stoffe in die Außenwelt. Ein Teil der Bevölkerung mußte evakuiert werden.

Der Vorfall, der über die Medien sofort allgemein bekannt und analysiert wurde, brachte die Kritik gegenüber der Nutzung der Kernenergie als Alternative für den Importenergieträger Erdöl auf den Punkt: Alle Vorbehalte und Proteste gegen den Bau und den Betrieb von Kernkraftwerken, gegen die sogenannten Entsorgungsanlagen (Lagerung von „Atommüll") schienen bestätigt und gerechtfertigt. Es zeigte sich in verschärftem Maße, daß die Kernenergie nicht mit irgendeiner anderen neuen Technologie vergleichbar war, daß sich an der Auseinandersetzung um Pro und Kontra nicht nur viel mehr Menschen beteiligten, sondern daß sie dies auch mit stärkerer innerer Anteilnahme taten.

Die Bundesregierung und das Parlament diskutierten während der gesamten Legislaturperiode die energiepolitische Situation in der Bundesrepublik. Einig waren sich Regierungs- und Oppositionsparteien, daß es kein Entweder — Oder geben könne, vielmehr vier Prinzipien gleichzeitig gefolgt werden müsse: mehr Einsparung, verstärkte Nutzung heimischer Quellen, Förderung neuer Energieträger und verantwortungsbewußter Ausbau der Kernenergie, das heißt, Sicherheit habe grundsätzlich Vorrang. Ein Baustopp gefährde das Wachstum, vergrößere die Arbeitslosigkeit, Kernkraftwerke seien unverzichtbar, deren technische Probleme beherrschbar. Verzicht auf Atomstrom bedeute Verzicht auf Lebensstandard. 200 000 Arbeitsplätze seien bereits 1976 mit der Kernindustrie verbunden, das Risiko werde häufig überschätzt.

In der Folgezeit wurden die Namen von Standorten für Kernkraftwerke verschiedenen Typs (z. B. Whyl, Grafenrheinfeld, Kalkar, Brokdorf) und für die Lagerung von radioaktivem Abfall (Gorleben/Wendland) durch Gerichtsverfahren und Protestaktionen weithin bekannt.

4. Das Problem Datenschutz

Der Staat hatte sich bei der Bekämpfung und Überwindung des Terrorismus fraglos als sehr erfolgreich erwiesen. Bei den für die Täterverfolgung und -verhaftung entwickelten Methoden bediente man sich der modernsten elektronischen Verfahrensweisen. Dabei mußte der Kreis der Beobachteten zwangsläufig weit ausgedehnt werden. Die Grenze zwischen dem gesetzlichen Auftrag zum Schutz der inneren Sicherheit und einer Überschreitung der den beauftragten Dienststellen übertragenen Vollmachten war sehr empfindlich. Der Wunsch, der Staat möge sich als wachsam und notfalls im Zugriff als energisch erweisen, war ganz sicher vorherrschend; andererseits wurden aber auch Bedenken laut. Sie resultierten aus einem gewissen Unbehagen gegenüber der durch die technische Entwicklung vervielfachten Möglichkeiten der Datensammlung, -speicherung, -übertragung und -vernetzung.

Das Parlament beschäftigte sich mit der neuen Rechtsmaterie „Datenschutz und Persönlichkeitsrecht". Im Januar 1978 trat das „Gesetz zum Schutz vor Mißbrauch personenbezogener Daten in der Datenverarbeitung" in Kraft. Beim Bund und in den Ländern wurden Datenschutzbeauftragte eingesetzt, die die Einhaltung der Vorschriften des Datenschutzgesetzes bei Behörden und sonstigen öffentlichen Dienststellen zu überwachen hatten. Außerdem waren mehrere Tausend betriebliche Beauftragte im gleichen Sinn tätig.

Trotzdem hielt auch in der Folgezeit eine Minderheit die Furcht vor einer „Vereinnahmung des Bürgers in der Computergesellschaft" und die Vorstellung vom „gläsernen Menschen" aufrecht. Demgegenüber verwiesen die offiziellen Stellen auf die rechtlichen Vorkehrungen gegen alle diese Mißbrauchsbefürchtungen; die Mehrheit der Bevölkerung konnte auch durchaus davon überzeugt werden. Dennoch war abzusehen, daß in diesem Bereich auch in Zukunft eine kritische Wachsamkeit bestehen bleiben würde; dies zeigte sich insbesondere in den Auseinandersetzungen im Zusammenhang mit der geplanten Volkszählung (1983).

5. Demonstrationen und Konfrontationen

Nach Angaben des Bundesinnenministeriums entwickelte sich die Demonstrationstätigkeit wie folgt:

Jahr	Demonstrationen insgesamt	davon unfriedlich verlaufen
1970	1383	132
1972	1547	77
1974	1922	144
1976	2956	191
1978	2980	200
1980	4471	143

Die weitverbreiteten und vielfältigen im Zusammenhang mit der Umweltbewegung vorgebrachten Proteste, die Aktionen gegen den Bau von Kernkraftwerken und Entsorgungsanlagen sowie die Hausbesetzungen waren es vor allem, die diese sprunghaft steigende Inanspruchnahme des Artikels 8 des Grundgesetzes in der zweiten Hälfte der siebziger Jahre bewirkten. Natürlich blieb es nicht dabei, daß sich solche Aktionen auch zunehmend gegen andere Entscheidungen oder Entwicklungen richteten, gegen Straßen- und Flughafenbauten, gegen Fahrpreiserhöhungen und den Extremistenbeschluß (die sogenannten Berufsverbote), für die Erhaltung von Grünflächen, die Genehmigung von Jugendzentren und Freizeitstätten. Grundsätzlich war diese Art der Präsentation von Bürgerwünschen als Möglichkeit der geistigen Auseinandersetzung erlaubt. Der Art. 8 GG war seit den fünfziger Jahren in mehreren Gesetzen (Versammlungsgesetz, 1953; Bannmeilengesetz, 1955; Änderungsgesetz zum Strafrecht ab 1957) genauer bestimmt worden. Von besonderer Bedeutung waren dabei die Präzisierung des Genehmigungsverfahrens und die Ausweitung des Waffenbegriffs auf Gegenstände, mit denen Beschädigungen vorgenommen oder tätlicher Widerstand geleistet werden konnte. Das Verhalten der von den zuständigen Instanzen eingesetzten Polizeikräfte wurde im Laufe der Jahre flexibler.

Am weitesten ging man bei den Hausbesetzungen, indem man zwischen Besetzern und Eigentümern Nutzungsverträge vermittelte und damit das eigentlich rechtswidrige Verhalten legalisierte. Dies geschah immer dann, wenn die Besetzer eine sogenannte „Instand-Besetzung" durchführten, das heißt in Eigenhilfe ein leerstehendes, dem Verfall absichtlich preisgegebenes Gebäude wieder bewohnbar machen wollten, um dort ihre eigenen Lebensvorstellungen verwirklichen zu können.

6. Jugendprobleme und Jugendprotest

Die Liste der Bücher und Aufsätze über die in den späten siebziger Jahren ins Zentrum des Interesses rückende Frage „Was bewegt die heutige Jugend?" umfaßt Dutzende von Titeln. Bereits in ihnen kam die Vielfalt der Erscheinungsformen, in den häufig verwendeten Fragezeichen die nicht geringe Ratlosigkeit, in der Fülle die Dringlichkeit des Themas insgesamt und der hohe Grad an „Problemlösungsbedarf" zum Ausdruck.

Publizisten, Politiker, Wissenschaftler, Meinungsforscher, Lehrer und andere in der Jugendarbeit tätige Experten sahen sich durch die bei einem Teil der Jugendlichen beobachteten Symptome normabweichenden Verhaltens veranlaßt, Analysen vorzu-

Jugend in Deutschland.

nehmen, um Klarheit zu gewinnen und Vorschläge für eine Überwindung der als besorgniserregend empfundenen Probleme unterbreiten zu können. Einig waren sich alle ernsthaften Autoren darüber, daß diese auffälligen Erscheinungsformen jeweils nur bei Minderheiten feststellbar waren. Erst die von den Medien bewirkte Publizität erweckte den Eindruck der Massenhaftigkeit und hatte mit Sicherheit infolge des Nachahmungseffekts auch einen gewissen Anteil an einer Ausbreitung des einzelnen Phänomens. Was sich in den publizistischen Darstellungen oftmals äußerst dramatisch und höchst bedrohlich ausnahm, stellte sich in sorgsam recherchierten Beschreibungen als relativ begrenzte Erscheinung dar, mit der der weitaus größte Teil der Jugendlichen nichts zu tun hatte bzw. zu tun haben wollte.

Verschiedene Studien (Emnid, Shell, Enquete-Kommission des Bundestages) sammelten eine Vielzahl von Aussagen und kamen zu Feststellungen, die aus prozentualen Antwortanteilen abgeleitet waren. Man war sich darüber klar, daß sich daraus dennoch kein eindeutiges Gesamtbild „der" jungen Generation ergeben würde, bestenfalls Trends erkennbar gemacht werden könnten. Alle einseitigen Interpretationen stießen zu Recht auf Skepsis und Widerspruch. Die Untersuchungsergebnisse zeigten nämlich ein positives Engagement von Jugendlichen ebenso wie sie für einen Teil von ihnen eine „Sinnkrise" bestätigten. Den Aussagen über ein „ausgeprägt privatistisches Lebensgefühl" und über eine „Abkehr von der Erwachsenenzentriertheit" standen andere gegenüber, die die selbstlosen Aktivitäten Jugendlicher in Sozialeinrichtungen und bei der Übernahme von Verantwortung in der Schule, in Betrieben, in Organisationen und politischen Parteien bewiesen.

Die Tatsache, daß Extremformen des Verhaltens nur von einer Minderheit praktiziert wurden und die „schweigende Mehrheit" eine unauffällige Lebensweise zeigte und sich traditionellen Werthaltungen verpflichtet fühlte, konnte freilich kein Grund für die Bagatellisierung jener Erscheinungen sein, die höchst alarmierend waren, obwohl sie nur eine kleine Gruppe betrafen:

- Die Mitgliederzahl der Jugendreligionen, Jugendsekten und sogenannter Neuer religiöser Bewegungen, die in den siebziger Jahren in USA, Asien und Westeuropa entstanden waren und sich auch in der Bundesrepublik bemerkbar machten, wurde auf zirka 150 000 geschätzt.

- Die Gefährdung Jugendlicher durch Drogen hatte in den siebziger Jahren bereits solche Ausmaße angenommen, daß sich im November 1977 der Bundestag damit beschäftigte. 150 000 Jugendliche waren alkoholgefährdet (1,5 Millionen Bürger insgesamt). Von 1975 bis 1979 war die Zahl der Drogentoten von 191 auf 593 angestiegen, auf 80 000 schätzte man die Drogenabhängigen. Der Anteil der 12- bis 16jährigen Drogenkonsumenten stieg von 1975 bis 1978 von 0 auf 20 Prozent.

- Ähnlich besorgniserregend war das Ansteigen anderer krimineller Delikte bei Jugendlichen. Als „Wohlstandskriminalität" bezeichnete man die Diebstähle in Kaufhäusern und Selbstbedienungsläden, die von Kaugummis bis zu Mopeds und Musikanlagen reichten. Als Motiv für die zunehmenden Sachbeschädigungen stellte sich nicht selten mutwillige Zerstörungswut heraus. Noch schlimmer waren die zumeist im Schutz der Anonymität einer Gruppe („Rowdies", organisierten „Gangs", Sport-„Fans", „Punker", „Motorrad-Rocker") begangenen Tätlichkeiten.

II. WIRTSCHAFTSPOLITIK

1. Fortdauer der Krise

Die Generaldebatte im Bundestag über die Wirtschaftslage in der Mitte der Legislaturperiode 1976/80 (September 1978) machte einerseits die scharfe Konfrontation zwischen Regierung und Opposition deutlich und offenbarte andererseits, daß bislang alle Maßnahmen nicht den erwünschten Erfolg gezeitigt hatten.

Bisher hatten sich alle optimistischen Prognosen als falsch herausgestellt: Die Arbeitslosenzahl unterschritt nur noch gelegentlich die Millionengrenze, die Defizite in den öffentlichen Haushalten stiegen weiter an (alle öffentlichen Haushalte 1980: 450 Milliarden DM; die Schuldenlast des Bundes überstieg mit 225 Milliarden DM die Höhe des gesamten Haushalts. 22 Prozent des Haushalts mußten für diesen Schuldendienst aufgewendet werden), die Preissteigerungsrate lag bei 4 Prozent.

Der Regierungskurs folgte dem Grundsatz „ankurbeln und sparen" (Matthöfer, Finanzminister ab 16. 2. 1978). Man suchte also einen Mittelweg, da sich die deutliche „Bremspolitik" der frühen siebziger Jahre nicht bewährt hatte. Als besonders bedenklich mußte wirken, daß erstmals seit Mitte der sechziger Jahre 1979 bei der Leistungsbilanz von Export und Import ein Defizit zu verzeichnen war:

1974	+ 25,5 Milliarden DM	1977	+ 9,8 Milliarden DM
1975	+ 8,5 Milliarden DM	1978	+ 17,6 Milliarden DM
1976	+ 8,6 Milliarden DM	1979	− 2,0 Milliarden DM

Eine weitere Vergrößerung der Lücke wurde erwartet: Der deutsche Exportüberschuß an Fertigprodukten und Dienstleistungen reichte nicht mehr aus, um die Einfuhr von Rohstoffen (Erdöl), Fertigwaren, die Überweisungen für Gastarbeiter und die Ausgaben deutscher Touristen zu decken.

Die Konjunkturprogramme sollten durch Entlastungen von kleinen und mittleren Einkommen und durch Steigerung sozialer Leistungen (zum Beispiel Erhöhung des Kindergeldes) die Nachfrage und damit die Produktion anregen. Die Gewerkschaften und andere Arbeitnehmerverbände wollten ihrer Mitglieder- und Anhängerschaft ein über die Preissteigerungsraten hinausgehendes Plus in der Lohntüte verschaffen. Erhöhte Lohnkosten waren aber keinesfalls geeignet, die Betriebe zu Neueinstellungen und damit zum Abbau der Arbeitslosigkeit zu bewegen.

Neben den allgemeinen Krisenerscheinungen (schlechte Absatz- und Ertragslage) waren insbesondere die hohen Zinsen für Fremdkapital für die Insolvenzen verantwortlich (1979: 5483; Jahresdurchschnitte: 1960—1969: 2325; 1970—1979: 4773). Firmen mit zu schmaler Eigenkapitalausstattung waren deshalb besonders betroffen. Die beiden Folgen mußten sein:

- Sinken der Investitionsquote (ab 1973 im Jahresdurchschnitt nur noch 0,6 Prozent, 1966—1972: 1,7 Prozent), woraus sich eine Lücke von 220 Milliarden DM errechnete, die etwa einer Million Arbeitsplätzen entsprachen.

- Anstatt, daß also neue Arbeitsplätze geschaffen wurden, erfolgte ein Abbau der vorhandenen, von 1973 bis 1981 zirka 1,1 Millionen. Hieraus ergaben sich abermals zwei Konsequenzen für die Unternehmensstruktur:

- Die Zahl der Selbständigen sank von 1960 bis 1980 von 220 (von 1000 Erwerbstätigen) auf 136.

- In allen Branchen nahm die Konzentration zu; insgesamt hatten die zehn größten Unternehmen 1968 einen Umsatzanteil von 38,1 Prozent, 1975 von 41,6 Prozent.

2. Fortdauer der Auseinandersetzungen um den richtigen Kurs

Die Aussprachen über die Konjunkturprogramme, die Beratungen über die „Sondergutachten des Sachverständigenrates zur Begutachtung der gesamtwirtschaftlichen Entwicklung" und die Vorlage der Jahreswirtschaftsberichte der Bundesregierung waren die Hauptanlässe für die Debatten im Bundestag über den in der Krise zu steuernden Kurs.

Der Wirtschaftsminister vertrat entschieden die Auffassung, daß auch in der gegebenen Situation dem Wettbewerb auf dem Markt der größtmögliche Spielraum gelassen werden müsse. Die SPD setzte gleichermaßen auf Wirtschaftswachstum, weil nur auf diese Weise die Arbeitslosenzahl gesenkt werden könne. Es sollte erreicht werden durch öffentliche Nachfragestabilisierung — die Schuldenpolitik des Staates sei unvermeidlich, da sie dem privatwirtschaftlichen Rezessionsmechanismus entgegenwirke — und durch Verbesserung der Angebotsbedingungen. Auch in der Unterstützung der kleinen und mittleren Betriebe war man sich einig, um die strukturellen Nachteile gegenüber der Großwirtschaft ausgleichen zu helfen. Der Hemmfaktor Hochzins sei für den Abbau einer zu befürchtenden Inflationsmentalität wichtig gewesen, dürfe jedoch nur für eine kurze Phase eingesetzt werden. Die Opposition stimmte den Ansichten des Wirtschaftsministers in vielen Punkten zu — bei der Verringerung der Wachstumshemmnisse, bei der Verbesserung der Eigenkapitalbildung der Unternehmen, der Förderung des Wettbewerbs — aber sie vermißte die praktischen politischen Schritte: Der Anstieg der staatlichen Schuldenlast gefährde den Geldwert; die staatlichen Fördermaßnahmen dürften nicht nur Großunternehmen zugute kommen; die Besteuerung der Masseneinkommen müsse gerechter werden, da bei einer jetzt erreichten Grenzbelastung von 50 Prozent für Steuern und Abgaben weder Vermögensbildung noch Leistungsbereitschaft noch Ausgaben erwartet werden könnten.

Die internationale Wirtschaftslage hatte sich grundsätzlich nicht geändert. Die Auflistung der Bereiche, in denen die Entwicklung besorgniserregend war, wurde dabei eher länger:

- Die nach wie vor rückläufige Bevölkerungsentwicklung in der Bundesrepublik Deutschland bedeutete einen Rückgang an Nachfrage und war problematisch für den Arbeitsmarkt beziehungsweise für die Altersversorgung.

- Die Sättigung des Marktes mit hochwertigen Langzeitgütern war unverkennbar, lediglich die Autobranche machte eine gewisse Ausnahme.

- Die Umstrukturierung des Arbeitsmarktes durch neue Technologien und entsprechende Rationalisierungen löste bei den unmittelbar Betroffenen Ängste aus.

- Der Konkurrenzdruck aus Niedriglohnländern der Dritten Welt steigerte in den Hochlohnländern den Druck auf den Arbeitsmarkt.

- In rohstoffarmen Staaten (vor allem der Bundesrepublik Deutschland und Japan) belasteten die gestiegenen Einfuhrpreise die Leistungsbilanz, wodurch sich wiederum die Konkurrenz erhöhte.

Auf den Gipfelkonferenzen über wirtschaftliche Fragen (London, Bonn, Tokio, Venedig) war man sich zunehmend darüber einig, daß die Probleme komplex waren und langfristig nur durch anhaltende gemeinsame Anstrengungen gemeistert werden könnten.

Der Handlungszwang, dem sich die Regierungskoalition infolge des Drucks der Verhältnisse und der Opposition ausgesetzt sah, erhöhte sich im Laufe der Jahre, weil der Verteilungskampf zwangsläufig schärfer und die Fundamentalkritik am Marktwirtschafts- und Wachstumskonzept von außerhalb des Parlaments und von seiten der Entscheidungsträger massiver wurde.

Im März 1980 kam es noch einmal zu einer großen Grundsatz- und Detaildiskussion zwischen Regierung und Opposition um ein Steuerentlastungsprogramm. Die Regierung sah eine Tarifkorrektur zur Entlastung der Unter- und Mittelschicht (Umfang 10,5 Milliarden DM) sowie kinder- und familienbezogene Maßnahmen vor, verwies aber auch auf den Mangel an Manövriermasse.

III. SOZIAL- UND GESELLSCHAFTSPOLITIK

1. Sozialpolitik im Zeichen der Geldnot

1978 war der Aufwand für die sozialen Leistungen auf zirka 426 Milliarden DM angestiegen. Die Steigerungsraten betrugen von 1970 bis 1977 insgesamt 117 Prozent.

Im Zeitraum 1970/1979 nahm die Verschuldung des Bundes, der Länder und Gemeinden von 125 auf 420 Milliarden DM zu. Die Aufwendungen für die Zinszahlungen stiegen beim Bund von 1970 bis 1980 von 2,7 Prozent auf 6,5 Prozent der Gesamtausgaben (bei den Ländern von 1,4 auf 4,3 Prozent).

Drei Positionen innerhalb des aufwendigen sozialen Leistungsgefüges spielten in den öffentlichen Erörterungen und bei den Debatten um die Möglichkeiten einer Kostenre-

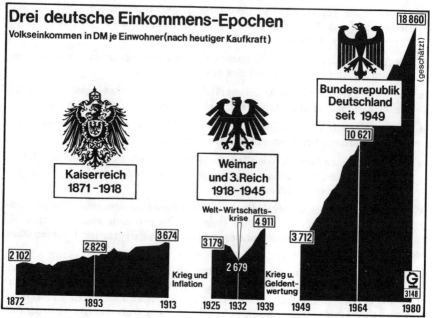

Drei deutsche Einkommens-Epochen

Volkseinkommen in DM je Einwohner (nach heutiger Kaufkraft)

18 860

(geschätzt)

Bundesrepublik Deutschland seit 1949

10 621

Kaiserreich 1871–1918

Weimar und 3.Reich 1918–1945

Welt-Wirtschafts-krise

4 911

3 674

3179

3 712

2 829

2102

2 679

Krieg und Inflation

Krieg u. Geldent-wertung

G 3148

1872   1893   1913   1925 1932 1939   1949   1964   1980

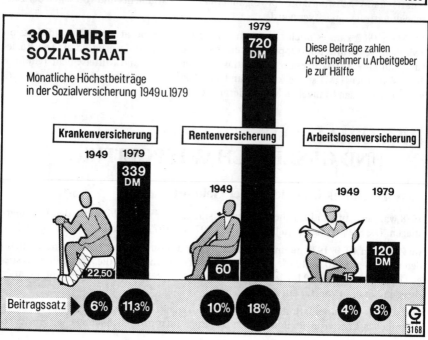

30 JAHRE
SOZIALSTAAT

Monatliche Höchstbeiträge
in der Sozialversicherung 1949 u.1979

1979

720 DM

Diese Beiträge zahlen
Arbeitnehmer u. Arbeitgeber
je zur Hälfte

| Krankenversicherung | Rentenversicherung | Arbeitslosenversicherung |

1949   1979

339 DM

1949

1949   1979

120 DM

22,50

60

15

Beitragssatz ▶ 6% 11,3%   10% 18%   4% 3%

G 3168

duzierung beziehungsweise Haushaltsentlastung eine besondere Rolle: die Lohnfortzahlung im Krankheitsfall, die Krankheitskosten und die Renten.

● Die Zahl der Arbeitsunfähigkeitsfälle je 1000 Krankenversicherte war von 1950 bis 1980 von 450 auf 1007 angestiegen, das heißt, im Durchschnitt meldete zuletzt jeder Versicherte sich einmal im Jahr krank.

Ein Absinken der Quote war lediglich in den beiden Rezessionsphasen von 1967 (589 je 1000) und 1975 (856 je 1000) zu verzeichnen. Es lag nahe, daß bei den sozialpolitischen Auseinandersetzungen und Arbeitskämpfen auf diesen Zusammenhang aufmerksam gemacht wurde. Während sich die Arbeitnehmer und ihre Vertreter heftig gegen den Vorwurf eines Mißbrauchs der gesetzlichen Regelungen wehrten und darauf verwiesen, daß die Arbeiter erst 1970 mit den Angestellten gleichgezogen hätten und beide Gruppen immer noch benachteiligt seien gegenüber den Beamten, die ihre Bezüge bis zur Gesundung erhielten, verwiesen die Arbeitgeber auf den von 1970 bis 1980 zwischen 5,3 und 5,6 Prozent pendelnden Krankenstand, auf die branchenbedingten Ausfallzeiten und die dementsprechende Kostenbelastung der Betriebe.

● Die Krankheitskosten verdreifachten sich von 1970 bis 1981 von 70 Milliarden auf 210 Milliarden DM. Die Hälfte davon entfiel auf die Behandlung selbst, ein Drittel auf Folgekosten (Lohnfortzahlung, Krankengeld, Invaliditätsrenten), der Rest verteilte sich auf Vorbeugung, Betreuung, Forschung, Verwaltung usw.

● Bereits im Wahljahr 1976 mußte für die Rentenversicherung ein Defizit von zirka 10 Milliarden DM festgestellt werden. Die Rentenerhöhung zum 1. Juli um 11 Prozent kam 11,5 Millionen Rentnern (das waren 83 Prozent aller über 65jährigen) zugute. Das Thema der Rentenfinanzierung blieb während der gesamten Legislaturperiode in der Diskussion, da sich nach dem Offenkundigwerden des Problems immer mehr Experten, Politiker und mittel- oder unmittelbar Betroffene dazu äußerten. Die Ursache für die langfristigen Finanzierungsschwierigkeiten, um die im wesentlichen debattiert wurde, lag in der vorhersehbaren Verschiebung der Bevölkerungsstruktur aufgrund des Geburtenrückgangs seit Mitte der sechziger Jahre. Der sogenannte Rentenlastquotient — das Verhältnis zwischen der Zahl der Renten und der Zahl der Erwerbspersonen (zwischen dem 18. und 60. Lebensjahr, die sie finanzieren müssen) — lag schon 1980 bei 49 (das heißt auf 100 Erwerbspersonen entfielen 49 zu zahlende Renten). Bis zum Jahr 2000 werde diese Zahl auf 54 steigen. Um die Leistungen dann noch aufbringen zu können, müßte der Rentenbeitragssatz von 18 Prozent (1979) auf eventuell ein Drittel des Einkommens angehoben werden.

Bundestag und Bundesrat beschäftigten sich mit diesen Komplexen nahezu permanent, weil die Wirtschaftsentwicklung und die strukturellen Veränderungen dies notwendig machten.

Der Handlungsspielraum für die Legislative zu gesetzgeberischen Maßnahmen war relativ eng. Einige Zwänge resultierten aus den Vorgaben des erreichten Sozialstaatniveaus, andere aus den finanziellen Engpässen; denkbare Alternativen waren politisch nicht durchsetzbar.

Wichtige Gesetzgebungsakte waren unter anderem:

● Das „Krankenversicherungs-Kostendämpfungsgesetz" (Gesetz zur Dämpfung der Ausgabenentwicklung und zur Strukturverbesserung in der gesetzlichen Krankenversicherung) verfügte Änderungen im Leistungsrecht und beim Kassenarztrecht. Künftig waren Beteiligungen bei den Arzneimittelkosten vorgesehen.

● Die Rentengesetze 1977 und 1978 nahmen unter anderem die vorgezogene Rentenanpassung um ein halbes Jahr wieder zurück (Januar 1979: 4,5 Prozent; Januar 1980: 4 Prozent), die Bemessungsgrundlage wurde um ein Jahr näher an die aktuelle Lohnentwicklung herangeführt.

2. Die Entwicklung des Lebensstandards

Der Anstieg der Verbraucherpreise konnte von 1976 bis 1978 von 4,3 Prozent über 3,7 Prozent auf 2,7 Prozent gedämpft werden, dann allerdings erfolgte ein erneuter deutlicher Anstieg auf 4,1 Prozent (1979) und 5,5 Prozent (1980). Das Realeinkommen je Beschäftigtem folgte in einer entsprechenden Kurve:

1976:	— 0,1 Prozent
1977:	+ 2,0 Prozent
1978:	+ 3,7 Prozent
1979:	+ 1,9 Prozent
1980:	— 0,3 Prozent

Der Kaufkraftverlust des Geldes durch Preissteigerungen betrug von 1970 bis 1979 38 Prozent. Damit lag die Bundesrepublik allerdings im Vergleich mit anderen europäischen Staaten sowie den USA und Japan zusammen mit der Schweiz am günstigsten (USA: 49 Prozent, Schweden: 56 Prozent, Japan: 58 Prozent, Italien und Großbritannien: 69 Prozent). Bezogen auf die Kaufkraft je Lohnstunde ergab sich trotzdem eine „Verbilligung" der meisten Güter im Verlauf der siebziger Jahre — natürlich mit Ausnahme von Benzin und Heizöl, deren Kosten die Haushalte ebenso stark belasteten wie die Mieten.

Diese gestiegenen Ausgaben schlugen selbstverständlich bei den unteren Einkommensschichten, insbesondere bei einem großen Teil der Rentner, am stärksten zu Buch. Im Durchschnitt der Arbeitnehmerhaushalte (vier Personen mit mittlerem Einkommen) war der Aufwand für den Grundbedarf (Nahrungsmittel und Getränke, Kleidung, Miete/Licht/Heizung) allerdings von 1950 bis 1978 von 74 Prozent auf 46 Prozent gesunken, so daß entsprechend höhere Beiträge für den freien Bedarf zur Verfügung standen.

3. Vermögensbildung

Die Verteilung des Eigentums am Produktivvermögen (Betriebsvermögen und Aktien) ergab für die späten siebziger Jahre, daß 20 Prozent der Haushalte 86 Prozent des Vermögens besaßen, davon 3 Prozent der Haushalte allein 40 Prozent; die 20 Prozent der Haushalte auf der untersten Stufe verfügten über 0,8 Prozent. Dabei waren seit 1949

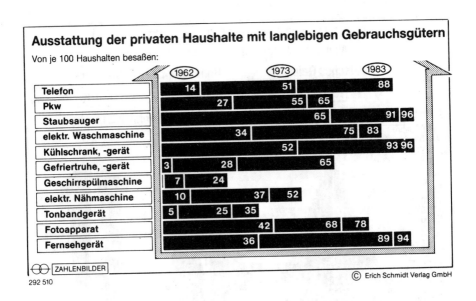

Ausstattung der privaten Haushalte mit langlebigen Gebrauchsgütern

Von je 100 Haushalten besaßen:

	1962	1973	1983
Telefon	14	51	88
Pkw	27	55	65
Staubsauger		65	91 96
elektr. Waschmaschine	34	75	83
Kühlschrank, -gerät		52	93 96
Gefriertruhe, -gerät	3 28	65	
Geschirrspülmaschine	7 24		
elektr. Nähmaschine	10	37 52	
Tonbandgerät	5 25	35	
Fotoapparat		42 68	78
Fernsehgerät	36	89	94

ZAHLENBILDER
292 510

© Erich Schmidt Verlag GmbH

insgesamt 125 Milliarden DM, davon etwa 100 Milliarden DM allein im Jahrzehnt von 1968 bis 1978, für die Förderung der Vermögensbildung aufgewendet worden. Die überbetriebliche Vermögensbildung basierte auf dem Wohnungsbauprämiengesetz, dem Sparprämiengesetz und dem Gesetz zur Förderung der Vermögensbildung der Arbeitnehmer (624-Mark-Gesetz). Bevorzugt begünstigt waren selbstverständlich die Bezieher niedriger Einkommen. Die Wirkungen waren im Sektor Haus- und Grundbesitz deutlich positiv.

1973 waren von 1000 Haushalten 373 Eigentümer eines Hauses oder einer Wohnung, 1978 bereits 416.

Diese Ergebnisse veranlaßten Politiker und Funktionäre zu neuen Konzepten. Vermögenspolitik wurde einerseits zunehmend mit dem Ziel „Erwerb von Produktivvermögen" gesehen, andererseits — aufgrund der relativ bescheidenen Ergebnisse der überbetrieblichen Vermögensbildung — verlegte man sich stärker auf den Ausbau der verschiedenen betrieblichen Beteiligungsmodelle. Hierzu gab es allerdings kontroverse Auffassungen: Die sozial-liberale Koalition und die Gewerkschaften bekannten sich zu einer Verstärkung der überbetrieblichen Formen. Neben dem Ausbau der Sparförderung (zum Beispiel durch das 936-Mark-Gesetz) befürworteten sie die Schaffung regionaler Fonds, in die die Unternehmer Beteiligungswerte und Bareinzahlungen einbringen und an denen die Arbeitnehmer in Form von Anteilscheinen beteiligt werden sollten. Grundsätzlich ging es den Arbeitnehmervertretern nur zu einem Teil um eine Einkommensverbesserung. Kernstück der vermögenspolitischen Forderungen war die Gewinnung von wirtschaftlicher Macht, zumindest von Kontrollmöglichkeiten.

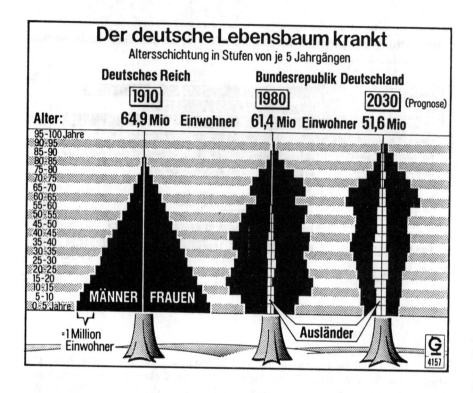

Der deutsche Lebensbaum krankt
Altersschichtung in Stufen von je 5 Jahrgängen
Deutsches Reich · Bundesrepublik Deutschland
1910 · 1980 · 2030 (Prognose)
Alter: 64,9 Mio Einwohner · 61,4 Mio Einwohner · 51,6 Mio
95–100 Jahre / 90–95 / 85–90 / 80–85 / 75–80 / 70–75 / 65–70 / 60–65 / 55–60 / 50–55 / 45–50 / 40–45 / 35–40 / 30–35 / 25–30 / 20–25 / 15–20 / 10–15 / 5–10 / 0–5 Jahre
MÄNNER | FRAUEN
= 1 Million Einwohner · Ausländer

Die Unionsparteien und die Arbeitgeberseite setzten sich dagegen für verschiedene Formen der betrieblichen Vermögensbeteiligung ein: Sie brächten eine höhere Mitarbeitermotivation, eine Verbesserung der Eigenkapitalausstattung der Unternehmen und eine unmittelbare Vermögenssteigerung für die Arbeitnehmer.

Allen Beteiligten war klar: Ein Umschichtungsprozeß dieser Art war eine längerfristige gesellschaftspolitische Aufgabe. Bei der Realisierung bedurfte es einer Abstimmung zwischen allen Parteien und Tarifpartnern. Die konjunkturpolitische Entwicklung war für das Vorhaben eine wesentliche Dominante.

4. Bevölkerungspolitik

Der 1974 einsetzende Bevölkerungsrückgang in der Bundesrepublik Deutschland (1974: 62,1 Millionen, 1980: 61,4 Millionen) löste, im Verlauf der Jahre zunehmend, lebhafte Diskussionen über die Folgen beziehungsweise über die Möglichkeiten einer Steuerung zur Trendumkehr aus. Das Problem war in verschiedenen Teilbereichen relevant: Im Zusammenhang zum Beispiel mit dem Rentenproblem war von „vergreister Gesellschaft" und Unmöglichkeit einer Altersversorgung auf dem erreichten

Niveau die Rede. Die Tatsache eines Sterbeüberschusses bei der deutschen Bevölkerung, eines relativ hohen Geburtenüberschusses bei den in Deutschland lebenden Ausländern führte zu Angstvisionen wie „Deutschland ohne Deutsche" oder „Überfremdung". Die emotional gefärbte Diskussion schlug sich auch in gegenseitigen Vorwürfen der Parteien nieder. Die sinkende Geburtenzahl sei ein Zeichen mangelnden Vertrauens in die Regierungspolitik, die ohnehin „familienfeindlich" sei.

Die Tatsachen waren folgende:

— Mit zehn Lebendgeborenen auf 1000 Einwohner waren 1980 die bis dahin tiefsten Punkte von 1917 (13,9), 1933 (14,7) und 1942 (14,9) unterschritten.

— Von den 61,439 Millionen Einwohnern (1979) der Bundesrepublik Deutschland waren 57,186 Millionen Deutsche und 4,253 Millionen Ausländer.

— Die deutsche Bevölkerung hatte (1979) einen Gestorbenenüberschuß von 129 744, die ausländische einen Geburtenüberschuß von 67 464.

— 38,1 Prozent der Ehen waren (1979) kinderlos (1962: 21,4 Prozent), ein Kind hatten 26,3 Prozent (28,0 Prozent), zwei Kinder 22,5 Prozent (26,0 Prozent), drei Kinder 8,7 Prozent (12,8 Prozent) und vier und mehr Kinder 4,4 Prozent (11,4 Prozent).

— 1979 wurden 82 788 Schwangerschaftsabbrüche registriert (= 140 Abbrüche auf 1000 Geburten).

Politiker und Bevölkerungswissenschaftler beurteilten sowohl den Tatbestand als auch die Prognosen unterschiedlich, ebenso die Reaktionen auf das Phänomen. Bei der Bundestagsdebatte im April 1980 aufgrund einer Großen Anfrage der Opposition war man sich lediglich darüber einig, daß die Zahl der Kinder grundsätzlich der Entscheidung der Ehepartner vorbehalten bleiben müsse. Die Opposition wollte aber der abgeschwächten Kinderfreundlichkeit durch Erhöhung des Kindergeldes, durch Begünstigung der Mütter, durch Förderung eines familiengerechten Wohnungsbaus, insgesamt durch eine Verbesserung der materiellen Situation von Familien mit Kindern, nicht zuletzt aber auch durch die Förderung einer positiveren Einstellung zum Kind begegnen.

Nach Berechnungen des Deutschen Instituts für Wirtschaftsforschung betrug das Pro-Kopf-Einkommen 1979 bei Ehepaaren ohne Kinder 1 282.— DM, bei Ehepaaren mit einem Kind 1 100.— DM, mit zwei Kindern 988.— DM, mit drei Kindern 895.— DM, mit vier Kindern 956.— DM, mit fünf und mehr Kindern 895.— DM. In kinderreichen Arbeiterfamilien sei das Pro-Kopf-Einkommen nur noch halb so hoch wie bei Ehepaaren ohne Kinder.

Die Regierungsparteien verwiesen einerseits auf die laufenden Erhöhungen des Kindergeldes (für ein Kind: 50.— DM; für zwei Kinder: 1975: 70.— DM; 1978: 80.— DM; 1979: 100.— DM; 1981: 120.— DM; für drei und mehr Kinder: 1975: 120.— DM; 1978: 150.— DM; 1979: 200.— DM; 1981: 240.— DM), auf die Darlehensgewährung beim Wohnungsbau, die Gewährung von Erziehungsgeld usw. und warnten im übrigen vor vorschnellen Prognosen und Modellrechnungen.

IV. AUSSENPOLITIK

1. Die Bundesrepublik Deutschland in den Vereinten Nationen

1973 war die Bundesrepublik Deutschland als 134. (die DDR als 133.) Mitglied in die Vereinten Nationen aufgenommen worden. Seit 1950 hatte sie bereits in verschiedenen Sonderkommissionen mitgearbeitet und sich an deren Finanzierung beteiligt. Durch die Mitarbeit als Vollmitglied erhielt die Außenpolitik eine neue Dimension, die Bundesrepublik Deutschland übernahm eine bedeutsame Rolle im System der multilateralen Zusammenarbeit. Von den gegebenen Mitwirkungs- und Einflußmöglichkeiten nützte sie vorrangig folgende: globale Friedenssicherung. Neugestaltung der Beziehungen zwischen den Industriestaaten und der Dritten Welt, Förderung des wirtschaftlichen und sozialen Fortschritts, Durchsetzung der Menschenrechte und des Selbstbestimmungsrechts der Völker, Bewußthaltung der offenen Deutschen Frage, enge Kooperation mit den westeuropäischen Bündnispartnern.

Schwierig war und blieb der Kontakt zum anderen deutschen Staat, da die DDR sowohl in der Deutschlandfrage als auch in einer Reihe anderer Problemfelder (zum Beispiel Südafrika, Afghanistan, Naher Osten) konsequent der sowjetischen Linie beziehungsweise Abstimmungspraxis folgte (zum Beispiel bei den sogenannten Befreiungsbewegungen).

Das Engagement der Bundesrepublik Deutschland (viertgrößter Beitragszahler 1979!) bei der Mitarbeit am Weltfrieden, bei der Realisierung des Selbstbestimmungsrechts, beim Nord-Süd-Dialog, beim Abbau aller Konfrontationen, bei der Rüstungsbeschränkung usw. brachte ihr den Ruf eines zuverlässigen Partners ein.

Aufgrund des gespannten Verhältnisses zur DDR gab es andererseits auch auf dieser Ebene keine nennenswerte Chance für eine aktive Deutschlandpolitik im Sinne des Grundgesetzes. Man mußte es hinnehmen, daß die Darlegungen der Vertreter der beiden Staaten in Deutschland über ihre konträren Auffassungen als „Deutschstunde" belächelt wurden.

2. Der NATO-Doppelbeschluß

Helsinki und die politischen Kontakte auf Regierungsebene hatten zweifellos akute Spannungen abgebaut, so daß die Ost-West-Beziehungen als stabil gelten konnten. Dies stimmte allerdings nur für den europäischen Bereich und klammerte den militärischen Sektor aus: Die Konfrontation der Supermächte in Afrika und im Vorderen Orient verschärfte sich sogar im Zusammenhang mit den Rohöl-/Rohstoffproblemen und deren wirtschaftlichen und strategischen Implikationen. Die Rüstungsgleichheit wurde von beiden Seiten stets als gefährdet angesehen, weil man der Gegenseite einen höheren Standard unterstellte, der aufgeholt werden müsse. Trotz der Bemühungen um regionalen und globalen Kräfteausgleich auf Konferenzen (MBFR/Mutual and Balanced Forces Reduction, SALT/Strategie Arms Limitation Talks) und durch Beschlüsse konnte auf dem Feld der Rüstungskonkurrenz kein gegenseitiger Angstabbau erzielt werden.

Die Situation war folglich zwiespältig: Auf politischer und wirtschaftlicher Ebene bewirkten die fast regelmäßigen Kontakte zwischen den Spitzenpolitikern auf Staatsbesuchen eine gewisse Entspannung, auf dem Gebiet der Abrüstung erhöhten sich die Gegensätze. Die konträren Auffassungen bei den Abrüstungsverhandlungen basierten auf der Uneinigkeit über die qualitative und quantitative Kapazität des beiderseitigen Rüstungsbestandes. In einer Rede vor dem Institut für Internationale Studien in London wies Bundeskanzler Schmidt 1977 erstmals öffentlich auf die Bedrohung Westeuropas durch die Stationierung moderner sowjetischer Mittelstreckenraketen des Typs SS-20 hin (Reichweite 5000 km). Da durch die SALT-I-Vereinbarungen die globalstrategischen Nuklearpotentiale der USA und der Sowjetunion neutralisiert worden seien, komme den Disparitäten auf nuklear taktischem und konventionellem Gebiet zwischen Ost und West um so größere Bedeutung zu. Ziel war ein „ausgewogenes Kräfteverhältnis in Europa". Genau dies schien in immer weitere Ferne zu rücken, weil die Sowjetunion ihre ohnehin schon vorhandene Überlegenheit auf der kontinentalstrategischen und der Gefechtsfeldebene weiter ausbaute. 1977 waren zehn SS-20-Raketen in

Die Bundesrepublik Deutschland übernahm am 1. September 1977 erstmals mit Beginn der Mitgliedschaft in den Vereinten Nationen den Vorsitz im Sicherheitsrat. Das Bild zeigt Botschafter von Wechmar auf dem Präsidentenstuhl.

der Sowjetunion aufgestellt, 1978 60, 1979 bereits 140. Im Unterschied zu den Vorgängermodellen SS-4 und SS-5 kann die SS-20 drei Sprengköpfe tragen, die in getrennte Ziele gesteuert werden können. Für die NATO insgesamt und für die Bundesrepublik Deutschland als östlichstem Mitglied ergaben sich daraus erhebliche Probleme: War die NATO-Strategie der flexiblen Reaktion und der Fähigkeit zur kontrollierten Eskalation noch möglich? Geriet die NATO-„Triade" (konventionelle Streitkräfte, nukleare Kurz- und Mittelstreckenwaffen, interkontinentalstrategische Nuklearwaffen) ins Wanken?

Würde die einseitig gesteigerte Schlagkraft in den „unteren" beiden Bereichen eine Abkoppelung Westeuropas von den USA bewirken, weil die Sowjetunion mit dem neuen Waffensystem gezielte und begrenzte Angriffe gegen ausgewählte Ziele in Westeuropa führen konnte?

Nach eingehenden Beratungen faßten 1979 die Außen- und Verteidigungsminister auf einer Sondersitzung in Brüssel folgenden Beschluß:

Ab Ende 1983 wird in Westeuropa eine begrenzte Zahl amerikanischer Mittelstrecken-Flugkörper (Cruise-Missiles-Marschflugkörper, Pershing-Raketen) im Austausch gegen ältere Modelle aufgestellt, falls es bis zu diesem Zeitpunkt nicht zu einer Vereinbarung über den Verzicht beider Seiten auf landgestützte Mittelstrecken-Flugkörper kommt. Gleichzeitig wurde angeboten, unverzüglich Rüstungskontrollverhandlungen über den Abbau der Mittelstreckenwaffen beider Seiten aufzunehmen. (Diese Verhandlungen begannen in Genf im November 1981.)

3. Der sowjetische Einmarsch in Afghanistan und die Krise in Polen.

Im Dezember 1979 marschierten sowjetische Truppen in der afghanischen Hauptstadt Kabul ein und sicherten die kommunistische Regierung Babrak Kamals. Der Vorgänger Amin wurde ermordet. Die Intervention wurde mit Art. 4 des sowjetisch-afghanischen Kooperationsvertrages von 1978 und mit Art. 51 der UN-Charta (Recht auf Selbstverteidigung einzelner oder mehrerer Staaten) gerechtfertigt. Dieses Vorgehen erregte weltweit Entrüstung. Mit besonderem Nachdruck verwies man darauf, daß erstmals die 1945 zwischen den Supermächten festgelegte „Demarkationslinie" überschritten worden sei. Die amerikanische Regierung verhängte ein Ausfuhrembargo für Getreide gegen die Sowjetunion (Lieferung von nur mehr 8 statt 25 Millionen Tonnen), halbierte die den Sowjets in amerikanischen Gewässern eingeräumten Fischereirechte und beschränkte den Technologietransfer. Die Gründung neuer Luft- und Seebasen wurde ins Auge gefaßt (zum Beispiel in Oman und Somalia), eine Eingreifreserve von 100 000 Mann geplant, die Ratifizierung des Salt-II-Abkommens ausgesetzt. Präsident Carter erhob zur Doktrin, daß die Verteidigung des Persischen Golfs zum strategischen Lebensinteresse der USA gehöre. Diese Reaktionen erfolgten nicht hektisch, aber der Konfrontationskurs war unverkennbar. Das internationale Klima verschlechterte sich in der Folgezeit, da die Bündnispartner der USA sich mit deren Maßnahmen (von denen der Boykott der Olympischen Sommerspiele 1980 in Moskau öffentlich das größte Aufsehen erregte) und Forderungen identifizierten (Bundestag, Europa-Parlament, Interparlamentarische Konferenz), die Vereinten Nationen und die blockfreien Staaten die Intervention als völkerrechtswidrig verurteilten, die Sowjetunion jedoch diese weltweite Isolierung hinnahm und die Besatzungstruppen in Afghanistan beließ.

Seit November 1979 häuften sich die Meldungen über Unruhen in Polen wegen der bedrückenden wirtschaftlichen Lage. Die Regierung Gierek reagierte zunächst mit Zugeständnissen, mußte aber, als sich ab Juli 1980 Arbeiterstreiks zu einem landesweiten Aufruhr steigerten, seinen Posten an Stefan Kania abgeben und insbesondere eine freie Gewerkschaftsbewegung („Solidarność") zulassen. Bereits zu Beginn der Krise waren die Aufständischen, denen es nicht mehr um Fleischpreise, sondern um Freiheit ging, gewarnt, die Aktionen könnten „die Besorgnis unserer Freunde" wecken. Die Furcht vor dem Einmarsch sowjetischer Streitkräfte steigerte sich, die Truppenbewegungen in der westlichen Sowjetunion, in der ČSSR und in der DDR wurden mit Spannung verfolgt.

Der außenpolitische Kurs der Bundesregierung in der Phase 1979/80 war von dieser Entwicklung natürlich stark berührt. Das Dilemma war unverkennbar: Wie konnte am ostpolitischen Kurs festgehalten werden, wenn Moskau und Washington zu einem neuen Kalten Krieg rüsteten?

Unmittelbar vor der Bundestagswahl 1980 war abzusehen, daß Außenpolitik in den achtziger Jahren unter weitgehend neuen Bedingungen betrieben werden mußte.

4. Die Europapolitik

Die ersten Europa-Direktwahlen

Anstelle der bisher 198 von den Nationalparlamenten entsandten Europaabgeordneten traten durch die Direktwahl am 10. Juni 1979 410 Abgeordnete.

Die Motivation der Bürger, für die große Anstrengungen unternommen worden waren, gelang nur begrenzt. In allen Staaten lag die Wahlbeteiligung unter der bei nationalen Parlamentswahlen.

In der Folgezeit versuchten die Europa-Parlamentarier, die nach wie vor relativ große institutionelle Schwäche zu überwinden und mehr Einfluß auf die Entwicklung der Gemeinschaft zu gewinnen. Dies war nur zu bewerkstelligen, wenn über die begrenzten Rechte hinaus (Kontrollbefugnisse gegenüber der Europäischen Kommission und dem Ministerrat, Beratungsfunktion beim Gesetzgebungsverfahren, Ablehnungsrecht gegenüber den Haushaltsentwürfen, Anrufungsrecht beim Europäischen Gerichtshof bei Verletzung der Römischen Verträge) Kompetenzen gewonnen würden. So hatte das Parlament zum Beispiel keinen Einfluß auf die Festsetzung und Erhebung der Mittel für die Gemeinschaftsaufgaben. Eine Ausdehnung der Befugnisse war jedoch um so unwahrscheinlicher, als keineswegs alle maßgeblichen politischen Kräfte eine solche Europäisierung wünschten (die ja zu Lasten der nationalen Individualitäten gehen müßte).

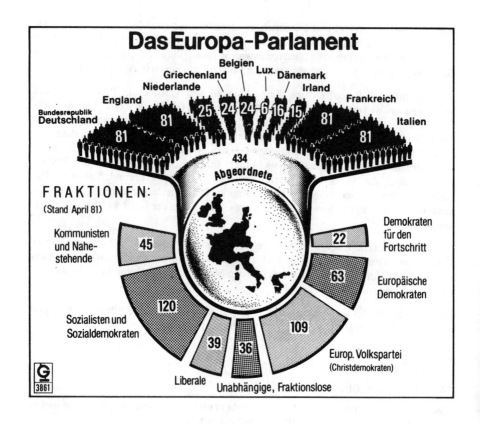

Das Europa-Parlament

England
Bundesrepublik Deutschland
Griechenland
Niederlande
Belgien
Lux. Dänemark
Irland
Frankreich
Italien

81 · 81 · 25 · 24 · 24 · 6 · 16 · 15 · 81 · 81

434 Abgeordnete

FRAKTIONEN:
(Stand April 81)

Kommunisten und Nahestehende — 45

Sozialisten und Sozialdemokraten — 120

Liberale — 39

Unabhängige, Fraktionslose — 36

Europ. Volkspartei (Christdemokraten) — 109

Europäische Demokraten — 63

Demokraten für den Fortschritt — 22

G 3861

Finanzprobleme in der Europäischen Gemeinschaft

Im Dezember 1978 beschlossen die Regierungschefs der Mitglieder, zum 1. Januar 1979 ein neues Währungssystem (EWS) einzuführen. Die neue Währungseinheit war die ECU (European Currency Unit; ERE = Europäische Rechnungseinheit), der zu diesem Zeitpunkt etwa 2,50 DM entsprachen. Die ECU diente der Bestimmung des Leitkurses, als Rechengröße im Interventionssystem und zur Schuldenverrechnung. Das EWS sollte eine Klammer zwischen den Stabilitäts- und den Inflationsländern innerhalb der EG bilden.

Ferner war eine der Hauptabsichten, den Zerfall des Agrarmarktes aufzuhalten, der durch die Währungsdifferenzen und nationalen Subventionen bereits enorm belastet war.

Der Haushalt der EG belief sich 1978 auf 12,36 Milliarden ERE (= 31,88 Milliarden DM; Einzahlungsanteil der Bundesrepublik Deutschland: 30 Prozent) und füllte sich durch Mehrwertsteuer (43,1 Prozent), Zölle (39,1 Prozent), Agrarschöpfung (13,6 Prozent), Zuckerabgabe (3,1 Prozent) und Verschiedenes. Der Anteil des Agrarfonds an den Gesamtausgaben betrug 74 Prozent.

Mit der Schaffung des EWS waren die Kontroversen keineswegs beseitigt. Dafür waren neben der unterschiedlichen Wirtschaftslage besonders zwei Ursachenbereiche maßgeblich:

- Von der Stützung der Agrarpreise profitierten jene Länder am meisten, in denen die Agrarproduktion besonderes Gewicht besitzt. Die Beiträge zur Gemeinschaft richten sich nach der Wirtschaftsleistung und der Steuerkraft. Länder mit geringerem Landwirtschaftsanteil, aber hohem Anteil aus der Industrieproduktion fungieren als „Zahler", die anderen als „Empfänger".

Es zahlen mehr, als sie kassieren:

Großbritannien	3,436 Milliarden DM
Bundesrepublik Deutschland	2,117 Milliarden DM

Es empfangen mehr, als sie zahlen 1980:

Italien	2,431 Milliarden DM
Irland	1,108 Milliarden DM
Niederlande	1,080 Milliarden DM
Dänemark	0,766 Milliarden DM
Frankreich	0,138 Milliarden DM
Belgien/Luxemburg	0,030 Milliarden DM

- Manche Empfängerländer weisen bei den Sozialindikatoren (Bruttosozialprodukt, Sozialausgaben) einen höheren Standard auf als das Geberland Großbritannien.

- Hieraus erklärt sich einerseits die Dauerkritik Großbritanniens an der EG, andererseits die ungemein wichtige Stellung der Bundesrepublik Deutschland.

V. DEUTSCHLANDPOLITIK

1. Von Normalisierungsansätzen zu neuen Verhärtungen

Wie schwierig und spannungsgeladen die Deutschlandpolitik auch zu Beginn der zweiten Legislaturperiode der Regierung Schmidt/Genscher war, ließ sich an der Reaktion auf ein Zeitungsinterview des Ständigen Vertreters der Bundesrepublik Deutschland in Berlin (Ost), Günter Gaus, ablesen. Gaus hatte geäußert, man diene der Normalisierung am besten, wenn man die Gegenseite nicht presse, auf „den Gestus des Sachverwalters aller Unterdrückten verzichte", sich vielmehr von der DDR sagen lasse, was sie „derzeit für möglich hält und derzeit für nicht machbar ansieht"; unüberwindbare Grundmeinungsverschiedenheiten — etwa in der Staatsangehörigkeitsfrage, in der Grenzfrage — müßten ausgeklammert werden. Normalisierung bedeute Respektierung der DDR als Staat, „auch wenn deren System uns nicht gefällt".

Koalition und Opposition distanzierten sich gleichermaßen. SPD und FDP betonten, die Position der Bundesrepublik Deutschland sei unverändert, CDU/CSU-Abgeordnete unterstellten, man wolle die in die Sackgasse geratene Deutschlandpolitik in eine neue Richtung verändern, weg von Grundgesetz und Grundlagenvertrag. Zu diesem Zeitpunkt war die DDR von 120 Staaten diplomatisch anerkannt und, wie die Bundesrepublik Deutschland, gleichberechtigtes UN-, MBFR- und KSZE-Mitglied. Die an die KSZE-Vereinbarungen geknüpften Erwartungen dämpfte die DDR-Regierung durch ihre Handlungen. Die CDU/CSU-Fraktion beschuldigte die Regierung, schwächlich auf die von der DDR verfügten Pressebeschränkungen reagiert zu haben. Zur Zerstörung der politischen Substanz müsse es führen, wenn künftig auf die Verwendung der Begriffe „Wiedervereinigung" und „Deutsche Frage" verzichtet werden solle. Die Bundesregierung entgegnete, dies seien Beschimpfungen und Verleumdungen, man beharre auf dem in der Regierungserklärung genannten Ziel, „auf einen Zustand des Friedens in Europa hinzuwirken, in dem das deutsche Volk in freier Selbstbestimmung seine Einheit wiedererlangt". Gerade deshalb müßten aber auch die tatsächlichen politischen und gesellschaftlichen Gegebenheiten und Entwicklungen berücksichtigt werden (April 1979). Als dann im März 1980 Bilanz über die zehn Jahre Deutschlandpolitik der sozial-liberalen Koalition seit dem Brandt/Stoph-Treffen in Erfurt (März 1970) und Kassel (Mai 1970) gezogen wurde, verwies die Bundesregierung abermals auf die positiven Ergebnisse für die Menschen, den gestärkten Zusammenhalt, die gefestigte Lage Berlins und die Milderungen der Trennungshärten. Solange es eine Mauer und Gewaltanwendungen an der Grenze gebe, könne man sich jedoch nicht zufriedengeben.

Die Opposition hielt dagegen, daß, was als Ergebnisse der neuen Ostpolitik in leuchtenden Farben geschildert werde, eigentlich das Minimum des Selbstverständlichen sei, was zwischen zivilisierten Nationen und kultivierten Staaten bestehen sollte. Nach Afghanistan könne die Politik der Entspannung nicht in bisheriger Weise fortgesetzt werden. Die DDR habe schon 1979 die umfangreichsten Arbeiten seit Jahren an den Grenzsicherungsanlagen durchgeführt (Bau von Metallgitterzäunen und Bestückung mit Selbstschußanlagen). Dies sei wahrlich nicht geeignet, gutnachbarliche Beziehungen zu entwickeln.

1980 wurde vollends zum Jahr einer doppelbödigen Politik der DDR:

● Auf politischer Ebene begann eine Konfrontationswelle. Mit dem „Nachrüstungsbeschluß" habe sich die Bundesrepublik zum „Vorreiter der Aufrüstung" gemacht; die Doktrin von den „innerdeutschen Beziehungen" sei „großdeutsch-revanchistische Propaganda". Den im Dezember 1979 geplanten Besuch von Bundeskanzler Schmidt sagte die DDR ab, ebenso dann den Februartermin. Inzwischen war die Sowjetunion wegen der Afghanistanintervention bereits weltweit angeklagt und wollte den Kontakt offensichtlich nicht dulden. Ein später vorgesehenes Gespräch sagte die Bundesregierung ihrerseits wegen der bedrohlichen Entwicklung in Polen ab.

● Die Wirtschaftskontakte und die Verhandlungen über Verkehrsfragen liefen zunächst weiter. Im innerdeutschen Handel war 1980 ein kräftiger Anstieg zu verzeichnen. Die finanziellen Vorteile für die DDR waren beträchtlich: Die Einnahmen (zum Beispiel aus der Transitpauschale, aus dem Zwangsumtausch, aus Häftlingsfreikauf und Familienzusammenführung, für den Leistungsausgleich im Post- und Fernmeldewesen, für die Abnahme von Müll und Abwässern aus Berlin), die Vergünstigungen (zum Beispiel infolge des Swing) und die direkten Zahlungen (zum Beispiel für den Autobahnausbau Berlin-Hamburg, den Ausbau der Transitwasserstraßen) summierten sich 1980 auf zirka 2 Milliarden DM. Im Oktober 1980 kam es zu einer Verschärfung des politischen Kurses, die nicht ohne Folgen für den gesamten Kontakt bleiben konnte: Die DDR-Regierung verfügte eine Erhöhung des Zwangsumtausches von 13.— auf 25.— DM. Die gestiegene Kaufkraft der Ostmark gegenüber der inflationären DM zwinge zu dieser Neufestsetzung, war die offizielle Begründung.

Auf Gegenmaßnahmen, wie die Opposition sie forderte, verzichtete man, aber die Verhandlungen über die verschiedenen Projekte wurden eingestellt.

2. Die Frage nach der nationalen Identität

In den Bundestagsdebatten zur „Lage der Nation" — zum Beispiel anläßlich der Jahrestage des 17. Juni 1953 oder aufgrund Großer Anfragen — gingen die Redner aller Parteien außer auf konkrete politische Tagesfragen immer wieder auch auf die grundsätzliche Problematik ein: Wie man das Bewußtsein der Gemeinsamkeit erhalten, was heute „deutsche Einheit" bedeuten könne, wie „Nation" einzuschätzen sei, wie Identitätsmerkmale der Kulturnation lebendig gehalten und ein sprachlich und kulturell motiviertes Zusammengehörigkeitsgefühl aufrecht erhalten werden könne. Daß diese Fragen, insbesondere in der Schule, eine Antwort finden müßten, war Pädagogen und Politikern klar. Es dürfe nicht bei dem vielfach beklagten nationalen Bewußtseinsschwund bleiben; eine zeitgeschichtliche Aufklärung müsse vielmehr auf die Ermöglichung einer rationalkritischen Identifikation mit der Bundesrepublik Deutschland zielen, bei der zugleich die gesamtnationalen und supranationalen Komponenten mit im Bewußtsein bleiben und die Zielvorstellung einer für nationale Selbstbestimmung offenzuhaltenden Zukunft erhalten werden. Andere meldeten Zweifel daran an, ob es noch geboten scheine, an einem Begriff „deutsche Nation" festzuhalten; im Zusammenhang mit dem Schicksal Wolf Biermanns sei offenkundig geworden, daß jede Seite sich Wiedervereinigung nur noch als „Anschluß" vorstellen könne.

Im November 1978 faßte die Kultusministerkonferenz einen Beschluß über „Die deutsche Frage im Unterricht", in dem — von verfassungs- und vertragsrechtlichen Grundpositionen und deren verbindlichen Interpretationen ausgehend — folgende Aufgabe der Schule festgelegt wurde:

„Im gesamten Zusammenhang der staatlichen und gesellschaftlichen Verantwortung für die deutsche Frage ist es Aufgabe der Schule, das Bewußtsein von der Einheit der deutschen Nation und ihrem Anspruch auf Selbstbestimmung in Frieden und Freiheit in der Jugend wachzuhalten. Diese Aufgabe der Schule ist durch das Grundgesetz geboten; sie ist eine Zielsetzung von verfassungsrechtlichem Rang."

In den Schulbüchern und bei der Lehreraus- und fortbildung müsse die Vereinbarung künftig angemessen berücksichtigt werden. In Ergänzung hierzu erließ die Kultusministerkonferenz „Grundsätze für die Darstellung Deutschlands in Schulbüchern und kartographischen Werken für den Schulunterricht".

Didaktische Konzepte und formale Regelungen dieser Art waren sicher notwendig, um im föderalistischen Bildungswesen der Bundesrepublik Deutschland ein Mindestmaß an Einheitlichkeit bei der Vermittlung des Deutschlandbildes an die Jugend zu gewährleisten. Andererseits war an der Jahreswende 1980/81 deutlich: Nachdem die Maximalforderung der fünfziger und sechziger Jahre „Wiedervereinigung in Frieden und Freiheit" sich als (noch) nicht realisierbar erwiesen hatte, folgte die neue Deutschlandpolitik der siebziger Jahre dem pragmatischen Konzept, von einem geregelten Nebeneinander zu einem konstruktiven Miteinander zu gelangen. Die im Zusammenhang mit Rüstungswettlauf, Afghanistan- und Polenkrise erneut von der östlichen Seite forcierte Abgrenzung rückte selbst diese bescheidenere Hoffnung wieder in weite Ferne. Es war ein weiteres Mal deutlich geworden, wie sehr die Machtkonstellation auf der europäischen Ebene beziehungsweise Kooperationsbereitschaft oder Verhärtung zwischen den beiden Weltmächten die Entwicklungen in der deutschen Frage beeinflussen.

VI. DIE BUNDESTAGSWAHL 1980

Helmut Schmidts Stellung als abermaliger Kandidat seiner Partei für die Bundestagswahl 1980 war unbestritten. Seine Position in der Partei, sein Prestige in der Wählerschaft und sein Image als Politiker schienen ihm gegenüber seinem Herausforderer Franz Josef Strauß einen unaufholbaren Vorsprung zu geben. Strauß schnitt zwar in Befragungen bei der Bewertung nach politischen Fähigkeiten nahezu ebenso gut ab wie Schmidt, bei den Umfragen über persönliche Eigenschaften ähnlich, aber bei der theoretischen Frage, für welchen Kandidaten man sich bei einer Direktwahl des Bundeskanzlers entscheiden würde, führte Schmidt mit 58 vor Strauß mit 38 Punkten. Für die Prognose des Wahlausgangs bedeutsamer war, daß Schmidt in gleicher Weise weit vor der SPD lag wie die CDU/CSU vor Strauß. Die Landtagswahlen zwischen 1978 und 1980 hatten überdies bewiesen, daß sich die Positionen der beiden großen Parteien seit 1976 nicht grundsätzlich verändert hatten. Noch kurz vor der Wahl ergaben die Meinungsumfragen eine knappe Hälfte für CDU/CSU, eine gute Hälfte für die Koalitions-. partner. Der seriöse Vergleich, dem sich die Kandidaten in Interviews stellten und der von Kommentatoren angestellt wurde, ergab für beide das Bild hoher Sachkompetenz, vor allem in Wirtschaftsfragen, großer Entschlußkraft und überzeugender analytischer Fähigkeiten.

Die auch in diesem Wahlkampf gelegentlich schrillen Töne konnten nicht vergessen machen, daß ein Vergleich der zentralen Wahlaussagen nur relativ wenige echte Konfliktpunkte aufwies: In der Frage nach der Staatsgestaltung vertraten Koalition und Opposition unterschiedliche Auffassungen bezüglich der Demokratisierung auch im wirtschaftlichen und gesellschaftlichen Bereich. In der Wirtschaftspolitik entsprach die Vorstellung von CDU/CSU, der Staat habe lediglich das Funktionieren der Sozialen Marktwirtschaft zu gewährleisten, stark der der FDP. Die SPD plädierte hingegen für eine stärkere Einwirkung, um die Grundforderungen nach Vollbeschäftigung, Preisstabilität und Wachstum zu sichern. In der Ost-West-Politik sahen sich CDU/CSU durch

Plakate zur Bundestagswahl 1980

die sowjetische Besetzung Afghanistans in ihren Warnungen vor einer illusionistischen Entspannungspolitik bestätigt, während die SPD den umgekehrten Schluß zog und gerade deshalb für intensive Gespräche zur Krisenbewältigung und Abrüstung eintrat. Seit Ende der sechziger Jahre hatte die zunehmende Politisierung der Öffentlichkeit den Bundestagsparteien einen großen Mitgliederzustrom gebracht: Die SPD war nahe an die Millionengrenze gerückt (= + 260 000), CDU/CSU hatten zirka 850 000 Mitglieder (= + 490 000); auch die FDP war um ein Drittel auf zirka 80 000 gewachsen. Noch bedeutsamer war die Bilanz aus Ab- und Zugängen: Bei der CDU waren drei von vier Mitgliedern, bei der CSU vier von fünf erst im letzten Jahrzehnt beigetreten, bei der SPD etwa zwei Drittel, bei der FDP etwa drei Viertel. Diese Bewegungen veränderten auch die soziale Schichtung, so daß die traditionellen Profile verschoben wurden und die politischen Herkunftsbereiche nur noch in Umrissen erkennbar waren (zum Beispiel Anteil von Angestellten und Beamten: CSU 42 Prozent, CDU 39 Prozent, SPD 37 Prozent, FDP 34 Prozent).

Unübersehbar war, daß die Wählerschaft, insbesondere die jüngere, die „großen" Themen inzwischen unter anderem Blickwinkel wertete und viel stärker von den vielen Problemen aus dem Bereich der Umweltsicherung, dem Zweifel am Wert des Wirtschaftswachstums, der Angst vor den Folgen einer Überrüstung usw. bewegt wurde. In einer besonderen Situation befand sich die FDP. Die Umfragen zu Jahresbeginn 1980 hatten die Partei zwischen 6,5 und 8 Prozent plaziert und damit teilweise deutlich unter dem Wahlergebnis von 1976 (7,9 Prozent). Der Ausgang der Landtagswahl von Nordrhein-Westfalen mit einem Verlust von 1,7 Prozent und damit einem Absinken unter die 5-Prozent-Grenze wirkte wie ein Schock und ließ die Frage nach dem „Überleben" aufkommen. „Diesmal geht's ums Ganze" hieß ein wichtiger Slogan der Partei, der an die Existenznöte erinnerte. Angesichts der Aufmerksamkeit, die die beiden Kanzlerkandidaten auf sich und auf ihre Parteien zog, warb die FDP für sich mit folgender Argumentationsreihe: „Für die Regierung Schmidt/Genscher, gegen die Alleinherrschaft einer Partei, gegen Strauß". Mit großem Aufwand machte man den Wählern bewußt, daß es auf die Zweitstimme ankomme und sie zum Stimmensplitting greifen sollten.

Als Sieger der Wahl konnten sich Hans Dietrich Genscher und die FDP fühlen — alle düsteren Prognosen waren widerlegt worden. Da die SPD ihre Position gut behauptet hatte, ergab sich für die Koalition eine deutliche Stärkung: Statt 253 Sitzen verfügte sie im neuen Bundestag über 270 und damit über eine Mehrheit von 45 (gegenüber vorher zehn) Sitzen. CDU/CSU hatten 17 Mandate eingebüßt und mit 44,5 Prozent am schlechtesten seit 1949 abgeschnitten. Man führte den Verlust auf die „beispiellose Hetzkampagne" gegen ihren Kanzlerkandidaten zurück. Die Analysen ergaben, daß 1,6 Millionen CDU/CSU-Sympathisanten der Wahl ferngeblieben und 0,5 Millionen zur FDP abgewandert waren. Die größten Verluste waren in Niedersachsen und in Schleswig-Holstein zu verzeichnen. Die FDP-Erfolge wurden insbesondere drei Repräsentanten zuerkannt: Genscher mit seinem klaren Koalitionsbekenntnis; Baum, der die Reformliberalen bei der Partei gehalten habe und Lambsdorff, dem man in erster Linie die Gewinnung von CDU-Wählern zuschrieb. Gemessen an ihrer Absicht und ihren Hoffnungen war die SPD nicht siegreich gewesen: Sie hatte nicht die absolute Mehrheit errungen und war nicht die stärkste Partei geworden. Auch vom Wählerverlust der Unionsparteien hatte sie nicht profitiert. Innerhalb der Partei gab es eine Verschiebung zugunsten des linken Flügels. Das mit einiger Spannung erwartete Abschneiden der Grünen war mit 1,5 Prozent für die neue Partei sehr enttäuschend, der Optimismus nach den Landtagswahlergebnissen zunächst verflogen.

Von der sozial-liberalen zur CDU/CSU-FDP-Koalition (1980 – 1983)

I. INNENPOLITIK

1. Parteien und Wahlen

Nach dem klaren Wahlsieg der Koalitionsparteien begannen bald die Programmverhandlungen, vor allem beherrscht von den düsteren Wirtschaftsprognosen. Die FDP verstand unter der beabsichtigten Durchsetzung eines „Höchstmaßes an liberaler Politik" in erster Linie eine „radikale Umkehr unserer Haushalts- und Finanzpolitik". Da auch die SPD aus dem bisherigen Verlauf der Krise die Folgerung gezogen hatte, es sei vorteilhafter, die allgemeinen Rahmenbedingungen zu verbessern als mit Investitionen und Subventionen zu operieren, war man sich über ein Sparprogramm prinzipiell einig, wenn auch mit deutlichen Kontroverspunkten.

Bei der Wahlniederlage vom Oktober 1980 war es für die Unionsparteien nur ein geringer Trost, daß sie die stärkste Gruppierung im Parlament geblieben waren. Die Opposition begann unverzüglich mit der Entwicklung neuer Leitlinien: Eine Kurskorrektur in der Ostpolitik ohne Preisgabe der Grundpositionen machte den Anfang. In der Wirtschaftspolitik stemmten sich CDU/CSU gegen die „Verschuldungs- und Gefälligkeitspolitik" und forderten eine „radikale finanzpolitische Wende".

Beginnende Spannungen in der Koalition

Während in der Öffentlichkeit neben den wirtschaftlichen Sorgen noch weitere Themen die Diskussion beherrschten — der Nachrüstungsbeschluß, die Umweltprobleme, Schul- und Ausbildungssorgen — blieben innerhalb der Koalitionspartner die Wirtschaftsfragen dominant, und zwar mit einer zunehmenden Tendenz zur Kontroverse. Die prognostizierten Daten mußten ständig nach unten korrigiert werden. Diese Erfahrung löste abermals grundsätzliche Debatten über den richtigen Kurs aus. In der FDP setzte sich der von Bundeswirtschaftsminister Graf Lambsdorff repräsentierte Flügel immer stärker durch. Die Forderung nach größerer Leistungsbereitschaft und mehr Selbstbeteiligung bzw. -hilfe und weniger Erwartungshaltung und Verlaß auf Solidarität, weniger Sozialausgaben und weniger Subventionen markierte eine sich von der SPD-Linie entfernende Position. In der Haushaltsdebatte im Juni 1981 rückte die Koalition unter den massiven Vorwürfen der Opposition zwar zusammen, aber es war von seiten der FDP bereits von einer kommenden Bewährungsprobe die Rede.

1981 zeichneten sich für die SPD Komplikationen ab, die lokal begannen, aber weit in die Bundesrepublik hineinreichten und grundsätzliche Konflikte auslösten.

● Im Mai drohte Bundeskanzler Schmidt mit dem Rücktritt, falls die Partei sich gegen den NATO-Doppelbeschluß ausspreche. Am 16. Mai 1981 stimmten im Bundestag bei der Verabschiedung des Verteidigungshaushalts 260 SPD- und FDP-Abgeordnete für den Etat (dagegen 224).

● Im Oktober 1981 hielt Willy Brandt eine Rede, in der die Integration der kritischen Jugend in die SPD ein zentrales Thema war. Wie ein Großteil der APO-Generation der späten sechziger Jahre an die Partei gebunden worden sei, so müsse auch der gegenwärtige Jugendprotest in der Partei aufgefangen werden, damit sie ihre Aufgaben als Volkspartei lösen könne. Ihm widersprachen jene, die das von Richard Löwenthal veröffentlichte Thesenpapier unterstützten: „Die Sozialdemokratie kann die gegenwärtige Identitätskrise nur überwinden, wenn sie sich klar für die arbeitsteilige Industriegesellschaft und gegen ihre Verteufelung, für die große Mehrheit der Berufstätigen und gegen die Randgruppen der Aussteiger entscheidet." Wer die Ökologie zur Weltanschauung mache, die Friedensbewegung unpolitisch auffasse, eine Freiheit ohne Solidarität propagiere, sich von friedlicher Konfliktaustragung distanziere, mit anderen Worten, wer die traditionellen Parteitugenden verleugne, müsse ausgegliedert werden.

Andere warnten vor dem „Bruttosozialproduktsozialismus". Der Dualismus Ökologie/Ökonomie sei zu überwinden, da das ökonomisch und ökologisch Vernünftige zusammenfielen, die Mehrheit der von einem Problem nicht Belasteten müsse rücksichts- und verständnisvoller mit den Betroffenen umgehen, da sie in ihren Grundrechten beeinträchtigt seien. Vor allem Erhard Eppler wurde zu einem Wortführer, der in der SPD sowohl die Interessen der Arbeitnehmer als auch der ökologisch besorgten Menschen und der von der Raketenpolitik Geängstigten vertreten wissen wollte.

Die Auseinandersetzungen in der SPD mußten zwangsläufig Auswirkungen auch auf die FDP haben, da sie die Koalitionsbindung berührten. Wie in der SPD kam es zur Ausbildung von Flügeln: Kernkraft- und Nachrüstungsgegner machten sich bemerkbar; der Konfrontationskurs gegen die SPD-Wirtschafts- und Sozialpolitik wurde kritisiert.

Am 3. Februar 1982 sah sich der Bundeskanzler veranlaßt, sich durch Stellung der Vertrauensfrage der ausdrücklichen Zustimmung der beiden Koalitionsfraktionen für seine weitere politische Arbeit zu versichern. Der Vorgang war einmalig in der Nachkriegsgeschichte. Dies machte deutlich, wie dramatisch sich das Koalitionsverhältnis bereits verschlechtert hatte. Der Kanzler erhielt zwar am 5. Februar 1982 das gewünschte Signal der Klarheit — alle 269 Koalitionsabgeordneten stimmten für ihn, 224 Oppositionsabgeordnete gegen ihn (eine Erkrankung) — aber alle Kommentatoren deuteten das Ergebnis lediglich als Tagesgewinn.

Der SPD-Parteitag in München stand unter dem Eindruck dieser mehrfachen Belastung des Kanzlers, der Koalition und der internen Flügeldiskussion — ganz abgesehen von den fortdauernden wirtschaftlichen Schwierigkeiten. Die Steuer- und Abgabeforderungen zur Bekämpfung der Arbeitslosigkeit und das Verlangen nach umfassenderen staatlichen Lenkungseingriffen programmierten neue Konflikte mit der FDP. Die außen- und sicherheitspolitischen Entscheidungen fielen zwar zugunsten des Kanzlers aus, aber die Zahl der Kritiker war eher größer geworden. Der Leitantrag, die endgültige Nachrüstungsentscheidung vom Genfer Verhandlungsergebnis abhängig zu machen, deutete ebenso wie das vorgeschlagene zweijährige Moratorium für den Bau neuer Kernkraftwerke darauf hin, daß Schmidt auch in der SPD mit größeren Schwierigkeiten rechnen mußte. Im April nahm der Kanzler eine Kabinettsumbildung innerhalb der SPD-Ressorts vor, aber als neuen Anfang beziehungsweise entscheidenden Stabilisierungsimpuls empfand man das Revirement nicht. Im Juni folgte für die Koalitionsparteien eine weitere schwere Landtagsniederlage: Die SPD verlor in Hamburg 8,8 Prozent der Stimmen und damit die absolute Mehrheit; die FDP schaffte ein zweites Mal die 5-Prozent-Hürde nicht; die Grün-Alternative-Liste gewann auf Anhieb 7,7 Prozent der Stimmen. Hatte schon die Niedersachsenwahl im März 1982 die politische Landschaft verändert, so waren von nun an die „Hamburger Verhältnisse" ein drohendes Menetekel: Die SPD mußte mit 56 von 120 Sitzen als Minderheitenkabinett regieren.

In den folgenden Wochen lautete das Problem nicht mehr, ob die Koalition bis 1984 würde durchhalten können; es ging nur noch um die Frage nach Monaten oder Wochen. Die weitere Zuspitzung erwuchs erwartungsgemäß aus den wirtschaftspolitischen Kursstreitigkeiten: Um die Eckdaten des Bundeshaushalts 1983 wurde lange gestritten; es war offenkundig, daß die schließlich erzielte Einigung (über den Haushalt und über die begleitenden Spargesetze) die Differenzen nicht überbrücken konnte, um so weniger, als man mit einer Ablehnung durch den Bundesrat und damit mit einer neuerlichen Haushaltsdebatte im Bundestag rechnen mußte.

Zerreißprobe für die FDP

In der FDP mischten sich parteistrategische und wirtschaftspolitische Erwägungen: Die nach den Landtagswahlergebnissen verständliche Sorge, immer weiter in den Strudel der SPD-Verluste hineingezogen zu werden, legte es nahe, an einen Wechsel zu denken: Mit der Koalitionsaussage für die CDU in Hessen reagierte man auf die Ergebnisse in Niedersachsen und Hamburg. Bundeswirtschaftsminister Graf Lambsdorff plädierte innerhalb der FDP am entschiedensten für eine Beendigung der Koalition — noch vor der Hessenwahl. Gegen ihn stand allerdings eine Gruppe, die trotz aller Spannungen für die Fortsetzung der Koalition bis zum Ende der Legislaturperiode eintrat (Baum, Verheugen, Hamm-Brücher und andere); sie distanzierte sich von Lambsdorffs Konzept und wollte loyal gegenüber ihren Wählern von 1980 und gegenüber dem Bundeskanzler bleiben. Die Parteiführung um Hans Dietrich Genscher und Wolfgang Mischnik verhielt sich hinhaltend, steigerte aber gerade dadurch die innerparteilichen Spannungen.

Bruch der sozial-liberalen Koalition

Bei der Bundestagsdebatte über den Bericht zur Lage der Nation begann am 9. September 1982 die Endphase: Der Bundeskanzler forderte die Oppositionsparteien auf, wenn sie schon so ungeduldig nach der Macht strebten, den von der Verfassung dafür vorgesehenen Weg des Mißtrauensvotums zu beschreiten. Zurücktreten werde er nicht. Oppositionsführer Kohl aber wollte die Landtagswahlen in Hessen (26. September 1982) und Bayern (10. Oktober 1982) abwarten. Mitte September 1982 legte Graf Lambsdorff ein umfangreiches „Konzept für eine Politik zur Überwindung der Wachstumsschwäche und zur Bekämpfung der Arbeitslosigkeit" vor. Es enthielt drastische Sparvorschläge in der Wirtschafts-, Finanz- und Sozialpolitik. Die Veröffentlichung dieses innerhalb der FDP nicht abgestimmten Papiers faßte die SPD als „Dokument der Trennung" auf.

Am 17. September 1982 traten die vier FDP-Minister von ihren Ämtern zurück. Der Kanzler machte den im Bundestag vertretenen Parteien und ihren Fraktionen den Vorschlag, Neuwahlen herbeizuführen. Kohl lehnte das ab. Am 20. September 1982 einigten sich CDU/CSU und FDP darauf, Bundeskanzler Schmidt am 1. Oktober durch ein konstruktives Mißtrauensvotum zu stürzen und Helmut Kohl zum neuen Bundeskanzler zu wählen. Neuwahlen sollten erst am 6. März 1983 stattfinden. Bei einer Neuwahl noch im November schätzte vor allem die FDP ihre Chancen als zu gering ein. Spekulationen um die Zahl der das Mißtrauensvotum stützenden FDP-Abgeordneten beherrschten die folgenden Tage.

Am 26. September 1982 verfehlte die CDU bei der Hessischen Landtagswahl das Ziel der absoluten Mehrheit (45,6 Prozent); die FDP erlitt mit nur 3,1 Prozent eine schwere Niederlage. Für die SPD gab es keinen Anlaß zum Triumph: Holger Börner hatte mit 42,8 Prozent der Stimmen und 49 von 110 Sitzen nur die Möglichkeit einer Minderheitsregierung, da er eine Zusammenarbeit mit den Grünen (8 Prozent) strikt abgelehnt hatte.

Die mit höchster Spannung erwartete Abstimmung am 1. Oktober 1982 im Bundestag zeigte — nach eindrucksvollen Reden und Erklärungen — folgendes Ergebnis: Mit 256 (226 CDU/CSU und 30 FDP) Stimmen — sieben Stimmen über der erforderlichen Mehrheit — wurde Bundeskanzler Schmidt das Mißtrauen ausgesprochen und gleichzeitig Helmut Kohl zum Bundeskanzler gewählt. Mit Nein stimmten 235 Abgeordnete; vier Abgeordnete enthielten sich der Stimme; zwei SPD-Abgeordnete waren erkrankt (Zusammensetzung des Bundestags am 1. Oktober 1982: CDU/CSU: 226; SPD: 215; FDP: 53; fraktionslos: 3, nämlich Hansen, Coppik, Hofmann).

2. Die neue Friedensbewegung

Die infolge des NATO-Doppelbeschlusses vom 12. Dezember 1979 entstandene Bewegung unterschied sich von ihren Vorläufern in einigen wichtigen Punkten.

● Sie umfaßte einen sehr viel größeren Teil der jungen Generation und beschränkte sich noch weniger als die früheren Aktivitäten auf Jugendliche.

● Sie integrierte in sich neben den unmittelbar friedenspolitischen Zielsetzungen auch andere Protesthaltungen gegen den „Staat", die in den siebziger Jahren hervorgetreten waren.

● Sie war bezüglich der Motive der Beteiligten in sich sehr heterogen: überzeugte Christen beider Konfessionen, die das Friedfertigkeitsgebot der Bergpredigt wörtlich nahmen; „Alternative" unterschiedlicher Prägung (Grüne, Konsum- und Fortschrittskritiker, Kernkraftgegner, Umweltschützer, Anhänger neuorientierter Lebensentwürfe, der Frauenbewegung); „Linke" in verschiedenen Schattierungen (Anhänger der DKP und ihrer Nebenorganisationen, aber auch der demokratischen Parteien, organisierte und individuelle Kriegsdienstverweigerer).

Dieses breite Spektrum, die unterschiedlichen Motive und die vielfältige Argumentation machten deutlich, daß der Nachrüstungsbeschluß einerseits eine auslösende Wirkung für die Artikulation der aufgestauten „Antigefühle" der verschiedensten Art hatte. Andererseits bewirkte diese Bündelung von sehr verschiedenen Emotionen und Überlegungen unter der Klammer „Friedenssehnsucht" in der Folgezeit große Dynamik und Attraktivität.

Konkrete oder diffuse Angst — allgemein vor der Zukunft oder unmittelbar vor der Aufstellung der 108 Mittelstreckenraketen Pershing 2 und der 464 Marschflugkörper Cruise Missiles — erfüllten offenbar immer mehr Menschen. Die Zahl der Teilnehmer an der zentralen Friedensdemonstration in Bonn schätzte man auf 250 000; einen außerordentlichen Widerhall erfuhr der „Krefelder Appell" (November 1980), mit dem „durch unablässig wachsenden Druck der öffentlichen Meinung eine Sicherheitspolitik" erzwungen werden sollte, „die eine Aufrüstung Mitteleuropas zur nuklearen Waffenplattform der USA nicht zuläßt, Abrüstung für wichtiger hält als Abschreckung, die Entwicklung der Bundeswehr an dieser Zielsetzung orientiert".

„Ein großer Teil der jungen Generation glaubt, daß die Strategie des militärischen Gleichgewichts und die Doktrin der Abschreckung den Frieden auf Dauer nicht zu sichern vermögen. Zugleich erscheint es diesen jungen Menschen ungerechtfertigt, daß die Rüstungsausgaben steigen, während die Aufwendungen für Bildung, für die Bekämpfung der Arbeitslosigkeit und für soziale Zwecke gekürzt werden und die Verelendung in großen Teilen der Dritten Welt zunimmt."

Zu dieser Begründung für das Engagement der Jugend in der Friedensbewegung kam die vom Deutschen Bundestag am 26. Mai 1981 eingesetzte „Enquete-Kommission: Jugendprotest im demokratischen Staat". Man zog folgenden Schluß:

„Unsere Sicherheitspolitik beruht gleichermaßen auf der Verteidigungsfähigkeit, auf dem Verteidigungswillen und der Verteidigungsbereitschaft. Kritische Fragen nach den Alternativen zu den bisher vertretenen strategischen Konzepten müssen ernstgenommen werden. Besonders berührt ist davon die herrschende Gleichgewichtstheorie, aber auch die grundsätzliche Frage, ob überhaupt der Friede durch eine fortgesetzte Anhäufung von Waffen gesichert werden kann. Erst durch eine offene Diskussion, die alle Alternativen umgreift, können nach Ansicht der Kommission sicherheitspolitische Konzepte auch für kritische junge Menschen einsichtig gemacht werden. Zugleich kann auch nur so erreicht werden, daß der Verdacht, hier handle es sich um einen Konflikt zwischen „Friedensfreunden" und „Kriegstreibern", ausgeräumt wird."

Nicht nur aus diesem Bericht war abzulesen, daß die Friedensbewegung als politisch wirkungsfähig gewertet wurde, offen war freilich die Frage, in welchem Maß dies der Fall war. Einigkeit bestand darüber, daß diese Wirksamkeit keine unmittelbare sein konnte, da die Friedensbewegung in ihrer Heterogenität kein konstruktives politisches Konzept würde entwickeln können.

Der Bundesminister für Verteidigung, Apel, hob hervor, für ihn zähle nicht die Größe einer Demonstration, sondern ihre propagierten Ziele. Er vermisse eine alternative Sicherheitspolitik. „Wir müssen die jungen Leute fragen, was ihre Alternative ist... Sie wollen ja hoffentlich in 25 und in 30 Jahren in demselben sozial gesicherten, freiheitlichen Rechtsstaat leben." Der CSU-Vorsitzende Strauß stellte bei den Anhängern der Friedensbewegung einen erschreckenden Mangel an Problembewußtsein fest; sie würden nicht erkennen, daß die Friedenssehnsucht von skrupellosen, zur Gewalttätigkeit neigenden Machthabern mißbraucht worden sei und mißbraucht werde. Auch andere mahnten, die Bagatellisierung der sowjetischen Gefahr sei verhängnisvoll; sie zeigten, wie naiv und utopisch die Gedankengänge vieler Anhänger der Friedensbewegung seien. Zusammen mit der Einseitigkeit der Argumentation, der oftmals gezeigten Intoleranz und mancher aggressiver Verhaltensweisen gegen Andersdenkende ergebe sich daraus gerade eine Gefährdung des Friedens.

II. WIRTSCHAFTSPOLITIK

1. Düstere Prognosen

Das Herbstgutachten 1980 der Wirtschaftsforschungsinstitute sagte unter anderem ein Wachstum von 0,0 Prozent, eine Inflationsrate von 4 Prozent und eine Arbeitslosenquote von 5 Prozent (1,1 Millionen) vorher. Im Frühjahr 1981 mußten diese Daten bereits negativ korrigiert werden: Wachstum 1,5 Prozent, Preisanstieg 5 Prozent, Arbeitslosenquote 1,25 Millionen. Die reale Investitionsrate würde um 4 Prozent sinken.

Die Finanzlage der öffentlichen Hände machte das bislang praktizierte Verfahren, mit Konjunkturprogrammen eine Besserung, insbesondere auf dem Arbeitsmarkt, zu erzielen, nahezu unmöglich. Die Zuwachsrate des Bundeshaushalts mußte infolge des bereits erreichten Schuldenstandes begrenzt werden. Sie sollte für 1981 niedriger liegen als der erwartete beziehungsweise erhoffte Anstieg des Bruttosozialprodukts von 4 Prozent. Dies bedeutete jedoch immer noch eine Neuverschuldung von 27 Milliarden DM.

Tatsächlich legte man den Bundeshaushalt 1981 auf 231,5 Milliarden DM fest, was einen Anstieg um 7,2 Prozent gegenüber 1980 bedeutete. Der Grund lag vor allem in dem notwendig gewordenen Zuschuß für die Bundesanstalt für Arbeit in Höhe von 8 Milliarden DM, da die Reserven aufgezehrt waren. Arbeitslosengeld und Arbeitslosenhilfe waren von 10,013 Milliarden DM (1980) auf 16,144 Milliarden DM (1981) gestiegen. Die Nettokreditaufnahme wuchs auf 37,4 Milliarden DM (1980: 27,1), der Schuldenanstieg betrug 15,2 Prozent. Unter dem Eindruck der Entwicklung — die Steuerschätzungen hatten sich als zu optimistisch erwiesen — verabschiedete der Bundestag

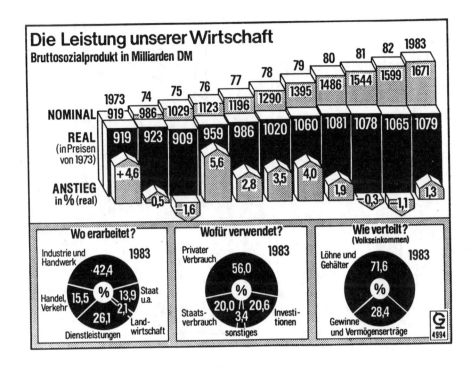

Die Leistung unserer Wirtschaft
Bruttosozialprodukt in Milliarden DM

NOMINAL — 1973: 919 | 74: 986 | 75: 1029 | 76: 1123 | 77: 1196 | 78: 1290 | 79: 1395 | 80: 1486 | 81: 1544 | 82: 1599 | 1983: 1671

REAL (in Preisen von 1973) — 919 | 923 | 909 | 959 | 986 | 1020 | 1060 | 1081 | 1078 | 1065 | 1079

ANSTIEG in % (real) — +4,6 | 0,5 | -1,6 | 5,6 | 2,8 | 3,5 | 4,0 | 1,9 | -0,3 | -1,1 | 1,3

Wo erarbeitet?
1983
- Industrie und Handwerk: 42,4
- Handel, Verkehr: 15,5
- Staat u.a.: 13,9
- Landwirtschaft: 2,1
- Dienstleistungen: 26,1
- %

Wofür verwendet?
1983
- Privater Verbrauch: 56,0
- Staatsverbrauch: 20,0
- sonstiges: 3,4
- Investitionen: 20,6
- %

Wie verteilt?
(Volkseinkommen)
1983
- Löhne und Gehälter: 71,6
- Gewinne und Vermögenserträge: 28,4
- %

G 4994

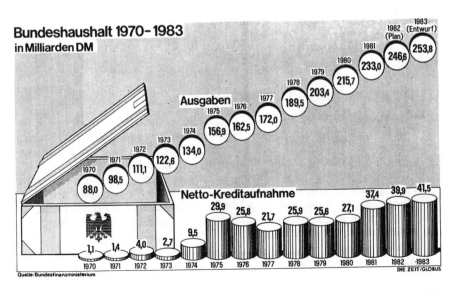

Bundeshaushalt 1970–1983
in Milliarden DM

Ausgaben

1970	1971	1972	1973	1974	1975	1976	1977	1978	1979	1980	1981	1982 (Plan)	1983 (Entwurf)
88,0	98,5	111,1	122,6	134,0	156,9	162,5	172,0	189,5	203,4	215,7	233,0	246,6	253,8

Netto-Kreditaufnahme

1970	1971	1972	1973	1974	1975	1976	1977	1978	1979	1980	1981	1982	1983
1,1	1,4	4,0	2,7	9,5	29,9	25,8	21,7	25,9	25,6	27,1	37,4	39,9	41,5

Quelle: Bundesfinanzministerium

DIE ZEIT/GLOBUS

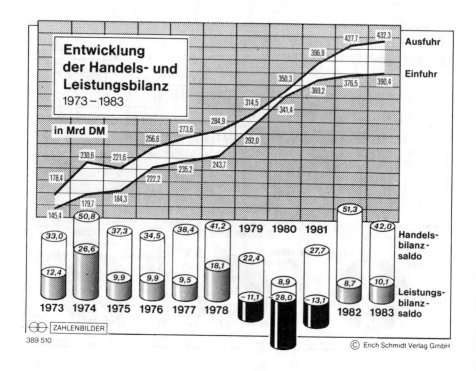

Entwicklung der Handels- und Leistungsbilanz 1973–1983

in Mrd DM

Ausfuhr: 178,4 · 230,6 · 221,6 · 256,6 · 273,6 · 284,9 · 314,5 · 350,3 · 396,9 · 427,7 · 432,3

Einfuhr: 145,4 · 179,7 · 184,3 · 222,2 · 235,2 · 243,7 · 292,0 · 341,4 · 369,2 · 376,5 · 390,4

Handelsbilanz-saldo: 33,0 · 50,8 · 37,3 · 34,5 · 38,4 · 41,2 · 22,4 · 8,9 · 51,3 · 42,0

Leistungsbilanz-saldo: 12,4 · 26,6 · 9,9 · 9,9 · 9,5 · 18,1 · −11,1 · −28,0 · −13,1 · 8,7 · 10,1 · 27,7

1973 1974 1975 1976 1977 1978 1979 1980 1981 1982 1983

ZAHLENBILDER

389 510

mit der Bezeichnung „Operation 82" ein Sparprogramm mit einem Volumen von zirka 19 Milliarden DM, das unter anderem den Abbau von Steuervergünstigungen und Subventionen, Änderungen bei den Sozialgesetzen, Kostendämpfung im Gesundheitswesen und Steuererhöhungen vorsah.

2. Die Kontroversen bis zum Regierungswechsel

Bei den Debatten in Bundestag und Bundesrat wurden die kontroversen Standpunkte der Parteien zunehmend schärfer: Welche Strategie sollte für die achtziger Jahre eingeschlagen werden und welches wirtschaftliche Konzept wäre geeignet, Wachstumsschwächen, Arbeitslosigkeit und Preisauftrieb zu überwinden? Wissenschaftliche Foren, Wirtschaftsforschungsinstitute und angesehene Persönlichkeiten kommentierten die Regierungsmaßnahmen und Parteidiskussionen und legten eigene Vorschläge vor. Die Opposition forderte als Mittel der Krisenbewältigung und zur Sicherung der Leistungs- und Wettbewerbsfähigkeit vor allem eine Entlastung der Betriebe, um die Investitionsbereitschaft wieder zu steigern.

In der FDP gewann die Gruppe um Lambsdorff und Genscher eine Mehrheit für die Auffassung, die fehlende Wirtschaftsdynamik gehe wesentlich auf das Anwachsen der sozialstaatlichen Leistungen zurück. Die Übernahme aller Lebensrisiken durch den Staat habe einerseits die individuelle Leistungsbereitschaft vermindert und andererseits die staatlichen und betrieblichen Investitionsmöglichkeiten infolge der steigenden Inanspruchnahme von Sozialleistungen immer weiter verringert. Die SPD suchte die Gründe für die fortdauernde Depression eher in weltwirtschaftlichen Zusammenhängen; sie betrachtete gerade in der Krise das relativ enggeflochtene soziale Netz als unverzichtbar. Bei den prinzipiellen Auffassungsunterschieden zwischen den Regierungspartnern mußten die Spar- und Sanierungsvorschläge zwangsläufig Kompromißcharakter haben, die niemand zufriedenstellten.

Am 1. September 1982 gab Wirtschaftsminister Lambsdorff ein Zeitungsinterview, in dem er eine eigene, abweichende Position bezog. Sein umfassendes Papier vom 18. September, das zur „Scheidungsurkunde" für die sozial-liberale Koalition wurde, enthielt drastische Sparvorschläge in der Wirtschafts-, Finanz- und Sozialpolitik. In das System der sozialen Sicherung solle mehr „Raum für Selbstvorsorge" eingefügt werden; durch Eigenbeteiligung und Selbstverantwortung sollten die Defizite bei der Arbeitslosenversicherung und im Gesundheitswesen verringert werden. Die Unternehmer sollten vor allem durch eine Senkung der Gewerbesteuer verbesserte Ertragsaussichten erhalten. Investitionen und Wachstum sollten von hemmenden Gesetzen befreit, Subventionen und Steuervergünstigungen abgebaut werden. Dieses Konzept war für die SPD nicht annehmbar. Die Nähe zum wirtschaftlichen Kurs von CDU/-CSU war unverkennbar. Die Entwicklung lief in eine von einer CDU/CSU-FDP-Koalition geprägte Richtung.

III. SOZIAL- UND GESELLSCHAFTSPOLITIK

1. Anstieg der Arbeitslosigkeit

Die Bundesregierung verwies bei den verständlicherweise heftiger und besorgter werdenden Auseinandersetzungen um Arbeitslosigkeit beziehungsweise Arbeitsmarktpolitik auf folgende Sachverhalte:

- Im Vergleich mit anderen Industriestaaten liege die Bundesrepublik Deutschland nach wie vor relativ günstig.

Es handle sich um eine aus mehreren Ursachen resultierende Entwicklung:

- Den geburtenstarken Jahrgängen 1958—1966, die in den ausgehenden siebziger und beginnenden achtziger Jahren auf den Arbeitsmarkt drängten, stehe eine infolge des Zweiten Weltkrieges reduzierte Zahl von Menschen gegenüber, die ins Rentenalter kämen und Arbeitsplätze freimachten.

- Der konjunkturelle Abschwung und die erreichte Sättigungsgrenze hätten einen Nachfragerückgang bewirkt. „Die Wirtschaft der Bundesrepublik befindet sich gegenwärtig in einer Lage, in der akuter Nachfragerückgang mit fundamentaler

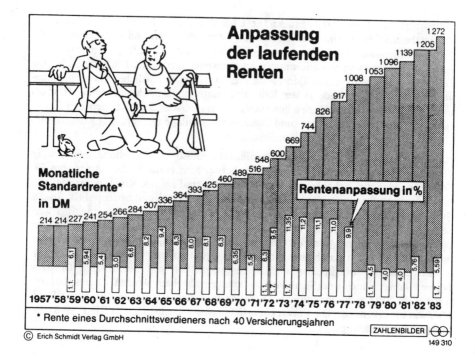

Anpassung der laufenden Renten

Monatliche Standardrente* in DM

Rentenanpassung in %

Monatliche Standardrente (DM): 214, 214, 227, 241, 254, 266, 284, 307, 336, 364, 393, 425, 460, 489, 516, 548, 600, 669, 744, 826, 917, 1008, 1053, 1096, 1139, 1205, 1272

Rentenanpassung in %: 1.1, 6.1, 5.94, 5.4, 5.0, 6.6, 8.2, 9.4, 8.3, 8.0, 8.1, 8.3, 6.35, 5.5, 6.3, 1.1, 1.7, 1.7, 9.5, 11.35, 11.2, 11.1, 11.0, 9.9, 1.1, 4.5, 4.0, 4.0, 5.76, 5.59, 1.7

Jahre: 1957 '58 '59 '60 '61 '62 '63 '64 '65 '66 '67 '68 '69 '70 '71 '72 '73 '74 '75 '76 '77 '78 '79 '80 '81 '82 '83

* Rente eines Durchschnittsverdieners nach 40 Versicherungsjahren

© Erich Schmidt Verlag GmbH

ZAHLENBILDER

149 310

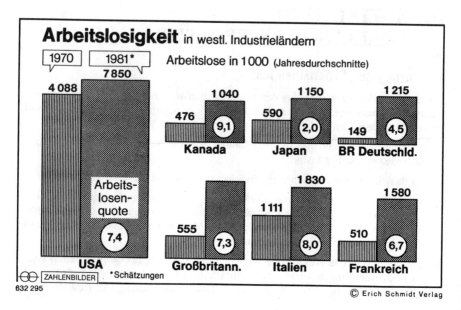

Arbeitslosigkeit in westl. Industrieländern

| 1970 | 1981* |

Arbeitslose in 1000 (Jahresdurchschnitte)

USA: 4088 / 7850 — Arbeitslosenquote 7,4

Kanada: 476 / 1040 — 9,1

Japan: 590 / 1150 — 2,0

BR Deutschld.: 149 / 1215 — 4,5

Großbritann.: 555 / ... — 7,3

Italien: 1111 / 1830 — 8,0

Frankreich: 510 / 1580 — 6,7

ZAHLENBILDER   *Schätzungen

632 295

© Erich Schmidt Verlag

Schicksalskurve auf dem Arbeitsmarkt
Arbeitslose in der Bundesrepublik Deutschland

2,26 Mio

1,87 Mio

1,84 Mio

1,41 Mio

1,07 Mio

1,27 Mio

763 850

876 140

Arbeitslosenquote
1950
11,0%

Arbeitslosenquote
1983
9,5%

459 490

270 680

273 500

154 520   161 060   148 850

1950 51 52 53 54 55 56 57 58 59 60 61 62 63 64 65 66 67 68 69 70 71 72 73 74 75 76 77 78 79 80 81 82 83   4525

Wachstumsschwäche zusammentrifft". (Herbstgutachten 1982 der wissenschaftlichen Forschungsinstitute).

● Neue Technologien (Mikroelektronik, Mikroprozessoren, Mikrocomputer) hätten zu einer „dritten industriellen Revolution" geführt, die insofern arbeitsmarktwirksam sei, als bei steigender Produktion weniger menschliche Arbeitskraft erforderlich sei. Die Investitionen zur Steigerung der Rationalisierung beseitigten Arbeitsplätze; die Unternehmen tätigten sie jedoch wegen der hohen Arbeitskosten und der schrumpfenden Gewinne.

Diese sich wechselseitig überlagernden Problembereiche verboten Patentrezepte zu ihrer Beseitigung. Die von den wirtschaftspolitischen Schulen vorgeschlagenen Maßnahmen wurden gegenseitig kritisiert, da man über Symptome und Therapie uneins war. Es fehlte nicht an „Strategien gegen die Arbeitslosigkeit". Einig war man sich, daß sie seit den siebziger Jahren nicht mit dem am Konjunkturzyklus orientierten Interpretationsmuster erklärt werden könne, da sie strukturell bedingt sei.

2. Jugendliche und Ausländer

Jugendarbeitslosigkeit

1981 waren zirka 57 Prozent aller gemeldeten Arbeitslosen unter 35 Jahre alt, zirka 30 Prozent unter 25 Jahre, 11 Prozent jünger als 20 Jahre. Am stärksten betroffen waren die 20- bis 25jährigen, deren Quote durchweg weit höher lag als die allgemeine.

Die Bedrohung durch Arbeitslosigkeit bezog sich schwerpunktmäßig auf zwei Schwellenwerte: Übergang vom allgemeinbildenden Schulwesen zur Lehrstelle; Übergang von der Ausbildung zum ersten Arbeitsplatz. Dementsprechend gab es zwei Problemfelder: das Finden einer Lehrstelle und die dauerhafte Eingliederung in eine Berufslaufbahn. Eine Verschärfung der Schwierigkeiten war eingetreten, weil die Wirtschaftsflaute zeitlich zusammenfiel mit dem Auftreten der geburtenstarken Jahrgänge der sechziger Jahre auf dem Arbeitsmarkt. Dieser Sachlage entsprechend bezogen sich die Maßnahmen auf folgendes:

- Appelle an die Wirtschaft, Ausbildungsplätze in ausreichender Zahl zur Verfügung zu stellen;

- Appelle an die Jugendlichen, bezüglich ihrer Berufsabsichten und des Ausbildungsortes flexibel zu sein, nicht auf den überfüllten „Modeberufen" zu beharren;

- für die Nichtvermittelten waren Angebote von berufsvorbereitenden Maßnahmen vorgesehen: zum Beispiel das Berufsgrundbildungsjahr und Lehrgänge zur Verbesserung der Eingliederung.

Etwa zwei Drittel der beruflich nicht qualifizierten Jugendlichen waren im Jahr 1981 Mädchen (1973: 35 Prozent); sie stellten entsprechend bei den 20- bis 25jährigen 54 Prozent der Arbeitslosen.

Ausländer

Im Zusammenhang mit dem Abwärtstrend bei der wirtschaftlichen Entwicklung und dem Anstieg der Arbeitslosigkeit konnte es nicht ausbleiben, daß das Thema Ausländer von der Randzone der vorhergehenden Zeitphase in den Mittelpunkt rückte. Überfremdungsängste, Konkurrenzneid, feindliche Einstellungen erfaßten auch Deutsche, die bislang mit rechtsextremistischen „Ausländer-raus-Kampagnen" nichts zu tun hatten.

Ablehnende bis aggressive Emotionen erschwerten eine sachliche Analyse, verdrängten insbesondere die Erinnerung an die Gründe für die Anwerbung von ausländischen Arbeitskräften 20 Jahre vorher und an ihre einseitige sektorale Verteilung in der Gesamtwirtschaft.

Eine besondere Stellung nahmen die Asylbewerber ein. Das Problem der aus politischen Verfolgungsgründen um eine Aufenthaltserlaubnis nachsuchenden Ausländer nahm nämlich sprunghaft zu: 1971: 5 388; 1976: 11 627; 1978: 33 136; 1979: 51 493; 1980: 107 818; 1981: 49 391. Dieser Rückgang war auf Maßnahmen zurückzuführen, die eine Beschleunigung des Anerkennungsverfahrens bewirkten. Unberechtigte

398

Antragsteller wurden schneller in ihre Heimatländer überführt (18. Juni 1980: Sofortmaßnahmen zur Begrenzung der Einreise „unechter" Asylbewerber).

Ausländerquote:

1961	1,2 Prozent	(= 686 000)
1967	2,8 Prozent	
1973	6,4 Prozent	(23. November 1973: Anwerbestopp für Arbeitnehmer aus Nicht-EG-Staaten)
1979	6,7 Prozent	
1981	7,5 Prozent	(= 4,6 Millionen; 2,08 Millionen Männer; 1,38 Millionen Frauen; 1,17 Millionen Kinder unter 16 Jahre)

Die Bundesregierung faßte nach dem Anwerbestopp von 1973 ab 1978 eine Reihe von ausländerpolitischen Beschlüssen.

Im Februar 1982 erfolgte eine Zusammenfassung der entsprechenden Grundposition:

„Die Ausländerpolitik der Bundesregierung ist darauf gerichtet, die weitere Zuwanderung von Ausländern... wirksam zu begrenzen, die Rückkehrbereitschaft zu stärken sowie die wirtschaftliche und soziale Integration der seit vielen Jahren in der Bundesrepublik Deutschland lebenden Ausländer zu verbessern und ihr Aufenthaltsrecht zu präzisieren."

Dies sollte die Zustimmung der deutschen Bevölkerung zur Ausländerintegration sichern, da es für die Aufrechterhaltung des sozialen Friedens unerläßlich sei. In der Bundestagsdebatte vom Februar 1982 stimmten die drei Fraktionen darin überein, daß ein weiterer Zuzug von Ausländern unerwünscht und die zunehmende Ausländerfeindlichkeit in der Bevölkerung besorgniserregend sei. Abgeordnete der Regierungsparteien hoben die besondere Verantwortung der Bundesrepublik Deutschland gegenüber den ausländischen Arbeitnehmern in diesen schwierigen Zeiten hervor; man verdanke ihnen schließlich einen bedeutenden Beitrag zur wirtschaftlichen Entwicklung und zur Verbesserung des Lebensstandards und sei deshalb auch verpflichtet, ihnen eine langfristige, konstruktive Lebensplanung zu ermöglichen. Oppositionspolitiker sahen die Grenzen der wirtschaftlichen, strukturellen, sozialen und psychischen Belastbarkeit des deutschen Volkes überschritten; man wies auf die beschränkten Assimilationsmöglichkeiten bei Ausländern aus nichteuropäischen Kulturkreisen und auf die sich daraus ergebende Gettobildung hin. Gefordert wurde eine Verstärkung der abschirmenden Maßnahmen; Familienzusammenführung solle in erster Linie durch Rückkehr in die Heimatländer praktiziert werden.

3. Lebensstandard

Bei dem von der Wirtschaftskrise nicht unmittelbar durch Arbeitslosigkeit betroffenen Großteil der Bevölkerung blieb der schon in den ausgehenden siebziger Jahren festzustellende Lebens- und Komfortstandard im wesentlichen erhalten. Der Anstieg der Nettoverdienste war zwar seit 1980 nicht mehr ausreichend, um die Preisanstiege auszugleichen, so daß ein Kaufkraftminus von 1,4 Prozent (1981) und zirka 2,0 Prozent (1982) entstand.

Davon jedoch, daß die „Deutschen immer ärmer werden", wie Schlagzeilen behaupteten, oder eine Mehrheit von Bundesbürgern von „alltäglichem Elend" direkt oder indirekt berührt sei, konnte als Pauschalfeststellung nicht die Rede sein. Die Verschiebungen bei der Verwendung des zur Verfügung stehenden Haushaltsgeldes in der 4-Personen-Arbeitnehmerfamilie mit mittlerem Einkommen spiegelten zwar in den einzelnen Bereichen die allgemeine Entwicklung, veränderten aber die Lebenssituation nicht entscheidend.

Dafür war auch ein Beleg, daß die Annäherung an die Sättigungsgrenze bei langlebigen Komfortgütern sich weiterhin fortsetzte. Ebenso positiv war die Bilanz bei den Leistungen, die den Arbeitnehmern außer dem normalen Arbeitsentgelt sicher waren (zum Beispiel vermögenswirksame Leistungen, Urlaubsgeld, Weihnachtsgeld, Gratifikationen).

Andererseits waren Abweichungen von diesem relativ positiven Durchschnittsbild nicht zu übersehen:

Von den 12,1 Millionen Rentnern verfügte etwa die Hälfte nur über ein Einkommen von weniger als 1430.— DM. Etwa drei Zehntel aller deutschen Haushalte mußten 1980 sogar mit weniger als 1000.— DM im Monat auskommen. Sozialhilfeleistungen waren für diese Gruppe lebensnotwendig. Diese Aufwendungen belasteten die Verdienenden ebenfalls zunehmend. Die Steuern und Sozialabgaben hatten 1960 16,1 Prozent betragen, 1972: 24,8 Prozent; 1978: 29 Prozent, 1982: 32,1 Prozent.

4. Eine neue Gesellschaft?

Schon aus kurzem zeitlichem Abstand unternahmen Politiker und Journalisten den Versuch, die in Ansätzen erkennbaren Entwicklungslinien in der Wirtschaft und im Sozialbereich perspektivisch zu verlängern. Folgende Komponenten wurden als bedeutsam angesehen:

● Die „neuen sozialen Bewegungen": Darunter versteht man vor allem die Anti-Atomkraft-, die Ökologie-, die Friedens-, die Frauenbewegung sowie eine Vielzahl kleinerer Alternativströmungen. Sie repräsentieren unterschiedlich motivierte Protesthaltungen gegen bestehende Wertvorstellungen, Lebensverhältnisse und politische Ordnungsmuster.

● Die Wandlungen bei der Arbeitsplatzstruktur: Von 1974 bis 1982 gingen insgesamt 1,3 Millionen Arbeitsplätze verloren (Industrie 1 Million, Baugewerbe 250 000, Großhandel 50 000), 1 Million wurden neu geschaffen (Dienstleistungen 460 000, Gesundheitswesen 275 000, Gastronomie 155 000, Kirchen, Staat, Organisationen 119 000).

● Die Veränderungen auf dem Arbeitsmarkt: Da die hohe Arbeitslosenquote (zirka 10 Prozent = über 2 Millionen) als strukturell (und nicht konjunkturell) bedingt interpretiert wurde, konnte das bisherige Ziel „Vollbeschäftigung" unter den veränderten Bedingungen nicht mehr aufrecht erhalten werden.

Daraus ergaben sich zwei Problemkomplexe:

- Mehr oder weniger stark bemerkbar werdende Spannungen zwischen denen, die einen gesicherten Arbeitsplatz innehatten (Beamte, „Kernbelegschaften", Beschäftigte in Wachstumsbranchen), den „labil" Beschäftigten („Randbelegschaften", niedrig qualifizierte Arbeitskräfte, Arbeiter in stagnierenden oder rückläufigen Produktions-/Beschäftigungsbereichen) und denen, die ihren Arbeitsplatz bereits verloren hatten (diese wiederum mit der Binnendifferenzierung: „schwer vermittelbar" — wegen Alter, Qualifikation usw. —; nach Umschulung oder Weiterbildung wieder integrierbar; den aus Resignation oder Opportunismus auf Dauer aus dem Arbeitsprozeß Ausgeschiedenen).

- Die „Neuverteilung" der noch vorhandenen Arbeit: Dieser Frage werde in Zukunft sehr große Bedeutung zukommen, meinten die Experten der verschiedenen Politik- und Wirtschaftsbereiche. Die Vorschläge bewegten sich zwischen „Verkürzung der Lebensarbeitszeit" und „Verkürzung der Wochenarbeitszeit" (35-Stunden-Woche).

- Freizeit als Problemfeld: Die durch Produktionsfortschritte erzwungene beziehungsweise mögliche Verringerung der Arbeit korrespondiert mit einem Zuwachs an freier Zeit. Die einen werteten dies als Beitrag, die „Entfremdung der Arbeit" aufzuheben beziehungsweise zu reduzieren (W. Brandt), für andere handelte es sich um eine eher gefährliche Entwicklung, weil Arbeit unter diesen veränderten Bedingungen als unangenehme Unterbrechung von Freizeit empfunden werde, so daß sich die Leistungsbereitschaft verringere. Als versöhnliche Position kann die folgende gelten:

Zu Beginn der Zivilisation mußten viele viel arbeiten, damit einige wenige Mitglieder der Oberschicht nicht zu arbeiten brauchten und ihrer Muße nachgehen konnten. Mit der weiteren Entwicklung der Industriegesellschaft, sofern sie auf umweltverträglichen Grundlagen beruht, beginnen die Konturen einer umgekehrten Perspektive sich abzuzeichnen: Alle sind bei relativ geringem Zeitaufwand erwerbstätig, und produzieren und verdienen damit genug, um sich einen befriedigenden Konsum und viel Freizeit zu leisten. Man könnte geneigt sein, darin doch einen Fortschritt zu sehen. Richtig ergänzt, tragen Erwerbstätigkeit und Eigenarbeit dazu bei, die heutige Massenarbeitslosigkeit zu überwinden und Arbeit sinnvoller zu machen, indem die Arbeitswelt wieder in die Lebenswelt eingebettet wird.

IV. AUSSENPOLITIK

1. Leitziele zu Beginn der achtziger Jahre

Unter Bundeskanzler Brandt war die Entspannung Grundtenor der Außenpolitik. Ein Jahrzehnt später rückte unter Bundeskanzler Schmidt der Aspekt der Sicherheit in den Vordergrund, mit den Hauptanliegen Stabilität und Gleichgewicht im Ost-West-Verhältnis. Die aktuellen Krisenfälle Afghanistan und Polen, die latente Kriegsgefahr im Nahen Osten und in Mittelamerika sowie die sich hinschleppenden Verhandlungen um Abrüstung beziehungsweise Gleichstellung der Rüstung auf den verschiedenen

„Schlag"-Ebenen hatten diese Veränderung diktiert. Als wichtigste Instrumente dieser „Strategie des Gleichgewichts" erachtete die Bundesregierung die Fortsetzung des Dialogs zwischen den Blockführungsmächten gerade in Krisenzeiten, die kontinuierliche Abstimmung der eigenen Politik mit der amerikanischen, die möglichst enge Zusammenarbeit mit Frankreich als dem Kern des westeuropäischen Bündnisses, die eigene machtpolitische Selbstbescheidung als europäischer Mittelmacht ohne Kernwaffen bei gleichzeitiger entschiedener Einbringung der deutschen Position in die Bemühungen um die Wahrung des Friedens.

Auf den Gipfelkonferenzen der westlichen Industrieländer (unter Einbeziehung Japans) sollte durch Kooperation die wirtschaftliche Leistungskraft gefestigt und als Folge davon auch die Sicherheit und die Möglichkeit zur Einflußnahme auf die internationale Entwicklung gefestigt werden. Die wichtigsten Maximen waren:

● Verantwortliches Handeln nicht nur im deutschen Interesse, sondern auch im Bewußtsein der globalen und gegenseitigen Abhängigkeit setzt Mäßigung und Zurückhaltung bei der Durchsetzung der eigenen Interessen, den Verzicht auf Vorherrschaft und Einmischung voraus.

● Herstellung eines ungefähren militärischen Gleichgewichts auf möglichst niedrigem Niveau als Voraussetzung für Sicherheit und Entspannung; Werbung für Gewaltverzicht und vertrauensbildende Maßnahmen zwischen West und Ost; Berechenbarkeit des eigenen politischen Handelns für alle Partner.

● Keine Hinnahme einer Position der Schwäche, aber auch kein Streben nach Überlegenheit.

Diese Grundlinien hatten sich zuletzt bewährt, als die Bundesregierung die „Strafen" des amerikanischen Präsidenten Carter für die Sowjetunion (Getreideembargo, Transferverbot von Spitzentechnologie, Olympiaboykott) zwar generell unterstützte, aber dabei doch die bisherige ostpolitische Linie fortzusetzen versuchte. In der Aufrechterhaltung der Handelskontakte (zum Beispiel beim Erdgas-Röhren-Geschäft) sah man einen wesentlichen Beitrag zur Entschärfung der Lage.

Unter dem seit 1981 amtierenden amerikanischen Präsidenten Reagan war der bisherige Kurs schwieriger zu steuern. Bundeskanzler Schmidt hatte zwar kurz vor der Wahl Reagans die Zusicherung der weiteren Verhandlungsbereitschaft mit der Sowjetunion erhalten, aber der Aufruf des Präsidenten bei seiner Vereidigung zu einer Erneuerung Amerikas und seiner Stellung in der Welt signalisierten doch eine Richtungsänderung. Die bisherige Entspannungspolitik wurde als verfehlt beurteilt, da sie zu einer Zunahme der sowjetischen Stärke und zu einem Verlust amerikanischer Macht geführt habe. Die Sowjetunion sei von einer Position der Unterlegenheit zur vollen Parität, in Teilbereichen der Rüstung zur Überlegenheit aufgestiegen und habe ihre militärische Machtstellung entweder unmittelbar (wie in Afghanistan) oder in politischer Umsetzung ausgespielt. Der „härtere" Kurs sollte Verhandlungen nicht ausschließen, wollte diese jedoch von der Position allseitiger Gleichrangigkeit aus führen. Die Wahrnehmung der Sowjetunion stand wieder stärker unter den Aspekten kommunistischer Expansionsabsichten.

Die Rückwirkung auf die Außenpolitik der Bundesrepublik Deutschland war insofern bedeutsamer als die auf die anderen Bündnispartner, weil die Betroffenheit größer war: Die Umwertung der amerikanischen Politik berührte die Lebensinteressen der Bundesrepublik Deutschland in ihrer vordersten Position am „Eisernen Vorhang" aufgrund der Teilung Deutschlands und wegen der wirtschaftlichen Interessen im Osthandel sehr stark. Beim Nachrüstungsbeschluß war die Überzeugung maßgeblich gewesen, daß zur Erhaltung des Friedens ein annäherndes Gleichgewicht ebenso notwendig sei wie der Wille zur politischen Stabilisierung der Lage durch Verhandlungen und Handelskontakte. Nun wuchs die Besorgnis, die Reagan-Regierung könnte den Entspannungsaspekt vernachlässigen und die militärische Planung forcieren, möglicherweise sogar mit dem Ziel, die Abschreckung durch die Annahme eines „gewinnbaren" Kernwaffenkrieges glaubhaft zu machen. Die Bundesregierung mußte folglich eine verstärkte Kontakt-und Verhandlungsaktivität entwickeln, um gerade jetzt den Dialog wieder in Gang zu bringen.

2. Konferenzen und Gespräche im Dienst der Friedenssicherung

● Im Mai 1981 betonten Bundeskanzler Schmidt und Präsident Reagan in Washington übereinstimmend, daß sie Abschreckung und Rüstungskontrolle als integrale Bestandteile der Bündnispolitik betrachteten.

● Der SPD-Parteivorsitzende Brandt besuchte im Juni/Juli 1981 Moskau und sondierte die sowjetischen Vorschläge für das Einfrieren der Mittelstreckenraketen und für die Aufnahme von Abrüstungsverhandlungen zwischen der Sowjetunion und den USA.

● Im November 1981 hielt sich der sowjetische Staats- und Parteichef Breschnew zu sicherheits- und wirtschaftspolitischen Gesprächen in Bonn auf. Dabei kam man beim Erdgas-/Erdgasröhren-Austausch zu konkreten Vereinbarungen.

● Im Juni 1982 nahm Präsident Reagan an der Konferenz der Staats- und Regierungschefs der NATO-Mitgliedsstaaten in Bonn teil. In seiner Rede vor dem Deutschen Bundestag bekannte er sich nachdrücklich zum amerikanischen Engagement in Europa, betonte prinzipiell seine Übereinstimmung mit den Friedensdemonstranten und erläuterte das „zielstrebige Programm für Rüstungskontrolle" seiner Regierung, mit dem die Bedrohung Europas durch die sowjetischen Raketen beseitigt werden könnte. In Bonn und Berlin (West), wo sich Reagan am 11. Juni aufhielt, war es zu Massendemonstrationen mit mehreren hunderttausend Teilnehmern gekommen. Die Bundesregierung sah sich durch das Bekenntnis Reagans zu den seit November 1981 laufenden Verhandlungen über den Abbau interkontinentaler Raketen in ihren eigenen Anstrengungen bestätigt. Zu diesem Zeitpunkt waren Erfolge in Genf für die sozial-liberale Regierung auch innenpolitisch zu einer fast unabdingbaren Notwendigkeit geworden. Im April 1982 hatte Bundeskanzler Schmidt in einem Interview mit der Wochenzeitung „Die Zeit" gesagt:

Trotz mancher irritierender Bemerkungen, die man von der anderen Seite des Atlantiks hört, und trotz mancher sehr irritierenden Handlungen, die die Sowjetunion begeht, gebe ich nach wie vor den Rüstungsbegrenzungsverhandlungen und den sie krönenden beiderseits bindenden Verträgen eine große Wahrscheinlichkeit und eine große Chance. Insbesondere vertraue ich nach wie vor auf den Willen zum Verhandlungserfolg in der Person des amerikanischen Präsidenten Ronald Reagan. Wenngleich ich Verständnis habe für manche Deutschen, auch für manche meiner eigenen Parteifreunde, die dieses Vertrauen in diesem Ausmaß nicht teilen können, so kann ich gleichwohl die von ihnen gezogene Schlußfolgerung — einseitig Verzicht zu leisten in der Hoffnung, die Sowjetunion werde dem guten Beispiel folgen — auf keinen Fall akzeptieren. Es gibt keinen Grund, anzunehmen, daß die Sowjetunion dem guten Beispiel folgt. Es gibt keinen geschichtlichen Beleg dafür, daß dies je schon geschehen sei, bei anderer Gelegenheit, auf anderem Felde, aus anderem Anlaß.

Bundeskanzler Schmidt blieb auch zum Ende seiner Regierungszeit optimistisch; trotz aller Enttäuschungen und Besorgnisse sei die Bilanz grundsätzlich positiv. Meinungsverschiedenheiten zwischen Europa und den USA seien „Streitigkeiten innerhalb der Familie", die Entwicklung seit Helsinki (KSZE) berechtige zu der Hoffnung, daß auch die Madrider Nachfolgekonferenz (ab November 1982) erfolgreich sein und die Abrüstungsbemühungen begünstigen werde.

Oppositionsführer Kohl bezweifelte diese Perspektive, da die Widerstände innerhalb der SPD gegen den Vollzug des NATO-Doppelbeschlusses im Falle des Scheiterns der Genfer Verhandlungen die Kanzlerpolitik unglaubwürdig erscheinen ließen. Es zeichne sich eine Gefahr der Abkoppelung der Bundesrepublik von den USA und den Bündnispartnern ab, die den deutschen Sicherheitsinteressen zuwiderlaufe.

V. DEUTSCHLANDPOLITIK

1. Die deutsch-deutschen Beziehungen 1981/82

Die durch Afghanistan- und Polenkrise veränderte Gesamtentwicklung hatte mit einem gewissen Zeitverzug auch die deutsch-deutschen Beziehungen in ihren Sog gezogen.

Die DDR-Regierung integrierte sich in die „Friedenspolitik" des Kreml. Honecker äußerte, es gehe jetzt nicht mehr um Reiseerleichterungen und um Fortschritte in den wirtschaftlichen Beziehungen. Das sei zwar nach wie vor gut und richtig, aber die wichtigsten Fragen unserer Zeit seien der Stopp des Wettrüstens und die Abrüstung.

Die Bundesregierung beachtete dieses Signal. Da nur noch Expertengespräche über bereits vereinbarte Themenkomplexe, aber keine weiteren Vertragsverhandlungen geführt werden konnten, wollte man den Gesprächskontakt auf Regierungsebene über die hochaktuellen Fragen der Abrüstung und der Rüstungskontrolle aufrechterhalten. Im Juli 1981 fanden Botschaftergespräche darüber statt, Bundeskanzler Schmidt und Generalsekretär Honecker tauschten Briefe in der erklärten Absicht, den Dialog zwischen beiden Staaten im Interesse der Festigung des Friedens und der Zusammenarbeit zu verstärken und insbesondere dafür zu wirken, daß von deutschem Boden nie wieder ein Krieg in Europa ausgeht. Kurz vor dem Breschnew-Besuch in Bonn stellte Honecker im Hinblick auf diese fortdauernden deutsch-deutschen Fühlungnahmen fest: „Die hinter uns liegende Periode hat gezeigt, daß beide Seiten auch in schwierigen Zeiten in wichtigen Fragen Übereinstimmung erzielen können. Beide deutsche Staaten haben aufgrund der Erfahrungen der Geschichte eine besondere Verpflichtung zum Frieden." Derartige Äußerungen, das deutsch-sowjetische Gipfelgespräch in Bonn (November 1981) und der Beginn der amerikanisch-sowjetischen Abrüstungsverhandlungen in Genf wenig später boten günstige atmosphärische Voraussetzungen, um auch auf höchster deutscher Ebene wieder ein Gespräch zu führen. Alle Bonner Parteien stimmten darin überein, daß auch, ja gerade in der Krise, in die die Entspannungspolitik der siebziger Jahre geraten war, die Beziehungen sorgfältig gepflegt werden müßten.

2. Das Treffen zwischen Schmidt und Honecker am Werbellin-See

Seit den Treffen von Erfurt und Kassel vor elf Jahren (März und Mai 1970) war ein Geflecht von Übereinkommen und Verträgen entstanden. Nun sollte unter veränderten Gesamtbedingungen und nach zwei vergeblichen Anläufen im Jahr 1980 durch die Begegnung der beiden deutschen Regierungschefs ein Beitrag dazu geleistet werden, den Dialog der Großmächte positiv zu unterstützen. Im Dezember 1981 fiel die Entscheidung für die Kanzlerreise in die DDR. Betont wurde, daß keine bestimmte Themenliste bestehe und keine Verhandlungen, sondern Gespräche geführt würden zur „breiten Einschätzung und Beurteilung des Ost-West-Verhältnisses und des deutsch-deutschen Verhältnisses". Es sollte ein Dialog frei von allen Vorbedingungen sein. Erwartet wurde freilich, daß die DDR wenigstens eine teilweise Zurücknahme des erhöhten Zwangsumtausches zugestehe und die Opposition verlangte, auch über Minen- und Selbstschußanlagen, die Mauer und die Verweigerung von Menschenrechten zu sprechen; keinesfalls dürfe Nachgiebigkeit in Fragen der Staatsbürgerschaft, der Erfassungsstelle Salzgitter (für Fälle von Menschenrechtsverletzungen an der innerdeutschen Grenze) und der Elbgrenze gezeigt werden. Außenminister Genscher warnte davor, „Wunderdinge" zu erwarten.

Schmidt und Honecker waren sich in Helsinki (KSZE-Konferenz) und in Belgrad (Beerdigung Titos) persönlich begegnet. In der Schorfheide der Mark Brandenburg führten die beiden Politiker vom 11. bis 13. Dezember 1981 mehrere Gespräche, unter vier Augen und in Anwesenheit der Delegationen, die selbstbewußt und offen verliefen.

In seiner Tischrede am ersten Konferenzabend stellte der Bundeskanzler fest, daß man von gutnachbarlichen Beziehungen noch weit entfernt sei, diese seien noch nicht einmal vernünftig nachbarlich. Im Schlußkommuniqué kam zum Ausdruck, daß der „umfassende Meinungsaustausch über Stand und Entwicklungsmöglichkeiten der Beziehungen zwischen den beiden deutschen Staaten sowie über aktuelle internationale Fragen mit europäischem und weltweitem Bezug" tatsächlich sehr konkret gewesen war: Von der Bekräftigung der gemeinsamen Überzeugung, daß von deutschem Boden nie wieder ein Krieg ausgehen dürfe, der Bekundung der großen Verantwortung für die Sicherung des Friedens in Europa und für die Förderung des Entspannungsprozesses, der Absicht, auf der Grundlage der bestehenden Vereinbarungen die Gespräche fortzusetzen, dem Bekenntnis zur KSZE-Schlußakte und zu vertrauensbildenden Maßnahmen sowie zur Rüstungsbegrenzung und Abrüstung bis zu einer Vielzahl von kontrovers beurteilten Detailfragen (Familienzusammenführung, Reise- und Besuchsverkehr,

Grenzverlauf, Umweltschutz, kulturelle Zusammenarbeit, Arbeitsmöglichkeiten von Journalisten, Ausbau der wirtschaftlichen Kooperation, Energieversorgung usw.).

„Beide Seiten stimmten darin überein, daß ihr Meinungsaustausch notwendig und nützlich war... Beide Seiten gaben ihrer Überzeugung Ausdruck, daß die weitere Entwicklung der Beziehungen... ein wesentliches Element der Entspannung und Friedenssicherung in Europa ist."

Gerade diese Schlußbemerkung hatte durch einen von beiden Seiten nicht vorhersehbaren Vorgang höchste Aktualität erlangt und sie des Verdachts einer formelhaften Pflichtübung entrückt: Am 13. Dezember 1981, dem letzten Besuchstag Schmidts, hatte Polens Partei- und Regierungschef Jaruzelski die Übernahme der Regierungsgewalt durch das Militär verkündet und das Kriegsrecht über das Land verhängt.

Obschon das Treffen Schmidt-Honecker an sich bereits als sehr bedeutsam angesehen wurde, gab es dennoch auch konkrete Ergebnisse in der Folgezeit, zum Beispiel bei der Familienzusammenführung und auf dem Gebiet des Reiseverkehrs. In der bedrückenden Frage des Mindestumtausches gab es jedoch keine Veränderung zum Positiven. Oppositionsführer Kohl bezeichnete den Ausgang des Treffens als dürftig. Auf eine ganze Reihe von Vorleistungen Bonns biete die DDR als Gegenleistung nur Hoffnungen, Erwartungen und Ankündigungen. Sie lege sogar neue Vorbehalte, Bedingungen und Forderungen im Zusammenhang mit menschlichen Erleichterungen und einer Revision des Zwangsumtauschs auf den Tisch.

3. Bilanz nach 10 Jahren Grundlagenvertrag

Das Jahr 1982, in dem sich der Abschluß des Grundlagenvertrages (Dezember 1972) zum zehnten Male jährte, gab Anlaß zu verschiedenen Resümees, aber auch zu prinzipiellen Äußerungen über die Deutschlandpolitik der Bundesrepublik.

Einer der Konstrukteure des Grundlagenvertrages, Egon Bahr (SPD), zog in einer Fernsehdiskussion im Dezember 1982 eine positive Bilanz:

„Ich habe auch im Rückblick auf die zehn Jahre nichts, wo ich sagen würde, wir haben einen Fehler gemacht oder wir haben etwas Wichtiges vergessen. Ich glaube, daß der Vertrag sich bewährt hat, gerade in einer schwierigen Zeit, weil er auch in einer Abkühlung des Ost-West-Verhältnisses, insbesondere zwischen Washington und Moskau, die beiden deutschen Staaten in einer Situation zeigt, in der sie im Prinzip kooperativ bleiben wollen. Ich sehe die Möglichkeit, die bisher zu wenig genützt wurde, daß die beiden deutschen Staaten sich künftig mehr als bisher um die gemeinsamen Interessen, die sie haben, zur Sicherheit in Europa kümmern, was im Rahmen des Grundlagenvertrages vorgesehen war, aber bisher kaum genützt wurde."

Der Regierende Bürgermeister von Berlin (West), Richard von Weizsäcker (seit 1981), kam aus Berliner Sicht ebenfalls zu einem positiven Ergebnis:

„Mein Eindruck ist, daß die Existenz von Berlin (West) im Grunde unter allen Elementen der entscheidende Motor für die Entwicklung der Beziehungen zwischen den beiden deutschen Staaten ist. Es gibt eine politische, verfassungsmäßige und menschliche Verantwortung der Bundesrepublik für Berlin (West). Ihr gerecht zu werden, führt sie, notwendigerweise, ganz unabhängig davon, was sie sonst denken und ansteuern mag, in Verhandlungen mit der Regierung der DDR, überdies auch in Verhandlungen mit anderen Regierungen des Warschauer Paktsystems. Nicht

Bundeskanzler Helmut Schmidt und der DDR-Staatsratvorsitzende Erich Honecker trafen sich im Dezember 1981 zu einem Meinungsaustausch (Bild rechts).

Bei einem Besuch Helmut Schmidts in Güstrow hatten die DDR-Behörden die Bevölkerung von der Straße verbannt (Bild unten).

nur hat Berlin von vielem, was in den letzten zehn Jahren erreicht worden ist, ganz zweifellos profitiert; vor allem die langfristige Position von Berlin gründet sich auf die Einsicht, daß die Existenz von Berlin (West) diese motivierende Wirkung in bezug auf die Ost-West-Beziehungen im Ganzen und die Beziehungen zwischen den beiden deutschen Staaten im besonderen hat."

Der Vorsitzende der Arbeitsgruppe Außenpolitik der CDU/CSU-Fraktion, Alois Mertes, kam Ende 1982 zu kritisch-distanzierenden Feststellungen:

„Erklärte Absicht der Entspannungspolitik war es, die Lage der Menschen im geteilten Deutschland, im geteilten Europa zu erleichtern, mehr menschliche Kontakte über Systemgegensätze hinweg, mehr Durchlässigkeit der Grenzen für Menschen, Informationen und Meinungen zu bewirken. Auf diesem Feld ist einiges an Verbesserungen erreicht worden, das nicht gering geschätzt werden darf. Natürlich sind „menschliche Erleichterungen" nicht vergleichbar mit „Menschenrechten"...

Der wesentliche Unterschied zwischen menschlichen Erleichterungen und Menschenrechten besteht in der jederzeitigen Widerrufbarkeit der Gewährung solcher Erleichterungen. Die Erhöhung der Zwangsumtauschsätze für Besucher in der DDR, die schikanöse Behinderung der Arbeit westlicher Journalisten durch Ost-Berlin, die Störung von westlichen Rundfunksendungen, die Unterbrechung des Telefonverkehrs, die brutale Zerschlagung der Helsinki-Gruppen durch Moskau sind Beispiele dafür, wie brüchig die These vom „Wandel durch Annäherung" ist. Gleichzeitig offenbaren diese Vorgänge und die anschließenden Auseinandersetzungen über notwendige westliche Reaktionen das grundlegende Dilemma der Entspannungspolitik. Mit der Stabilisierung östlicher Regime durch Hinnahme des Status quo, wirtschaftliche Kooperation und Zurückhaltung bei der Geltendmachung von personalen Menschenrechten in nationaler Selbstbestimmung sollte den kommunistischen Herrschern der Spielraum für systemimmanente Lockerungen des Drucks im Inneren und nach außen eingeräumt werden. Die Grenzen dieser Konzeption wurden sehr bald deutlich...

Von den Anhängern der Entspannungspolitik wird zu Recht beklagt, daß dem, was sie politische Entspannung nennen, nicht die militärische Entspannung, also allgemeine Abrüstung und weitreichende vertrauensbildende Maßnahmen gefolgt seien. Diese Erwartung gründete in einem Mißverständnis der Natur sowjetischer Politik und der Ursachen von Spannungen und Frieden in der Welt...

Die Entspannungspolitik der siebziger Jahre wählte den im Prinzip richtigen Weg, indem sie politische Vereinbarungen als Voraussetzung allgemeiner und kontrollierter Abrüstung anstrebte. Aber die Inhalte der Abkommen, die von den Vertragspartnern ausgelegt wurden, konnten kein dauerhafter Beitrag zur Bildung von gegenseitigem Vertrauen sein."

Aus Politik und Zeitgeschichte, Beilage zur Wochenzeitung Das Parlament, B 50/82 vom 18. 2. 1982, S. 3 ff.

Übereinstimmend fielen die Expertenurteile über den innerdeutschen Handel aus.

„Der innerdeutsche Handel ist und bleibt ein wichtiger Bestandteil deutsch-deutscher Beziehungen. Hier gibt es einen Interessenausgleich von wirtschaftlichem und politischem Geben und Nehmen, wobei die DDR mehr aus ökonomischen, die Bundesrepublik mehr aus politischen Gründen an diesem Güteraustausch und seinem Ausbau interessiert ist. Die Bundesrepublik ist der zweitwichtigste Handelspartner der DDR und spielt in deren Westhandel eine herausragende Rolle. Dennoch wird die Bedeutung des innerdeutschen Handels für die Wirtschaft der DDR oft überschätzt: Auf ihn entfallen nur etwa 3 Prozent des produzierten Nationaleinkommens der DDR...
Der Sonderstatus des innerdeutschen Handels ist darin begründet, daß die DDR für die Bundesregierung kein Ausland ist. Dieser Status ist international akzeptiert... Die Folge des Sonderstatus ist, daß für Waren aus der DDR keine Zölle und Abschöpfungen erhoben werden. Für Lieferun-

gen und Bezüge gelten überdies umsatzsteuerliche Sonderregelungen. . . Die in den letzten Monaten geführte Diskussion um den Zusammenhang von Swing und Reiseerleichterungen, das heißt um die Rücknahme des Mindestumtausches, hat erneut bewiesen, daß in der Bundesrepublik übersteigerte Vorstellungen über den innerdeutschen Handel als Instrument der Interessendurchsetzung bestehen. Der innerdeutsche Handel eignet sich nicht als Pressionsmittel." (H. Lambrecht)

„Beträchtlichen Fortschritten steht die Tatsache gegenüber, daß sich bisher vieles nur durch massive Geldzahlungen der Bundesrepublik Deutschland hat bewegen lassen. Eine echte ,Normalisierung' ist nicht in Sicht." (G. Ziegler)

VI. BUNDESTAGSWAHL 1983

1. Die neue Bundesregierung Kohl/Genscher

Am 4. Oktober 1982 ernannte Bundespräsident Carstens die 17 Mitglieder der neuen Regierung aus CDU/CSU und FDP-Ministern (9 CDU, 4 CSU, 4 FDP). Der CSU-Vorsitzende Strauß, dem ein Ressort angeboten wurde, entschied sich für den Verbleib als Ministerpräsident in München.

Bei den Bundestagsdebatten am 1. Oktober 1982 (konstruktives Mißtrauensvotum) und am 13. Oktober 1982 (Debatte über die Regierungserklärung) sowie in den umfangreichen öffentlichen Diskussionen wurden die besonderen Umstände des Regierungswechsels analysiert und kontrovers beurteilt. Die Bitterkeit der SPD zeigte sich in Vorwürfen gegenüber der FDP-Mehrheit („Wählertäuschung", „Mangel an Glaubwürdigkeit"). Die Vertreter der FDP-Minderheit, die die Aufkündigung der Koalition nicht mittrugen (Baum, Hamm-Brücher und andere), äußerten sich nicht weniger hart. Trotzdem verblieben die meisten von ihnen in der Partei, einige traten zur SPD über (Verheugen, Matthäus-Maier und andere), andere blieben parteilos, eine Gruppe gründete eine neue Partei (Liberale Demokraten). Die Gruppe um den Parteivorsitzenden Genscher (unter anderem Mischnick, Lambsdorff) verteidigte den Schritt als unabdingbare Notwendigkeit, um die vielschichtige Krise zu meistern. Die Entschiedenheit von CDU/CSU war einhellig: „Wir brauchen eine neue Regierung", „Wir wählen den neuen Anfang", „Wir wählen die Wende nach vorn". Das Motto der Regierungserklärung lautete entsprechend: „Koalition der Mitte: Für eine Politik der Erneuerung". Gemeint war damit ein Maßnahmenkatalog zur Überwindung der beiden von den neuen Regierungspartnern festgestellten Krisenbereiche „geistig-politisch" und „Wirtschaft/Finanzen". Diese geistig-moralische Krise sei das Resultat einer seit weit über einem Jahrzehnt betriebenen Verunsicherung, einer Verunsicherung im Verhältnis zu unserer Geschichte, zu vielen grundlegenden ethischen Werten und sozialen Tugenden, zu Staat und Recht, und letztlich auch einer Verunsicherung in unserem nationalen Selbstverständnis, wie Bundeskanzler Helmut Kohl am 9. September 1982 erklärt hatte. „Wir wollen neue Arbeitsplätze schaffen. Wir wollen das soziale Netz sichern. Wir wollen eine menschliche Ausländerpolitik verwirklichen. Wir wollen die Grundlagen der deutschen Außen- und Sicherheitspolitik erneuern." Dieser Anspruch bildete auch den Kern des Wahlkampfprogramms der neuen Regierungskoalition.

Plakate zur Bundestagswahl 1983

BUNDESKANZLER
HELMUT KOHL

Dieser Kanzler schafft Vertrauen

A ...ieden, Zukunft
...der
schan... wir's

Jetzt den
Aufschwung
wählen!

CDU

sicher
sozial
und frei

6. März: CSU

"Wir sind in Sorge um unser Vaterland.
Jetzt müssen wir mit einer
vernünftigen und ehrlichen Politik
Deutschland in Ordnung bringen"

**Freiheit
braucht Mut.**

**Deutschland
braucht
F.D.P.
die Liberalen.**

SPD

Im deutschen Interesse.

410

2. Die Auseinandersetzung um den Wahltermin

„Die Koalitionsparteien FDP, CSU und CDU haben vereinbart, sich am 6. März 1983 dem Urteil der Wähler zu stellen. Dies ist auch die Meinung der Bundesregierung." Die Neuwahlen konnten jedoch nur durchgeführt werden, wenn der bestehende Bundestag aufgelöst wurde. Dies war verfassungsrechtlich nur möglich, wenn der Bundestag dem Bundeskanzler das Vertrauen verweigerte, keinen neuen Bundeskanzler wählte und der Bundespräsident binnen 21 Tagen den Bundestag auflöste und nach längstens 60 Tagen Neuwahlen festlegte (Art. 68 GG). Dieses Verfahren war nicht unumstritten. Die neue Regierungskoalition rechtfertigte es mit dem Argument, man habe im Oktober 1982 sofortige Neuwahlen „angesichts der außerordentlichen Notlage, die wir vorgefunden haben, nicht verantworten können. Die Bewältigung dringender Probleme, für die in der früheren Regierung und Koalition keine Mehrheit zu erzielen war, duldete keinen Aufschub."

Am 17. Dezember 1982 erklärte der Bundeskanzler vor dem Bundestag, das Dringlichkeitsprogramm sei erfüllt. Damit sei für die Koalition eine parlamentarische Grundlage nicht mehr gegeben. Für die zukünftige Politik müßten dauerhafte Fundamente gelegt werden. Nun solle der Wähler gebeten werden, der neuen Koalition der Mitte den Auftrag für eine längerfristige Politik zu geben. In der Abstimmung über die Vertrauensfrage enthielten sich die Abgeordneten der Koalition verabredungsgemäß der Stimme

(248; außerdem 218 Nein- und 8 Ja-Stimmen). Am 7. Januar 1983 löste der Bundespräsident den Bundestag auf und setzte die Neuwahlen auf den 6. März fest. Die bislang einmalige kritische Situation in der Geschichte der Bundesrepublik habe ihn bewogen, die von allen Parteien politisch begründete Notwendigkeit von Neuwahlen zu akzeptieren. Entscheidend sei gewesen, daß die Regierungsfraktionen erklärt hätten, sie seien ohne Neuwahlen nicht bereit, diese oder eine andere Regierung künftig zu unterstützen, der Vertrauensbonus sei aufgebraucht. Kritiker blieben trotzdem dabei, daß es sich um ein „fingiertes Mißtrauensvotum" gehandelt habe. Vier Abgeordnete strengten eine Organklage beim Bundesverfassungsgericht an (2 FDP, 1 CDU, 1 fraktionslos). Im Februar 1983 wies der 2. Senat mit 6 gegen 2 die Klage gegen die Parlamentsauflösung zurück. Die Entscheidung des Bundespräsidenten sei verfassungsrechtlich korrekt gewesen. Es obliege dem Kanzler zu prüfen, ob eine Lage gegeben sei, die eine vom stetigen Vertrauen der Mehrheit getragene Politik nicht mehr sinnvoll ermögliche. Die Zerstrittenheit in der FDP und die Tatsache, daß beim Regierungswechsel keine umfassende Koalitionsaussage für künftige Zeiten, vielmehr nur ein Notprogramm bis zum 6. März erstellt worden sei, lasse das Argument der politischen Instabilität überzeugend erscheinen.

3. Der Wahlkampf

Natürlich hatten die Parteien bereits während der verfassungsrechtlichen Diskussion mit der Werbung um die Wählerstimmen begonnen. Für die SPD war schon in der Anfangsphase eine personelle Entscheidung von großer Tragweite notwendig geworden. Der frühere Bundeskanzler Schmidt erklärte im Oktober 1983, er verzichte aus gesundheitlichen und politischen Gründen auf eine neue Kandidatur. Von den zuständigen Parteigremien wurde Hans-Jochen Vogel als Kanzlerkandidat nominiert. Er vertraue im Wahlkampf darauf, so sagte Vogel in einem Interview, daß sich der Trend der Landtagswahlen in Hessen und Bayern wiederhole, wo die Zustimmung zur „Wende" geringer als erwartet ausgefallen sei, und daß er eine „Alternative" mit größerer Bürgernähe sei; ganz wesentlich sei, daß die SPD durch die Ereignisse und Veränderungen seit dem Sommer 1982 eine hohe Motivation und Geschlossenheit aufweise.

Demgegenüber stand die FDP vor einer ungleich schwierigeren innerparteilichen Situation. Auf dem Parteitag im November 1982 konnten sich der Parteivorsitzende Genscher und sein Flügel zwar in allen Sach- und Personalfragen durchsetzen (der Gegenkandidat Ronneburger erhielt 169 Stimmen, Genscher 222); der sozial-liberale Flügel blieb mit seiner heftigen Kritik in der Minderheit, die Wortführer der entschiedensten Gegner des Kurswechsels überlegten die Gründung einer neuen liberalen Partei. Unter diesen Umständen konnte es nicht ausbleiben, daß Meinungsumfragen für die FDP relativ ungünstig ausfielen. Der Freiburger Wahlparteitag verabschiedete ein Wahlprogramm, das das traditionell liberale Bild der Partei nachdrücklich bewußt machen sollte.

Entscheidend mußte für die FDP, aber auch für die SPD sein, welches Ergebnis die Grünen erzielen würden. Nahezu alle Kommentatoren gingen von einer Überwindung der 5-Prozent-Hürde durch die neue Partei aus. Einem sicheren Wahlsieg schienen die

Unionsparteien entgegenzugehen. Der optimistische Slogan „Aufwärts mit Deutschland" und die Aufforderung an die Wähler, den Aufschwung zu wählen, schien erfolgversprechend, da bei vielen Wählern wieder Hoffnungen und Erwartungen die Oberhand gewannen.

Der Wahlkampf war überwiegend sachbezogen. Wirtschaftspolitische Themen standen angesichts einer Arbeitslosenzahl von 2,5 Millionen (10,4 Prozent der Beschäftigten) verständlicherweise im Vordergrund. 50 Prozent der Wählerschaft bezeichneten sie als die wichtigsten Probleme der Bundesrepublik. Daneben sahen nur 14 Prozent die außen- und sicherheitspolitischen Fragen als vordringlich an; von einem „Raketenwahlkampf" konnte keine Rede sein, obschon alle Parteien ihr Für und Wider zur Nachrüstung deutlich zum Ausdruck brachten.

Bundespräsident Karl Carstens empfing am 4. Oktober 1982 das neue Kabinett zur Überreichung der Erneuerungsurkunden.

4. Das Wahlergebnis

Unbestrittene Sieger waren die Unionsparteien, die ihrem höchsten Wahlsieg von 1957 (50,2 Prozent) wieder nahe gekommen waren; seit den fünfziger Jahren war auch der Vorsprung vor der SPD nie mehr so groß gewesen. Die SPD war auf den Stand von 1961 (36,2 Prozent) zurückgefallen. Die FDP hatte die Rückkehr in den Bundestag trotz schwerer Einbrüche geschafft (7,0 Prozent). (In der am gleichen Tag stattfindenden Landtagswahl in Rheinland-Pfalz erreichte sie lediglich 3,5 Prozent.) Damit war die Fortsetzung der CDU/CSU-FDP-Regierung gesichert.

Die Regierungsmehrheit von 278 Abgeordneten gegenüber 220 Abgeordneten der Opposition war eindeutig. Dem Auftreten der Grünen im Bundestag (5,6 Prozent) und der Entwicklung der Beziehungen zwischen den Oppositionsparteien SPD und Grüne sah man allseits mit einer gewissen Spannung entgegen.

Am 29. März 1983 wurde Bundeskanzler Kohl mit 271 gegen 214 Stimmen (eine Enthaltung) zum Bundeskanzler gewählt; am Tag danach stellte er sein Kabinett (aus 8 CDU-, 5 CSU- und 3 FDP-Ministern) vor. In seiner Regierungserklärung vom 4. Mai 1983 legte er sein auf sieben Leitgedanken beruhendes „Programm der Erneuerung" vor:

1. die soziale Marktwirtschaft zu erneuern,

2. eine Gesellschaft mit „menschlichem Gesicht" und

3. zugleich eine moderne leistungs- und wandlungsfähige Industriegesellschaft zu schaffen,

4. die Ansprüche an den Staat einzudämmen und das Leistungsvermögen der Bürger zu stärken,

5. das Bündnis und die Freundschaft mit dem Westen zu pflegen und die Verständigung mit dem Osten fortzusetzen,

6. das Ziel der politischen Union Europas weiterzuverfolgen und

7. in Frieden die deutsche Einheit zu erstreben und damit die Deutsche Frage zu lösen.

Anhang

Wahlen zum Deutschen Bundestag 1949 – 1983

Bundestagswahl 1949

Wahlberechtigte	31 207 620	Wahlbeteiligung 78,5 %
Gültige Stimmen	23 732 398	Mandate 402, davon 2 Überhang

Parteien	Stimmen in %	Wahlkreise	Mandate Landeslisten	Mandate insgesamt
CDU/CSU	31,0	115	24	139
SPD	29,2	96	35	131
FDP/DVP/BDV	11,9	12	40	52
KPD	5,7	—	15	15
BP	4,2	11	6	17
DP	4,0	5	12	17
Z	3,1	—	10	10
WAV	2,9	—	12	12
DRP/DKP	1,8	—	5	5
SSW	0,3	—	1	1
Unabhängige/Parteil.	4,8	3	—	3
Sonstige	1,1	—	—	—

Bundestagswahl 1953

Wahlberechtigte	33 202 287	Wahlbeteiligung 85,8 %
Gültige Zweitstimmen	27 551 272	Mandate 487, davon 3 Überhang

Parteien	Stimmen in %	Wahlkreise	Mandate Landeslisten	Mandate insgesamt
CDU/CSU	45,2	172	71	243
SPD	28,8	45	106	151
FDP	9,5	14	34	48
GB-BHE	5,9	—	27	27
DP	3,2	10	5	15
KPD	2,2	—	—	—
BP	1,7	—	—	—
GVP**	1,1	—	—	—
DRP	1,1	—	—	—
Z	0,8	1	2*	3
DNS	0,3	—	—	—
SSW	0,2	—	—	—

* davon ein CDU-Mitglied   ** Gesamtdeutsche Volkspartei

Bundestagswahl 1957

Wahlberechtigte	35 403 417	Wahlbeteiligung 88,2 %
Gültige Zweitstimmen	29 905 428	Mandate 497, davon 3 Überhang

Parteien	Stimmen in %	Wahlkreise	Mandate Landeslisten	insgesamt
CDU/CSU	50,2	194	76	270
SPD	31,8	46	123	169
FDP	7,7	1	40	41
GB-BHE	4,6	—	—	—
DP	2,8	6	11	17
DRP	1,0	—	—	—
FU	0,9	—	—	—
BdD	0,2	—	—	—
Mittelstand	0,1	—	—	—
SSW	0,1	—	—	—
DG	0,1	—	—	—
VU	0,0	—	—	—

Bundestagswahl 1961

Wahlberechtigte	37 440 715	Wahlbeteiligung 87,8 %
Gültige Zweitstimmen	31 550 901	Mandate 499, davon 5 Überhang

Parteien	Stimmen in %	Wahlkreise	Mandate Landeslisten	insgesamt
CDU/CSU	45,3	156	86	242
SPD	36,2	91	99	190
FDP	12,8	—	67	67
GDP (GB/BHE + DP)	2,8	—	—	—
DFU	1,9	—	—	—
DRP	0,8	—	—	—
DG	0,1	—	—	—
SSW	0,1	—	—	—

Bundestagswahl 1965

Wahlberechtigte	38 510 395	Wahlbeteiligung 86,8 %
Gültige Zweitstimmen	32 620 442	Mandate 496

Parteien	Stimmen in %	Wahlkreise	Mandate Landeslisten	insgesamt
CDU/CSU	47,6	154	91	245
SPD	39,3	94	108	202
FDP	9,5	—	49	49
NPD	2,0	—	—	—
DFU	1,3	—	—	—
AUD	0,2	—	—	—
CVP	0,1	—	—	—
FSU	0,0	—	—	—
UAP	0,0	—	—	—
EFP	0,0	—	—	—

Bundestagswahl 1969

Wahlberechtigte	38 677 235	Wahlbeteiligung 86,7 %
Gültige Zweitstimmen	32 966 024	Mandate 496

Parteien	Stimmen in %	Wahlkreise	Mandate Landeslisten	insgesamt
CDU/CSU	46,1	121	121	242
SPD	42,7	127	97	224
F.D.P.	5,8	—	30	30
NPD	4,3	—	—	—
ADF	0,6	—	—	—
BP	0,2	—	—	—
EP	0,2	—	—	—
GDP	0,1	—	—	—
FSU	0,0	—	—	—
Z	0,0	—	—	—
UAP	0,0	—	—	—

Bundestagswahl 1972

| Wahlberechtigte | 41 446 302 | Wahlbeteiligung 91,1 % | | |
| Gültige Zweitstimmen | 37 459 750 | Mandate 496 | | |

| Parteien | Stimmen in % | Wahlkreise | Mandate | |
			Landeslisten	insgesamt
SPD	45,8	152	78	230
CDU/CSU	44,9	96	129	225
F.D.P.	8,4	—	41	41
NPD	0,6	—	—	—
DKP	0,3	—	—	—
EFP	0,1	—	—	—
FSU	0,0	—	—	—

Bundestagswahl 1976

| Wahlberechtigte | 42 058 015 | Wahlbeteiligung 90,7 % | | |
| Gültige Zweitstimmen | 37 822 500 | Mandate 496 | | |

| Parteien | Stimmen in % | Wahlkreise | Mandate | |
			Landeslisten	insgesamt
CDU/CSU	48,6	135	109	244
SPD	42,6	113	100	213
F.D.P.	7,9	—	39	39
DKP	0,3	—	—	—
NPD	0,3	—	—	—
AUD	0,1	—	—	—
KPD	0,1	—	—	—
KBW	0,1	—	—	—
AVP	—			
CBV	—			
EAP	—			
5%-Block	—			
GIM	—			
UAP	—			
VL	—			

Bundestagswahl 1980

Wahlberechtigte	43 231 741	Wahlbeteiligung 88,6 %
Gültige Zweitstimmen	37 938 981	Mandate 497, davon 1 Überhang

Parteien	Stimmen in %	Wahlkreise	Mandate Landeslisten	Mandate insgesamt
CDU/CSU	44,5	121	105	226
SPD	42,9	127	91	218
F.D.P.	10,6	—	53	53
Grüne	1,5	—	—	—
DKP	0,2	—	—	—
NPD	0,2	—	—	—
Bürgerpartei	0,0	—	—	—
CBV	0,0	—	—	—
EAP	0,0	—	—	—
KBW	0,0	—	—	—
V	0,0	—	—	—
UAP	0,0	—	—	—

Bundestagswahl 1983

Wahlberechtigte	44 088 935	Wahlbeteiligung 89,1 %
Gültige Zweitstimmen	38 940 687	Mandate 498, davon 2 Überhang

Parteien	Stimmen in %	Wahlkreise	Mandate Landeslisten	Mandate insgesamt
CDU/CSU	48,8	180	64	244
SPD	38,2	68	125	193
F.D.P.	7,0	—	34	34
Grüne	5,6	—	27	27
DKP	0,2	—	—	—
NPD	0,2	—	—	—
BWK	0,0	—	—	—
CBV	0,0	—	—	—
EAP	0,0	—	—	—
KPD	0,0	—	—	—
ÖPD	0,0	—	—	—
USD	0,0	—	—	—

Landtagswahlen 1946 – 1983

Landtag von Baden-Württemberg

Jahr	Wahl-berechtigte	Wahl-beteili-gung in %	gültige Stimmen in %							
			CDU	SPD	FDP/ DVP	KPD, DKP	BHE, GB	NPD	Grüne	Sonstige
1946[1]	1 875 074	71,7	38,4	31,9	19,5	10,3	—	—	—	—
1947[2]	694 953	67,8	55,9	22,4	14,3	7,4	—	—	—	—
1947[3]	615 812	66,4	54,2	20,8	17,7	7,3	—	—	—	—
1950[1]	2 583 015	57,2	26,3	33,0	21,0	4,9	14,7	—	—	—
1952	4 382 117	63,7	36,0	28,0	18,0	4,4	6,3	—	—	7,3
1956	4 738 390	70,2	42,6	28,9	16,6	3,2	6,3	—	—	2,3
1960	5 136 768	59,0	39,5	35,5	15,8	—	6,6	—	—	2,6
1964	5 471 002	67,7	46,2	37,3	13,1	—	1,8	—	—	1,7
1968	5 612 242	70,7	44,2	29,0	14,4	—	—	9,8	—	2,6
1972	5 998 727	80,0	52,9	37,6	8,9	0,5	—	—	—	0,1
1976	6 092 494	75,5	56,7	33,3	7,8	0,4	—	0,9	—	0,9
1980	6 319 950	72,0	53,4	32,5	8,3	0,3	—	0,1	5,3	0,1

[1] Württemberg-Baden, [2] Baden [3] Württemberg-Hohenzollern

Landtag von Bayern

Jahr	Wahl-berechtigte	Wahl-beteili-gung in %	gültige Stimmen in % *									
			CSU	SPD	FDP	BP	KPD, DKP	BHE, GB	WAV	NPD	Grüne	Son-stige
1946	4 210 636	75,7	52,3	28,6	5,7	—	6,1	—	7,4	—	—	—
1950	6 026 641	79,9	27,9	27,7	7,1	17,6	1,9	12,2	2,8	—	—	2,8
1954	6 102 799	82,4	38,3	28,0	7,2	13,0	2,1	10,2	—	—	—	1,2
1958	6 254 214	76,6	46,3	30,5	5,4	7,8	—	8,7	—	—	—	1,3
1962	6 599 417	76,5	47,9	35,0	6,0	4,6	—	5,0	—	—	—	1,5
1966	6 717 225	80,6	48,6	35,2	5,4	3,3	—	0,2	—	7,3	—	
1970	7 253 205	79,5	56,7	32,7	5,9	1,2	0,4	—	—	2,8	—	0,3
1974	7 415 892	77,7	62,5	30,0	5,2	0,7	0,4	—	—	1,0	—	1,1
1978	7 651 716	76,6	59,8	30,8	6,2	0,4	0,3	—	—	0,6	—	1,9
1982	7 962 090	78,0	58,7	31,4	3,6	0,5	0,2	—	—	0,5	4,6	0,5

* 1946 hatte der Wähler nur eine Stimme

Abgeordnetenhaus von Berlin (West)

Jahr	Wahl-berechtigte	Wahl-beteiligung in %	gültige Stimmen in %				AL	Sonstige
			CDU	SPD	LDP, FDP	SED, SEW		
1946	1 453 016	91,4	24,3	51,8	10,2	13,7	—	—
1948	1 586 461	86,3	19,4	64,5	16,1	—	—	—
1950	1 664 221	90,4	24,6	44,7	23,0	—	—	7,7
1954	1 694 896	91,8	30,4	44,6	12,8	2,7	—	9,5
1958	1 757 842	92,9	37,7	52,6	3,8	1,9	—	4,0
1963	1 748 588	89,9	28,8	61,9	7,9	1,4	—	—
1967	1 718 435	86,2	32,9	56,9	7,1	2,0	—	1,1
1971	1 652 916	88,9	38,2	50,4	8,5	2,3	—	0,6
1975	1 579 924	87,8	43,9	42,6	7,1	1,8	—	4,6
1979	1 533 728	85,4	44,4	42,7	8,1	1,1	3,7	0,1
1981	1 514 642	85,3	48,0	38,3	5,6	0,6	7,2	0,3

seit 1979 Zweitstimmen; 1946 nur Westsektoren; 1946 und 1948 Stadtverordnetenversammlung

Bremische Bürgerschaft

Jahr	Wahl-berechtigte	Wahl-beteiligung in %	gültige Stimmen in %				KPD, DKP	BHE, GB	SRP, NPD	Grüne	Sonstige
			CDU	SPD	BDV, FDP	DP					
1947	338 011	67,8	22,0	41,7	19,4	3,9	8,8	—	—	—	4,2
1951	407 712	83,3	9,1	39,1	11,8	14,7	6,4	5,6	—	—	13,3
1955	440 100	84,0	18,0	47,8	8,6	16,6	5,0	2,9	—	—	1,1
1959	490 842	79,2	14,8	54,9	7,2	14,5	—	1,9	3,8	—	2,9
1963	524 703	76,1	28,9	54,7	8,4	5,2	—	0,2	—	—	2,9
1967	533 674	77,0	29,5	46,0	10,5	0,9	—	—	8,8	—	4,3
1971	556 719	80,0	31,6	55,3	7,1	—	3,1	—	2,8	—	—
1975	527 191	82,2	33,8	48,7	13,0	—	2,1	—	1,1	—	1,3
1979	521 416	78,5	31,9	49,4	10,7	—	0,8	—	0,4	5,1	1,5
1983	519 918	79,7	33,3	51,3	4,6	—	—	—	—	5,4	5,3

421

Hamburgische Bürgerschaft

Jahr	Wahl-berechtigte	Wahl-beteili-gung in %	gültige Stimmen in % CDU	SPD	FDP	KPD, DKP	BHE	NPD	GAL	Sonstige
1946	968 454	79,0	26,7	43,1	18,1	10,4	—	—	—	1,7
1949	1 151 566	70,5	34,5	42,8	s. CDU	7,4	13,3	—	—	2,0
1953	1 261 352	80,9	50,0	45,2	s. CDU	3,2	s. CDU	—	—	1,6
1957	1 346 260	77,3	32,2	53,9	8,6	—	4,1	—	—	1,2
1961	1 384 546	72,3	29,1	57,4	9,6	—	—	—	—	3,9
1966	1 375 491	69,8	30,0	59,0	6,8	—	—	3,9	—	0,3
1970	1 382 265	73,4	32,8	55,3	7,1	1,7	—	2,7	—	0,4
1974	1 313 889	80,4	40,6	44,9	10,9	2,2	—	0,8	—	0,6
1978	1 264 661	76,6	37,6	51,1	4,8	1,0	—	0,3	3,5	1,3
1982	1 241 218	77,8	42,7	43,2	4,9	0,6	—	—	7,7	1,0
1982	1 239 673	84,0	38,6	51,3	2,6	0,4	—	—	6,8	0,3

1949 Vaterstädtischer Bund CDU, FDP, DP; 1953 Hamburg-Block CDU, FDP, DP, BHE

Landtag von Hessen

Jahr	Wahl-berechtigte	Wahl-beteili-gung in %	gültige Stimmen in % CDU	SPD	LPD, FDP	BHE, GB	KPD, DKP	NPD	Grüne	Sonstige
1946	2 380 109	73,2	30,9	42,7	15,7	—	10,7	—	—	—
1950	2 985 021	64,9	18,8	44,4	31,8	s. FDP	4,7	—	—	0,3
1954	3 105 125	82,4	24,1	42,6	20,5	7,7	3,4	—	—	1,7
1958	3 257 513	82,3	32,0	46,9	9,5	7,4	—	—	—	4,2
1962	3 451 314	77,7	28,8	50,8	11,4	6,3	—	—	—	2,6
1966	3 543 079	81,0	26,4	51,0	10,4	4,3	—	7,9	—	—
1970	3 828 701	82,8	39,7	45,9	10,1	—	1,2	3,0	—	1,3
1974	3 850 223	84,8	47,3	43,2	7,4	—	0,9	1,0	—	0,2
1978	3 933 990	87,7	46,0	44,3	6,6	—	0,4	0,4	2,0	0,3
1982	4 050 661	86,4	45,6	42,8	3,1	—	0,4	—	8,0	0,1
1983	4 075 611	83,5	39,4	46,2	7,6	—	0,3	—	5,9	0,6

Landtag von Niedersachsen

Jahr	Wahl-berechtigte	Wahl-beteili-gung in %	gültige Stimmen in % CDU	SPD	FDP	NLP, DP	KPD, DKP	BHE, GDP	NPD	Grüne	Son-stige
1947	3 956 675	65,1	19,9	43,4	8,8	17,9	5,6	—	—	—	4,4
1951	4 475 688	75,8	23,8	33,7	8,4	s.CDU	1,8	14,9	—	—	17,4
1955	4 400 635	77,5	26,6	35,2	7,9	12,4	1,3	11,0	—	—	5,6
1959	4 477 897	78,0	30,8	39,5	5,2	12,4	—	8,3	—	—	3,8
1963	4 701 245	76,9	37,7	44,9	8,8	2,7	—	3,7	—	—	2,2
1967	4 760 327	75,8	41,7	43,1	6,9	—	—	—	7,0	—	1,3
1970	5 085 443	76,7	45,7	46,3	4,4	0,0	0,4	—	3,2	—	0,0
1974	5 129 254	84,4	48,8	43,1	7,0	—	0,4	—	0,6	—	0,0
1978	5 241 051	78,5	48,7	42,2	4,2	—	0,3	—	0,4	3,9	0,4
1982	5 412 370	77,7	50,7	36,5	5,9	—	0,3	—	—	6,5	0,0

Landtag von Nordrhein-Westfalen

Jahr	Wahl-berechtigte	Wahl-beteili-gung in %	gültige Stimmen in % CDU	SPD	FDP	Z	KPD, DKP	BHE, GB	Grüne	Sonstige
1947	7 860 608	67,3	37,6	32,0	5,9	9,8	14,0	—	—	0,8
1950	8 892 305	72,3	36,9	32,3	12,1	7,5	5,5	—	—	5,6
1954	9 730 078	72,6	41,3	34,5	11,5	4,0	3,8	4,6	—	0,3
1958	10 507 956	76,6	50,5	39,2	7,1	1,1	—	—	—	2,1
1962	11 156 285	73,4	46,4	43,3	6,9	0,9	—	—	—	2,5
1966	11 292 041	76,5	42,8	49,5	7,4	0,2	—	—	—	0,1
1970	11 890 609	73,5	46,3	46,1	5,5	0,1	0,9	—	—	1,1
1975	12 035 289	86,1	47,1	45,1	6,7	0,1	0,5	—	—	0,4
1980	12 342 282	80,0	43,2	48,4	4,9	0,0	0,3	—	3,0	0,0

Landtag von Rheinland-Pfalz

Jahr	Wahl-berechtigte	Wahl-beteili-gung in %	gültige Stimmen in % CDU	SPD	FDP	KPD, DKP	DRP, NPD	Grüne	Sonstige
1947	1 667 617	77,9	47,2	34,3	9,8	8,7	—	—	—
1951	2 021 104	74,8	39,2	34,0	16,7	4,3	—	—	5,8
1955	2 151 228	76,0	46,8	31,7	12,7	3,2	—	—	5,6
1959	2 266 778	77,2	48,4	34,9	9,7	—	5,1	—	1,9
1963	2 363 313	75,5	44,4	40,7	10,1	—	3,2	—	1,7
1967	2 387 307	78,5	46,7	36,8	8,3	—	6,9	—	1,3
1971	2 584 585	79,4	50,0	40,5	5,9	0,9	2,7	—	—
1975	2 648 336	80,8	53,9	38,5	5,6	0,5	1,1	—	0,3
1979	2 811 713	81,4	50,1	42,3	6,4	0,4	0,7	—	0,1
1983	2 717 051	90,4	51,9	39,6	3,5	0,2	0,1	4,5	0,1

Landtag des Saarlandes

Jahr	Wahl-berechtigte	Wahl-beteili-gung in %	gültige Stimmen in % CVP, SVP	CDU	SPS	SPD	DPS, FDP	KP, DKP	Grüne	Sonstige
1947	520 855	95,7	51,2	—	32,8	—	7,6	8,4	—	—
1952	622 428	93,1	54,7	—	32,4	—	n. z.	9,5	—	3,4
1955	664 388	90,4	21,8	25,4	5,8	14,3	24,2	7,5	—	1,0
1960	718 963	79,0	11,4	36,6	—	30,0	13,8	5,0	—	3,2
1965	746 532	81,8	5,2	42,7	—	40,7	8,3	3,1	—	—
1970	787 049	83,1	0,9	47,8	—	40,8	4,4	2,7	—	3,4
1975	803 669	88,8	—	49,1	—	41,8	7,4	1,0	—	0,7
1980	826 219	85,0	—	44,0	—	45,4	6,9	0,5	2,9	0,3

CVP Christliche Volkspartei, SVP Saarländische Volkspartei, SPS Sozialdemokratische Partei Saarl DPS Demokratische Partei Saar; n. z. nicht zugelassen.

Landtag von Schleswig-Holstein

Jahr	Wahl-berechtigte	Wahl-beteiligung in %	gültige Stimmen in %			SSW	BHE, GB	DP	NPD	Grüne	Son-stige
			CDU	SPD	FDP						
1947	1 594 794	69,8	34,1	43,8	5,0	9,3	—	—	—	—	7,7
1950	1 715 604	78,2	19,8	27,5	7,1	5,5	23,4	9,6	—	—	7,1
1954	1 548 832	78,6	32,2	33,3	7,5	3,5	14,0	5,1	—	—	4,4
1958	1 567 411	78,7	44,4	35,9	5,4	2,8	9,7	s.GB	—	—	1,8
1962	1 653 858	70,1	45,0	39,2	7,9	2,3	4,2	s.GB	—	—	1,3
1967	1 682 328	74,1	46,0	39,4	5,9	1,9	—	—	5,8	—	0,9
1971	1 807 818	79,2	51,9	41,0	3,8	1,4	—	—	1,3	—	0,7
1975	1 840 596	82,3	50,4	40,1	7,1	1,4	—	—	0,5	—	0,4
1979	1 893 242	83,3	48,3	41,7	5,7	1,4	—	—	0,2	2,4	0,3
1983	1 965 881	84,8	49,0	43,7	2,2	1,3	—	—	—	3,6	0,2

Quelle: Taschenatlas Wahlen Bundesrepublik Deutschland
Höller und Zwick / Braunschweig 1984

LITERATURHINWEISE

Die folgenden Literaturhinweise beschränken sich auf eine knappe Auswahl von Standardwerken und leicht greifbaren Taschenbüchern. Der weitergehend Interessierte findet in den aufgeführten Publikationen eine Vielzahl von Angaben, die ihm den Zugang zu speziellen Themen ermöglichen.

I. QUELLEN UND DOKUMENTE

Deuerlein, Ernst, Die Erörterungen und Entscheidungen der Kriegs- und Nachkriegskonferenzen 1941—1949, Darstellung und Dokumente. Frankfurt und Berlin 1961.

Das Buch verschafft einen detaillierten Einblick in die Zusammenhänge der internationalen Politik, in deren Spannungsfeld sich die Teilung Deutschlands abspielte und die auch den inneren Aufbau beeinflußte.

Dokumentation zur Deutschlandfrage, zusammengestellt von Dr. Heinrich von Siegler, Herausgeber des Archivs der Gegenwart, Verlag für Zeitarchive, Bonn — Wien — Zürich, 1970 ff., Hauptbände IV bis X, November 1965 bis März 1976.

Dokumente zur parteipolitischen Entwicklung in Deutschland seit 1945. Hrsg. Ossip K. Flechtheim. H. Wendler Verlag, Berlin (Band I—VIII) 1963—1970.

Sammlung der wichtigsten Dokumente von den Parteien in Deutschland.

Einigkeit und Recht und Freiheit. Westdeutsche Innenpolitik 1945—1955. Hrsg. von Theo Stammen, Deutscher Taschenbuch Verlag, München 1965.

Zusammenstellung und knappe Kommentierung bedeutsamer Quellen, die Aufschluß über den Aufbau der Länder nach dem Krieg und die Entstehung der Bundesrepublik geben.

Hohlfeld, Johannes (Hrsg.), Dokumente der Deutschen Politik und Geschichte von 1848 bis zur Gegenwart. Band VI: Deutschland nach dem Zusammenbruch 1945; Band VII—VIII: Das Ringen um Deutschlands Wiederaufstieg, Teil I: 1951—1952, Teil II: 1952—1954, Berlin o. J.

Münch, Ingo v., Dokumente des geteilten Deutschland. Quellentexte zur Rechtslage des Deutschen Reiches, der Bundesrepublik Deutschland und der Deutschen Demokratischen Republik, Kröner Verlag, Stuttgart 1976 (TB).

Umfassende Dokumentensammlung zum Deutschlandproblem; allgemein verständliche Einführung in die deutsche Rechtslage.

Rauschning, Dietrich, Verträge und andere Akte zur Rechtsstellung Deutschlands, Goldmann-Verlag, München 1974 (TB).

Kompendium der wichtigsten Dokumente zur deutschen Rechtslage. Die Einführung stellt das Deutschlandproblem aus der Sicht eines Rechtswissenschaftlers dar.

Texte zur Deutschlandpolitik, hrsg. vom Bundesministerium für gesamtdeutsche Fragen/Bundesministerium für innerdeutsche Beziehungen, Bonn und Berlin, 1968 ff. (Reihe I, 12 Bände, 13. 12. 1966 bis 20. 6. 1973; Reihe II, 6 Bände, 22. 6. 1973 bis 19. 6. 1978).

II. GESAMTDARSTELLUNGEN

Adenauer, Konrad, Erinnerungen (Band 1: 1945—1953; Band 2: 1953—1955), Deutsche Verlagsanstalt, Stuttgart 1968 und 1970.

Benz, Wolfgang (Hrsg.), Die Bundesrepublik Deutschland. Geschichte in drei Bänden: Band 1: Politik; Band 2: Gesellschaft, Band 3: Kultur, Fischer Taschenbuch Verlag, Frankfurt/M. 1983 (TB Nr. 4312, 4313, 4314).

In 34 Artikeln stellen die Autoren die verschiedenen Teilbereiche des politischen, wirtschaftlichen und gesellschaftlichen Lebens in der Bundesrepublik Deutschland seit 1949 dar. Die Behandlung der Einzelthemen reicht bis an die unmittelbare Gegenwart heran (1983). Die Bände sind als Handbuch und Nachschlagewerk konzipiert; Chroniken, Tabellen und Abbildungen ergänzen die problemorientierten Längsschnitte.

Borowsky, Peter, Deutschland 1963—1969, Fackelträger Verlag, Hannover 1983 (Edition Zeitgeschehen).

Der Band beschreibt den Übergang von Adenauer zu Erhard, innenpolitische und wirtschaftliche Krisenerscheinungen, Große Koalition und Außerparlamentarische Opposition sowie die Entwicklung in der DDR.

Borowsky, Peter, Deutschland 1970—1976, Fackelträger Verlag, Hannover 1980.

Im Stil einer Überblicksdarstellung werden auf 200 Seiten die wichtigsten innen- und außenpolitischen Vorgänge der Bundesrepublik Deutschland geschildert und ein Abriß der DDR-Entwicklung von 1971 bis 1976 geliefert.

Deuerlein, Ernst, Deutschland nach dem Zweiten Weltkrieg 1945—1955, Band IV b in: Brandt-Meyer-Just, Handbuch der deutschen Geschichte, Akademische Verlagsanstalt Athenaion, Konstanz 1965.

Als Nachschlagewerk sehr gut geeignete wissenschaftliche Beschreibung und Analyse der deutschen Nachkriegsgeschichte.

Doering-Manteufel, Anselm, Die Bundesrepublik Deutschland in der Ära Adenauer. Außenpolitik und innere Entwicklung 1949—1963, Wissenschaftliche Buchgesellschaft, Darmstadt 1983.

Darstellung der Bedingungen des Neuanfangs und der Faktoren der innenpolitischen Entwicklung (Parteien, Interessengruppen, wirtschafts- und sozialpolitische Voraussetzungen, geistiges Klima) sowie (im Hauptteil) der Außenpolitik der Adenauerschen Kanzlerdemokratie. Die Analyse arbeitet die Positionen und Interpretationsrichtungen der Literatur heraus.

Geschichte der Bundesrepublik Deutschland in 5 Bänden, hrsg. von Karl Dietrich Bracher, Theodor Eschenburg, Joachim C. Fest, Eberhard Jäckel, Deutsche Verlags-Anstalt, Stuttgart, F. A. Brockhaus, Wiesbaden, 1981—1985.

Dieses Standardwerk zur Geschichte der Bundesrepublik Deutschland ist die umfassende und vollständige Darstellung der Zeit von 1945—1980. Berücksichtigung der politischen, wirtschaftlichen, kulturellen, wissenschaftlichen und sozialen Entwicklung der Bundesrepublik Deutschland.

Graml, Hermann, Die Alliierten und die Teilung Deutschlands, Konflikte und Entscheidungen 1941 – 1948, Fischer Taschenbuch Verlag, Frankfurt a. M., 1985.

Intensive Auseinandersetzung mit der Vorgeschichte der beiden deutschen Staaten. Der Band ist mit einem umfangreichen Apparat ausgestattet: Anmerkungen, Quellen, Literatur und Personenregister.

Grosser, Alfred, Deutschlandbilanz. Geschichte Deutschlands seit 1945. Hanser Verlag, München ⁴1972, auch Taschenbuch bei dtv, München 1974.
Übersichtliche Darstellung der Geschichte der Bundesrepublik in historischer und politikwissenschaftlicher Betrachtungsweise. Die Studie hat die bis zu ihrer Erscheinung vorliegende Literatur aufgearbeitet. Sie enthält auch eine vorzügliche weiterführende Bibliographie.

Hillgruber, Andreas, Deutsche Geschichte 1945—1982. Die „deutsche Frage" in der Weltpolitik, Kohlhammer Verlag, Stuttgart, ⁴1983 (Urban TB Nr. 360).
Der Verfasser versteht seine Darstellung als knapp gehaltene Monographie, über die mit der Deutschen Frage zusammenhängenden Problematik. Im Mittelpunkt steht das „immer noch offene, zugleich nationale und internationale Problem, wie ein Weg zur Lösung der für die deutsche Nation wie für seine Nachbarn zentrale Frage einer gerechten und dauerhaften Friedensordnung in Mitteleuropa im Spannungsfeld zweier sich diametral entgegenstehender Systeme gefunden werden könnte."

Kleßmann, Christoph, Die doppelte Staatsgründung. Deutsche Geschichte 1945—1955, Verlag Vandenhoeck & Ruprecht, Göttingen 1983.
Zusammenfassende Darstellung der Geschichte Deutschlands in West und Ost in jenem Jahrzehnt, in dem die zentralen Entscheidungen für die weitere Entwicklung fielen. Auf etwa der Hälfte des Gesamtumfangs von 570 Seiten werden Dokumente und Materialien vorgelegt.

Lehmann, Hans Georg, Chronik der Bundesrepublik Deutschland 1945/49—1983, Verlag C. H. Beck, München ²1983.
Die nach Sachthemen gegliederte Chronik ermöglicht es Fachleuten wie Laien, sich zuverlässig und schnell über die historisch-politischen Tatsachen und Entwicklungen der Bundesrepublik zu informieren.

Lilge, Herbert, Deutschland 1945—1963. Zeitgeschichte in Text und Quellen, Verlag für Literatur und Zeitgeschehen, Hannover ¹¹1979.
Darstellung der deutschen Nachkriegsentwicklung anhand von Originalzeugnissen, die in größere Zusammenhänge gestellt und erläuternd kommentiert werden.

Die zweite Republik. 25 Jahre Bundesrepublik Deutschland — eine Bilanz, hrsg. von Richard Löwenthal und Hans Peter Schwarz, Seewald Verlag, Stuttgart 1974.
In diesem Sammelband sind Aufsätze namhafter Wissenschaftler über folgende Bereiche zusammengefaßt: die Ausgangslage, den institutionellen Rahmen, Veränderung der Gesellschaft, Faktoren der Willensbildung, Bestimmung des Standorts in der Welt, Gestaltung von Wirtschaft und Gesellschaft

Noack, Paul, Die deutsche Nachkriegszeit, Olzog-Verlag, München/Wien ²1973 (TB).
Knapp gefaßte Geschichte der Bundesrepublik Deutschland und ihrer Entstehungsbedingungen unter Einbeziehung der unmittelbaren Nachkriegszeit.

Steininger, Rolf, Deutsche Geschichte 1945—1961. Darstellung und Dokumente in zwei Bänden, Fischer Taschenbuch Verlag, Frankfurt ²1984.
Dokumentensammlung mit ausführlichen Einführungen zur Geschichte der Teilung und zur Geschichte der beiden deutschen Staaten von der Deutschlandplanung der Alliierten bis zum Mauerbau.

Vogelsang, Thilo, Das geteilte Deutschland, Deutscher Taschenbuch Verlag, München 1966 (TB).
Knappe, aber übersichtliche Darstellung der Geschichte der Bundesrepublik und der DDR. Der Schwerpunkt der Arbeit liegt auf der Schilderung der internationalen Beziehungen in ihrer Auswirkung auf Deutschland.

III. SPEZIELLE DARSTELLUNGEN

Abelshauser, Werner, Wirtschaftsgeschichte der Bundesrepublik Deutschland 1945—1980, Suhrkamp Verlag, Frankfurt/M. ³1983.

Fundierter Überblick von der Wiederaufbauphase der Nachkriegszeit bis zur Strukturkrise der Gegenwart.

Besson, Waldemar, Die Außenpolitik der Bundesrepublik. Erfahrungen und Maßstäbe, Piper Verlag, München 1970.

Gesamtbild der westdeutschen Außenpolitik und ihrer historischen Entwicklung; Analyse der Bedingungen und Motive.

Blumenwitz, Dieter, Was ist Deutschland? Staats- und völkerrechtliche Grundsätze zur deutschen Frage und ihre Konsequenzen für die deutsche Ostpolitik. Kulturstiftung der deutschen Vertriebenen (Gorch-Fock-Straße 1, 5300 Bonn), 1982.

Staats- und völkerrechtliche Darstellungen mit den wichtigsten Texten der Ostverträge, des Grundlagenvertrags, der Urteile des Bundesverfassungsgerichts usw.

Brand, Karl-Werner/Büsser, Detlef/Rucht, Dieter, Aufbruch in eine andere Gesellschaft. Neue soziale Bewegungen in der Bundesrepublik Deutschland, Campus Verlag, Frankfurt/M. ²1984.

Neben grundsätzlichen Ausführungen über „Neue soziale Bewegungen und die Krise der modernen Zivilisation" sowie einer kurzen Darstellung der Protestbewegungen der fünfziger und sechziger Jahre werden eingehend die neuen sozialen Bewegungen der siebziger und beginnenden achtziger Jahre (Die Bürgerinitiativ- und Ökologiebewegung, Die neue Frauenbewegung, Die Alternativbewegung, Jugendprotest und neue soziale Bewegungen, Die neue Friedensbewegung) analysiert, bilanziert und mögliche Perspektiven aufgezeigt.

Bruns, Wilhelm, Deutsch-deutsche Beziehungen. Prämissen — Probleme — Perspektiven, Verlag Leske und Budrich, Opladen, ³1982.

Die 3. erweiterte und aktualisierte Auflage behandelt Möglichkeiten und Grenzen der Vertragspolitik, Verhandlungsziele beider Staaten, Positionen und Konzeptionen der bisherigen Bundestagsparteien, den Grundlagenvertrag und die nichtformalisierten Beziehungen. Angehängt ist ein Dokumententeil: Grundlagenvertrag, Urteil des Bundesverfassungsgerichts zum Grundlagenvertrag, Zeitungsartikel und Reden.

Ellwein, Thomas, Das Regierungssystem der Bundesrepublik Deutschland, Westdeutscher Verlag, Opladen ⁵1982 (Reihe: Die Wissenschaft von der Politik, Bd. 1).

Umfangreiche Darstellung über Aufbau und Gliederung des Regierungssystems der Bundesrepublik Deutschland; umfassender Quellenteil.

Erhard, Ludwig, Deutsche Wirtschaftspolitik. Der Weg der Sozialen Marktwirtschaft, Econ-Verlag, Düsseldorf/Wien ²1962.

Darstellung der wirtschaftlichen und wirtschaftspolitischen Entwicklung der Bundesrepublik aus der Sicht des Schöpfers des „Wirtschaftswunders"; überwiegend wirtschaftspolitische Perspektive.

Foelz-Schroeter, Marie Elise, Föderalistische Politik und nationale Repräsentation 1945—1957. Westdeutsche Länderregierungen, zonale Bürokratien und politische Parteien im Widerstreit. Deutsche Verlagsanstalt, Stuttgart 1974.

Die Studie weist auf eines der zentralen Probleme der deutschen Nachkriegspolitik hin: den Kampf von Behörden und Parteien um den politischen Vorrang.

Glastetter, Werner/Paulert, Rüdiger/Spörel, Ulrich, Die wirtschaftliche Entwicklung in der Bundesrepublik Deutschland 1950—1980. Befunde, Aspekte, Hintergründe, Campus Verlag, Frankfurt ²1983.

Das umfangreiche Werk (614 Seiten) beginnt mit grundsätzlichen Ausführungen zum Wachstumstrend und zur Zyklenabgrenzung, anschließend werden fünf Teilbereiche eingehend untersucht: Entstehung des Sozialprodukts (mit Schwerpunkt auf der Analyse der Wachstumskomponente und unter Berücksichtigung der Arbeitsmarktentwicklung), Verwendung des Sozialprodukts (mit Schwerpunkt auf Inlandsverbrauch und Investitionen), Verteilung des Sozialprodukts (mit Schwerpunkt auf Lohnkosten und Gewinnentwicklung), Finanzierungsbedingungen; außenwirtschaftliche Verflechtung der Volkswirtschaft. Jedes Thema wird auf der Grundlage umfangreicher Materialien bearbeitet und interpretiert.

Gotto, Klaus/Maier, Hans/Morsey, Rudolf/Schwarz, Hans-Peter, Konrad Adenauer. Seine Deutschland- und Außenpolitik 1945 bis 1963, Deutscher Taschenbuch Verlag, München 1976 (TB).

Griffith, William E., Die Ostpolitik der Bundesrepublik Deutschland, Verlag Klett-Cotta, Stuttgart 1981.

Nach einem knappen Überblick über die Ostpolitik im Bismarckreich, in der Weimarer Republik und während der NS-Zeit werden eingehend die Beziehungen der Bundesrepublik zum Osten in der Ära Adenauer und während der Großen Koalition, schließlich die „neue" Ostpolitik der Regierung Brandt/Scheel in ihrem Verlauf, ihren Ergebnissen und ihren Perspektiven bis in das Jahr 1981 dargestellt. Abgewogene Arbeit eines sehr sachkundigen amerikanischen Historikers und Politikwissenschaftlers.

Haftendorn, Helga, Sicherheit und Entspannung. Zur Außenpolitik der Bundesrepublik Deutschland 1955—1982, Nomos Verlagsgesellschaft, Baden-Baden 1983.

In acht Großkapiteln (Rahmenbedingungen; Westbindung, europäische Sicherheit und Deutsche Frage; Sicherheitspolitik als Bündnispolitik; Politik des Gewaltverzichts; Multilaterale Entspannungspolitik im Rahmen der KSZE; Bemühungen um eine Reduzierung der konventionellen Streitkräfte in Europa (MBFR); Verzicht auf eine nationale nukleare Option; Sicherheits- und Entspannungspolitik: Ein Prioritätenkonflikt?) liefert die Autorin einen ins Detail gehenden Überblick über die Entwicklung der Außen- und Sicherheitspolitik der Bundesrepublik Deutschland.

Hartkopf, Günter/Bohne, Eberhard, Umweltpolitik. Grundlagen, Analysen und Perspektiven, Westdeutscher Verlag, Köln 1983.

In dieser Gesamtdarstellung der Umweltpolitik in der Bundesrepublik mit einem Überblick über die Ursachen der Umweltkrise und über globale wie nationale Umweltprobleme werden Grundlagen, Ziele, Handlungsprinzipien, Akteure und Instrumente der Umweltpolitik aufgezeigt. Abgeschlossen wird dieser Band mit der Behandlung der Bereiche Umweltchemikalien, Wasser- und Abfallwirtschaft.

Hesselberger, Dieter, Das Grundgesetz. Kommentar für die Politische Bildung, Luchterhand Verlag, Neuwied ³1979.

Klare und verständliche Kommentierung des Grundgesetzes unter Berücksichtigung der historischen, sozialen und wirtschaftlichen Dimensionen.

Hornung, Klaus, Staat und Armee. Studien zur Befehls- und Kommandogewalt und zum politisch-militärischen Verhältnis in der Bundesrepublik Deutschland, Verlag von Hase und Koehler, Mainz 1975.

Sehr informative und detailreiche Darstellung der Entwicklung der Bundeswehr, insbesondere der Probleme im Bereich der politischen und militärischen Führungskompetenzen.

Lampert, Heinz, Die Wirtschaft der Bundesrepublik, in: Handwörterbuch der Wirtschaftswissenschaft, Bd. 8, 1980.

Lampert, Heinz, Die Wirtschafts- und Sozialordnung der Bundesrepublik Deutschland, Olzog Verlag, München/Wien ⁸1985 (TB).

Gründliche, klar gegliederte und verständliche Darstellung des Konzepts und der Entwicklung der Sozialen Marktwirtschaft seit der Nachkriegszeit.

Langguth, Gerd, Protestbewegung. Entwicklung — Niedergang — Renaissance. Die Neue Linke seit 1968, Verlag Wissenschaft und Politik, Köln 1983.

Der Band bietet eine bis ins einzelne gehende Information über alle großen und kleinen Gruppen des linken Protestlagers. Der Verfasser weist die ideologischen und programmatischen Unterschiede nach und interpretiert die Bewegung im ganzen sowie die einzelnen Protestgruppen.

Mulanowski, Wolfgang, 1945 — Deutschland in der Stunde Null, Spiegel-Buch Nr. 61, Rowohlt, Hamburg 1985.

Der Herausgeber läßt in einer „Mischung" aus Überblicken, Meinungen, Reportagen und Fallstudien (dabei kommen Autoren der verschiedensten politischen Ausrichtungen zur Wort) ein Bild von 1945 entstehen. Der Leser erlebt beispielhaft, was Amerikaner, Briten, Franzosen und Sowjets in „ihren" Gebieten vorhatten.

Merkl, Peter H., Die Entstehung der Bundesrepublik Deutschland. Kohlhammer Verlag, Stuttgart 1965.

Gesamtanalyse des Gründungsvorganges der Bundesrepublik mit besonderer Berücksichtigung der Geschichte des Parlamentarischen Rates. Merkl wirft u. a. die Frage auf, welchen Anteil die deutschen Politiker an der Entwicklung des neuen Staatswesens hatten, wobei er ihn in seinem Ergebnis verhältnismäßig hoch einschätzt.

Niclauß, Karlheinz, Demokratiegründung in Westdeutschland. Die Entstehung der Bundesrepublik von 1945—1949. R. Piper Verlag, München 1974.

Analyse und Darstellung der verschiedenen Demokratiekonzeptionen im Deutschland der Nachkriegszeit.

Niclauß, Karlheinz, Kontroverse Deutschlandpolitik. Die innenpolitische Auseinandersetzung in der Bundesrepublik Deutschland über den Grundlagenvertrag mit der DDR, hrsg. vom Bundesministerium für innerdeutsche Beziehungen, Alfred Metzner Verlag, Frankfurt 1977.

Nach einer Beschreibung der Positionen der fünfziger Jahre, der Ausgangssituation und der diplomatischen Vorbereitung stellt der Autor die unterschiedlichen Vorstellungen zu den Komplexen „Wiedervereinigung und Anerkennungsproblematik" sowie „Nationsvorstellungen" dar und erörtert die innenpolitischen Gesichtspunkte und Motive sowie die Stellungnahme des Bundesverfassungsgerichts.

Otto, Volker, Das Staatsverständnis des Parlamentarischen Rates, Droste Verlag, Düsseldorf 1971.

Otto setzt sich mit den unterschiedlichen Auffassungen vom Staat, die zwischen den Fraktionen des Parlamentarischen Rates erörtert wurden, auseinander und untersucht, wie es unter dem Druck der Verhältnisse zum Konsens kam. Vor allem widmet er seine Aufmerksamkeit den Grundrechtsfragen und dem Föderalismusproblem, die beide zu den umstrittenen Themen gehörten.

Pünder, Tilman, Das bizonale Interregnum. Die Geschichte des Vereinigten Wirtschaftsgebietes 1946—1949, Grote'sche Verlagsbuchhandlung, Waiblingen 1966.

Pünder untersucht den Prozeß und die Gründe der Vereinigung der britischen mit der amerikanischen Zone. Er beschreibt eingehend die Institutionen des Vereinigten Wirtschaftsgebietes sowie deren Tätigkeit beim Wiederaufbau.

Rummel, Alois (Hrsg.), Die Große Koalition 1966—1969. Eine kritische Bestandsaufnahme, August Lutzeyer Verlag, Freudenstadt 1969.

In relativ knapp gefaßten Einzelbeiträgen behandeln elf Autoren (der frühere Innenminister Benda und namhafte Bonner Korrespondenten) die verschiedenen Bereiche (Verfassungsprobleme, Außen- und Deutschlandpolitik, Sozial-/Gesellschaftspolitik, Finanz-/Wirtschaftspolitik, Kulturpolitik).

Schmid, Günther, Entscheidung in Bonn. Die Entstehung der Ost- und Deutschlandpolitik 1969/70, Verlag Wissenschaft und Politik, Köln 1969.

Spezialstudie über den „ost- und deutschlandpolitischen Entscheidungsablauf vom 28. Oktober 1969 bis zum Abschluß des Moskauer Vertrages am 12. August 1970".

Schmollinger, Horst W. und Müller, Peter, Zwischenbilanz. 10 Jahre sozialliberale Politik 1969—1979. Anspruch und Wirklichkeit, Fackelträger-Verlag, Hannover 1980.

Untersuchung von wichtigen Aspekten der sozialliberalen Reformpolitik. Das Schlußkapitel versucht eine kritische Analyse der Situation vor der Bundestagswahl 1980.

Schwarz, Hans-Peter, Vom Reich zur Bundesrepublik. Deutschland im Widerstreit der außenpolitischen Konzeptionen in den Jahren der Besatzungsherrschaft 1945—1949. Verlag Klett-Cotta, Stuttgart ²1980.

Schwarz analysiert die Pläne, Interessen und Wünsche der Siegermächte, ferner ihre Gegensätze und Streitigkeiten. Er beschäftigt sich auch mit den außenpolitischen Konzeptionen von Adenauer und Schumacher sowie deren Einfluß auf die Militärregierungen. Breite, bis ins Einzelne gehende Darstellung.

Schubert, Klaus v., Wiederbewaffnung und Westintegration. Die innere Auseinandersetzung um die militärische und außenpolitische Orientierung der Bundesrepublik 1950—1952, Deutsche Verlagsanstalt, Stuttgart 1970.

Abgewogene Darstellung der Auseinandersetzung um den Wehrbeitrag der Bundesrepublik; Auswertung zahlreicher Quellen und Dokumente.

Schwarz, Hans-Peter (Hrsg.), Handbuch der deutschen Außenpolitik, Piper-Verlag, München 1975.

Umfangreicher Sammelband mit vier Hauptkapiteln (Determinanten im Binnenbereich, Auswärtige Bezugsfelder und Bezugseinheiten, Problemkreise der westdeutschen Außenbeziehungen, Der zweite deutsche Staat). Standardwerk.

Zündorf, Benno, Die Ostverträge. Moskau, Warschau, Prag; Das Berlin-Abkommen; Die Verträge mit der DDR, dargestellt und erläutert von Benno Zündorf, C. H. Beck Verlag, München 1979.

Der Verfasser kommentiert die Ostverträge aus genauer Kenntnis der Verhandlungen und der Motive der daran beteiligten Persönlichkeiten und Parteien.

Personenregister

Sachregister